GESCHICHTE DER REPUBLIK ÖSTERREICH 1918—1938

D0238734

WALTER GOLDINGER / DIETER A. BINDER

GESCHICHTE DER REPUBLIK ÖSTERREICH 1918–1938

1992
VERLAG FÜR GESCHICHTE UND POLITIK WIEN
R. OLDENBOURG VERLAG MÜNCHEN

Die Deutsche Bibliothek – CIP-Einheitsaufnahme

Goldinger, Walter:
Geschichte der Republik Österreich 1918 – 1938 / Walter
Goldinger ; Dieter A. Binder. – Wien : Verl. für Geschichte
und Politik ; München : Oldenbourg, 1992
   ISBN 3-486-55905-2 (Oldenbourg)
   ISBN 3-7028-0315-7 (Verl. für Geschichte und Politik)
NE: Binder, Dieter A. [Bearb.]

Schutzumschlag und Einband: Maria E. Wessely, Wien
Herstellung: Druckerei G. Grasl, 2540 Bad Vöslau
ISBN 3-7028-0315-7   Verlag für Geschichte und Politik Wien
ISBN 3-486-55905-2   R. Oldenbourg Verlag München

INHALT

VORWORT

Das vorliegende Buch stellt eine Überarbeitung der „Geschichte der Republik Österreich" dar, die Walter Goldinger 1962 als Monographie vorlegte, nachdem bereits 1954 eine Erstfassung als Teil des von Heinrich Benedikt herausgegebenen, gleichnamigen Sammelbandes erschienen war. Es bedarf wohl einer kurzen Erklärung, wie es zu dieser revidierten Fassung gekommen ist und welche grundsätzlichen Überlegungen dabei vorgeherrscht haben.

Zunächst gilt es zweier Männer zu gedenken, die sich um die österreichische Geschichtswissenschaft verdient gemacht haben: Walter Goldinger, dem Generaldirektor des Österreichischen Staatsarchives und akademischen Lehrer, und Karl Cornides, dem großen und noblen Verleger.

Walter Goldinger, am 15. März 1910 in Wien geboren, studierte ab dem Wintersemester 1928/29 an der Universität seiner Heimatstadt Geschichte, Kunstgeschichte, Geographie und Germanistik als Schüler von Wilhelm Bauer, Otto Brunner, Alphons Dopsch, Lothar Groß, Hans Hirsch, Ernst Klebel, Heinrich von Srbik, Eduard Castle, Dietrich Kralik, Hugo Hassinger, Eugen Oberhummer und Julius Schlosser. Als Dissertant von Hans Hirsch promovierte er 1932, als Angehöriger des 38. Kurses des Institutes für Österreichische Geschichtsforschung legte er 1933 die Staatsprüfung ab. Den freiwilligen Arbeitsdienst leistete er im Archiv des Inneren und der Justiz, dem heutigen Verwaltungsarchiv, dem er ab 1935 als Archivar angehörte, und dem er in den Jahren 1957 bis 1972 als Direktor vorstand. Bis zu seiner Pensionierung 1975 als Generaldirektor des Österreichischen Staatsarchives tätig, kehrte er weit ab vom geruhsamen Bild des Pensionisten als nimmermüder Forscher und wohlwollender Helfer aller jener, die seines wohlfundierten Rates bedurften, in sein Stammhaus zurück, dem er bis zu seinem Tod am 15. Februar 1990 die Treue hielt.

Gerade in diesen Zeitraum fällt Goldingers erneute intensive Auseinandersetzung mit den Quellen der österreichischen Zeitgeschichte, zu deren Erschließung er mit der Publikation der „Protokolle des Klubvorstandes der Christlichsozialen Partei 1932—1934" einen wertvollen Anfang gesetzt hat. Daneben sind es eine Fülle von Detailstudien, wie etwa über die Burgenlandfrage als internationales Problem (Burgenländische Heimatblätter 23, 1961), über das deutsch-österreichische Zollunionsprojekt von 1931 (Österreich und Europa. Hugo Hantsch zum 70. Geburtstag, Wien 1965), über die Gleichschaltung 1938 (Österreich. Die Zweite Republik, hg. von Erika Weinzierl, Kurt Skalnik. Wien – Köln – Graz 1972, Bd. 1), den österreichischen Staatsrat 1918/19 (Österreich, November 1918) oder kurz vor seinem Tode über den Sturm auf das Erzbischöfliche Palais 1938 im Lichte der NS-Akten (Geschichte und Gegenwart 8, 1989), die Einblick in seine subtile umfassende Aktenkenntnis geben.

Verlief Goldingers Leben in den scheinbar ruhigen Bahnen des Archivdienstes und der akademischen Lehre, letztlich — generationsspezifisch — unterbrochen „nur" vom Militärdienst und der Kriegsgefangenschaft (1941 bis 1945), so weist die Biographie seines Verlegers, Karl von Cornides, Markierungen auf, die ihn und seine Geisteshaltung charakterisieren. Der am 17. Februar 1911 geborene Urenkel des Münchner Verlagsgründers Rudolf Oldenbourg wuchs zwischen München und Wien auf, wich dem zunehmenden Druck der Nationalsozialisten, die er offen ablehnte, durch die Übersiedlung nach Berlin aus, wo er ab 1936 das Münchner Stammhaus vertrat. Während er 1940/41 angesichts der zunehmenden Pression durch die Machthaber auch die Berliner Stellung räumen mußte und zur Wehrmacht einrückte, übersiedelte sein als „politisch unzuverlässig" eingestufter Vater, Wilhelm von Cornides, 1942/43 nach Wien, nachdem er, erzwungen von den Nationalsozialisten, aus der Leitung des Stammhauses hatte ausscheiden müssen. Im heimatlichen Wien bereitete Wilhelm von Cornides ab 1943 jenen Verlag vor, der nach der Befreiung eine bewußte österreichische Geschichtsschreibung und politische Bildung pflegen sollte. Heimgekehrt aus dem Krieg und nach einem kurzen Zwischenspiel als Chefredakteur der „Tiroler Nachrichten" und in der Leitung der Österreichischen Verlagsanstalt übernahm Karl von Cornides 1946/47 den Verlag für Geschichte und Politik, dem er neben seinen verschiedenen Funktionen im Stammhaus als solider Geschäftsmann und verantwortungsbewußter Verleger nahezu bis zu seinem Tode am 16. März 1989 vorstand.

Nicht wartend, was an ihn herangetragen würde, verstand Karl von Cornides sich als Anreger, der sich seine Autoren suchte. Anregend und fordernd mühte er sich, der österreichischen Geschichtswissenschaft, besonders auch der österreichischen Zeitgeschichte ein Heim zu bieten, ähnlich seinem Münchner Stammhaus, dessen geisteswissenschaftliche Abteilung er lange leitete. Der zögernden Institutionalisierung der Zeitgeschichtsforschung in Österreich muß es wohl zugeschrieben werden, daß es nicht zu einer vergleichbaren Entwicklung wie in München gekommen ist, wo der Verlag Oldenbourg u. a. Heimstätte für die Vierteljahrsschrift für Zeitgeschichte und für die Publikationsreihen des Münchner Institutes wurde.

Im klassischen Verlegerstil sammelte Karl von Cornides unter der Herausgeberschaft Heinrich Benedikts Autoren, die 1954 die „Geschichte der Republik Österreich" präsentieren konnten. Die Protokolle der Autorenversammlungen zwischen Februar 1951 und Juli 1954 geben Einblick in konzeptive Vorstellungen der Autoren, des Herausgebers und des Verlegers, der nahezu im Monatsrhythmus den Fortgang der Arbeit besprochen wissen wollte, der anregte, hinterfragte, neueste Literatur urgierte und einbrachte. So ist auch bis in die letzte Phase der Buchgestaltung hinein das Bemühen Goldingers zu erkennen, die Quellenbasis seiner Arbeit zu verbreitern und zu verdichten. Der frühe Plan, Alphons Lhotsky mit einem Abschnitt über die Kulturgeschichte einzubinden, scheiterte leider an der Arbeitsüberlastung des Angesprochenen.

In den Nachkriegsjahren war Walter Goldinger mit der Heimholung der kriegsbedingt ausgelagerten Aktenbestände ebenso betraut wie mit der Übernahme der Aktenbestände der Zentralbehörden der Zwischenkriegszeit und der nationalsozialistischen Herrschaft, die es zu ordnen galt, damit sie den Behörden und später der Geschichtsforschung zur Verfügung stehen konnten. Dieses Wissen — und hier galt es einen Ausweg in der Darstellung zu finden, um einen Konflikt mit den strengen Sperrbestimmungen österreichischer Archive zu vermeiden — floß in den ersten Abschnitt des „Benedikt" als „Der geschichtliche Ablauf der Ereignisse in Österreich 1918 bis 1945" ein, der dann, unter der einfühlsamen „Regie" Karl von Cornides' erweitert, als Goldingers „Geschichte der Republik Österreich" 1962 vorgelegt wurde.

1977 erschien wiederum das Werk in seiner ursprünglichen Fassung innerhalb des Reprints des „Benedikt". Mit dem Auslaufen dieser Auflage begann der Verlag erneut über eine redigierte Neuauflage der Monographie Goldingers nachzudenken, einer Aufgabe, der sich der Autor nicht mehr unterziehen wollte. So beauftragte mich Karl von Cornides in Absprache mit Walter Goldinger, ein Konzept für eine derartige Neufassung zu entwickeln.

Um den Grundcharakter der Darstellung Goldingers zu wahren, ist der zeitliche Rahmen auf die Jahre 1918 bis 1938, von der Ausrufung der Republik bis zur Machtübernahme der Nationalsozialisten, beschränkt worden. Hinter diesem Schnitt steht also nicht die Absicht, die Jahre 1938 bis 1945 der „deutschen Reichsgeschichte" abzutreten und die genuin österreichische Geschichte dieser Jahre zu negieren. Eine durchgehende Überarbeitung dieses Zeitraumes hätte aber Umfang und Grundkonzeption des Werkes gesprengt, dies schon angesichts der Fülle an neuen Erkenntnissen, die rund um das „Bedenkjahr" 1988 publiziert worden sind. In der Widerstands- und Verfolgungsforschung, in Fragen der Exilforschung, aber auch in regionalen Analysen sind große Bereiche neu erschlossen worden. Leider muß aber da und dort immer noch das Fehlen von Spezialuntersuchungen konstatiert werden.

Der Umfang der Literatur zwang zur Beschränkung auf eine Auswahlbibliographie, die aus Platzgründen auf die Aufnahme unselbständiger Publikationen verzichten mußte. Diese scheinen nur dort auf, wo sie direkt im Text zitiert worden sind, wobei summarisch auf entsprechende Sammelbände und einschlägige Zeitschriften usw. verwiesen wird. Diese Bibliographie soll primär den Einstieg in die Fülle der Literatur erleichtern, wissenschaftliche Darstellungen, gedruckte Quellen unterschiedlichster Art, aber auch parteipolitische Publikationen sollen Erwähnung finden. Die von Goldinger angeführte Literatur ist soweit berücksichtigt, als sie noch nicht durch neuere, übergreifende Darstellungen abgedeckt wird. Charakteristisch für die erwähnten Lücken und die späte Ausbildung der institutionalisierten Zeitgeschichtsforschung in Österreich ist auch das Fehlen grundlegender Aktenpublikationen zur Außenpolitik — hier ist eine den französischen, britischen oder deutschen Editionen vergleichbare Ausgabe aber in Sicht —, der schleppende Fortgang der Publikation der Ministerratsprotokolle oder das weitestgehende Fehlen parlamentarischer Zusatzquellen (lediglich der von Goldinger edierte Band der Klubprotokolle der Christlichsozialen liegt vor, während für eine Edition der sozialdemokratischen Protokolle noch jeglicher Ansatz fehlt).

Betrachtet man die große Fülle sozialistischer Selbstdarstellungen, den hohen Organisationsgrad der kommunistischen Parteigeschichtsschreibung, die Publikationsbereitschaft der „heimatlosen" Linken, so steht dies in einem charakteristischen Kontrast zur „Geschichtslosigkeit" der ÖVP als Nachlaßverwalterin des christlichsozialen Lagers. Dieses Phänomen gilt es hier zu vermerken, es auszuloten muß einer Beschäftigung mit der Zeit nach 1945 vorbehalten bleiben. Die Selbstreflexion des „deutschnationalen" Lagers hat neben der Tradition der „Bekennerbücher" ansatzweise neue Positionierungen erhalten, deren tatsächliche Neuheit noch nicht absehbar ist. Gleichwohl scheint ihm von unerwarteter Seite Schützenhilfe gewährt zu werden, in dem der Kampf der Nationalsozialisten gegen Österreich, der Putschversuch im Juli 1934, der Terror gegen nichtnationalsozialistische Österreicher, gegen jüdische Österreicher als Widerstand gegen den „Ständestaat" reklamiert und damit jenem Widerstand gleichgesetzt wird, den Linke oder Demokraten geleistet haben. Es ist hier aber nicht der Platz, einen Widerstandsbegriff zu diskutieren, der ausschließlich die Perspektive des Kampfes gegen eine inakzeptable Obrigkeit im Auge hat, der aber die Motivation des „Widerstandskämpfers" außer acht läßt. Ein derartiger Ansatz läuft auf eine Rechtfertigung der „Illegalen" hinaus, zynischer formuliert hieße dies, daß der „Heldenplatz" 1938 eine Versammlung von Widerstandskämpfern gewesen sei.

Die Bearbeitung unternimmt den Versuch, charakteristische Eigenarten der Zwischenkriegszeit stärker zu konturieren, dem Darstellungsfluß Goldingers Zusatzinformationen beizugeben, die in der ursprünglichen Fassung — hier vor allem im Zusammenspiel mit dem Beitrag über die politischen Lager Österreichs — durch die Zusammenschau in einem Band teilweise zugänglich gewesen sind. Dabei sind neue Forschungsergebnisse ebenso eingeflossen wie Auffassungsunterschiede und unterschiedliche Interpretationen. Die Zielvorstellung, eine ereignisgeschichtlich orientierte Darstellung der Zwischenkriegszeit zu bieten, ist — so hoffe ich — dennoch gewahrt geblieben.

An den Schluß sei das dankbare Erinnern an Karl von Cornides und Walter Goldinger gestellt, deren Anregungen und deren Vertrauen erst diese Arbeit ermöglicht haben. Zu danken habe ich aber auch dem Verleger, Univ.-Doz. Dr. Thomas von Cornides, dessen Engagement in der Sache von seinen Mitarbeiterinnen Frau Dr. Erika Rüdegger, Frau Dr. Ursula Huber und Frau Dr. Eva Pripfl hervorragend mitgetragen wird bzw. wurde. Am Schluß einer Arbeit jener zu gedenken, die im Freundeskreis, im kollegialen instituts- und abteilungsübergreifenden Gespräch anregten, kritisierten und ermunterten, ist mehr als eine Höflichkeitsformel, sie ist Ausdruck für ein Lebensgefühl glückhaften Verankertseins und der daraus resultierenden Freiheit.

Graz/Pörtschach, im Frühjahr 1992   Dieter A. Binder

I

DIE ENTSTEHUNG DER REPUBLIK ÖSTERREICH

Der Anfang

Am 16. Oktober 1918 erließ Kaiser Karl I. an die Völker der österreichisch-ungarischen Monarchie folgendes Manifest:

„Österreich soll, dem Willen seiner Völker gemäß, zu einem Bundesstaat werden, in dem jeder Volksstamm auf seinem Siedlungsgebiete sein eigenes staatliches Gemeinwesen bildet ... Bis diese Umgestaltung auf gesetzlichem Wege vollendet ist, bleiben die bestehenden Einrichtungen zur Wahrung der allgemeinen Interessen unverändert aufrecht. Meine Regierung ist beauftragt, zum Neuaufbaue Österreichs ohne Verzug alle Arbeiten vorzubereiten. An die Völker, auf deren Selbstbestimmung das neue Reich sich gründen wird, ergeht Mein Ruf, an dem großen Werke durch Nationalräte mitzuwirken, die — gebildet aus den Reichstagsabgeordneten jeder Nation — die Interessen der Völker zueinander sowie im Verkehre mit Meiner Regierung zur Geltung bringen sollen."

Das kaiserliche Manifest hat den Zerfall des Habsburgerreiches nicht hervorgerufen, wohl aber besiegelt. Es zog die Konsequenzen aus der unabwendbar gewordenen Niederlage in dem vierjährigen Krieg. Es übernahm auch die Lehre vom Selbstbestimmungsrecht der Völker, die nach dem Willen der Siegermächte die Grundlage des kommenden Friedens bilden sollte. In ihrer ursprünglichen Fassung hätte sich diese Vorstellung wohl mit dem Fortbestand der Monarchie in Einklang bringen lassen, die dann zu einem Bundesstaat autonomer Nationen umzugestalten gewesen wäre. Der innere Zerfall der Monarchie und die im Gange befindliche Anerkennung der sich formierenden Nachfolgestaaten durch die Entente ließen auch diesen Versuch scheitern, eine neue supranationale Ordnung zu schaffen, über die man sich seit 1848 nicht hatte einigen können.

Durch das kaiserliche Manifest vom 16. Oktober 1918 wurden die Nationalitäten der Doppelmonarchie zu Trägern eigener Staatswesen gemacht. Auch die dominant deutschsprachigen Gebiete suchten sich nun eine Heimstätte. Am 21. Oktober 1918 trat im Sitzungssaal des niederösterreichischen Landhauses eine Provisorische Nationalversammlung zusammen, der die im Jahre 1911 in den deutschen Siedlungsgebieten für den Reichsrat gewählten Abgeordneten angehörten. Ihr Mandat war noch nicht abgelaufen, da durch ein kaiserlich sanktioniertes Gesetz die Legislaturperiode des 1917 wiedereinberufenen Parlaments bis zum 31. Dezember 1918 verlängert worden war.

Schwerer wog, daß die Entscheidung der Wähler von 1911 nach all dem, was dazwischen lag, kaum mehr der Lage im Spätherbst 1918 entsprechen konnte. Doch blieb kein anderer Weg, als für den Augenblick die Wahlergebnisse von 1911 in Geltung zu lassen. Fünf Abgeordnete waren in der Zwischenzeit verstorben, so daß die Provisorische Nationalversammlung Deutschösterreichs aus 208 Mitgliedern bestand (65 Christlichsoziale, 37 Sozialdemokraten, 106 Vertreter deutschnationaler und liberaler Gruppen).

Bei den Christlichsozialen und Sozialdemokraten handelte es sich um Parteien, die ihre Sturm- und Drangzeit hinter sich hatten. Seit der Einführung des allgemeinen Wahlrechtes war ihre Position durchaus gefestigt. Die Christlichsozialen hatten sich im Widerstreit zum Liberalismus und zu den Trägern der Macht, auch des Hofes, emporgerungen, wobei sie zeitweise auch in Gegensatz zum Episkopat geraten waren. Ihr Aufstieg ist untrennbar mit dem Namen des Wiener Bürgermeisters Karl Lueger verknüpft. Der Wahlerfolg von 1907 brachte die Integration der Katholisch-Konservativen, nachdem bereits 1898 die Katholische Volkspartei mit ihrem Tiroler und Vorarlberger Wählerpotential sich der Partei Luegers angeschlossen hatte. Diese Quelle speiste auch die demokratische Grundströmung innerhalb der Katholisch-Konservativen, die durch Bauern, wie den Vorarlberger Jodok Fink und den Tiroler Josef Schraffl, sinnfällig verkörpert wurde. Die Partei wollte aber auch die Interessen des Mittelstandes vertreten und übte auf das Kleinbürgertum eine starke Anziehungskraft aus. Sich zur christlichen Soziallehre Karl von Vogelsangs bekennend, verstand sich diese Partei als politischer Arm der Kirche im prolongierten Kulturkampf; Kapitalismus-, Liberalismus-, Sozialismus- und Modernismuskritik verband man mit antisemitischen Positionsbestimmungen populistischer Natur. Diese Partei zählte zahlreiche Geistliche unter ihren Mandataren und konnte der Unterstützung durch den Klerus in Agitation und Propaganda sicher sein. Dynastie- und Staatstreue galten als selbstverständlich. Der Versuch einer Erfassung der christlichen Arbeiterschaft und der Bildung christlicher Gewerkschaften kam trotz des Einsatzes von Männern wie Leopold Kunschak, Franz Hemala und Franz Spalowsky über gewisse Grenzen nicht hinaus. Nach dem Tod Luegers 1910 schlitterte die Partei in eine Krise, die bei den Wahlen zu Verlusten führte und letztlich bis in die Gründungsphase der Republik anhielt.

In der politischen Formung der Industriearbeiterschaft beherrschte die Sozialdemokratische Partei das Feld. Sie hatte bereits 1911 in Wien die Stimmenmehrheit erreicht, ohne daß dies wegen des damaligen Wahlsystems in der Anzahl der Mandate voll zum Ausdruck gekommen wäre. Für weite Kreise galten die Sozialdemokraten noch immer als revolutionär, obwohl sie über die Positionen und Thesen ihrer radikalen Anfänge mit ihren anarchistischen Unterströmungen längst hinausgekommen waren.

Zwischen Theorie und Praxis klaffte mancher Widerspruch. Der langjährige, allseits anerkannte Parteiführer Victor Adler, der sich einmal selbst als
„Hofrat der Revolution" bezeichnete, verstand es meisterhaft, jeweils einen
Ausgleich zu finden. Nach ihrem Programm strebte die Partei die Erringung
der politischen Macht durch das zum Klassenkampf organisierte Proletariat
an und konnte damit leicht in eine Haltung der Staatsverneinung geraten.
Die intensiven Bemühungen, das Wohl der Arbeiterschaft durch wirtschaft-
liche und soziale Förderung zu bessern, die immer stärker zutage tretenden
Erfolge der Gewerkschafts- und Genossenschaftsbewegung verstärkten jene
Strömungen innerhalb der Partei, die dafür eintraten, den Staat nicht zu be-
kämpfen, sondern seinen Apparat in den Dienst der eigenen Ziele zu stellen.
Als Hauptvertreter dieser Richtung trat Karl Renner hervor, der auch
in anderer Beziehung, in der Frage einer zeitgemäßen Umgestaltung der
Donaumonarchie, zu deren Klärung er literarisch manches beitrug, die
Meinung verfocht, daß dieses komplizierte Gefüge bei all seinen Mängeln
eine Zukunft habe und seine Erhaltung auch im Interesse der aufsteigenden
Arbeiterklasse liege.

Die SDAP bekannte sich von Beginn an zur Trennung von Kirche und
Staat, wobei sie vor und nach 1918 ihren kämpferischen Antiklerikalismus in
die politische Agitation einbrachte und so die enge Verbindung der Hierarchie mit der Christlichsozialen Partei noch indirekt stärkte. Angesichts des
Kriegsausbruchs 1914 begann auch für die SDAP die Phase des Kriegssozia-
lismus, in der deutschnationale Traditionen einzelner Parteiführer deutlich
wurden; für Engelbert Pernerstorfer war selbst 1916 Wilhelm II. noch der
„Friedensfürst" und die Weiterführung des Krieges ein essentielles Anliegen
der Arbeiterschaft.

Während der Reichskonferenz der Sozialdemokraten Österreichs 1917
wandte sich die linke Opposition gegen die „allzu staatsloyale Tolerierungs-
politik der Parteiführung", die schließlich — wie Max Adler auf dem Oktoberparteitag 1918 anerkennend festhielt — den Kurs „merklich nach links"
verschob und „alles, was sie in den Augen ihrer Anhänger ins kompromittie-
rende Zwielicht des ‚Ministerialismus' gerückt hätte", vermied. Aus dieser
Grundposition heraus lehnte man nun konsequent jede Teilnahme an der
Regierungsverantwortung der auseinanderbrechenden Doppelmonarchie ab,
wobei aber Holtmann (Sozialdemokratie) auch für diese Phase „lediglich"
eine „widerwillige Selbstbescheidung von Parteiführern, die ihren radikali-
sierten Anhang fürchten", konstatiert, was in hohem Maße für Karl Renner
zutrifft.

Diese Ablehnung der Teilnahme an der Regierungsverantwortung sollte
deutlich eine „politische Unschuld" gegenüber den „Sünden" des ver-
löschenden Staates unterstreichen, eine „Unschuld", die durch den „Kriegs-
sozialismus" und durch die „sozialpatriotische Kollaboration" zu Beginn
und während des Krieges zumindest fragwürdig geworden, wenn nicht gar

schwer in Mitleidenschaft gezogen worden war. So entschied sich der Parteivorstand noch am 11. Oktober 1918, zwischen „revolutionärer Aufbruchstimmung und Bedenken gegen ein radikales Einreißen der gewachsenen politischen Struktur Alt-Österreichs schwankend", für eine „Politik des Nicht-Entscheidens, die darauf vertraute, daß ‚die Entwicklung uns auch hier den Weg weisen wird'".

Die stärkste Gruppe innerhalb der Provisorischen Nationalversammlung, zugleich aber auch die uneinheitlichste, stellten die Deutschnationalen der verschiedenen Schattierungen. Sie verfügten über einen kräftigen Rückhalt in den Sudetenländern, waren aber auch, vom geltenden Wahlrecht begünstigt, in den Städten und Märkten der Alpengebiete tonangebend. Ihr Führernachwuchs rekrutierte sich zum Teil aus den Burschenschaften und schlagenden Studentenverbindungen. Die Fäden zum liberalen Großbürgertum waren gelockert, aber noch nicht ganz gelöst. Freisinnige und antiklerikale Tendenzen schlugen hier Brücken, antisemitische Programmpunkte richteten hingegen Scheidewände auf. Im allgemeinen bejahten auch die Deutschnationalen den Staat, freilich unter der oft unausgesprochenen Voraussetzung, daß sie ihre beherrschende Stellung beibehalten könnten. Die einst unter Ritter Georg von Schönerer stehenden Alldeutschen verfügten seit 1911 nur mehr über drei Sitze, die Deutsche Arbeiterpartei unter Hans Knirsch entsandte bloß zwei Vertreter. Beide Gruppen haben auf die Gedankenwelt Adolf Hitlers eingewirkt.

Allen diesen Männern und Richtungen gemeinsam war die Tatsache, daß sie in ihrem Denken in dem Großraum wurzelten, in dem sie herangewachsen waren. Nur schwer konnten sich viele auf die neue Lage einstellen. Denn für die Donaumonarchie bedeutete das Manifest das Ende, für die neuen, in Bildung begriffenen Nationalstaaten den Anfang. Die Wirkung auf das staatstragende Volk der cisleithanischen Reichshälfte, die Deutschösterreicher, war nicht einheitlich. Für die breiten Massen gab es jetzt, da die leidvollen Kriegsjahre ihrem Ende entgegengingen, nur den Gedanken: Frieden und Nahrung. Diejenigen aber, die am Webstuhl der Zeit saßen, die Männer des Hofes, der Armee, der Verwaltung und die Parlamentarier, wurden mit Ausnahme der Führer der Sozialdemokratischen Partei von den Ereignissen ziemlich unerwartet getroffen. Daß der Krieg ein schlechtes Ende nehmen werde, dem ein Umbau des Staates folgen müßte, wußten viele, auf diese Aufgabe vorbereitet waren nur wenige.

So kam es, daß die Sozialdemokraten, die als einzige sich Gedanken für den Fall einer Niederlage gemacht hatten, in den Vordergrund traten; sie wußten, was sie wollten und wohin sie die Massen der Arbeiter, Soldaten und Heimkehrer zu lenken hätten. Schon am 3. Oktober hatten sie das freie Selbstbestimmungsrecht aller Nationen verkündet, das selbstverständlich auch für die Deutschen in Österreich zu gelten habe. Am 4. Oktober 1918 schlossen sich die im deutschen Nationalverband vereinigten Parteien, nach einiger Überlegung auch die Christlichsozialen, dieser Forderung an.

Die erste Frage war allerdings, wie sich dieser neue Staat Deutschösterreich zu den anderen Nationen, die nun an ihrem eigenen Haus bauten, verhalten sollte.

Victor Adler und Karl Renner glaubten, daß der Gang der Ereignisse zu einer Föderalisierung, die das Zusammenleben der Nationen auch weiterhin gestatte, führen würde. Die in der letzten Zeit immer stärker hervorgetretene, von Otto Bauer geleitete „Linke" zweifelte an der Durchführbarkeit einer Föderalisierung Altösterreichs, hielt den übrigbleibenden Rest des deutschbesiedelten Staatsgebietes für nicht existenzfähig und überlegte, wie sich unter diesen Umständen das Verhältnis zu dem für eine Revolution reifen Deutschland gestalten würde.

Die Frage Monarchie oder Republik wurde in jenen Tagen wenigstens nach außen hin von den Sozialdemokraten nicht in den Vordergrund gestellt. Es waren deutschnationale und liberale Kräfte, die die Entwicklung in dieser Hinsicht weitertrieben. Die nationale Studentenschaft in Wien lehnte die Schaffung eines Bundesstaates ab. Hier gaben die „Alten Herren" den Ausschlag, da die Jugend zum Großteil noch im Felde stand. Bürgerliche Demokraten, wie Zenker und Blasel, riefen als erste in öffentlichen Versammlungen nach der Republik. Der Widerhall in den Massen blieb, solange sich die Führung der Sozialdemokratie nicht festgelegt hatte, naturgemäß aus. Die SDAP lehnte es ab, sich an einer Umbildung der kaiserlichen Regierung zu beteiligen, wozu sie Ministerpräsident Max von Hussarek eingeladen hatte. Eine Besprechung von 32 Parteiführern des Abgeordnetenhauses, die der Kaiser am 12. Oktober nach Schönbrunn rief, brachte kein Ergebnis.

Der Sprecher der Christlichsozialen, der Tiroler Landeshauptmann Josef Schraffl, unterstrich ihr Eintreten für die monarchische Regierungsform und den Wunsch nach Bildung eines Bundesstaates aus den neuen Nationalstaaten. Otto Steinwender erklärte als Vertreter des Verbandes der deutschnationalen Parteien deren Absicht, an der konstitutionellen Monarchie festzuhalten; das Verhältnis zu Deutschland und zu den anderen Nationen sei in freier Selbstbestimmung zu ordnen. Dagegen lehnten die Redner der kleinen Deutschösterreichischen Unabhängigkeitspartei und der Nationalsozialistischen Arbeiterpartei, Pantz und Knirsch, jeden Gedanken an einen österreichischen Staatenbund ab und verlangten den Anschluß an Deutschland. Die größte Bedeutung kam den Erklärungen der Sozialdemokraten zu. In ihrem Namen sprach der schwer herzleidende Victor Adler. Er entbot den slawischen und romanischen Genossen brüderlichen Gruß; Deutschösterreich sei bereit, sich mit den Nachbarvölkern zu einem freien Völkerbund zu vereinigen, wenn diese wollten. Andernfalls würde Deutschösterreich gezwungen sein, sich als ein Sonderbundesstaat dem Deutschen Reich

anzugliedern. Adler legte besonderen Nachdruck auf die demokratische Gestaltung des Staates und den Grundsatz der Volkssouveränität. Dabei fiel
das Wort von der demokratischen Republik, die als oberstes Ziel der Sozialdemokraten zu gelten habe, über deren Errichtung aber erst die aus einem
allgemeinen, gleichen und direkten Wahlrecht aller Männer und Frauen hervorgegangene Konstituierende Nationalversammlung zu entscheiden habe.
Die Sozialdemokratie sehe die sich vollziehende Umwälzung und den Zusammenbruch des alten Österreich als eine Teilerscheinung des allgemeinen
Sieges der Demokratie in der ganzen Kulturwelt an, die der Arbeiterklasse
ermöglichen werde, auf den Trümmern der kapitalistischen Weltordnung
den Sozialismus aufzurichten.

Die Provisorische Nationalversammlung des neuen deutschösterreichischen Staates beschloß, einen zwanzig Mitglieder zählenden Vollzugsausschuß zu wählen, dem auch die drei Präsidenten der Nationalversammlung,
Franz Dinghofer, Jodok Fink (später Johann Hauser) und Karl Seitz, angehörten. Diesem Vollzugsausschuß, der später Staatsrat genannt wurde, stand
die volle Regierungsgewalt zu, sofern sie sich in jenen bewegten Tagen überhaupt durchsetzen ließ. Dort fielen die schweren Entscheidungen der nächsten Zeit. Daneben bestand aber noch die kaiserliche Regierung unter Leitung des Ministerpräsidenten von Hussarek, der dann von dem Strafrechts-
lehrer und ausgezeichneten Kenner des Völkerrechtes Heinrich Lammasch,
der sich schon vor Kriegsausbruch als Friedensfreund einen Namen gemacht
hatte, abgelöst wurde. Dieser letzten kaiserlichen Regierung, der die Slawen
und Sozialdemokraten nicht angehörten, stand keine Macht, ja nicht einmal
die nötige Handlungsfreiheit zu Gebote. Sie war nicht arm an geistigen Ka-
pazitäten: Lammasch, der einen international anerkannten Namen hatte,
stand neben den Professoren Josef Redlich, einem gewiegten Kenner des
Staatsrechtes und der Politik, und Prälat Ignaz Seipel, der als Staatsmann
freilich erst in der Republik voll zur Entfaltung kam. Das Kabinett war am
27. Oktober 1918 ernannt worden, eine Woche nachdem die Antwort Wil-
sons auf den Friedensschritt der Mittelmächte eingetroffen war, in der die
staatliche Selbständigkeit der Nationen auf dem Boden Österreich-Ungarns
gefordert wurde. Es bedurfte kaum mehr dieses letzten Anstoßes der Auflösung. Lammasch und seine Regierung sanktionierten nur Tatsachen, als sie
die Selbständigkeit der Tschechoslowaken und Südslawen anerkannten. Zu
einer Vorstellung in beiden Häusern des Reichsrates, die ursprünglich beabsichtigt war, kam es nicht mehr. Die Regierung betrachtete sich von Anfang
an, einer Anregung des Staatsrechtslehrers Hans Kelsen folgend, nur als
Exekutivausschuß der Nationalitäten für die Liquidierung des Gesamtstaates.

Inzwischen hatte sich die Lage im Innern stark verschlechtert, die Note
des letzten gemeinsamen Außenministers von Österreich-Ungarn, des Grafen
Julius Andrássy, vom 27. Oktober, die das Angebot zu einem Separatfrieden

enthielt, machte in der Bevölkerung Deutschösterreichs sehr böses Blut. Sie war zwar dem deutschen Kaiser und den maßgebenden Regierungsstellen in Berlin kurz vor ihrer Absendung mitgeteilt worden, doch hatte selbst Lammasch, dessen pazifistische Einstellung allbekannt war, auf eine Abschwächung des Wortlautes gedrungen, soweit er das Bundesverhältnis zum Deutschen Reich berühren konnte. Der Eindruck in der Öffentlichkeit war niederschmetternd, auch die Sozialdemokraten, die doch in dem Wunsch nach Frieden vorangeschritten waren, nahmen dagegen Stellung. Der Ruf nach der Republik und nach dem Anschluß an Deutschland wurde immer lauter, an einen österreichischen Staatenbund oder Bundesstaat dachten jetzt nur mehr wenige, zumal da die Einladung der Provisorischen Nationalversammlung an die neuen Nationalstaaten bei diesen keinerlei Echo gefunden hatte. Aus zahlreichen Gemeinden Kärntens und der Steiermark kamen Telegramme nach Wien, die sich gegen die Absicht einer solchen Lösung nachdrücklich verwahrten. In den Ländern gärte es, Steiermark setzte den Statthalter und bald darauf auch den Militärkommandanten in Graz ab; allenthalben bildeten sich Parteiausschüsse, Volksräte, die in die sich bedrohlich gestaltende Lage eingriffen. Die Männer des alten Apparates, der aktionsunfähig geworden war, machten ohne Reibung neuen Kräften Platz.

Die Übergabe der Staatsgewalt auf dem deutschen Siedlungsgebiet an die Deutschösterreichische Provisorische Nationalversammlung und den von ihr gewählten Vollzugsausschuß bereitete der Regierung Lammasch keine Schwierigkeiten, auch die Ablegung des Gelöbnisses auf den neuen Staat verlief reibungslos. Renner, der mit anderen Parlamentariern in Berlin Verhandlungen über Ernährungsangelegenheiten führte, wurde nach seiner Rückkehr beauftragt, ein Organisationsstatut für Deutschösterreich auszuarbeiten. In seinem Entwurf einer provisorischen Verfassung, der dann mehrfache Abänderungen erfuhr, nannte er das neue Staatsgebilde, das die freigewählten Abgeordneten des deutschen Volkes der bisher im Reichsrat vertretenen Königreiche und Länder infolge der allgemeinen Auflösung des Staates und der völligen Unhaltbarkeit seiner Verfassung ins Leben gerufen hatten, Südostdeutschland. Dieses sollte ein unabhängiger Freistaat sein, der bis zur Festlegung seiner Rechtsverhältnisse durch den Friedenskongreß seine Beziehungen zu den Nachbarstaaten durch völkerrechtliche Verträge regelte.

Ein wesentlicher Punkt, der zu klären war, bezog sich auf den Umfang des Staatsgebietes. Vor einer einseitigen Festlegung scheute man zurück und wählte daher den Weg, sich in einer Note an Wilson zu wenden. Der Text wurde im Vollzugsausschuß ausgearbeitet und der Nationalversammlung vorgelegt. Darin hieß es, niemand in Deutschösterreich sei berechtigt, über den Frieden zu verhandeln, außer die von der Nationalversammlung eingesetzte Vollzugsgewalt. Die Beziehungen zum tschechischen und südslawischen Staat wären durch freie Vereinbarungen, allenfalls durch Schiedsgerichte, auf Grund der von Wilson verkündeten Grundsätze zu regeln. Der Präsident der Vereinigten Staaten wurde gebeten, ein besonderes Augenmerk der Frage der deutschen Gebiete der Sudetenländer zu schenken.

Zugleich wurde der Nationalversammlung vom Vollzugsausschuß ein Antrag unterbreitet, sie möge die Andrássy-Note billigen, dabei aber dagegen protestieren, daß die Note ohne Einvernehmen mit Vertretern des deutsch-österreichischen Volkes abgesendet wurde.

Weiterhin mußte aber noch die Frage der Beteiligung der Sozialdemokratie an einer bürgerlichen Regierung geklärt werden. Sie hatte das bisher immer abgelehnt und war auch jetzt nur unter bestimmten Bedingungen dazu bereit. Sie verlangte die Anerkennung der vollständigen Unabhängigkeit der anderen Nationen, womit der Gedanke eines Bundesstaates aufgegeben wurde, und den Verzicht auf alle Gebiete mit nicht deutscher Mehrheit. Die Beschlüsse der Nationalversammlung dürften nicht der kaiserlichen Sanktion unterliegen, die Staatssekretäre wären nicht vom Kaiser, sondern vom Staatsrat zu ernennen, doch sollte die endgültige Entscheidung über die Staatsform der verfassungsgebenden Nationalversammlung überlassen bleiben, deren Wahl möglichst rasch auf Grund des allgemeinen, gleichen und direkten Wahlrechtes zu erfolgen hätte. Die Gemeindevertretungen seien durch Vertreter der organisierten Arbeiterschaft zu ergänzen. Weitere Forderungen erstreckten sich auf die Aufhebung der Militarisierung der Betriebe, die Gewährung von Arbeitslosenunterstützungen, Pressefreiheit und die Amnestie für politische Delikte. In der Regierung verlangten die Sozialdemokraten Einfluß auf die Staatssekretariate des Äußern, der Landesverteidigung und des Innern. Für den Fall, daß diese Ämter anders vergeben würden, wären Unterstaatssekretäre ihrer Partei zu bestellen.

Diese Bedingungen wurden angenommen und die geforderte Amnestie erlassen. Dadurch erhielt Friedrich Adler, der Sohn des Parteiführers und Mörder des Ministerpräsidenten Karl Graf Stürgkh, seine Freiheit wieder, stürmisch bejubelt von den Massen der sozialistischen Arbeiterschaft. Die Amnestie erstreckte sich auch auf Männer, die sich der neugegründeten Kommunistischen Partei anschlossen und die schon in den nächsten Tagen eine lebhafte Tätigkeit entfalteten.

Man stand mitten in einem Umbruch, der sich nicht in stürmischen Ereignissen kundtat, aber doch eine kräftige Bewegung darstellte und bei den Anhängern der alten Ordnung das Gefühl völliger Wehrlosigkeit auslöste. Wohl stand noch die Armee an der Front an vielen Stellen ungebrochen da, aber ihre Tage waren gezählt, die Auflösungserscheinungen griffen immer mehr um sich und verbanden sich mit der Zersetzung, der die Truppenkörper in der Etappe und im Hinterland anheimfielen. Von da drohten dem neuen Staatswesen die größten Gefahren. Der Staatsrat beeilte sich, einen Aufruf an die Soldaten zu erlassen und sie auf den neuen Staat zu verpflichten. Die Wahl von Soldatenräten wurde zugestanden. So gelang es, das Chaos, das eine zügellose Soldateska hätte über das Land bringen können, zu verhindern. Mit Recht bemerkte einmal Otto Bauer, die Revolution sei mehr in den Kasernen als in den Fabriken gemacht worden. Es war ein großes Verdienst der Sozialdemokratie, damals durch geschickte Einwirkung auf die Volksmassen das Schlimmste verhütet zu haben. Die staatliche Exekutive war zahlenmäßig schwach, sie verfügte aber über einen gut eingespielten, aus der Verwaltungstradition der Monarchie übernommenen Apparat, den ihre leitenden Männer auch in aussichtslos erscheinenden Situationen meisterhaft zu handhaben verstanden. Johann Schober, der Wiener Polizeipräsident, wurde in jenen Tagen sowohl vom Kaiser wie vom Staatsrat zum Verbleiben auf seinem Posten aufgefordert und legte das Gelöbnis für den deutschösterreichischen Staat ab.

Am 31. Oktober und 1. November 1918 war der Parteitag der Sozialdemokraten in Wien versammelt. Hochgespannten revolutionären Hoffnungen, die das entstehende Deutschösterreich bereits vor dem Über- und Eingang in den Sozialismus sahen, trat Otto Bauer entgegen: Man stehe erst am Anfang einer Revolution, in der ersten Phase jener großen Umwälzung, denen der Kapitalismus schließlich erliegen werde. In dieser ersten Phase könne es für das Proletariat nicht darum gehen, „die Macht in diesem Staate zu erobern, sondern erst darum, die Staaten, die wir einst erobern können, erst zu schaffen". Das „Prinzip der freien Nation", das die europäische Demokratie „dem reaktionären Prinzip Österreich" entgegengestellt habe, sei die Grundlage künftigen Klassenkampfes. Zunächst einmal gelte es, um die volle Demokratie in dem neu errichteten Staate zu kämpfen. Das Ziel dieser Demokratie sprach Otto Bauer offen aus: „Die Demokratie ist für uns eine Notwendigkeit geworden. Wir brauchen sie heute nur zu verwirklichen, um zum Sozialismus zu gelangen!" Zum Schlagwort verkürzt hieß es dann: „Demokratie ist nicht viel, Sozialismus ist das Ziel." Vom Parteitag erhielten die Abgeordneten den Auftrag, „an der Regierung des neuen Staates so lange teilzunehmen, als dies zur Sicherung der demokratischen Errungenschaften der jüngsten Tage notwendig erscheint". Überzeugt von dem geschichtsnotwendigen Niedergang des Kapitalismus und dem in einer Demokratie gesicherten ebenso konsequenten Aufstieg des Proletariates an die Spitze des Staates, der unter dieser kommenden Führung das Zeitalter des Sozialismus verwirklichen würde, ging man schon „Ende Oktober 1918 ... zu dem neuen Staat", den „man sich eben erst zu schaffen anschickte, verbal vorsorglich auf Distanz". Man dogmatisierte förmlich nur eine kurzfristige Beteiligung an der Regierung zur „Sicherung der demokratischen Errungenschaften", um dann von der Opposition aus den Endkampf gegen den Kapitalismus zu betreiben, bzw. sich auf die Regierungsübernahme nach der Erringung der Mehrheit vorzubereiten.

Damit war der Regierungseintritt der Sozialdemokraten sanktioniert. In den bisherigen Kronländern, die damals in der Hauptsache auf sich gestellt waren und keine rechte Verbindung mit Wien hatten, meist auch nicht suchten, vollzog sich ein ähnlicher Vorgang. Einen Tag nach dem Zusammentritt der Provisorischen Nationalversammlung waren im niederösterreichischen Landhaus Vertreter sämtlicher deutschösterreichischen Länder zusammengekommen und hatten beschlossen, angesichts der Auflösung des zentralen Verwaltungsapparates durch die autonomen Landesausschüsse, die sich aus Vertretern der Arbeiterschaft zu ergänzen hätten, an der Liquidierung des bisherigen und beim Aufbau des neuen Staatswesens mitzuwirken. Auch der Gemeinderat der Stadt Wien, in der die Mehrheit der Wählerstimmen bereits 1911 der Sozialdemokratischen Partei zugefallen war, ohne daß sich dies wegen des geltenden Wahlrechts in der Mandatszahl ausgedrückt hätte, wurde in dieser Weise erweitert (84 Christlichsoziale, 60 Sozialdemokraten, 21 Deutschnationale). Doch verblieb bis zu den Wahlen im Mai 1919 der christlichsoziale Bürgermeister Richard Weiskirchner, während der langjährige sozialdemokratische Vertreter des Bezirkes Favoriten, Jakob Reumann, Vizebürgermeister wurde.

Es war überhaupt für die Gestaltung Österreichs bestimmend, daß im Augenblick der Auflösung der Monarchie keine Vorbereitungen für das neue Staatsgebilde getroffen waren. Was geschehen konnte, waren Improvisationen, um den Aufgaben des Tages, nicht zuletzt der außerordentlich schwierigen Ernährungs- und Kohlensituation, Herr zu werden.

Es bestand ja auch noch keine volle Klarheit über das Staatsgebiet. In Wien und Troppau bildeten sich Landesregierungen für Deutschböhmen und das Sudetenland (Nordmähren und Österreichisch-Schlesien), die aber nie recht zur Wirksamkeit kamen. Nur die Kreisregierung für Deutschsüdmähren mit dem Mittelpunkt in Znaim konnte sich längere Zeit dort behaupten. Das waren freilich neue Gebilde, die sich über die Grenzen der alten Kronländer hinwegsetzten.

Die Alpenländer aber waren historisch-politische Individualitäten, und diese Tatsache trat immer deutlicher in Erscheinung. Deutschösterreich war damals noch ein Gebilde ohne Staatsgebiet und ohne Staatsvolk. Aber die Länder waren da, hatten festumrissene Grenzen, die aber nicht unbedingt mit ethnischen Zugehörigkeiten ident waren, ein politisches Selbstbewußtsein der Landesbewohner und eine historische Tradition. Sie erwiesen sich als das Bleibende im Ablauf der wechselvollen österreichischen Geschichte. Sie konnten sagen: Wir waren vor der Pragmatischen Sanktion da und haben jetzt wieder unsere volle Handlungsfreiheit gewonnen. Das Wort vom Selbstbestimmungsrecht ließ sich unschwer auch auf sie anwenden, um so leichter, als aus dem Drang der Ereignisse nichts anderes als Selbsthilfe übrigblieb.

Gewiß brachte eine solche Entwicklung die Gefahren einer Kirchturmpolitik mit sich. Wirtschaftlicher Egoismus, den vor allem Wien zu fühlen bekam, machte sich breit. Auch fehlte der Überblick über die Gesamtlage, den man zwar in Wien auch nicht immer hatte, der aber dort doch leichter zu gewinnen war. Darum konnte auch der Weg einer selbständigen Außenpolitik, den manche Länder damals einzuschlagen suchten, nicht zum Erfolg führen. Der alte Verwaltungsapparat war aber schon aktionsunfähig geworden. Allenthalben gärte es. Die Sicherung der Ernährung, die Aufrechterhaltung eines Minimums an Rechtsordnung, die Rückführung der Truppen aus der sich auflösenden Front waren die vordringlichsten Aufgaben des Tages. Was geschehen konnte, waren nur Improvisationen. Wohl stand noch die Armee an der Front, doch griffen die Auflösungserscheinungen von Tag zu Tag mehr um sich. Der Staatsrat beeilte sich, die deutschsprachigen Soldaten für den neuen Staat, der sich Deutschösterreich nannte, zu verpflichten. Die Wahl von Soldatenräten wurde zugestanden.

Daß der Kampf der alten Armee nicht mehr weitergeführt werden konnte, war jedermann klar, die Irrungen und Wirrungen beim Abschluß des Waffenstillstandes wurden jedoch zu einer Tragödie. Die österreichisch-ungarische Armee stellte an der italienischen Front die Kampfhandlungen früher ein als der Gegner und drängte in die Heimat. Sie wurde überrollt und 350.000 Mann gerieten nach dem Buchstaben des Vertragstextes in die Kriegsgefangenschaft. Der Staatsrat lehnte jede Mitverantwortung ab und überließ die ganze Last dem Kaiser und der Heeresleitung.

Nun wandten sich auch beträchtliche Teile der Bauernschaft, eine Hauptstütze der Christlichsozialen Partei, dem Gedanken der Republik zu. Noch am 10. November intervenierte Kaiser Karl bei Kardinal Piffl, dieser möge auf den interimistischen Obmann der Christlichsozialen Partei, Prälat Johann Nepomuk Hauser, einwirken, der Monarchie die Treue zu halten. Angesichts der Forderung der Sozialdemokraten nach einer förmlichen Abdankung des Kaisers und dem Wunsch Hausers folgend, der Staatsminister für soziale Fragen Ignaz Seipel solle den Kaiser zur freiwilligen Abdankung bewegen, kontaktierte Seipel den Wiener Kardinal ebenfalls am 10. November. Piffl wandte sich entschieden gegen eine Abdankung, so daß angenommen werden kann, daß der Schlüsselsatz in der Verzichtserklärung Kaiser Karls, „Ich verzichte auf jeden Anteil an den Staatsgeschäften", eine Kompromißformel aus der Besprechung Seipel/Piffl darstellt:

„Seit Meiner Thronbesteigung war Ich unablässig bemüht, Meine Völker aus den Schrecknissen des Krieges herauszuführen, an dessen Ausbruch Ich keinerlei Schuld trage.

Ich habe nicht gezögert, das verfassungsmäßige Leben wieder herzustellen, und habe den Völkern den Weg zu ihrer selbständigen staatlichen Entwicklung eröffnet.

Nach wie vor von unwandelbarer Liebe für alle Meine Völker erfüllt, will Ich ihrer freien Entfaltung Meine Person nicht als Hindernis entgegenstellen.

Im voraus erkenne Ich die Entscheidung an, die Deutschösterreich über seine künftige Staatsform trifft.

Das Volk hat durch seine Vertreter die Regierung übernommen. Ich verzichte auf jeden Anteil an den Staatsgeschäften.

Gleichzeitig enthebe Ich Meine österreichische Regierung ihres Amtes. Möge das Volk von Deutschösterreich in Eintracht und Versöhnlichkeit die Neuordnung schaffen und befestigen. Das Glück Meiner Völker war von Anbeginn das Ziel Meiner heißesten Wünsche.

Nur der innere Friede kann die Wunden dieses Krieges heilen.

Wien, am 11. Novembere 1918.

gez. K a r l   gez. Lammasch"

Das war keine Abdankung, keine förmliche Thronentsagung. Seipel versuchte damit, den Kaiser als einen Faktor bei den künftigen Friedensverhandlungen einzusetzen, weil er als Großösterreicher anscheinend nicht an ein endgültiges Auseinanderfallen der alten Donaustaaten glauben wollte. Im übrigen stellte er sich aber nach der Ausrufung der Republik auf den Boden der Tatsachen und vertrat ebenso wie sein Parteifreund Viktor Kienböck einen realistischen Standpunkt, den er in ruhig-sachlicher Weise in der „Reichspost" begründete. Dieses Blatt hing damals noch der großösterreichischen Idee an und vermochte den Wegen der christlichsozialen Abgeordneten nur langsam zu folgen.

Am 13. November erklärte Hauser dem Wiener Kardinal die Haltung seiner Partei mit dem Meinungsumschwung innerhalb der Bauernschaft, die sich gerade auch in Oberösterreich, wo er als Landeshauptmann amtierte, zur Republik bekannte. In einem mit 12. November datierten Schreiben an den Klerus der Erzdiözese Wien hatte Piffl eine Positionsbestimmung getroffen, die gerade auch für die eher legitimistisch gesinnten Kreise der Wiener Christlichsozialen richtungsweisend war: „Durch ein neuerliches Manifest vom 11. November l. J. hat Kaiser Karl . . . auf jeden Anteil an den Staatsgeschäften verzichtet und den Völkern die Regierung übergeben. So hat mit diesem Tage bei uns der deutschösterreichische Staatsrat alle Rechte, welche nach der Verfassung . . . bisher dem Kaiser zustanden, einstweilen übernommen, bis die im Jänner 1919 aufgrund allgemeiner Wahlen zu konstituierende Nationalversammlung die endgültige Verfassung festgesetzt haben wird. Inzwischen hat die provisorische Nationalversammlung Deutschösterreich als Republik erklärt. Über diese vollzogenen Tatsachen sind die Gläubigen entsprechend aufzuklären und zur unbedingten Treue gegenüber dem nun rechtmäßig bestehenden Staate Deutschösterreich zu ermahnen." In der Kleruskonferenz vom 15. November hielt Piffl in Anwesenheit von Ignaz Seipel eine programmatische Ansprache, die man als Parteitagsrede definieren kann (Liebmann, Kirche). Darin hielt er als Rahmenrichtlinie fest: „Ein wichtiger Moment für den künftigen Wahlkampf ist die grundsätzliche Ausschaltung der Parole ‚Monarchie oder Republik'? Diese Frage ist vorderhand grundsätzlich zurückzustellen." Vierzehn Tage vorher hatte er sich noch mit der Parole „Gut und Blut für unseren Kaiser, Gut und Blut für unser Vaterland!" an seine Gläubigen gewandt. Nunmehr wollte er die Frage der Staatsform völlig aus dem Wahlkampf ausgegliedert und späteren, ruhigeren Zeiten anvertraut wissen. Mit dieser Formel konnte zweifellos die Spaltung der Christlichsozialen Partei überwunden werden, wobei in dieser kritischen Phase die Kompromißpolitik Ignaz Seipels zum Durchbruch kam.

Am 12. November trat die Provisorische Nationalversammlung zusammen und faßte einhellig den Beschluß, Deutschösterreich als Republik zu erklären. Als dies auf der Rampe des Parlaments der auf der Ringstraße harrenden großen Volksmenge verkündet und die neue rot-weiß-rote Flagge gehißt wurde, stürzte sich eine kleine, aber aktive kommunistische Gruppe darauf und riß den weißen Mittelteil heraus. Es sollte nach ihrem Willen nur mehr die Farbe ihres Zukunftsstaates übrigbleiben.

Die Staatsrechtler nennen die Art, in der die Doppelmonarchie am Ende des militärisch und politisch gescheiterten Krieges erlosch, Dismembration und wollen damit sagen, daß der von acht gleichberechtigten Volksstämmen besiedelte und gemeinsam regierte Gesamtstaat in von einander unabhängige Bestandteile zerfiel. Einer von ihnen war die junge Republik Deutschösterreich, die nunmehr, ganz auf sich gestellt, ihr Haus allein bestellen mußte. Dazu bedurfte es der Mithilfe aller Bevölkerungskreise. Darum erließ die Provisorische Nationalversammlung am 12. November 1918 folgenden Aufruf:

„An das deutschösterreichische Volk!

Die durch das gleiche Stimmrecht aller Bürger berufenen Vertreter des Volkes von Deutschösterreich haben in der Provisorischen Nationalversammlung unter den freigewählten Präsidenten vereinigt und beraten durch die von der Volksvertretung eingesetzten verantwortlichen Behörden den Beschluß gefaßt, den Staat Deutschösterreich als Republik, das ist als freien Volksstaat, einzurichten, dessen Gesetze vom Volk ausgehen und dessen Behörden ohne Ausnahmen durch die Vertreter des Volkes eingesetzt werden.

Zugleich hat die Provisorische Nationalversammlung beschlossen, ihre Vollmachten unverzüglich, sobald die nötigsten Vorkehrungen getroffen sind, in die Hände des Volkes zurückzulegen. Im Monat Jänner wird das gesamte Volk, Männer und Frauen, zur Wahl schreiten und sein äußeres Schicksal wie seine innere Ordnung allein, frei und unabhängig bestimmen.

Was dieses vom Unglück heimgesuchte, schwergeprüfte Volk seit den Tagen von 1848 immer begehrt, was ihm die Mächte des Rückschrittes ebenso hartnäckig wie kurzsichtig versagt haben, das ist nun inmitten des allgemeinen Zusammenbruches der alten Einrichtungen glücklich errungen.

Mitbürger! Deutschösterreicher!

Wir stellen die Volksfreiheit unter den Schutz der gesamten Bevölkerung! Wir fordern Euch auf, bereit zu sein, Eure Rechte, Eure Freiheiten, Eure Zukunft mit der Tatkraft, aber auch mit der Besonnenheit und Klugheit eines freien Volkes selbst zu wahren und zu beschirmen. Jetzt, da die Freiheit gesichert ist, ist es erste Pflicht, die staatsbürgerliche Ordnung und das wirtschaftliche Leben wiederherzustellen. Der neue Staat hat ein Trümmerfeld übernommen, alle wirtschaftlichen Zusammenhänge sind aufgelöst, die Erzeugung steht beinahe still, der Güterverkehr stockt, ein Viertel der männlichen Bevölkerung wandert noch fern der Heimat.

Die Vorsorge für das tägliche Brot, die Zufuhr von Kohle, die Bereitstellung der notwendigsten Bekleidung, die Wiederaufnahme des Ackerbaues, die Aufnahme der Friedensarbeit in den Fabriken und Werkstätten ist unmöglich, wenn nicht sofort alle Bürger bereitwilligst und geordnet zur Tagesarbeit zurückkehren. Unsere armen Soldaten, die zur Heimat, zu Weib und Kind zurückkehren wollen, können nicht befördert und verköstigt werden, wenn unser Verkehr stockt. Jeder, der den Anordnungen der Volksbehörden nicht Folge leistet, ist sein eigener, der Feind seines Nächsten und der Gesamtheit!

Deutschösterreicher!

Wir sind nun ein Volk, sind eines Stammes und einer Sprache, vereinigt nicht durch den Zwang, sondern durch den freien Entschluß aller. Jedes Opfer, das ihr bringt, gilt den Euren und nicht fremden Herren, noch fremden Völkern. Darum muß jeder mehr tun, als das Gesetz fordert! Wer über Vorräte verfügt, öffne sie dem Bedürftigen! Der Erzeuger von Lebensmitteln führe sie denen zu, die hungern! Wer überschüssige Gewandung besitzt, helfe die frierenden Kinder bekleiden! Jeder leiste das Äußerste!

Deutschösterreicher!

Euer Bürgergemeinsinn helfe den Volksbehörden, unser Volk vor der sonst drohenden Katastrophe zu retten! Jeder denke vor allem an die nächsten Wochen und Monate. Für später ist gesorgt. In wenigen Monaten wird der Weltverkehr wieder frei sein.

Deutschösterreicher!

Bürger, Bauer und Arbeiter haben sich zusammengetan, um das neue Deutschösterreich zu begründen. Bürger, Bauer und Arbeiter sollen in den nächsten Monaten der höchsten nationalen, politischen und wirtschaftlichen Not zusammenstehen, einander bereitwilligst helfen und das Volk vor dem Untergang bewahren. Nach wenigen Monaten, so hoffen wir, kehrt in der Welt und kehrt in Deutschösterreich das normale Leben wieder.

Dann wird das gesamte Volk sich seine dauernde staatliche Ordnung geben. Bis dahin Vertrauen, Eintracht, Selbstzucht und Gemeinsinn!

Heil Deutschösterreich!

Die Provisorische Nationalversammlung."

Die ganze Not und Bedrängnis jener Spätherbsttage des Jahres 1918, die Sorge vor einem herannahenden Katastrophenwinter, spricht aus dem Wortlaut der Proklamation, die aus der Feder des Staatskanzlers Dr. Karl Renner stammt, der nachmals in vielleicht noch schwererer Zeit im Jahre 1945 ebenfalls an der Wiege des Wiederaufbaus Österreichs stand und am Ausgang seines Lebens noch sechs Jahre lang das Amt des Bundespräsidenten bekleidete. War aber nach dem Ende des Zweiten Weltkrieges und nach den Bedrückungen durch die nationalsozialistische Gewaltherrschaft der Wille zur Zusammenfassung aller durch Besatzungszonen zerrissenen Teile unserer Heimat eindeutig und klar, so betrachtete nach 1918 das Volk den Staat nicht selten als Provisorium. Wohl gaben die einzelnen Länder Beitrittserklärungen ab, mit denen sie ihren Willen zur Eingliederung in einen größeren Verband bekräftigten. Breite Schichten, die in einem politischen und wirtschaftlichen Großraum herangewachsen waren, vermochten aber schwer umzudenken. Dies und die allgemeine Notlage stärkten den verhängnisvollen Glauben von der Lebensunfähigkeit des Kleinstaates. Man suchte Anlehnung an größere Gebilde. So erklärt sich die Tatsache, daß die Provisorische Nationalversammlung in ihrem Beschluß vom 12. November 1918 die Republik Deutschösterreich als Bestandteil der Deutschen Republik erklärte. Der Versuch, mit den nichtdeutschen Nachfolgestaaten Besprechungen über die Herstellung eines größeren Verbandes einzuleiten, war schon in den letzten Oktobertagen an deren abweisender Haltung gescheitert. Auch die Anschlußerklärung vom 12. November 1918 blieb auf dem Papier, hat jedoch im politischen Denken der Bevölkerung noch manche Verwirrung gezeitigt.

Hatten auch weite Kreise die neue Staatsform nicht bewußt erstrebt, so stellten sie sich doch sofort auf den Boden der Republik, auch die Bischöfe erließen einen Hirtenbrief in diesem Sinne. Viele hätten es lieber gesehen, wenn eine Volksabstimmung stattgefunden hätte, doch ergab sich dazu in jenen drangvollen Wintertagen keine Möglichkeit. Wohl aber schritt am 16. Februar 1919 das gesamte Volk, Männer und Frauen, die bis dahin kein Stimmrecht gehabt hatten, zu den Urnen, um eine neue Nationalversammlung zu wählen, die als konstituierende, mit der Aufgabe betraut, eine Verfassung zu schaffen, bezeichnet wurde.

Die maßgebenden Männer der Sozialdemokratie sahen in der Wahlbewegung ein erwünschtes Mittel, die Massen von der Revolution abzulenken. Im Volk brodelte es, die Zusammenarbeit der großen Parteien im Staatsrat und im Kabinett war heftigen Angriffen ausgesetzt. Über das Wahlsystem ergaben sich keinerlei grundsätzliche Differenzen. Daß die Wahlen wie in der Monarchie nach dem allgemeinen, gleichen und direkten Wahlrecht durchgeführt werden sollten, war selbstverständlich. Auch der Übergang von dem bisher üblichen Mehrheits- zum Verhältniswahlrecht und das Stimmrecht der Frauen begegnete keinem Einwand. Auffallend ist, daß der Versuch, die Wahlpflicht einzuführen, von den Sozialdemokraten bekämpft wurde. Es wurden dabei sogar Drohungen laut, daß sich die Arbeiterschaft ein Übergewicht der politisch Indifferenten, die auf solche Weise zu den Urnen gebracht würden, nicht werde gefallen lassen. Die Christlichsozialen aber verlangten die Wahlpflicht als ein Korrelat des Frauenstimmrechtes, weil sie befürchteten, daß sonst nur die politisch geschulten Sozialistinnen wählen würden, während die bürgerlichen Frauen daheimbleiben würden. Die Wahlpflicht wurde nur in einzelnen Ländern durch Landtagsbeschlüsse festgelegt, am 16. Februar, dem Wahltag, zeigte sich jedoch, daß Männer und Frauen auch ohne gesetzliche Verpflichtung ihrer Bürgerpflicht nachkamen.

Neben dem festgefügten sozialistischen Block und den Christlichsozialen, die um die Entscheidung rangen, gab es viele kleine Parteien. Die deutschnationalen Gruppen fanden keine gemeinsame Plattform und gingen meist getrennt in den Wahlkampf, wobei ihnen allerdings die damals noch mögliche Listenkopplung zugute kam. Auch im Lager des bürgerlichen Freisinns war eine Zersplitterung zu beobachten. So zogen auf Grund des Ergebnisses der Wahl vom 16. Februar 1919 72 Sozialdemokraten, 69 Christlichsoziale, 26 Vertreter deutschnationaler Gruppen, ein Tscheche, ein bürgerlicher Demokrat und ein Zionist in die Konstituierende Nationalversammlung ein.

Diese wies aber von vornherein große Lücken auf. Weite Gebiete, die von fremden Truppen besetzt waren, hatten sich nicht an der Wahl beteiligen können. Kärnten, Südtirol, Südsteiermark, vor allem aber Deutschböhmen und Sudetenland waren davon betroffen. Wohl hatte die von der Provisorischen Nationalversammlung beschlossene Wahlordnung vorgesehen, daß in diesen Fällen Ernennungen Platz greifen müßten, über die sich die Parteien zu einigen hätten. Während aber dieses Verfahren für die besetzten Gebiete der Alpenländer Anwendung fand, weigerten sich jetzt die Sozialdemokraten, in gleicher Weise für Deutschböhmen und das Sudetenland vorzugehen, da der Westen eine so zusammengesetzte Körperschaft — 162 Gewählten wären 92 Ernannte gegenübergestanden — nicht ernst nehmen würde. Über das Wahlverfahren konnte man sich nicht einigen und beschloß, die Sache der Nationalversammlung zu überlassen. Diese entschied, von Ernennungen abzusehen.

Mögen auch einige parteipolitische Gründe dabei mitgespielt haben, im Grunde war es doch die Unhaltbarkeit der Lage in den Sudetenländern, die bei diesen Beschlüssen den Ausschlag gab. Renner wies im Staatsrat darauf hin, daß durch die Politik der Zurückhaltung, die von Wien betrieben wurde, die Verhältnisse dort gebessert worden seien, zumindest könnte man in dieser Hinsicht auf Sympathien in England und Amerika rechnen. Der deutschböhmische Sozialdemokrat Seliger, der auch der dortigen Landesregierung angehörte, betonte, daß Deutschböhmen auf die Dauer kein Bestandteil Deutschösterreichs sein könne, weil es an Verbindungslinien fehle. Man hätte besser am 29. Oktober den Weg zu einem Anschluß an Deutschland suchen sollen, wo man aber damals kein Echo gefunden habe. Die Teilnahme an Wahlen für die Konstituierende Nationalversammlung in Wien sahen die Tschechen als Hochverrat an. Der Gedanke, ein Staatsamt für das besetzte Deutschböhmen zu schaffen, mußte sich schon deshalb als wenig glücklich erweisen, da ja nicht einmal die Landesregierungen ihre Tätigkeit ausüben konnten und ins Exil gehen mußten, nachdem die Tschechoslowakische Republik mit Billigung des Westens die umstrittenen Gebiete nicht nur okkupiert, sondern auch sofort dem eigenen Staatswesen einverleibt hatte. Als es am 4. März 1919, dem Tag des Zusammentritts der Konstituierenden Nationalversammlung in Wien, zu Straßendemonstrationen für das Selbstbestimmungsrecht der Deutschböhmen in den nunmehr tschechischen Gebieten kam, eröffnete das tschechische Militär das Feuer, und über fünfzig Tote auf seiten der Demonstranten blieben liegen.

Als erstes Werk bekräftigte die Konstituierende Nationalversammlung die republikanische und demokratische Staatsform. Die Funktion des Staatsrates als Vollzugsausschusses der Volksvertretung und die Zweigleisigkeit zwischen Staatsrat und Kabinett wurden aufgelassen. In der Übergangszeit waren damit gewisse Vorteile verbunden gewesen. Dadurch, daß das Schwergewicht der politischen Entscheidungen beim Staatsrat lag, dem Renner auch Verwaltungsaufgaben übertragen hatte, und nicht bei der schon durch ihre große Mitgliederzahl schwerbeweglichen Provisorischen Nationalversammlung, ließen sich oft die Gegensätze schon im Staatsrat abschleifen, so daß das, was dann vor die Öffentlichkeit kam, als einmütiger Beschluß erschien. Jetzt wählte man den Weg, daß die Nationalversammlung als Inhaberin der ihr vom Volke übertragenen Staatsgewalt die Vollziehung auf eine von ihr durch Mehrheitsbeschluß bestellte Regierung übertrug, die aus dem Staatskanzler, dem Vizekanzler und den Staatssekretären bestand.

Auf diese Weise wurde denn auch die erste Regierung am 15. März gewählt. Sie bestand nur mehr aus Sozialdemokraten und Christlichsozialen nebst einigen Beamten. Zum Staatskanzler wurde Karl Renner, zum Vizekanzler Jodok Fink gewählt, das Staatsamt des Äußeren übernahm Otto Bauer, das Heeresamt Julius Deutsch, der schon bisher als Unterstaatssekretär in diesem den Ton angegeben hatte. Zum Staatssekretär für Finanzen wurde der Universitätsprofessor Josef Schumpeter gewählt. Die Deutschnationalen, die jetzt mit der Deutschen Bauernpartei die Großdeutsche Vereinigung bildeten, waren nicht mehr vertreten. Renner hatte sie zwar, wohl mehr um eine gewisse Form zu wahren, eingeladen und ihnen ein Unter-staatssekretariat im Staatsamt für Handel angeboten. Sie lehnten jedoch ab, um die Rolle eines Züngleins an der Waage zu spielen zu können.

In seiner Regierungserklärung unterstrich Renner, daß es sich nicht um eine stark fundierte Koalition handle, das hätten auch die Massen der sozialistischen Arbeiterschaft, die bisher ganz anders geschult worden waren, nicht verstanden. Er sprach von einer Arbeitsgemeinschaft der großen Parteien, die keine geschlossene Mehrheit hinter sich habe. Freiheit und Arbeit als beherrschende Ideen müßten im Mittelpunkt stehen: „Die politische Befreiung ist erst das halbe Werk, die andere Hälfte heißt Neuorganisation unserer Volkswirtschaft, das heißt Sicherung der Staatsfinanzen, der Volksernährung und der Volksgesundheit, vor allem aber auch Schaffung einer freien Arbeitsverfassung."

Noch war die Frage der Stellung des Kaisers, der sich von den Regierungsgeschäften zurückgezogen, jedoch keinen förmlichen Thronverzicht ausgesprochen hatte, nicht gelöst. Er lebte abseits des politischen Getriebes in Schloß Eckartsau, schien aber doch manchen Vertretern der neuen Staatsform eine gewisse Gefahr zu bedeuten. Man wußte nicht, ob man für den Schutz seiner Person dauernd sorgen könnte, manche politische Kreise hatten auch nicht die Absicht, sich in dieser Hinsicht sonderlich zu bemühen. Man sah es nicht gern, daß dem Kaiser, um Anschläge hintanzuhalten, englische Offiziere zur Verfügung gestellt wurden. Verschiedene Strömungen im Ausland, vor allem in der Schweiz, überschätzte man und glaubte, da und dort gefährliche Umtriebe zur Restauration der Monarchie erkennen zu müssen.

Man begrüßte es daher als eine willkommene Lösung, daß über englische Vermittlung sich der Kaiser entschloß, mit seiner Familie das Land zu verlassen. Bei seiner Ausreise in die Schweiz am 24. März 1919 erließ er aus Feldkirch ein Manifest, dessen Veröffentlichung durch die Regierung verhindert wurde. Er war nicht gut beraten, diesen Schritt zu tun und den Standpunkt zu verlassen, den er bis dahin mit Würde eingenommen hatte. Daß er nicht für sich und sein Haus einen dauernden Thronverzicht aussprechen wollte, war begreiflich. Daß er aber sein Versprechen, die Entscheidung des österreichischen Volkes über seine künftige Staatsform anzuerkennen, nicht halten wollte, war unklug. Die Begründung, daß die Wahlen in die Nationalversammlung, welche die Republik proklamierte, nicht unbeeinflußt waren, enthielt mehr als ein Körnchen Wahrheit. Einflüsse der Straße, der Volkswehr, die allgemeine Einschüchterung hatten sicherlich auf die Wähler eingewirkt. Zum damaligen Zeitpunkt aber konnte kein Zweifel bestehen, daß nicht nur die Arbeiterschaft, sondern auch ein Großteil der Bauernschaft, die unter den Folgen des Krieges und des Militarismus litten, Gegner der Monarchie waren. Dazu kamen die Deutschnationalen, die teilweise schon vor dem Krieg zur habsburgischen Monarchie auf Distanz gegangen waren.

Die Form, in der man den Monarchen außer Landes schaffte, entbehrte jeder Würde. Wohl hatte man Sonderzüge zur Verfügung gestellt, überflüssig war es jedoch, daß der englische Oberst Strutt sich persönlich in einer schriftlichen Erklärung verbürgen mußte, daß nur Privateigentum mitgeführt würde.

Die Gesetze über die Konfiskation des Vermögens der Habsburger waren mit dem Prinzip des Rechtsstaates unvereinbar. Freilich muß man sich den Zeitpunkt vor Augen halten, da diese Gesetze beschlossen wurden. Man schrieb den 2. April 1919. In diesen Tagen und Wochen handelte es sich für Österreich nicht darum, in welcher Form es seine Vergangenheit liquidieren wolle, es ging damals um Sein oder Nichtsein, um die Frage: Demokratische Republik oder Rätediktatur?

Demokratische Republik oder Rätediktatur

Am 21. März war in Budapest und am 5. April in München die Räterepublik proklamiert worden, und es ist naheliegend, daß diese Situation Spekulationen auslöste, die Lücke zwischen beiden Räterepubliken zu schließen, um gemeinsam mit Sowjetrußland den Weg zur „Weltrevolution" voranzutreiben. Als agitatorische Kraft bot sich die Kommunistische Partei Deutschösterreichs (KPDÖ) an, als organisatorische Basis zielte man auf die Arbeiter- und Soldatenräte ab.

Die Arbeiterräte hatten sich nach dem großen Streik im Jänner des Jahres 1918 in den Industriegebieten gebildet, benötigten aber Zeit, sich zu organisieren. Komplikationen traten ein, als sich in den Novembertagen des Jahres 1918 eine eigene kommunistische Partei bildete und sich auch unter den Sozialdemokraten die Vertreter der ehemaligen „Linken" immer mehr in den Vordergrund schoben. Die Grenzen waren fließend. Jedenfalls ging das Bestreben allseits dahin, die Arbeiterräte als ein Instrument der Einheit des Proletariats zu betrachten. Kurz nach den Wahlen zur Nationalversammlung versammelte sich am 19. Februar 1919 in Linz eine von mehreren Ländern beschickte Konferenz der Arbeiterräte, die den sozialdemokratischen Parteivorstand aufforderte, eine Reichskonferenz der Arbeiterräte einzuberufen. Diese trat am 1. März zusammen. Ihre Beschlüsse hielten sich noch im Rahmen des Aktionsprogramms, das wenige Tage vorher der Verband der sozialdemokratischen Abgeordneten verlautbart hatte. Bis dahin war die Wählbarkeit in den Arbeiterrat an die Zugehörigkeit zur Sozialdemokratischen Partei geknüpft gewesen, jetzt wurde sie auf alle ausgedehnt, „die in der sozialistischen Gesellschaftsordnung das Ziel und im Klassenkampf das Mittel der Emanzipation des Proletariats erkennen".

Es wurden also die Kommunisten als vollwertige Mitglieder angesehen, die Arbeiter, die nicht auf dem Boden des Sozialismus standen, blieben ausgeschlossen. Über allem schwebte der Gedanke der Einheit des Proletariats. Hier liegen die Wurzeln für manche Erscheinungen, die später als Austromarxismus bezeichnet wurden.

Ein Reichsvollzugsausschuß der Arbeiterräte sollte die Wahlen in diese Körperschaft vorbereiten. Seine erste politische Tat war die Beantwortung des Aufrufes der ungarischen Räteregierung „An alle" um Unterstützung. Die Antwort war ablehnend. Friedrich Adler, der den Vorsitz führte, erklärte: „Wir täten es von Herzen gern, aber zur Stunde können wir das nicht, denn wir sind Sklaven der Entente, die uns der Hungerkatastrophe preisgeben würde."

Die am 30. März 1919 erschienene Broschüre „Rätediktatur oder Demokratie" von Julius Braunthal unterstrich nach einem Hinweis auf das russische Vorbild die fundamentalen Unterschiede der Lage in Österreich. Hier sei es nicht möglich, gemeinsam mit den Bauern eine Plattform in der Räteorganisation zu bilden. Die wirtschaftlichen Bedingungen seien grundverschieden von denen in Rußland. Ein geschultes und selbstbewußtes Bauerntum würde es sich nicht gefallen lassen, auf einem Rätekongreß wie in Rußland auf fünf Arbeiterstimmen nur eine Bauernstimme fallen zu lassen. Ohne Gleichberechtigung würde es in Österreich nicht gehen, ein solcher Rätekongreß würde aber dann kaum mehr sozialistischen Charakter haben. Es bleibe also nur der Weg der Demokratie. Auch dieser könne Vorteile bringen. Man werde unter dem Druck der Furcht vor einer Rätediktatur vom Bürgertum große Zugeständnisse erreichen. Dem aufgewühlten Proletariat genüge das nicht. Es fordere die Alleinherrschaft. In der Nationalversammlung hielten die Kräfte einander das Gleichgewicht, die Macht der Arbeiterschaft müsse sich daher in den lokalen Selbstverwaltungskörpern konzentrieren. Ganz ausschließen wollte Braunthal die Räterepublik in Österreich nicht. Augenblicklich wäre sie nichts als ein leichtfertiges Abenteuer. Noch gebe es für die Linke keinen anderen zielsicheren Weg als den der Demokratie.

Zu noch schärferen Empfehlungen gelangte der am linken Flügel der Sozialdemokratischen Partei stehende Soziologe Max Adler in seiner 1919 erschienenen Untersuchung „Demokratie und Rätesystem". Er meinte, daß politische Gleichheit und Freiheit Worte ohne Inhalt blieben, wenn die wirtschaftliche Gleichheit fehle. Es lag auf derselben Linie, daß eine Erklärung des Reichsvollzugsausschusses der Arbeiterräte vom 1. Mai 1919 von Zufällen der Arithmetik sprach, durch die sich die Arbeiterklasse nicht werde behindern lassen.

Doch war sich auch Adler darüber klar, daß die Räterepublik an der Bauernschaft scheitern müsse. Die Forderung, daß alle in die Räte Gewählten auf dem Boden des Klassenkampfes stehen müßten — auch das Organisationsstatut der Arbeiterräte Deutschösterreichs vom 3. Juli 1919 enthielt diese Bestimmung — werde sich bei der Masse der österreichischen Bauern mit ihrem „antikollektivistischen Bauernschädel" nicht durchsetzen lassen. Kaum war also die Volksherrschaft durch die Schaffung der Republik ins Leben getreten, erhob sich der Einwand, daß sie ja gar nicht die richtige Form sei, sondern daß neue Wege beschritten werden müßten. Wozu dann die auf Grund des allgemeinen, gleichen und direkten Wahlrechts gewählte Nationalversammlung? Auch dafür wußte Max Adler einen Vorschlag. Sie möge bestehen bleiben, um auch dem nichtsozialistischen Teil der Bevölkerung seine Interessenvertretung zu geben. Dem Arbeiterrat müsse aber ein Vetorecht gegen ihre Beschlüsse zustehen. So, glaubte er, werde sich ohne Terror der Weg zur Diktatur des Proletariats eröffnen.

Diese Beleuchtung der theoretischen Grundlagen der Arbeiterräte und der Anschauungen, die darüber publizistisch vertreten wurden, war deshalb erforderlich, weil die Arbeiterräte in der ersten Hälfte des Jahres 1919 eine große, manchmal ausschlaggebende Rolle spielten. Zeitweise hatte es beinahe den Anschein, als ob der Reichsvollzugsausschuß und der Wiener Kreisarbeiterrat geradezu eine Überregierung bildeten.

Daneben wirkten auch noch die Soldatenräte in jenen Monaten wesentlich auf die Innenpolitik ein.

Als am 30. Oktober 1918 der Staatsrat die Regierungs- und Vollzugsgewalt übernahm, beanspruchte er damit auch die Befehlsgewalt über die deutschösterreichischen Truppen. Am selben Tage bildete sich spontan ein Provisorischer Soldatenrat, dem auch eine Mitwirkung bei der Aufstellung der deutschösterreichischen Wehrmacht zugesagt wurde. In einem Aufruf des Staatsrates an die Wiener Garnison war zu lesen, daß am 3. November unter Mitwirkung von Vertretern des Staatsrates in den Wiener Kasernen Soldatenräte gewählt werden sollten. Allerdings war als deren Aufgabe nur die Funktion als Beschwerdekommission angegeben. Beim Staatsamt für Heereswesen sollte ein aus 24 Mitgliedern bestehender, aus allen Soldatenräten zu wählender Beirat gebildet werden. Bereits am 1. November entstand ein Provisorischer Soldatenzentralausschuß, der später aus dem Parlamentsgebäude in das Staatsamt für Heereswesen übersiedelte. Da der Staat über keine Macht verfügte und den Offizieren die Gewalt über die Mannschaft entglitten war, sollten die Soldatenräte ein Mindestmaß militärischer Disziplin herstellen. Das ist nicht immer gelungen. Doch war damit immerhin ein Weg gefunden, die Volkswehr, die nunmehr aufgestellt wurde, von unüberlegten Schritten abzuhalten.

Die Werbungen hatten zunächst keinen großen Erfolg; wer gedient hatte, wollte sich nie mehr in eine militärische Zwangsorganisation fügen. Berufssoldaten waren unerwünscht, da man sich nicht von der Meinung freimachen konnte, in ihnen Reaktionäre zu sehen. Es kamen daher fast ausschließlich linksorientierte Leute zur Volkswehr, deren extremste Vertreter die kommunistische Rote Garde bildeten. Die Volkswehr und die Soldatenräte nahmen eine Exekutive für sich in Anspruch, die mit den bestehenden Gesetzen nicht vereinbar war. Wenn etwa der Arbeiter- und Soldatenrat in Baden erklärte, daß er alle, die Gerüchte gegen ihn verbreiteten, im eigenen Wirkungskreis mit Arreststrafen belegen werde, und der zuständige Bezirkshauptmann dazu bloß bemerkte, er werde sich bemühen, daß das nicht in Anwendung komme, so lag die Schwäche der staatlichen Autorität klar zutage. Volkswehr und Soldatenräte nahmen Streifzüge nach Lebensmittelvorräten vor und beschlagnahmten sie, ohne sie immer der öffentlichen Bewirtschaftung zuzuführen.

Der Wiener Polizeipräsident Johann Schober wurde nicht müde, gegen diese Zustände bei der Regierung seine mahnende Stimme zu erheben, es kam dann auch zu einem Erlaß des Staatssekretärs Julius Deutsch, daß zur Aufrechterhaltung der öffentlichen Ruhe und Ordnung in erster Linie Polizei und Gendarmerie berufen und Übergriffe der Volkswehr strengstens zu ahnden seien. In der Praxis behalf man sich, indem man staatlichen Ämtern, wie etwa dem Kriegswucheramt der Wiener Polizei, Arbeiter- oder Soldatenräte beigab, um an den Amtshandlungen mitzuwirken. Auch das führte vielfach zu Reibereien, weil diese, an Verwaltungsaufgaben nicht gewöhnt, es nicht selten an dem gebotenen Verständnis dafür fehlen ließen, daß die Verwaltung nur auf Grund der bestehenden Gesetze ausgeübt werden dürfe. Gegenüber den Vorstellungen Schobers, daß 90 Prozent der von der Volkswehr vorgenommenen Beschlagnahmen wieder aufgehoben werden müßten, wendete Renner ein, daß das Vorgehen der Volkswehr zwar ungesetzlich sei, daß man aber darin eine Selbsthilfe gegenüber dem Versagen der Staatsgewalt erblicken müsse. Auch die Wahlen hatten unter Eingriffen der Volkswehr zu leiden, Versammlungen wurden gesprengt und die nichtsozialistischen Parteien durch bewaffnete Aufzüge eingeschüchtert.

Die Sozialdemokraten distanzierten sich mehr und mehr von der Roten Garde. Es gab aber Männer, die, von Geltungsdrang erfüllt, lange nicht recht wußten, auf welcher Seite sie ihren Platz beziehen sollten. Dazu gehörte auch Josef Frey, der Vorsitzende des Vollzugsausschusses der Soldatenräte.

Als in Ungarn die Räterepublik ausgerufen worden war und immer mehr Abgesandte nach Wien kamen, um Unterstützung zu erbitten, erhielten die Soldatenräte zwar (aus Rücksicht auf die Entente und den Waffenstillstand) keine Waffen aus österreichischen Beständen, man hatte aber nichts dagegen, daß gelegentlich inoffiziell Waffen nach Ungarn verschoben wurden. Arbeiter- und Eisenbahnerorganisationen boten dazu gerne ihre Hand.

Die Unsicherheit in Österreich verschärfte sich, als auch in München die Räterepublik errichtet wurde und die kommunistische Agitation zunahm. Volksversammlungen, auch wenn sie nur von einigen tausend Leuten besucht waren, konnten unter diesen Umständen sehr gefährlich werden.

Versammlungen von Invaliden, Kriegsheimkehrern und Arbeitslosen führten am 17. April 1919, dem Gründonnerstag, zu Demonstrationen, die sich schließlich gegen das Parlament wandten und zu bewaffneten Auseinandersetzungen führten, wobei vor allem die Angehörigen des Volkswehrbataillons 41 und Marinesoldaten gegen die staatliche Exekutive und staatsloyale Volkswehreinheiten Waffen einsetzten. Die KPDÖ suchte diese Situation zu der Proklamation einer Rätediktatur zu nutzen, scheiterte aber letztlich am gezielten Widerstand der sozialdemokratischen Funktionäre, die die Stimmung in einer vorerst kommunistisch dominierten Versammlung herumreißen konnten. Alle Indizien sprechen dafür, daß es sich „um eine putschistische Aktion ungarischer Kommunisten und des radikalen Koritschoner-Flügels der österreichischen KP gehandelt habe" (Botz, Gewalt). Der Parteivorstand der Sozialdemokraten mahnte in einem Aufruf zur Besonnenheit, eine am 28. und 29. April tagende Reichskonferenz der Partei schloß sich dieser Auffassung an. Auch der Zentralarbeiterrat hatte es abgelehnt, den sozialistischen Regierungsmitgliedern das Mißtrauen auszusprechen. Die Reichskonferenz rückte von den Kommunisten ab. Die Sozialdemokraten wünschten, so wurde dort beschlossen, einen Kampf nur mit geistigen Waffen mit allen Gegnern, auch mit den Kommunisten. Plünderern und Brandstiftern aber müsse entgegengetreten werden. Die Sozialdemokratie werde sich weder von Monarchisten noch von Kommunisten terrorisieren lassen. Wieder wurde auf die Machtverteilung in Österreich hingewiesen, wo der Arbeiterschaft eine annähernd gleich starke Vertretung der Bauern gegenüberstehe. Über diese werde man nicht hinwegkommen, ob nun für die Nationalversammlung oder einen Kongreß der Arbeiter- und Bauernräte gewählt würde. Man hoffe jedoch, auf dem Wege der Demokratie und der organischen Entwicklung den Sozialismus verwirklichen zu können.

Die Kommunisten mußten einsehen, daß sie aus eigener Kraft ihr Ziel nicht erreichen konnten. An Versuchen dazu fehlte es auch in der Folgezeit nicht. Um die Mitte des Monats Juni 1919 war die Lage in Wien wieder kritisch, als reiche Geldmittel aus Ungarn flossen und politische Emissäre sich in Österreich breit machten. Die ungarische Gesandtschaft wurde zu einem Mittelpunkt solcher Bestrebungen. Die traurigen wirtschaftlichen Verhältnisse gaben den geeigneten Nährboden ab. Im niederösterreichischen und steirischen Industriegebiet war die Stimmung gefährlich. In Graz, wo es im Februar zu schweren Ausschreitungen gekommen war, die auch einige Todesopfer forderten, griff man jetzt gegen die von Ungarn geförderte kommunistische Bewegung scharf durch, wobei sich den vom späteren Landeshauptmann Dr. Anton Rintelen geführten Bürgerlichen auch die Sozialdemokraten anschlossen, was zeitweise zu Spannungen mit der Wiener Parteileitung führte.

Das Mißlingen des Putschversuches in Wien am Gründonnerstag des Jahres 1919 hatte für die kommunistische Bewegung einen starken Rückschlag bedeutet. Nun wirkte sich auch die niederschmetternde Wirkung des Wortlautes der Friedensbedingungen auf die allgemeine Stimmung aus. Dazu kam die Erregung, die innerhalb der Volkswehr entstand, als sich der Staatssekretär für Heerwesen auf Drängen der Waffenstillstandskommission veranlaßt sah, den Abbau der Volkswehr von ca. 56.000 auf 12.000 Mann ins Auge zu fassen. Hier setzte eine heftige kommunistische Agitation ein, die ungarische Gesandtschaft in Wien schaltete sich fördernd ein — der kommunistische Gesandte und seine Familie war am 3. Mai durch einen Handstreich ungarischer Aristokraten gefangengenommen, am selben Tage aber wieder befreit worden — und das Direktorium setzte letzten Endes den Termin für einen neuen Putsch auf den 15. Juni fest.

Polizei und Regierung wußten von diesem Plan. Schober beantragte die Abberufung des ungarischen Gesandten, die Auflösung des kommunistischen Volkswehrbataillons 41 und eine entsprechende Einflußnahme auf die Wiener Arbeiterschaft. Dieser Aufgabe unterzogen sich denn auch die sozialdemokratischen Führer mit Erfolg: der am 13. Juni erstmalig zusammengetretene Wiener Kreisarbeiterrat erließ eine von Friedrich Adler gezeichnete Proklamation, in der mit Nachdruck darauf hingewiesen wurde, daß die Kompetenz, Massenaktionen der Wiener Arbeiterschaft einzuleiten, einzig und allein beim Kreisarbeiterrat liege. Auch über die Taktik, über die Frage, ob die Alleinherrschaft des Proletariats in Wien zweckmäßig sei, könne nur dieses Forum entscheiden.

Am folgenden Tage erging ein weiterer Aufruf, der auf die konkreten Putschvorbereitungen hinwies, die von einer Versammlung auf dem Rathausplatz ihren Ausgang nehmen sollte. In Tausenden von Flugblättern und Plakaten hatten verschiedene Komitees zu einer Kundgebung „für die Errichtung der Räterepublik" aufgefordert. Der Kreisarbeiterrat warnte vor einer Teilnahme daran. Es handle sich um keine Volksversammlung, sondern um eine Zusammenrottung zu Gewaltzwecken. Hieß es doch in einem kommunistischen Flugblatt: „Jeder Volkswehrmann hat die Pflicht, mit der Waffe in der Hand an dieser Demonstration teilzunehmen."

Der Vollzugsausschuß der Soldatenräte griff ein. Er ordnete eine Konsignierung der Volkswehr in den Kasernen an, nach längeren Verhandlungen schlossen sich auch die Vertreter des Bataillons 41 dieser Maßnahme an. Man war jedoch nicht sicher, ob sie ihre Versprechen einhalten würden. Immerhin schien jetzt festzustehen, daß sich das Gros der Arbeiterschaft und der Volkswehr an der für Sonntag, den 15. Juni 1919, angekündigten Versammlung auf dem Rathausplatz nicht beteiligen würde. Darauf baute Schober seinen Plan auf. Er trat dafür ein, die Versammlung zu verbieten und den Zuzug aus den Bezirken schon beim Anmarsch zu zerstreuen. Das wäre nicht allzu schwer gewesen, da tatsächlich nur 5000 Teilnehmer gezählt wurden und aus manchen Arbeiterbezirken nur 200 bis 300 Personen anrückten. Dafür waren aber die maßgebenden Männer der Regierung, vor allem der Staatssekretär des Innern

Matthias Eldersch, nicht zu haben. Die Sozialdemokraten glaubten nämlich, daß ein solches Versammlungsverbot eine zu starke Belastung der Arbeiter- und Soldatenräte bedeuten und die dank ihrer Aufklärungstätigkeit in der Arbeiterschaft erzielte gute Stimmung beeinträchtigen würde. Für den Schutz der wichtigsten Regierungsgebäude sollten verläßliche Volkswehrabteilungen eingesetzt werden. Auch an eine Verhaftung der kommunistischen Führer wurde gedacht, man kam aber darüber zu keinem Beschluß.

Da machte sich Schober selbständig und ließ in der kommunistischen Parteizentrale in der Nacht die dort versammelten Führer und Vertrauensleute ausheben. 122 Personen wurden dem Polizeigefangenenhaus überstellt, von wo sie teilweise am nächsten Tag über Intervention von Deutsch und Eldersch, die damit beruhigend wirken wollten, ab halb elf Uhr entlassen wurden. Bereits eine Stunde früher sammelten sich 5000 bis 6000 Menschen vor dem Rathaus, die von Rednern aus München und Budapest in kleinen Gruppen indoktriniert wurden. Neben der Befreiung der Inhaftierten wurde die Errichtung der Räterepublik gefordert. Die Demonstranten zogen zunächst zum Landesgericht, da sie irrtümlich die Inhaftierten dort vermuteten, ehe sie sich gegen die Roßauer Lände zum Polizeigefängnis wandten. Beim Versuch, eine Absperrungskette bei der Hörlgasse zu durchbrechen, wurden die Demonstranten von der sozialdemokratisch organisierten Stadtschutzwache nach einer Warnsalve unter Beschuß genommen. Die kasernierten Angehörigen des Volkswehrbataillons 41 wurde am Eingreifen auf Seite der Demonstranten durch bewaffnete, sozialdemokratische Soldatenräte gehindert. Am Ende des Tages standen den zwanzig toten und fünfzig schwerverletzten Demonstranten — die meisten waren Opfer der Salve bei der Hörlgasse — zwei schwerverletzte Polizisten und eine Reihe von leichtverletzten Stadtschutzmännern gegenüber.

Innerhalb der Kommunistischen Partei begann eine ziemliche Verwirrung, die meisten Führer fielen bei den ausländischen Drahtziehern in Ungnade. Man warf ihnen vor, daß sie sich nicht als „Tote auf Urlaub" betrachteten, ein jeder hoffe, Volkskommissär zu werden, keiner denke daran, daß er für seine Überzeugung unter Umständen auch sterben müsse. Man werde daher bei den österreichischen Kommunisten eine andere Organisation einführen müssen, von noch so großen Massen habe man nichts, wenn sie beim ersten Schuß davonliefen. Nur durch den Umbau der Organisation auf kleine Elitegruppen, Zehnerschaften, die den Grundstock für spätere Terrorgruppen abgeben könnten, sei es möglich, „diesen Sumpf, der sich Kommunistische Partei Österreichs heißt, trockenzulegen".

Der Kreisarbeiterrat, bei dem damals das Schwergewicht der Entscheidungen lag, verurteilte den Putschversuch, den er auf Grund von Untersuchungen, die er anstellte, als erwiesen annahm, und erhob auch gegen das Verhalten der Polizei keinen wesentlichen Einwand; war doch ihr oberster Chef, der Sozialist Matthias Eldersch, und die Stadtschutzwache, die seit den

Novembertagen des Vorjahres als Hilfsorgan für die Polizei aufgestellt worden war und den Sturm abgeschlagen hatte, in ihrer überwiegenden Mehrheit sozialdemokratisch orientiert. In einem Aufruf der Soldatenräte an das Wiener Proletariat heißt es: „Die Blutschuld für das sonntägige Morden fällt mit zermalmender Wucht auf das kommunistische Direktorium." Auf der vom 30. Juni bis 3. Juli 1919 in Wien tagenden zweiten Reichskonferenz der Arbeiterräte wurde der Gegensatz zwischen Sozialdemokraten und Kommunisten in aller Öffentlichkeit ausgetragen. Diese hatten eine Resolution eingebracht, die in dem Antrag gipfelte: Deutschösterreich wird zur Räterepublik erklärt. Mit der Durchführung aller hierzu notwendigen Maßnahmen wird der Reichsvollzugsausschuß der Arbeiterräte betraut.

In den Debatten kamen immer wieder die besonderen Verhältnisse in Österreich zur Sprache und das schwere Hemmnis, das die Bauernschaft bedeute. An den Bauern, die einen Massenaufmarsch am 29. Juni in Wien veranstalteten und zeigten, daß sie einen Machtfaktor darstellten, der nicht zu übersehen war, prallten linke Agitationsbemühungen ab. Trotzdem war die Lage noch immer sehr labil. Schober stellte der Regierung vor Augen, daß die Ereignisse sich wiederholen würden, wenn man nicht sofort energisch gegen die Rote Garde und die Tätigkeit der ungarischen Gesandtschaft einschreite. Demgegenüber empfahl Bauer im Kabinettsrat eine Politik des Zuwartens, weil sich die Situation bald klären würde, sobald in Berlin eine Entscheidung über Annahme oder Ablehnung des deutschen Friedensvertrages gefallen sei. Schärfere Maßnahmen brächten die Gefahr mit sich, daß große Teile der Arbeiterschaft und der Volkswehr zu den Kommunisten abschwenken würden. Auf der Reichskonferenz der Arbeiterräte warnte Friedrich Adler vor einem verfrühten Ergreifen der Staatsgewalt durch das Proletariat, da eine sozialistische Republik nur in Wien Aussicht auf Erfolg hätte. Sein Namensvetter Max Adler faßte die Politik der Sozialdemokraten in Österreich dahingehend zusammen, daß sie einen wirklich revolutionären Weg zu gehen entschlossen seien, der aber nicht jener Lenins oder der der Mehrheitssozialisten in Deutschland sein könne. Die österreichische Sozialdemokratie habe einen dritten Weg eingeschlagen, den Weg der zielbewußten allmählichen Eroberung der politischen Macht. Radikalismus sei erwünscht, er müsse aber im Rahmen der Organisation vertreten werden.

In diesem Sinne war auch die Resolution gehalten, die mit großer Mehrheit angenommen wurde und die alleinige Kompetenz, zu Massenaktionen aufzufordern, dem Arbeiterrat als allein verantwortlicher Körperschaft, die sich gegen jeden Versuch der Vergewaltigung durch kleine Minoritäten zur Wehr setzen werde, vorbehielt.

Man hat den Arbeiterrat auch eine Überregierung genannt. Tatsache ist, daß sich sowohl die Regierung wie die Parteivorstände der Sozialdemokraten häufig seinem Willen unterwarfen. Es gab Fälle, wo die Verwaltungsaufgaben, zu denen sich die Arbeiterräte drängten, nicht in gesetzlichen Bahnen abgewickelt wurden, weil es solche Vorschriften einfach nicht gab oder weil das Prinzip der Selbsthilfe, das man in Anlehnung an das Selbstbestimmungsrecht nach außen jetzt im innerstaatlichen Leben angewendet wissen wollte, eine verschiedene Auslegung erfuhr. Die Arbeiterräte beanspruchten die Kontrolle der Verwaltungsorgane, die den vielen ihnen neu zuwachsenden Aufgaben auf wirtschaftlichem Gebiet, vor allem auch der Bekämpfung des in Notzeiten immer blühenden Schleichhandels nicht gewachsen sein konnten. Viele hatten die Lehre, die in den oben angeführten Schriften über die Arbeiterräte verkündet wurde, in einer populär vergröberten Form in sich aufgenommen, daß bei ihnen allein alle Macht im Staate liege, unbekümmert um gesetzliche Schranken, über die sie nur allzuleicht hinwegzusehen geneigt waren. Gegen die Übergriffe der Arbeiterräte bildeten sich Abwehrorganisationen, es kam auch zu kleinen Bauernrevolten nicht nur gegenüber Arbeiterräten und Volkswehr, sondern auch gegen die staatliche Exekutive, kurz, es begannen sich in den ersten Ansätzen Fronten zu bilden, die dann später die österreichische Innenpolitik verhängnisvoll beeinflussen sollten.

Nach dem 15. Juni 1919 wurde auch das Bürgertum unruhig. Großdeutsche Abgeordnete verhandelten mit den Christlichsozialen über Abwehrmaßnahmen, man dachte an eine Verlegung der Nationalversammlung nach Innsbruck. Der Vorarlberger Jodok Fink, der in Abwesenheit des bei den Friedensvertragsverhandlungen weilenden Staatskanzlers die Regierungsgeschäfte in Wien leitete, beurteilte die Lage nüchtern. Er drückte die Überzeugung aus, daß Otto Bauer kein Kommunist sei und die Sozialdemokraten selbst eine Diktatur des Proletariats fürchteten. Auch wirkte die bereits im April der Staatsregierung gegenüber ausgesprochene Drohung der Entente, die Lebensmittelzufuhr abzuschneiden, wenn es zur Räteregierung käme. Die Kommunisten faßten allerdings noch mehrmals Termine für die Machtergreifung ins Auge; da sie aber keinen Rückhalt in den breiten Massen der Arbeiterschaft hatten, blieben diese Pläne unausgeführt. Als das Räteregime in Ungarn Anfang August zusammengebrochen war, strömten zahlreiche politische Führer mit dem Diktator Béla Kun an der Spitze nach Österreich, beanspruchten Asylrecht und bereiteten der Regierung zahllose Verlegenheiten. Auch die ungarische Emigration, die sich unter der Führung der Hocharistokratie in Wien aufgehalten hatte, war für Österreich eine schwere Belastung.

Hoffnungen, die von den Kommunisten auf die internationale Solidarität des Proletariats gesetzt worden waren, schlugen fehl. In Österreich setzten die Kommunisten gegen den Widerstand der Sozialdemokraten für den 21. Juli 1919 den Generalstreik als Sympathiekundgebung für das kämpfende Rußland und Räteungarn durch. In Wien, im Raum Wiener Neustadt, im Ybbstal, in Linz und Salzburg folgte man dem Streikaufruf, die angesagten Demonstrationszüge fanden weniger Resonanz als erwartet. In der Steiermark, in Tirol und Teilen Niederösterreichs, wo sich Arbeiterräte gegen den Generalstreik gewandt hatten, kam es nur zu einzelnen Aktionen oder Sympathiekundgebungen am Vortag, wobei alle Aktivitäten in Ruhe verliefen. Nochmals plante man von kommunistischer Seite einen Putschversuch, der durch die Sprengung einer Nordbahnbrücke in der Nacht vom 27. auf den 28. Juli ausgelöst werden sollte. Das Sprengstoffattentat mißlang, einzelne Terrorakte in Wiener Neustadt blieben isoliert. Ähnlich wie die noch am 10. August erfolgten Aktionen in Wien, auch hier war das Ziel der Agression die katholisch-konservative Presse, waren diese Nachbeben weitestgehend ohne Basiswirkung. Diese Fehlschläge und der Zusammenbruch der Räterepublik in Ungarn am 1. August — Béla Kun flüchtete tags darauf nach Wien — ließen die KPDÖ in die Bedeutungslosigkeit zurückfallen. Die Sozialdemokratie hatte sich damit als Ordnungsmacht und als Alleinvertretung innerhalb des linken Lagers durchgesetzt. Am 13. August paradierten in Wien 10.000 sozialdemokratisch orientierte Volkswehrmänner gemeinsam mit Abteilungen der Stadtschutzwache und der Wiener Polizei vor dem Parlament. Am 27. August ließ Julius Deutsch die ehemalige Rote Garde, das Volkswehrbataillon 41 auflösen, was ohne Widerstand gelang.

Er tat das, nachdem er einen entsprechenden Antrag des Vollzugsausschusses der Soldatenräte sich hatte vorlegen lassen, über den vorher tagelang verhandelt worden war. Damit verschwand der letzte Rest der Roten Garde. Die Kommunistische Partei in Österreich, der es an mitreißenden Persönlichkeiten fehlte, verfiel zusehends. Weiterer Auftrieb aus dem Ausland blieb aus, zu den ungarischen Politikern, die nach Österreich ins Exil gegangen waren, spannen sich zwar einige Fäden, die aber dank der Wachsamkeit der Polizei nicht mehr gefährlich werden konnten.

Für die Stellung der Sozialdemokratischen Partei ergab sich aus diesen Tatsachen eine bedeutsame Folgerung. Sie konnte die großen Massen der Arbeiterschaft nahezu geschlossen in ihren Reihen sammeln, sie hatte keine ernste Opposition von links zu fürchten. Die schmale Basis nicht links orientierter Arbeiter suchte man auszugrenzen oder einfach zu ignorieren, um den Alleinvertretungsanspruch für diese Klasse nicht nur zu erheben, sondern ihn auch zu leben. Die Einheit der Partei blieb im wesentlichen gewahrt. Dafür erhob sich das Problem, wie man die radikalen und die mehr gemäßigten, auf soziale Evolution, Demokratie und Gewerkschaftsbewegung gerichteten Bestrebungen aufeinander abstimmen sollte. Dies begünstigte die Politik der radikalen Phrase und verschärfte indirekt den Antimarxismus. Man kann daher den Austromarxismus nicht ausschließlich an seiner Brillianz im binnenmarxistischen Diskurs messen, man muß ihn auch in seiner Vulgarität, Primitivität und seiner Agressivität in der Propaganda und Selbstdarstellung erfassen.

Nun trat für Österreich eine andere schicksalhafte Aufgabe in den Vordergrund: der Friedensvertrag.

II

DER KAMPF UM DAS STAATSGEBIET

Der Beginn der Friedensverhandlungen in Saint-Germain

Am 2. Mai 1919 lud die französische Regierung im Namen des Obersten Rates der Alliierten die österreichische Regierung ein, am 12. Mai bevollmächtigte Vertreter zum Abschluß des Friedensvertrages nach Saint-Germain-en-Laye zu entsenden. Seit Monaten hatte das Staatsamt für Äußeres unter Mitarbeit hervorragender Fachmänner die notwendigen Vorbereitungen getroffen. Jetzt handelte es sich um die Zusammensetzung und Leitung der zu entsendenden Friedensdelegation. Viele dachten an den früheren Justizminister Franz Klein, der schon seit Monaten im Auftrag des Staatsamtes für Äußeres den Staatssekretär bei den Vorbereitungsarbeiten für den Friedensvertrag vertreten hatte. Gegen ihn erhoben die Christlichsozialen Einspruch, nicht zuletzt auch wegen seiner Anschlußfreundlichkeit. Ihr Kandidat, Ministerpräsident a. D. Lammasch, wurde von links abgelehnt. Die Großdeutschen hätten am liebsten gesehen, daß Staatssekretär Otto Bauer, den sie als eine überragende Persönlichkeit anerkannten, nach Saint-Germain gefahren wäre. Präsident Seitz erklärte sich aus gesundheitlichen, politischen und staatsrechtlichen Gründen außerstande, Wien zu verlassen. Schließlich einigte man sich dahin, den Staatskanzler Renner an die Spitze der Delegation treten zu lassen und ihm als politische Berater den Christlichsozialen Gürtler und den Großdeutschen Schönbauer an die Seite zu stellen. Ein Stab von Diplomaten, Verwaltungsbeamten, Finanzleuten, Vertretern der besetzten und bedrohten Gebiete und besonderen Experten schloß sich an; so Lammasch, der als Kenner des Völkerrechts und Pazifist einen großen Ruf hatte, und General Slatin-Pascha, der als Gouverneur des Sudan in englischen Diensten gestanden war und über weitreichende Verbindungen im Westen verfügte. Ihm ist es gelungen, seinen Einfluß besonders zugunsten der Kriegsgefangenen geltend zu machen. Wichtiger als die Zusammensetzung der Delegation waren die Richtlinien, die sie auf den Weg mitbekam. Darüber wurde im Hauptausschuß der Nationalversammlung am 7. Mai 1919 verhandelt.

Bezüglich Südtirols wußte man nur zu gut, daß die Entente durch den Londoner Vertrag seit 1915 gegenüber Italien gebunden war. Darum dachte man bloß an eine Neutralisierung ganz Tirols oder an die Möglichkeit, den Süden des Landes staatsrechtlich bei Österreich zu belassen, Italien aber das Recht einzuräumen, dort Garnisonen zu halten. Am ehesten erwartete man aber, daß die Italiener auf eine Zoll- und Wirtschaftsgemeinschaft Südtirols mit Österreich eingehen würden.

Mußte man Italien als Feind in Tirol ansehen, so wußte man aber auf der anderen Seite, daß sich die italienische Politik für Kärnten und Steiermark günstig auswirken würde. Man beschloß daher, für Kärnten auf jeden Fall die Landesgrenzen zu verlangen und nur im Notfalle den Vorschlag auf Volksabstimmung zu machen. Die italienischen Interessen an den Verkehrslinien würden, wie man glaubte, das Verbleiben Marburgs bei Österreich ermöglichen. Auch für die Gewinnung Westungarns beschloß man sich nachdrücklich einzusetzen.

Hinsichtlich der Sudetengebiete wollte man volles Selbstbestimmungsrecht und, falls das nicht erreichbar wäre, Autonomie, Währungsunion mit Österreich und völkerrechtliche Neutralisierung fordern.

Der Gedanke des Anschlusses an Deutschland gehörte zu den Hauptzielen der von Otto Bauer bestimmten Außenpolitik. Zwar hatten die Ententemächte, besonders die Franzosen, Österreich immer wieder durch ihre Wiener Vertreter von diesem Wege abgeraten, doch glaubte man, hartnäckigen Widerstand nur bei ihnen, weniger bei den Engländern und Amerikanern zu finden. Von den Italienern versprach man sich sogar eine gewisse Förderung. Man erwog die taktische Frage, ob man für den Anschluß bei den Friedensverhandlungen stark eintreten oder ihn mehr als Handelsobjekt betrachten solle, wie es der Führer der Christlichsozialen, Prälat Johann N. Hauser, wünschte. Es wurden daher Rückzugslinien auf eine zeitliche Verschiebung des Anschlusses, eine militärische Neutralisierung Österreichs, schließlich auf eine Zollunion mit Deutschland festgelegt.

Hinsichtlich der wirtschaftlichen Bedingungen setzte man sich das Ziel, die Leistung von Kriegsentschädigungen hintanzuhalten und den Standpunkt zu vertreten, daß alle Aktiva und Passiva des alten Reiches nach den völkerrechtlichen Normen über die Staatensukzession quotenmäßig auf sämtliche Nationalstaaten übergehen müßten.

Wer tiefer sah, wußte, daß dieses Programm ein frommer Wunsch bleiben würde. Staatskanzler Renner sprach das aus, als er sich in der Sitzung der Nationalversammlung am 8. Mai 1919 verabschiedete: „Nach der Unglücksbotschaft von gestern" — es handelte sich um den Text der Friedensbedingungen mit Deutschland — „wird der Gang, den die Friedensdelegation jetzt unternimmt, nicht sosehr einem Gang an den Beratungstisch als einem Bußgang gleichen."

So war es auch. Die Delegation wurde nach ihrem Eintreffen in Saint-Germain in einem streng abgeschlossenen Gebiet untergebracht. Es war eine richtige Internierung. Auch verzögerte sich der Beginn der Verhandlungen um fast drei Wochen. Erst am 2. Juni 1919 erfolgte die Überreichung des ersten Teiles der Friedensbedingungen. In der Hauptsache erstreckten sie sich auf die territorialen Bestimmungen. Der drohende Verlust der sudetendeutschen Gebiete und der Südsteiermark, die Brennergrenze und die Teilung des Klagenfurter Beckens erweckten den Eindruck, daß die Zerstückelung Deutschösterreichs beabsichtigt sei. Soweit dieser Entwurf bereits wirtschaftliche Klauseln enthielt, mußten auch diese als völlig untragbar erscheinen, da sie einen vollkommenen Zusammenbruch und ein dauerndes Chaos in diesem Herzstück Europas zur Folge gehabt hätten.

Ferner trat sofort ein grundlegender Unterschied der rechtlichen Auffassungen der alliierten und assoziierten Mächte und der österreichischen Delegation hinsichtlich des internationalen Status der Republik Österreich zutage. Die Alliierten vertraten den Standpunkt der rechtlichen Kontinuität Österreichs und Ungarns, wobei sie allerdings die cisleithanische und die transleithanische Reichshälfte als selbständige Völkerrechtssubjekte ansahen, während sie in ihren internationalen Beziehungen bis 1914 die Donaumonarchie — der österreichischen Auffassung entsprechend — immer als *ein* (wenn auch in zwei Reichshälften gegliedertes) Völkerrechtssubjekt betrachtet und behandelt hatten. Die bedeutendsten österreichischen Rechtsgelehrten (Bernatzik, Klein, Laun, Kelsen, Hawelka) vertraten dagegen die Rechtsauffassung, die Gesamtmonarchie und auch die österreichische Reichshälfte sei durch Zerstückelung (Dismembration) als Staat und Völkerrechtssubjekt untergegangen. Deutschösterreich sei wie die anderen Sukzessionsstaaten durch revolutionäre, originäre Neubildung entstanden. Dieser am 12. November 1918 entstandene Neustaat hätte sich mit keiner Macht im Kriegszustand befunden und sei als neutraler Staat anzusehen, mit dem ein Friedensvertrag gar nicht abgeschlossen werden könne. Demgemäß hätte Deutschösterreich nur einen dem ihm zufallenden Gebiet entsprechenden Teil der Kriegsschulden zu tragen, was nebst der Bestimmung der Grenzen gegenüber den anderen angrenzenden Nachfolgestaaten der Donaumonarchie in einem Staatsvertrag festgelegt werden müsse, in dessen Abschluß auch die Anerkennung des Neustaates Deutschösterreich durch die anderen Vertragsstaaten zum Ausdruck komme.

Die österreichische Friedensdelegation war, so zermürbend sich das Warten auch gestaltete, nicht müßig gewesen. Unter der Leitung Renners waren alle Probleme durchberaten worden, um auf alle Eventualitäten gefaßt zu sein. Daneben liefen Maßnahmen, die als Protest gegen die immer bedrohlicher werdende Lage in Kärnten eingeleitet wurden und auch erreichten, daß von Paris aus an die südslawische Regierung die Aufforderung erging, alle Feindseligkeiten in Kärnten einzustellen und die Truppen hinter eine bestimmte Linie zurückzuziehen.

Renner, der nach der Überweisung der Friedensbedingungen in einer Rede darauf hingewiesen hatte, daß Deutschösterreich wohl einen Teil des Erbes des zerfallenden Reiches übernehmen könne, aber eben nur einen Teil, begab sich darauf nach Feldkirch, um mit Präsident Seitz, Vizekanzler Fink und Staatssekretär Bauer die Lage zu besprechen. Man verständigte sich über den Weg, den man nun einzuschlagen hätte. Er bestand in einer ausführlichen Beantwortung der in den einzelnen Artikeln des Vertragsentwurfes festgelegten Bedingungen, von denen die Gebietsfragen im Vordergrund standen.

Der offiziellen österreichischen Auffassung von der rechtlichen Diskontinuität Deutschösterreichs und der Donaumonarchie mußten die alliierten Mächte entgegentreten, wenn sie überhaupt einen Partner für einen Friedensvertrag haben wollten. Sie vertraten daher die Rechtsauffassung der Kontinuität und Identität Deutschösterreichs mit Cisleithanien. Das österreichische Volk, hieß es in der Mantelnote zum Vertrag von Saint-Germain, habe in Cisleithanien eine führende Rolle innegehabt, sei daher mit seinen Staatsmännern für den Ausbruch des Ersten Weltkrieges verantwortlich. Dementsprechend müßte Deutschösterreich Reparationen leisten und auf die von ihm abgetretenen cisleithanischen Gebiete zugunsten der Tschechoslowakei, des SHS-Staates und Italiens verzichten, somit einen Friedensvertrag hinnehmen.

Mit der Anerkennung der Unabhängigkeit der Tschechoslowakei und der südslawischen Staaten durch den in Wien als Repräsentant der deutschsprachigen Länder der Habsburgermonarchie gegründeten Staatsrat am 30. Oktober 1918 und durch das Festhalten der Österreicher in der Auflösungsphase der Doppelmonarchie am Feindstatus gegenüber den Mächten der Entente in den Wochen danach hatte sich die junge Republik selbst in jenen Status manövriert, den die Mantelnote zum Vertrag von Saint-Germain umriß. Man hatte bei der Proklamation der Republik verabsäumt, den Charakter der Diskontinuität Deutschösterreichs gegenüber Cisleithanien zu unterstreichen. Mentalitätsmäßig fühlte man sich aber „verraten" durch den „Abfall der Nachfolgestaaten" von Österreich-Ungarn; die Umwandlung der alten Zentralbehörden in Verwaltungseinrichtungen der jungen Republik, die Kontinuität der Personen und Gebäude unterstrich „ungewollt die Identität der deutschösterreichischen Republik mit dem habsburgischen Gesamtstaat" (Fellner, Vertrag). Es sollte „eine der Wesensschwächen der österreichischen Proteste gegen die Belastung der neuen Republik mit den Verpflichtungen des ehemaligen Gesamtstaates werden, daß man zwar in allen wirtschaftlichen Fragen jede verpflichtende Kontinuität von sich wies, in allen kulturellen und institutionellen Belangen jedoch sich als Erbe des Habsburgerreiches gab und gegen geforderte Abtretungen protestierte". Gleiches gilt für die Vorstellungen über die zu erwirkenden Grenzen und für das Bewußtsein, daß die neugegründete Republik mit den Ententemächten einen Frieden aushandeln müsse.

Österreich hat zwar unter Rechtsverwahrung den Vertrag von Saint-Germain am 10. September 1919 unterschrieben, diesen aber dann als „Staatsvertrag von Saint-Germain" bezeichnet und völkerrechtlich und staatsrechtlich fast lückenlos die rechtliche Diskontinuität gegenüber der Donaumonarchie bzw. der cisleithanischen Reichshälfte vertreten. Nach Aufnahme Österreichs in den Völkerbund (15. Dezember 1920) und nach Streichung der Österreich auferlegten Reparationen hat die internationale Staatenpraxis und auch die Rechtslehre in den alliierten und assoziierten Staaten sehr bald die österreichische Rechtsauffassung übernommen, daß die Republik Österreich ein 1918 begründeter Neustaat und mit dem 1918 durch Dismembration untergegangenen Österreich-Ungarn nicht identisch sei.

Die Festlegung der Nordgrenze

Als die österreichische Friedensdelegation in Saint-Germain ankam, waren die Würfel über das Schicksal der Sudetendeutschen schon gefallen. Der tschechischen Politik war es gelungen, die Entente von der Notwendigkeit der „historischen Grenzen" Böhmens, Mährens und Schlesiens zu überzeugen. Damit waren alle Hoffnungen, die man auf deutschösterreichischer Seite auf eine wenigstens teilweise Anerkennung des Selbstbestimmungsrechtes gesetzt hatte, vernichtet. Dieses hätte eine Trennung entlang der Sprachgrenzen bedeutet, und eine solche war auch das erste Ziel der sudetendeutschen Politiker gewesen, als das kaiserliche Oktobermanifest den Weg dazu eröffnet hatte. In Böhmen waren ja schon zur Zeit der Monarchie viele Vorbereitungen für eine nationale Zweiteilung getroffen worden, Mähren und Schlesien standen aber dieser Aufgabe zunächst wenig vorbereitet gegenüber. Der Böhmerwaldgau wollte sich Oberösterreich, der Znaimer Kreis Niederösterreich anschließen.

So kam es, daß sich am 29. Oktober 1918 die deutschböhmischen Reichsratsabgeordneten im Niederösterreichischen Landhaus in Wien als deutschböhmische Landesversammlung konstituierten und am nächsten Tag die Vertreter Mährens und Schlesiens, die ihr Siedlungsgebiet als Sudetenland zusammenfassen wollten, diesem Beispiel folgten. Verhandlungen, die der zum Landeshauptmann von Deutschböhmen bestellte Lodgman und sein Stellvertreter Seliger mit den Tschechen führten, brachten keine Klarheit über die Absichten, die man in Prag verfolgte. Man begnügte sich mit Gesprächen über notwendige Verwaltungsmaßnahmen, die Ernährungslage und die Kohlenversorgung. Doch fiel schon damals in Prag das Wort: „Mit Rebellen verhandeln wir nicht." Einen Schiedsvertrag, den Otto Bauer vorschlug, lehnte man ab.

Da Deutschböhmen und Sudetenland bereits am 29. und 30. Oktober ihren Beitritt zu Deutschösterreich erklärt hatten, wurde das geschlossene deutsche Siedlungsgebiet in die Staatserklärung Deutschösterreichs aufgenommen, die von der Provisorischen Nationalversammlung am 22. November 1918 als Gesetz beschlossen wurde. Manche Abgeordnete gaben sich dabei großen Illusionen hin. Der Staatskanzler Renner hatte die Sprachinseln Iglau, Brünn und Gottschee nicht in seinen Entwurf über das Staatsgebiet aufgenommen. Dagegen wurden in der Nationalversammlung Einwendungen erhoben. Obwohl sich nun Renner bemühte, die Undurchführbarkeit dieser Wünsche darzulegen und klarzumachen, daß man nur das geschlossene Siedlungsgebiet in einen Nationalstaat einbeziehen, Enklaven aber nicht verwalten könne, konnte er den Widerspruch, der sich dagegen erhob, nicht überwinden. Die Frage wurde an den Ausschuß zurückverwiesen. Dort verstand man sich wohl dazu, Gottschee und Cilli zu streichen, die Städte Brünn, Iglau und Olmütz blieben aber in der Staatserklärung Deutschösterreichs enthalten.

Die Landesregierungen von Deutschböhmen und Sudetenland mußten sich bald aus Reichenberg und Troppau zurückziehen, da sie sich dort nicht halten konnten. Voraussetzung wäre der Aufbau eines militärischen Widerstandes gewesen. Wien konnte nicht helfen, im eigenen Lande fehlte es an wehrfähigen Männern, da diese erst allmählich von der Front zurückkehrten. Manche bestritten die Unmöglichkeit eines Widerstandes und erhoben schwere Vorwürfe gegen die Wiener Regierung. Nachträglich wurde auch auf den Erfolg der Kärntner Kämpfe hingewiesen. In Wien erklärte man, daß die Tschechen als Ententetruppen anzusehen seien, denen gegenüber Deutschösterreich durch den Waffenstillstand gebunden sei. Da glaubte man in Deutschböhmen in einer Besetzung durch reguläre Ententetruppen eine Rettung erblicken zu können. Der Staatsrat war nicht einig, ob man eine darauf abzielende Depesche weiterleiten dürfe. Man sah die Gefahr einer vollen Besetzung Deutschösterreichs, das mit Rücksicht auf die Sicherung der Verkehrs- und Verbindungslinien Durchzugsgebiet fremder Truppen geworden wäre; auch wollte man nicht eine solche Lage selbst herbeiführen, da man eben erst gegen die Besetzung Innsbrucks durch eine italienische Division protestiert hatte. Der Staatssekretär für Äußeres, Otto Bauer, meinte, ein Ruf nach der Entente wäre Selbstmord aus Furcht vor dem Tode. Der Staatsrat beschloß daher am 13. Dezember, bei seiner bisherigen Sudetenpolitik zu bleiben, das hieß, er lehnte es ab, mit den Tschechen zu verhandeln, und blieb dabei, grundsätzlich Widerstand zu leisten, ohne Gewalt anzuwenden. Das lief auf leere Proteste hinaus. Zu mehr standen keine Machtmittel zur Verfügung. Ein gelegentlicher Einsatz von Volkswehreinheiten im südmährischen Raum brachte zeitweise örtliche Erfolge, änderte aber im Grunde nichts. So erledigte sich durch die Macht der Tatsachen die Antwort auf die Frage von selbst, die der deutschböhmische Landeshauptmann Lodgman am 26. November nach Wien richtete: Schutz der sudetendeutschen Gebiete mit Waffengewalt, Anrufung der Ententehilfe oder soll die Bevölkerung sich selbst überlassen bleiben?

Dennoch zeigt die „Instruktion für die Delegation zum Pariser Friedenskongreß" wie sehr diese Frage die Regierung beschäftigte. Dem Problem „Deutsch-Böhmen und Sudetenland" widmet die Instruktion drei Druckseiten, der Südtirolfrage eine, den umstrittenen Gebieten Kärntens und der

Steiermark einige Sätze. Auch die Hoffnungen, die man auf die Friedenskonferenz setzte, schlugen fehl, da diese sich selbst wohlbegründeten Argumenten verschloß. Der Gedanke des Selbstbestimmungsrechtes unterlag der Auffassung von der Notwendigkeit der historischen Grenzen, deren Aufrechterhaltung aber die Bildung eines neuen Nationalitätenstaates im Herzen Europas bedeutete, mit allen gefährlichen Spannungen, die sich in der Folge daraus ergaben. Nach Unterzeichnung des Friedensvertrages hat die Nationalversammlung in Wien in einer feierlichen Kundgebung am 22. September 1919 auch die Sudetendeutschen aus dem österreichischen Staatsverband entlassen. „Das Beharren der Wiener Regierung, auch im Namen der Deutsch-Böhmen und Deutsch-Mährer zu sprechen, hat nicht unwesentlich dazu beigetragen, die Position Deutsch-Österreichs in anderen Grenzfragen zu schwächen." (Fellner, Vertrag.)

Die Tiroler Frage

War die Hoffnung, in der Grenzbestimmung gegenüber der Tschechoslowakei trotz aller vorgebrachten Argumente etwas zu erreichen, von Anfang an gering, so hoffte man doch, für Südtirol gewisse Erfolge erzielen zu können, obwohl seit 1917 allgemein bekannt war, daß im Londoner Vertrag vom 26. April 1915 Italien für den Kriegseintritt die Brennergrenze zugesagt worden war.

Auch diese Erwartung war trügerisch. Es bestand aber für die Friedensdelegation, der ja auch Tiroler Vertreter angehörten, um so mehr Anlaß, dieser Frage eine besondere Aufmerksamkeit zu widmen, weil man nicht sicher war, ob nicht in der Verzweiflung über den drohenden Verlust des Landes im Süden, das seit dem Waffenstillstand von Italien besetzt war, ganz Tirol seine eigenen Wege gehen und damit für Österreich verloren sein würde. An Sturmzeichen dieser Art fehlte es nicht.

Schon bei Abschluß des Waffenstillstandes hatte Tirol eine eigene Politik eingeschlagen, die mit der Wiener Haltung nicht in Einklang stand. Der Einmarsch der Bayern war nur eine Episode geblieben, und schon am 25. November 1918 beschloß der Tiroler Nationalrat, sich vorbehaltlich der Regelung durch die neuzuwählende Volksvertretung unter Aufrechterhaltung der Landesautonomie an die Republik Deutschösterreich anzuschließen. Das kam einer Beitrittserklärung gleich, wie sie damals auch von den anderen Ländern abgegeben wurde. Aber Tirol nahm das proklamierte Selbstbestimmungsrecht seiner ganzen Tradition nach auch fürderhin in weitgehendem Maße in Anspruch. Es suchte selbständig vorzugehen und sandte eigene Vertreter in die Schweiz. Auch der Geschichtsschreiber der Päpste Ludwig von Pastor, der in Innsbruck eine zweite Heimat gefunden hatte und die Rettung des Gesamtbestandes Tirols nur in der Bildung eines selbständigen Freistaates erblicken konnte, suchte seine weitreichenden Verbindungen in den Dienst dieser Sache zu stellen. Er unterlag dabei jedoch dem späteren Bundeskanzler Michael Mayr.

Als nach dem Zusammentritt der Konstituierenden Nationalversammlung das Gesetz über die Staatsform und das besetzte Staatsgebiet verhandelt wurde, brachten die in Tirol gewählten Abgeordneten — im besetzten Süden hatte der Wahlakt unterbleiben müssen — eine förmliche Rechtsverwahrung vor, in der ausgesprochen wurde, daß im Land Tirol auf Grund des freien Selbstbestimmungsrechtes, kraft der geschichtlichen Rechtsentwicklung und der fortdauernden Geltung der Tiroler Landesordnung von 1861 nur ein freigewählter Tiroler Landtag berufen sei, souverän über die weitere staatsrechtliche Zukunft des Landes zu entscheiden.

Nur unter diesem Vorbehalt erklärten die genannten Abgeordneten in dieser Sitzung am 12. März 1919 an den weiteren Verhandlungen der Nationalversammlung teilnehmen zu können.

Diese Erklärung der Christlichsozialen beantwortete der Tiroler Sozialdemokrat Simon Abram, der namens aller Alpenländer sprach, dahin, daß die arbeitenden Klassen aller Länder sich uneingeschränkt auf den Boden des Staates Deutschösterreich stellten, auch sei er der Überzeugung, daß Deutschtirol nur gerettet würde, wenn der Anschluß an Deutschland zustande käme. Auch der Abgeordnete Sepp Straffner forderte namens der Deutschfreiheitlichen den Anschluß an Deutschland, selbst dann, wenn die anderen österreichischen Länder diesen nicht vollziehen würden.

Dagegen war man in christlichen Kreisen Tirols vorwiegend der Meinung, daß die Anschlußpropaganda an Deutschland für das weitere Schicksal Südtirols nur abträglich sei. Eine dauernde Verbindung mit Österreich sah man damit noch nicht als gegeben an und spielte vielmehr mit dem Gedanken, aus Tirol einen Pufferstaat zu bilden.

Als am 24. April 1919 Woodrow Wilson durch eine Erklärung Südtirol offiziell Italien zusprach, machte die Tiroler Landesversammlung mit der Selbständigkeitserklärung ernst. Am 1. Mai 1919 richtete die Tiroler Landesregierung, in der die Katholische Volkspartei als stärkste Partei den Ton angab, an den Kabinettsrat die dringende Aufforderung, sich binnen kürzester Frist darüber zu äußern, ob er mit der selbständig zu erklärenden demokratischen Republik Tirol das bestehende gemeinsame Rechts- und Wirtschaftswesen aufrechterhalten wolle. Die Erklärung Tirols als selbständiger Staat sei der einzige Weg, die Zerreißung des Landes zu verhindern.

Die Wiener Regierung stellte fest, daß ein solcher Schritt nicht in die Kompetenz der Tiroler Landesversammlung falle, daß ihr jedoch keine Zwangsmittel gegen diesen zu Gebote stünden und daß Vorschläge an Italien, Südtirol militärisch zu neutralisieren, bisher nicht beantwortet worden seien. Man bezweifle, daß durch einen Verzicht auf die Anschlußpolitik Südtirol gerettet werden könne. Die Alliierten hätten niemals Mitteilungen gemacht, die in dieser Art gedeutet werden könnten. Hingegen würde die

Überlassung Südtirols an Italien die Folge haben, daß das wirtschaftlich nicht lebensfähige Nordtirol sich an Deutschland anschließen müsse. Dadurch würde Österreich als Ganzes so geschwächt werden, daß es dann erst recht keinen anderen Weg habe, als eine Verbindung mit dem Deutschen Reich zu suchen.

Gegen den Gedanken, die Antwort so zu formulieren, daß Deutschösterreich einer Trennung Tirols von der Republik nur dann zustimmen könne, wenn von alliierter Seite verbindliche Erklärungen vorlägen, daß man einem selbständigen Freistaat Tirol wirklich das Land im Süden überlassen würde, erhoben sich schwere Bedenken. Man kam schließlich zu dem Ergebnis, die Tiroler Landesregierung eindringlichst vor dem geplanten Schritt zu warnen, da Tirol seine eigene Zukunft gefährden und die Sympathien des deutschen Volkes aufs Spiel setzen würde. Das beste Ergebnis lasse sich nur dann erzielen, wenn alle Teile des Staates gemeinsam vor der Friedenskonferenz aufträten. Sollte es wirklich zu einer Erklärung der Alliierten über die Belassung von Südtirol kommen, wäre die Regierung bereit, Tirol aus dem Verband der Republik zu entlassen.

Die Landesversammlung in Innsbruck, die am 3. Mai zusammentrat, erklärte Tirol für selbständig, es sollte hierfür einen neutralen Freistaat bilden, falls die Landeseinheit so gerettet werden könnte. Würde aber Südtirol trotzdem abgetrennt werden, so bliebe dem Rest des Landes nichts anderes übrig, als sich an Deutschland anzuschließen.

Die Landesregierung erhielt die Möglichkeit, diesen Beschluß vor die Friedenskonferenz zu bringen. Vertreter aller drei Tiroler Parteien wurden in die Friedensdelegation aufgenommen, die sich wenige Tage später aus Wien auf den Weg nach Saint-Germain machte. Die unbestrittene Führung der Friedensdelegation hatte Staatskanzler Renner, der auch nach diplomatischem Gebrauch allein Bevollmächtigter war. Die Mitglieder der Delegation dienten ihm nur als Arbeitsstab und Sachverständige, bestimmenden Einfluß hatten sie nicht.

In der Note vom 16. Juni, in der Renner Gegenvorschläge gegen die in Aussicht genommenen Friedensbedingungen machte, wurde die Neutralisierung Südtirols angeboten. Die Würfel waren aber bereits gefallen. Dieser Verlust hat weit über Tirol hinaus die schmerzlichsten Gefühle wachgerufen und auch in jenen Schichten, die der deutschnationalen Propaganda zugänglich waren, eine innere Abwehr gegen die Politik der Nationalsozialisten hervorgerufen, die lange, ehe sie zur Macht kamen, auf Südtirol dauernd zu verzichten bereit waren.

Es war ein Zeichen ohnmächtigen Protestes, daß sich die Tiroler Abgeordneten in der Nationalversammlung an der Abstimmung über die Annahme des Friedensvertrages nicht beteiligten. Tirol erklärte, in dem so geschaffenen Zustand ein Unrecht zu sehen und sich den Weg zum Völkerbund vorzubehalten.

Wie stark Südtirol für alle Tiroler das Zentrum ihres politischen Denkens bedeutete, zeigt der Umstand, daß man bis weit hinein in die konservativsten Kreise jetzt an einen direkten Anschluß an Deutschland dachte. Man glaubte, nur mehr in friedlichen Verhandlungen zwischen Deutschland und Italien die Rettung zu erblicken. Ein Mann wie der spätere Heimwehrführer Richard Steidle hat damals nachdrücklich den Gedanken des Anschlusses an Deutschland vertreten, um die Einheit des Landes sicherzustellen. „Uns kann kein Österreich, kein Habsburger, kein Donaubund helfen", schrieb er in jenen Tagen. „Der Tag, an dem auf dem Innsbrucker Landhause neben unserem roten Adler die schwarz-rot-goldene Flagge hochgeht, bringt auch für unser Land im Süden das erste Morgenrot der kommenden Erlösung. Schwarz-gelbe Fahnen wären nur das Leichentuch für Brixen, Bozen und Meran."

Darum begaben sich Steidle und der Deutschfreiheitliche Sepp Straffner nach Berlin, Weimar und München und führten dort Verhandlungen, die keinen Erfolg brachten.

Durch den Verlust Südtirols war Osttirol vom Körper des Landes abgeschnürt worden. Noch ehe darüber die Würfel gefallen waren, faßte der Gemeinderat von Lienz den Beschluß, die Stadt und ihr Gebiet von Innsbruck abzutrennen. Sich mit Kärnten zu verbinden, erschien wegen der unsicheren Lage dieses Grenzlandes nicht ratsam. So forderte man denn einen Zusammenschluß mit Salzburg, schickte an die Staatsregierung nach Wien eine geharnischte Entschließung und führte darin als Hauptargument an, daß die Bezirkshauptmannschaften Lienz und Spittal an der Drau sowie der Gerichtsbezirk Kötschach mit dem Land Salzburg ein durch die gemeinsame Viehrasse geeintes Wirtschaftsgebiet bildeten. Ein Erfolg blieb aus. Osttirol hatte von da ab keine direkte Verkehrsverbindung mit der Landeshauptstadt.

Die Vorarlberger Frage

Auch das Land Vorarlberg führte einen ernsten und hartnäckigen Kampf um seine Selbstbestimmung. In Bregenz hatte sich nach dem Zerfall der Monarchie eine Provisorische Landesversammlung gebildet, die das volle Selbstbestimmungsrecht für das Land in Anspruch nahm. Das bedeutete zunächst die Übernahme der früheren landesfürstlichen Verwaltung durch die autonomen Landesbehörden. Auch in den anderen Ländern beseitigte man die alte Zweigeleisigkeit der Verwaltung, die von der Provisorischen Nationalversammlung sanktioniert worden war.

In Vorarlberg bedeutete ein solcher Vorgang aber mehr als in anderen Ländern. Dort hatte wohl eine selbständige Landesverwaltung und ein eigener Landtag bestanden, die staatlichen Hoheitsrechte wurden aber von der Statthalterei in Innsbruck wahrgenommen. Insofern bedeutete die Los-

lösung von dem gemeinsamen Verwaltungsgebiet für Vorarlberg die Erfüllung eines langgehegten Wunsches.

Die Landesversammlung vollzog am 3. November 1918 den Beitritt Vorarl-
bergs zum Staate Deutschösterreich, vorerst nur provisorisch. Die endgültige
Entscheidung sollte erst durch den neu zu wählenden Landtag, allenfalls durch
Volksabstimmung, fallen. Bereits am 13. November 1918 bildete sich ein Werbeausschuß, an dessen Spitze der Lustenauer Lehrer Riedmann trat, der den
Anschluß an die Schweiz verfocht und der auf Grund von gesammelten Unterschriften darauf hinwies, daß 70 Prozent der Bevölkerung hinter ihm stünden.
Der Landesrat als die von der Landesversammlung bestellte Regierung unterließ es, die als Privataktion aufzufassende Unterschriftensammlung an die
Schweizer Bundesregierung weiterzuleiten, stellte aber folgende Anträge,
die von der Landesversammlung am 15. März 1919 gutgeheißen wurden und
die weitere Entwicklung wesentlich bestimmt haben: Die Erklärung vom
3. November 1918 ist provisorisch wie die Landesversammlung selbst; über
den definitiven Anschluß Vorarlbergs an ein größeres Staatswesen — neben
der Schweiz standen ja auch Bayern und Württemberg in Erwägung — hat der
neu zu wählende Landtag zu entscheiden. Ist dieser Staat nicht Deutschösterreich oder muß schon die Provisorische Landesversammlung aus besonderen
Umständen eine Entscheidung treffen, so muß ein solcher Beschluß einer
Volksabstimmung unterzogen werden.

Dies wurde der Staatsregierung mitgeteilt. Der Kabinettsrat beschloß, von
einer Beantwortung abzusehen. Ein Versuch, mit dem Bundesrat in Bern
durch bevollmächtigte Vertreter Vorarlbergs in Fühlung zu treten, schlug
fehl. Als aber in der „Neuen Zürcher Zeitung" vom 9. April ein Artikel erschien, der die Aussicht eröffnete, daß die Schweiz einem durch Volksabstimmung bekundeten Willen Vorarlbergs nicht ablehnend gegenüberstehen
würde, beeilte sich die Landesversammlung, am 25. April in einhelligem Beschluß eine Volksabstimmung für den 11. Mai auszuschreiben, ob die Bevölkerung die Aufnahme von Verhandlungen mit der Schweiz über einen Anschluß wünsche. Es war damit nur eine grundsätzliche Vorentscheidung
beabsichtigt, die näheren Bedingungen blieben künftigen Verhandlungen
vorbehalten. Die Wiener Regierung begnügte sich, darauf hinzuweisen, daß
eine Lostrennung vom Staatsgebiet nur mit Zustimmung der Nationalversammlung geschehen könne und die Landesregierung nicht in direkte Verhandlungen mit der Schweiz eintreten dürfe.

Obwohl Vorarlberg nicht zu jenen Ländern zählte, deren Territorium gefährdet erschien, wurde Landeshauptmann Otto Ender der Friedensdelegation zugezogen. Doch wurde ihm keine Gelegenheit gegeben, Verhandlungen zu führen. Er mußte sich damit begnügen, seine Wünsche im
Rahmen der Delegation zu vertreten. Bei den schweren Bedingungen, die
Österreich auferlegt werden sollten und die zu bekämpfen alle Anstrengungen fruchtlos zu bleiben schienen, trat das Problem Vorarlbergs ganz in

den Hintergrund, um so mehr als es von den Alliierten in keiner Weise auf-
gegriffen wurde.

Die Volksabstimmung in Vorarlberg am 11. Mai brachte 80 Prozent
Stimmen für den Anschluß an die Schweiz. Die Beteiligung war nicht allzu
rege, doch konnte man auch unter Berücksichtigung dieses Umstandes eine
klare Zweidrittelmehrheit für den Wunsch, mit der Schweiz Verhandlungen
aufzunehmen, feststellen.

Indessen war auch der neue Landtag gewählt worden. Die Christlichsozialen konnten 22 Mandate erobern, während den Sozialdemokraten bloß
fünf und den Deutschfreiheitlichen drei Sitze zufielen.

Ender hatte am 9. Juni eine Unterredung mit dem Schweizer Bundesrat
Calonder. Was er von diesem zu hören bekam, lief darauf hinaus, daß sich
die Schweiz auf den Anschluß Vorarlbergs nur einlassen könne, wenn die
Gewähr bestünde, daß Wien das Selbstbestimmungsrecht Vorarlbergs ausdrücklich anerkenne. Daraufhin faßten Landesregierung und Landtag in
Bregenz den Beschluß, bei der Staatsregierung zu verlangen, Vorarlberg die
Wahl freizustellen, welchem Staat es sich anschließen wolle, und überdies
bei der Entente die Anerkennung des Selbstbestimmungsrechtes Vorarlbergs
ehestens zu erwirken.

Die Antwort der Regierung fiel negativ aus. Es müsse vor allem erst Klarheit darüber geschaffen werden, unter welchen Bedingungen Vorarlberg aus
seinem bisherigen Staatsverband ausscheiden wolle, wobei die dann erforderlichen finanziellen Auseinandersetzungen mit dem aufnehmenden Staat
eine große Rolle spielen würden. Die Frage jetzt bei den Friedensverhandlungen aufzuwerfen, sei nicht zu empfehlen, das müsse dem Völkerbund
überlassen werden. Auf alle Fälle wäre aber die Zustimmung der Nationalversammlung erforderlich.

In Vorarlberg verkannte man den Sinn dieser Antwort, glaubte, daß die
Staatsregierung der Zustimmung des Völkerbundes und der Nationalversammlung gewiß sei, und war sehr enttäuscht, als man sich vom Gegenteil
überzeugen mußte. Es kam zu einer regen Versammlungstätigkeit im Lande.
Mit wohlwollender Duldung der Landesregierung wurden von dem Landes-
werbeausschuß, der nun wieder stark hervortrat, zwei Vertreter, Neubner
und Pirker, in die Schweiz gesandt. Die beiden überschritten ihre Vollmachten, gingen über die durch Landtagsbeschlüsse festgelegten Richtlinien
hinaus, indem sie am 17. August 1919 namens des Volkes von Vorarlberg,
das sie als Ganzes nicht vertreten konnten — sie waren bloß Delegierte des
privaten Werbeausschusses —, ein Telegramm an den Präsidenten der Friedenskonferenz Clemenceau richteten. Darin protestierten sie dagegen, daß
es dem Vorarlberger Delegierten Ender durch den Staatskanzler unmöglich
gemacht worden sei, die Sache des Landes unmittelbar in Saint-Germain zu
vertreten, und verlangten die Zulassung neuer Delegierter, die man vor der
Friedenskonferenz über die Wünsche Vorarlbergs anhören müsse.

Dieser Schritt zweier nicht offiziell bevollmächtigter Männer wurde weithin als Übergriff empfunden. Es regnete Proteste aus dem Lager der Gegner des Anschlusses an die Schweiz. Die Deutschnationalen sprachen von Volksverrat, und das sogenannte Schwabenkapitel, eine Vereinigung, in der sich alle die zusammenfanden, die einen Zusammenschluß mit schwäbischem Gebiet, mit Baden und Württemberg ins Auge faßten, schloß sich dieser Auffassung an. Die Sozialdemokraten hatten seit dem Mai, als sie für die Abhaltung der Volksabstimmung votierten, eine Schwenkung vollzogen. Der Einfluß der Wiener Parteileitung scheint wirksam geworden zu sein. Man berief sich auf die großen sozialen Errungenschaften, welche die Republik der Arbeiterschaft in Österreich gebracht habe, während in der Schweiz die Kapitalisten tonangebend seien. Auch würde das große Ziel, der Zusammenschluß Deutschlands und Österreichs in einer sozialistischen Republik, bei einer Sonderpolitik Vorarlbergs verlorengehen.

Auf der Friedenskonferenz hat die Vorarlberger Frage nur eine Nebenrolle gespielt. Balfour brachte sie am 8. Mai vor, sein amerikanischer Kollege Lansing riet von der Abtrennung des Landes ab. Damals war den Machthabern noch nicht klar, ob man nicht für Österreich-Ungarn einen gemeinsamen Vertrag machen solle. Dem widersprach Italien, da die Monarchie nicht mehr bestehe.

Das Telegramm, das die beiden Beauftragten des Vorarlberger Werbeausschusses am 17. August aus Bern an Clemenceau gerichtet hatten, tat insofern seine Wirkung, als die Angelegenheit der Territorialkommission in Saint-Germain zur Prüfung überwiesen wurde. Diese schlug vor, Österreich und die Schweiz sollten sich verpflichten, die Angelegenheit nur im Einvernehmen mit dem Völkerbund zu regeln. Ein Telegramm, das Neubner und Pirker am 26. August an die Friedenskonferenz richteten, wollte für Vorarlberg das Recht wahren, die Angelegenheit vor den Völkerbund zu bringen. Eine Note der österreichischen Delegation unterstrich, daß Neubner und Pirker zu diplomatischen Schritten nicht berechtigt seien. Italien trat zwar für die Abhaltung einer Volksabstimmung ein, Clemenceau meinte aber, eine Angliederung Vorarlbergs würde das Gleichgewicht in der Schweiz stören, auch sei die Frage nicht offiziell der Friedenskonferenz unterbreitet worden. Es fiel die Entscheidung, keinen Artikel über Vorarlberg in den österreichischen Friedensvertrag aufzunehmen.

Als dann der Vertrag unterzeichnet war — auch die Vorarlberger Abgeordneten hatten in der Nationalversammlung dafür gestimmt —, konnte Renner auf diesen Schein bestehen, welcher der Staatsregierung verwehre, den Wünschen Vorarlbergs zu entsprechen.

In den deutschen Kantonen der Schweiz gewannen die Anhänger der Aufnahme Vorarlbergs in den Bund an Zahl. Die Verkehrspolitik und die Wasserkräfte wurden zur Unterstützung dieser Bestrebungen angeführt. Die Stickereiunternehmungen versprachen sich durch den Wegfall der Zolllinien wirtschaftliche Vorteile, während die Vorarlberger Textilindustrie die Abtrennung von Österreich scharf bekämpfte. Sehr stark fiel in der Schweiz auch der Umstand ins Gewicht, daß man sich von einer Eingliederung Vorarlbergs die Verhinderung des Anschlusses an Deutschland versprach, von dem man nicht umklammert sein wollte. Die französischen und italienischen Kantone wollten jedoch das deutsche Element nicht verstärkt sehen, sie fürchteten eine alldeutsche Irredenta. Manche Kreise hegten auch aus konfessionellen Gründen Bedenken.

Mit den wirtschaftlichen Schwierigkeiten, mit denen Österreich zu kämpfen hatte, wuchs die Vorarlberger Anschlußbewegung, die durch eine Rede des Schweizer Bundesrates Calonder am 21. November einen starken Auftrieb erhielt. Jodok Fink vermittelte, Renner machte Konzessionen, die Wiener Regierung erklärte sich bereit, ein Ansuchen Vorarlbergs an den Völkerbund weiterzuleiten, wenn der gesetzliche Weg eingehalten werde. Der Landtag faßte am 5. Dezember 1919 entsprechende Beschlüsse, in denen deutlich von einem unter Umständen selbständigen Vorgehen die Rede war. Die Regierung schloß sich den von Renner festgelegten Grundsätzen an: Bei voller Anerkennung des Selbstbestimmungsrechtes der Nationen hat nicht jeder Nationssplitter das Recht, sich vom Nationsganzen zu trennen. Das dauernde Interesse Vorarlbergs weise dieses an die Seite Deutschösterreichs. Das hochkultivierte westliche Vorland am Rhein würde zum abgelegenen Hinterland der Schweiz. Der Friedensvertrag hat den ganzen Streitgegenstand aus der Welt geschafft. Ob Deutschösterreich dereinst, Vorarlberg eingeschlossen, dem Deutschen Reiche beitreten könne und solle, habe der Völkerbund zu entscheiden.

In diesen Tagen begab sich Renner nach Paris, um wegen der katastrophalen Wirtschaftslage Österreichs vorstellig zu werden. Er übernahm es, dabei auch die Wünsche Vorarlbergs zu vertreten; daß er es seiner Einstellung und seinen Amtsobliegenheiten nach mit wenig Nachdruck besorgte, liegt auf der Hand. Die Entschlüsse wurden in Paris durch die Berichte der französischen Geschäftsträger in Bern und Wien bestimmt. Beide hoben hervor, wie sehr die Vorarlberger Frage von der Sicherung des Weiterbestehens Österreichs abhänge. Solange dieses erhalten bleibe, werde die Schweiz nichts Entscheidendes unternehmen, Österreich würde auseinanderfallen, wenn man durch Vorarlberg den Stein ins Rollen bringe. Salzburg und Tirol würden unweigerlich folgen. Man entschloß sich daher, die Politik Renners, der in Paris einen sehr günstigen Eindruck hinterlassen hatte, zu unterstützen. Der Oberste Rat erklärte, daß ein Durchbruch der trennenden Kräfte zu einem Zerfall Österreichs führen müsse, dessen politische und wirtschaftliche Integrität erhalten werden solle. Die Vorarlberger Christlichsozialen fanden sich schwer damit ab, da sie sich weiterhin nur als provisorisch zu Österreich gehörend betrachteten.

Ein Memorandum an den Völkerbund wollten die Vorarlberger schon aus Anlaß der Reise Renners nach Paris unterbreiten, der Kanzler versprach auch in Buchs, wo er mit Landeshauptmann Ender eine Unterredung hatte, die Weiterleitung eines solchen Schriftstückes. Die Ausarbeitung verzögerte sich, erst am 26. März 1920 beschloß der Landesrat, dem Entwurf des Memorandums zuzustimmen und es über das Staatsamt des Äußern weiterzuleiten; vorher sollte aber noch der historische Teil durch das Landesarchiv und weitere Fachmänner überprüft werden, auch für die Begutachtung der wirtschaftspolitischen Fragen wurde ein eigener Ausschuß bestellt. So verging fast ein Jahr, ehe der endgültige Text gedruckt werden konnte. Die allgemeine Lage hatte sich inzwischen verändert, Ender hatte in einer Unterredung mit dem Bundespräsidenten Motta erfahren, daß die Schweiz nur dann Verhandlungen aufnehmen könne, wenn die österreichische Staatsregierung zustimme. Nach Fertigstellung des Verfassungswerkes beeilte man sich in Wien, in den Völkerbund aufgenommen zu werden. In Bregenz setzte man nun alles daran, die Vorarlberger Sache noch vorher dort anhängig zu machen, damit nicht Wien, zu dem man kein Vertrauen hatte, die Sache selbst in die Hand nehme und, wie man befürchtete, hintertreibe. Die Vertreter des Landesrates und des Anschlußkomitees, die daraufhin nach Genf reisten, konnten die mitgebrachte Denkschrift nicht offiziell dem Generalsekretariat des Völkerbundes überreichen, weil man sie dort nicht als Bevollmächtigte Österreichs betrachtete. Sie konnten nur inoffiziell nach verschiedenen Seiten vorfühlen. Als dann die Aufnahme Österreichs in den Völkerbund verhandelt und beschlossen wurde, verstand man sich nur zu dem bescheidenen Zugeständnis, daß den Wünschen Vorarlbergs dadurch nicht präjudiziert würde.

Damit mußte man sich auch in Bregenz zufriedengeben, ohne darüber allzu großen Schmerz zu empfinden. In nüchterner Überlegung zog man einen Strich unter die Bestrebungen der abgelaufenen zwei Jahre und begann im Rahmen des österreichischen Bundesstaates sein Eigenleben zu führen, nicht zum Schaden des Landes, auch nicht zum Nachteil des Staates, der nach einem Jahrzehnt den Vorarlberger Landeshauptmann, der die Anschlußbewegung an die Schweiz stark gefördert hatte, an die Spitze der Bundesregierung berief.

Der Kampf um Kärnten

Anders verhielt es sich mit Kärnten. Dieses gemischtsprachige Land wollte bei Österreich bleiben und die Landeseinheit wahren. Es griff zu den Waffen und lieferte blutige Kämpfe, um die Einheit des Landes zu erhalten. Dieser Gedanke stand gewiß als beherrschender Gesichtspunkt im Vordergrund, die Tatsache des Verharrens bei Österreich war nur eine Folge, die sich daraus ableitete. Das Land kämpfte um seine Einheit mit mehr Glück als Tirol; es als selbständigen Freistaat zu konstituieren, wurde angesichts

der besonderen Verhältnisse nie ernstlich versucht. Eine solche Idee, die
gegen Ende des Jahres 1918 die „Freunde der Kärntner Republik" in Velden
am Wörther See vertraten, blieb fast unbeachtet. Das Land kämpfte um
seine Einheit und kultivierte — ähnlich wie in Tirol — die kontroversielle
Position gegenüber der Wiener Regierung. Dort war man mehr als einmal
nur zu sehr geneigt, Kompromisse zu akzeptieren. Den Menschen dieses
Landes, den deutsch- und slowenischsprachigen, ging es aber um die Landeseinheit.

Am 25. Oktober 1918, als man in letzter Stunde daran dachte, die drohende Auflösung durch Errichtung von Nationalstaaten vermeiden zu
können, erklärte der Landesrat Kärnten für unteilbar. Bestand doch die Gefahr, daß ansonsten Staatsgrenzen mitten durch das Land gezogen würden.
Am nächsten Tage bildete sich eine Provisorische Landesversammlung, für
deren Zusammensetzung man die Ergebnisse der Reichsratswahl von 1911
als Schlüssel nahm: 27 Deutschnationale standen elf Christlichsozialen und
18 Sozialdemokraten gegenüber. An die Spitze der Landesregierung trat ein
alter gewiegter Politiker, Arthur Lemisch, der den Titel Landesverweser erhielt. Diese Provisorische Landesversammlung lehnte schon am 26. Oktober
die Schaffung eines gemischtnationalen österreichischen Bundesstaates ab
und sprach sich für die Bildung eines freien unabhängigen Staates, der die
deutsch besiedelten Länder umfassen sollte, aus.

Zugleich wurde aber in Laibach eine Slowenische Nationalregierung auf-
gestellt, die sich dem Slowenischen Nationalrat in Agram unterordnete.
Dieser verkündete am 29. Oktober den Anschluß an den Staat der Serben,
Kroaten und Slowenen (SHS-Staat).

Es kam zu einem Einbruch südslawischer Kampfgruppen nach Kärnten,
die, an sich zahlenmäßig schwach, wegen des mangelnden Widerstandes allmählich Boden gewannen. Das Land befand sich in einer schwierigen Lage.
Wohl verfügte es wegen der großen Armeelager, die dort in Frontnähe
gegen Italien errichtet worden waren, anfangs über bessere Versorgungs-
möglichkeiten als die Nachbarländer, dafür wälzte sich aber auch der große
Strom der rückflutenden Truppenkörper durch Kärnten, an manchen
Stellen kam es zu Plünderungen. Alles strebte nach Hause, auch die
Kärntner selbst, die noch bis zuletzt im Rahmen der 6. Armee ihre Stel-
lungen gehalten hatten. Man verfügte im Lande über keinerlei militärische
Kräfte, es bildete sich ein aus allen Parteien zusammengesetzter Wehraus-
schuß, an dessen Spitze Oberstleutnant Ludwig Hülgerth trat, der dann
auch Landesbefehlshaber wurde. Im Sinne der von Renner verlangten Beitrittserklärungen vollzog auch Kärnten seinen Anschluß an den deutsch-
österreichischen Staat. Als man in Wien das Gesetz über das Staatsgebiet
vorbereitete, war zunächst ganz Kärnten, mit Ausnahme der Gemeinde See-
land, aufgenommen. Diese und das Miestal fielen an den SHS-Staat, ein
Grenzstreifen an Italien. Auf Betreiben des Staatssekretärs Bauer sprach

man aber dann nur von Kärnten mit Ausnahme der geschlossenen slawischen Siedlungsgebiete. Die Kärntner Landesversammlung forderte in ihrem Beschluß vom 11. November 1918 ausdrücklich auch die Einbeziehung jener gemischtsprachigen Teile im Süden des Landes, die sich auf Grund des Selbstbestimmungsrechtes dem Staatsgebiet Deutschösterreich anzuschließen wünschten.

Die Besetzung des Grenzgebietes durch slowenische Einheiten schuf vollendete Tatsachen, denen man nur schwer begegnen konnte. Für die in Aufstellung begriffene Volkswehr fanden sich zunächst nicht genügend Leute, ihre militärische Schlagkraft war schwach, es mußte ihnen das Recht zur Wahl der Offiziere eingeräumt werden, und fallweise wurde über die Teilnahme an militärischen Aktionen vorher abgestimmt. Bürgerwehren waren meist nur für örtliche Aufgaben zu verwenden, die Bauern, die den Grundstock der ausgezeichneten Kärntner Regimenter in der alten Armee gebildet hatten, waren heimgegangen, froh, dem militärischen Zwang entronnen zu sein. Eine Schwierigkeit bestand auch darin, daß man gegenüber serbischen Truppen, die zu den Alliierten zählten, die Bestimmungen des Waffenstillstandes einhalten mußte und ihren Bewegungen nicht entgegentreten durfte. Für südslawische Verbände, vor allem jene slowenischen Einheiten, die der Laibacher Regierung unterstanden, hatte nicht dasselbe zu gelten. Überdies hatte sich Laibach neutral erklärt. Es verstand aber wohl, aus der ungeklärten Lage Nutzen zu ziehen. Am 18. November wurde Ferlach besetzt und der Kärntner Landesausschuß mußte in einem am 23. November dort abgeschlossenen Übereinkommen die Drau-Gail-Linie als Demarkation anerkennen. Die Drohungen der Südslawen zielten bereits auf die Besetzung Klagenfurts. Es kam zu neuen Verhandlungen in Marburg, die dadurch beeinträchtigt waren, daß der Vertreter des Grazer Militärkommandos, Oberst Passy, in Überschreitung seiner Vollmachten eine Vereinbarung getroffen hatte, die nicht nur steirisches, sondern auch Kärntner Gebiet preisgab. Davon wußten weder die Kärntner etwas noch die Regierung in Wien.

Da trat die Provisorische Landesversammlung in Klagenfurt am 5. Dezember zu einer vertraulichen Sitzung zusammen und beschloß einhellig, den Ententetruppen keinen Widerstand entgegenzusetzen, die Südslawen aber mit allen Kräften abzuwehren. Die Wiener Regierung riet dringend ab und verlangte, daß blutige Kämpfe unter allen Umständen zu vermeiden seien, doch zogen sich mehr oder weniger heftige Geplänkel bis über Neujahr hin. Bald flammte hier, bald dort der Widerstand auf, wobei das Lavant-, das Rosen- und das Gailtal aus eigener Kraft, teilweise unterstützt von Volkswehrabteilungen, den Feind vertrieben. Auch zahlreiche Bewohner slowenischer Muttersprache beteiligten sich daran.

Mitte Jänner 1919 kam es in Graz zu Waffenstillstandsverhandlungen, die schwierig waren, da die Südslawen auf die Brückenköpfe jenseits der Drau nicht verzichten wollten. Auf den Vorschlag, das strittige Gebiet durch eng-

lische, amerikanische oder französische Truppen besetzen zu lassen, wollten
sie nicht eingehen und verlangten, daß sich eine Besetzung auf das ganze
Land erstrecken müßte. Die Verhandlungen drohten zu scheitern, als eine
amerikanische Studienkommission eingriff, die im Jänner in Wien eingetroffen war und von Vertretern Kärntens eingeladen wurde, die Verhältnisse
an Ort und Stelle zu untersuchen. Oberstleutnant Miles begab sich nach
Klagenfurt und brachte das Übereinkommen zustande, wonach vorbehaltlich der Entscheidungen der Friedenskonferenz zwei Verwaltungsgebiete
geschaffen wurden, deren Grenze eine von den Amerikanern zu bestim-
mende Demarkationslinie bildete.

Die Studienkommission untersuchte, das Land kreuz und quer bereisend,
sehr eindringlich die Lage. Das Ergebnis war, daß sich drei Mitglieder der
Kommission nicht zuletzt aus wirtschaftlichen Gründen gegen eine Teilung
des Klagenfurter Beckens aussprachen und die Karawanken als geeignete
Grenze ansahen, während der vierte Teilnehmer in einem Minoritätsvotum
für die Draugrenze eintrat. Die Amerikaner in Paris ließen daraufhin ihre
frühere Absicht, die Grenzregulierung entlang der Drau vorzunehmen,
fallen. Der SHS-Staat setzte alles daran, die Veröffentlichung dieser Vorschläge, die man in Kärnten als Schiedsspruch angesehen hätte, zu hintertreiben. Er suchte Fühlung mit den Franzosen, die in der Südsteiermark
durch ihre Vermittlung eine den slowenischen Belangen günstige Lösung
herbeigeführt hatten. In der Steiermark lagen ja die Dinge anders als in
Kärnten. Man glaubte sich in Graz um so mehr zu Konzessionen veranlaßt,
als zur selben Zeit eine starke Bedrohung von Osten her durch die Räteregierung in Budapest einsetzte. Man sah dort die Hauptgefahr und wollte
alle Kräfte zu ihrer Abwehr bereitstellen.

So herrschte denn vom 14. Jänner 1919 an im großen und ganzen Waffen-
ruhe. Das heißt nicht, daß die Bevölkerung im besetzten Teil des Landes
nicht schwer zu leiden gehabt hätte, größere Kampfhandlungen fanden aber
nicht statt. Im April mehrten sich die Anzeichen, daß mit einem neuen Angriff der Südslawen zu rechnen sei. Eine Abordnung der Kärntner Landesregierung mit dem Landesbefehlshaber Hülgerth versuchte in Wien eine
Unterstützung für das Landesaufgebot zu erhalten, das man in richtiger
Einschätzung der kommenden Dinge aufgerufen hatte. In Wien war nicht
viel zu erreichen. Es muß aber festgestellt werden, daß die Wiener Regierung darauf verwies, daß man das Problem Kärnten nicht mit anderen Maß-
stäben messen könnte als das Gebiet, das man gegen die Vorstellungen der
Tschechoslowakei bei den Friedensverhandlungen einzufordern suchte.

Am 29. April brach der Sturm los, südslawische Truppen griffen auf der
ganzen Front zwischen Rosenbach und Lavamünd mit dem Ziel Klagenfurt
und Villach an. Daraufhin kam es in Kärnten zu einer weitgehenden Mobili-
sierung, die aber unter der schlechten Bewaffnung litt. Waffen wurden zum
Teil aus Wien zugeführt, im übrigen aber verhielt sich die Staatsregierung

zurückhaltend, um einen Krieg gegen den SHS-Staat unter allen Umständen zu vermeiden. Auch als verläßliche Nachrichten vorlagen, daß eine solche Gefahr nicht bestehe, wich die Staatsregierung von ihrer zögernden Haltung nicht ab. Obwohl selbst Otto Bauer, der früher immer gebremst hatte, erklärte, diesmal liege kein außenpolitischer Grund vor, sich nicht zu wehren, bestand die Staatsregierung darauf, daß die Demarkationslinie auf keinen Fall überschritten werden dürfe. Man berief sich dabei auf die Forderungen des italienischen Generals Segré, der als Vorsitzender der Alliierten Waffenstillstandskommission in Wien weilte. Es steht fest, daß er der Regierung, wenn auch in diplomatisch verblümter Sprache, freie Hand gelassen hat. Wien wollte aber die Eskalation an einer strittigen Grenze vermeiden.

Es war daher kaum mit außenpolitischen Verwicklungen zu rechnen, um so mehr als Italien ein starkes strategisches Interesse am Süden Österreichs hatte, das man durch militärische Präsenz unterstrich. Die Kärntner Pläne des SHS-Staates mußte Italien daher durchkreuzen, wie es sich auch später auf der Friedenskonferenz erwies. Österreichischerseits nutzte man dieses italienische Interesse zweifellos. Im übrigen ließ die Belgrader Regierung in Wien wissen, daß der slowenische Vorstoß ohne ihr Wissen erfolgt sei. Es ist daher schwer zu verstehen, weshalb man in Wien der Kärntner Landesregierung die strikte Weisung gab, die Demarkationslinie auf keinen Fall zu überschreiten, und nur ein gelegentliches Vorprellen erlaubte. Staatssekretär Deutsch schärfte dies auch jenen Volkswehreinheiten ein, die am 30. April und am 1. Mai aus Wien und Klosterneuburg nach Kärnten abgingen. Dies entsprach den Richtlinien, die die sozialdemokratische Parteileitung schon im Jänner festgelegt hatte, und war nicht, wie man vorgab, eine Folge der außenpolitischen Lage.

Erst in den folgenden Tagen, als Kärnten schon beinahe ganz befreit war, trat Segré etwas nachdrücklicher mit der Forderung nach Rückzug auf die Draulinie hervor. Die Wiener Regierung stimmte dem bereitwillig zu. Segré wünschte eine friedliche Beilegung und bot dafür seine guten Dienste an. Es sollte unmittelbar vor Beginn der Friedensverhandlungen in Saint-Germain nicht durch den Kampf an der Kärntner Südgrenze die Lage erschwert werden. So ist es zu verstehen, daß er an die Laibacher Regierung die Aufforderung richtete, auf Grund der gegenwärtigen Situation die Kampfhandlungen einzustellen, was auch von seiten Deutschösterreichs geschehen würde. Darüber herrschte in weiten Kreisen Kärntens Empörung, man wollte sich nicht hindern lassen, den Feind ganz aus dem Lande zu vertreiben. Landesverweser Lemisch depeschierte daher nach Wien, daß man in Kärnten Zusagen, die Segré gemacht würden, nicht einhalten könne.

Die Regierung trachtete nun, auf direktem Weg zu einem Waffenstillstand zu kommen. Was sie darüber den Kärntnern mitteilte, entsprach nur zum Teil den Tatsachen. Sie berief sich darauf, daß Segré nunmehr offiziell gegen das Überschreiten der Draulinie protestiert und Deutschösterreich

für die Folgen des Bruches des Waffenstillstandsvertrages verantwortlich
gemacht habe. Das konnte in Kärnten schon deswegen wenig Eindruck machen, da man angegriffen worden war und der Gegner den Vertrag gebrochen hatte. In Wahrheit hatte aber Segré ausdrücklich erklärt, daß seine
Worte nur eine Konstatierung, nicht eine Verwahrung oder einen Protest
darstellen sollten. Sein Hauptbestreben ging dahin, in der kurzen Zeit bis
zum Abschluß der Friedensverhandlungen keinen neuen Unruheherd entstehen zu lassen.

In Kärnten ignorierte man die Weisungen Wiens auch dann, als der
Hauptausschuß des Nationalrates auf Grund der Informationen Renners
und des Staatssekretärs Deutsch einstimmig den Beschluß faßte, in einem
dringenden Telegramm die Kärntner zu bitten, von jedem weiteren Vor-
rücken abzusehen.

Inzwischen waren direkte Verhandlungen mit dem SHS-Staat eingeleitet
worden. Obwohl Segré erklärte, falls es Deutsch nicht gelänge, die bewaffnete Kärntner Bevölkerung zu einem Zurückgehen hinter die Drau zu bewegen, würde er trachten, auf dieser Basis neue Verhandlungen mit der Entente aufzunehmen — von Sanktionen, die von dieser Seite zu erwarten
wären, war also in keiner Weise die Rede —, führten die Waffenstillstandsverhandlungen, die nunmehr unter dem Vorsitz von Deutsch in Klagenfurt
begannen, zu keinem Ergebnis.

Ohne daß es der österreichischen Delegation, die zu den Verhandlungen
der Friedenskonferenz nicht zugelassen wurde, bekannt gewesen wäre, hatte
dort inzwischen der Gedanke einer Volksabstimmung für das Klagenfurter
Becken die Oberhand gewonnen, wogegen der SHS-Staat, der sich rührig
umtat, nur schwer ankämpfen konnte. Er griff daher wieder zu dem Mittel,
vollendete Tatsachen zu schaffen. Am 28. Mai 1919 begann er mit verstärkten
Kräften einen neuen Angriff, dem das Land nicht mehr gewachsen war. Klagenfurt wurde besetzt, die Landesregierung zog sich nach Spittal zurück, das
ganze strittige Gebiet fiel in die Hände des Angreifers. Renner unterstützte
durch zahlreiche Noten an die Friedenskonferenz die Anliegen der Kärntner,
protestierte nachdrücklich gegen das Vorgehen der Südslawen und erwirkte
schließlich von der Friedenskonferenz den Befehl zur Räumung Klagenfurts,
wozu sich aber die Okkupanten erst nach geraumer Zeit verstanden.

Grundsätzlich ist festzustellen, daß die Wiener Regierung in diesem Abwehrkampf für Defensivmaßnahmen Hilfe gewährte, daß ihr aber eine Ab-
weichung vom Grundsatz der ethnischen Zugehörigkeit verwehrt war, da
man sich damit um das beste Argument im Konnex der übrigen strittigen
Gebiete gebracht hätte. Ohne den Heroismus der Abwehrkämpfer zu
schmälern, muß festgehalten werden, daß hier der Landesegoismus ähnlich
wie in Tirol die Beurteilung der Regierungshaltung verzerrte. So wurde
schließlich im Friedensvertrag von Saint-Germain für Kärnten eine Volksabstimmung unter internationaler Kontrolle vorgesehen, die drei Monate nach

der Ratifizierung stattfinden sollte. Bis dahin wurde die südliche Zone A (I) von südslawischen, die nördliche Zone B (II), die das Klagenfurter Becken umfaßte, von österreichischen Truppen besetzt. Dort sollte jedoch eine Abstimmung nur dann abgehalten werden, falls sich die Zone A für den SHS-Staat erklären würde.

Darüber verging mehr als ein Jahr. Erst am 16. Juli 1920 wurde der Friedensvertrag ratifiziert, wenige Tage später traf die Abstimmungskommission in Kärnten ein. Auf beiden Seiten war man die ganze Zeit über nicht müßig gewesen, Propaganda flutete nach allen Richtungen über das Land. Die Plebiszitkommission suchte mit anerkennenswerter Objektivität ihres Amtes zu walten, aber nur höchst widerwillig verstand sich der SHS-Staat dazu, ihren Anordnungen zu entsprechen. Er mußte die von ihm lange Zeit abgeschlossene Demarkationslinie zwischen den beiden Abstimmungszonen öffnen und seine Truppen aus der Zone A zurückziehen, die durch italienisches Militär ersetzt werden sollten. Dazu kam es aber nicht, auch die anderen alliierten Staaten lehnten dieses Verlangen ab, nur eine interalliierte Offizierskommission traf als Kontrollorgan ein.

Da die Bevölkerung der Zone A schwer unter dem Druck der südslawischen Besetzung hatte leiden müssen, die in der Wahl ihrer Mittel nicht wählerisch war, verbreitete sich in Wien die Meinung, daß dort das Abstimmungsergebnis für Österreich nicht günstig sein würde. Einem Wink aus Paris folgend, suchte Renner im Laufe des Monats Juli durch Verhandlungen mit den zuständigen Kärntner Stellen dem Gedanken Bahn zu brechen, gegen Zugeständnisse an den SHS-Staat betreffend Teile des Territoriums der Zone A einen Verzicht auf die Volksabstimmung überhaupt zu erreichen. Er meinte, es sei besser, dem SHS-Staat ein Stück Land zu überlassen und dafür das andere um so sicherer zu bekommen. Die Kärntner Landesregierung zeigte sich optimistisch und verwies auf ihre Unterlagen, die den Abstimmungsausgang mit knapp 60 Prozent prognostizierten.

Am 10. Oktober 1920 schritt das Kärntner Volk zu den Urnen, und am 15. Oktober wurde das Ergebnis verkündet: 59 Prozent für Österreich, 41 Prozent für den SHS-Staat. Nochmals schritt der SHS-Staat zur Gewalt und ließ Truppen in das Abstimmungsgebiet einrücken, die aber nach energischen Vorstellungen der Botschafterkonferenz in Paris wenige Tage später wieder umkehren mußten. Kärnten hatte seine Landeseinheit erhalten können, da auch die slowenische Minderheit die Abstimmung mittrug. Emotionelle Vorstellungen, wirtschaftliches Kalkül und konfessionelle Bedenken haben den Ausschlag gegeben. Der erfolgreiche Abstimmungsausgang und die dann einsetzende Uminterpretation des 10. Oktobers zum deutschnationalen Gedenktag überdecken bis heute Brüche innerhalb der Kärntner Landesverwaltung, die das Bild vom selbstbewußten Kärnten und vom zögernden Wien differenzieren würden.

Anders stand es mit der Südsteiermark, die in den ersten Monaten nach dem Ende der Monarchie ganz in die Hände der Truppen General Majsters gefallen war, der während einer friedlichen Demonstration der Bevölkerung am 27. Jänner 1919 ein Blutbad anrichten ließ („Marburger Blutsonntag"). Zu einer breiten Widerstandsbewegung wie in Kärnten ist es aber nicht gekommen. Nicht nur die Staatsregierung, auch die Grazer Landesregierung wünschten Zurückhaltung. Es fehlte an militärischen Kräften, auch die Bedrohung aus dem Osten durch das kommunistische Ungarn mußte in Rechnung gestellt werden. Als im Mai 1919 der Kärntner Freiheitskampf gewaltig aufflammte, warnten die steirischen Delegierten in Saint-Germain in einem Telegramm vor ähnlichen Schritten. Renner suchte wenigstens eine Abstimmung zu errreichen, um das wirtschaftlich und verkehrstechnisch wertvolle Marburger Becken für Österreich zu retten.

Seine Argumente schienen im Kreise der Alliierten Eindruck zu machen. Eine Schwierigkeit bestand wohl darin, daß sich genaue Sprachgrenzen schwer ermitteln ließen, daß die Städte und Hauptorte vorwiegend deutsch, die ländliche Umgebung aber zumeist slowenisch waren. Trotzdem war in Saint-Germain schon eine Volksabstimmung für Marburg beschlossen, da protestierte Belgrad, von Frankreich unterstützt, heftig dagegen. Vorschläge, die Österreich über die Teilung der strittigen Gebiete in der Steiermark machte, hätten die ökonomische Einheit des Marburger Beckens gesichert. Italien setzte sich lebhaft für die österreichischen Wünsche ein und warnte vor der Gefahr, daß Österreich, dessen Regierung auf die Stimmen der 28 steirischen Abgeordneten in der Nationalversammlung angewiesen sei, nicht unterschreiben würde. Würde dann Frankreich Österreich mit Truppen besetzen können? Italien wäre kaum dazu imstande. Doch trug die Sorge, daß man den SHS-Staat schwer aus einem Gebiet werde entfernen können, auf das er seit neun Monaten die Hand gelegt hatte, dazu bei, daß man beschloß, von einer Volksabstimmung im Marburger Becken abzusehen. Nur Radkersburg wurde Österreich zugesprochen. Ein Versuch Italiens, darüber hinaus für einen Streifen in der Umgebung dieser Grenzstadt eine Abstimmung zu sichern, schlug fehl.

Die Gewinnung des Burgenlandes

Die Zugehörigkeit des deutsch besiedelten Grenzstreifens im westlichen Ungarn wurde etwa seit der Jahrhundertwende in den Erörterungen zum Umbau der Donaumonarchie mehrfach aufgerollt, so von Aurel Popovici 1906 in seinem Entwurf für „Die vereinigten Staaten von Großösterreich". Kreise des deutschsprachigen Ungarn in Wien griffen den Gedanken auf und arbeiteten in Vereinsform, teilweise auch publizistisch, in derselben Richtung. Bei einer Umgestaltung Österreich-Ungarns zu einem Bundesstaat sollte der Teil Deutschösterreich auch das gesamte Gebiet des grenznahen Westungarns umfassen. Auf dem Papier schien es sich lediglich um ein nationales Problem der deutschsprechenden Bevölkerung diesseits und jenseits der Leitha zu handeln. Indes, so einfach lagen die Dinge im Donauraum nicht. Die enge Verzahnung der Nationalitäten und Volkssplitter ließ auch andere ihre Augen dem fraglichen Gebiet zuwenden und Lösungen ganz anderer Art planen.

Im Dezember 1914 weilte Thomas Masaryk in Rom und hatte dort Besprechungen mit Vertretern der Kroaten und Slowenen. Zu dem russischen Journalisten Vsevolod Svatkovskij äußerte er sich darüber, es sei der allgemeine Wunsch der Tschechen und Südslawen, eine Verbindung in der Zone der kroatischen Sprachinseln zwischen Österreich und Ungarn zu haben. Der „Korridorplan" tauchte bereits 1848 erstmals auf, als Ján Kollár eine derartige Verbindung forderte. Nunmehr wurde er zu einem internationalen Problem. Im April 1915 entwickelte Masaryk diesen Gedanken in einem Memorandum, das er dem britischen Außenminister Grey vorlegte. Es deckt sich inhaltlich mit Vorschlägen, die Masaryk im Oktober 1914 mit dem englischen Publizisten Seton-Watson bei einer Zusammenkunft in Rotterdam erörtert hatte. Auch Edvard Beneš trat in seiner 1916 erschienenen Schrift „Detruisez l'Autriche" für eine Verbindung des tschechischen mit dem serbischen Territorium ein.

Der tschechoslowakische Außenminister Beneš entwickelte in einer an die Friedenskonferenz gerichteten Denkschrift jene Punkte, die für und gegen den Korridor sprachen. Er behauptete, daß das fragliche Gebiet zu 25 bis 30 Prozent von Slawen besiedelt sei. Trotzdem würden vom Standpunkt des Nationalitätenprinzips Bedenken entstehen. Deutsche und Magyaren könnten sich veranlaßt sehen, diesen Damm mit Gewalt zu brechen. Dieser sei vom militärischen Standpunkt nicht zu verteidigen. Als Folge würde ein Herd beständiger Unsicherheit entstehen. Dagegen lasse sich jedoch einwenden, daß das Nationalitätenprinzip nirgends vollkommen durchgeführt werden könne, wie viele Grenzen seien nicht künstlich? — Bei allen Erwägungen müsse der Gedanke im Vordergrund stehen, die Deutschen und Magjaren zu trennen, sie an einem Bündnis gegen die Slawen zu hindern. Die Deutschen dürften sich nie mehr der Magyaren als Mittel der Herrschaft in Mitteleuropa bedienen. Darum müsse zwischen Tschechen und Südslawen eine Nachbarschaft hergestellt werden. Dennoch fand der Korridorplan wenig Unterstützung und war schon im März 1919 vom Tisch.

Der junge Staat Deutschösterreich meldete jetzt einen Anspruch auf Deutschwestungarn an. Der Name Burgenland kam erst etwas später in Gebrauch. Er leitete sich davon her, daß die Hauptorte, die man in Anspruch zu nehmen dachte, Ödenburg, Preßburg, Wieselburg und Eisenburg hießen. In der Staatserklärung vom 12. November waren auch die deutschen Gemeinden dieser Gespanschaften aufgezählt. Es war jedoch klar, daß man auf einem staatsrechtlich fremden Gebiet, auf dem man über keine Behörde verfügte, keine Gebietshoheit ausüben konnte. So kam es am 22. November 1918 zu dem Beschluß der Provisorischen Nationalversammlung, es müsse bei den Friedensverhandlungen darauf bestanden werden, daß diesen deutschen Siedlungen das gleiche Selbstbestimmungsrecht zuerkannt werde, das nach den wiederholten Erklärungen der ungarischen Regierung allen anderen Völkern Ungarns eingeräumt sei. Auch diese Aufwerfung des Gedankens des Selbstbestimmungsrechtes mit seinen vielschichtigen Aspekten führte auf den Boden internationaler Auseinandersetzungen. Auf der Friedenskonferenz mußten alle diese Fragen zur Austragung kommen.

Für die Alliierten in Paris bot die westungarische Frage zunächst wenig Interesse. In der Sitzung der Territorialkommission vom 5. März 1919 hielt man eine Erörterung über die Grenzen von Deutschösterreich und Ungarn nicht für erforderlich.

Die Grenzfrage zwischen Österreich und Ungarn wurde in der Sitzung des Rates der fünf Außenminister der Entente am 8. Mai 1919 besprochen. Man neigte dazu, es bei der alten Grenzziehung zu belassen. Doch hob der englische Vertreter Balfour hervor, er habe Kenntnis, daß es dort eine deutsche Bevölkerung gebe, die sich mit Österreich zu vereinigen wünsche. Mr. Lansing hob namens der Vereinigten Staaten hervor, daß Österreich das westungarische Problem aufwerfen werde, wobei die Ergebnisse einer amerikanischen Untersuchungskommission unter Archibald C. Coolidge die österreichischen Anliegen gefördert hatten. In diesem Stadium sagte Italiens Außenminister Sonnino, Österreich und Ungarn hätten 50 Jahre (er meinte offenbar, seit dem Ausgleich) über diese Grenze nicht gestritten, es müsse verhindert werden, daß jetzt neue Schwierigkeiten entstünden.

Vorerst kam es zu dem Beschluß, die Grenzen von 1867 beizubehalten. Sollten aber Mißhelligkeiten entstehen, so wäre die Frage neuerlich zu beraten. Der Text der Friedensbedingungen, der den österreichischen Vertretern in Saint-Germain am 2. Juni übergeben wurde, hielt sich demgemäß an diese Beschlüsse. In Noten vom 10. und 16. Juni sprach die österreichische Delegation das Bedauern aus, daß man „den mehrfach geäußerten Wunsch der deutschen Bevölkerung Westungarns nach Zulassung zur Volksabstimmung über ihren Anschluß an Deutschösterreich mit entmutigendem Stillschweigen übergangen" habe. Sie verstand es auseinanderzusetzen, daß innerhalb des früher gemeinsamen österreichisch-ungarischen Wirtschaftsgebietes die Leitha bloß eine administrative Grenze gebildet habe. Deutschösterreich strebe nicht nach Annexion, hege bloß den Wunsch nach einer freien Volksabstimmung.

Am 2. Juli beantragte der britische Außenminister Balfour im Rat der Fünf, die österreichisch-ungarische Grenze neuerdings auf die Tagesordnung zu setzen. Am nächsten Tag unterbreitete die tschechische Delegation eine Denkschrift, in der die Korridorwünsche fallengelassen wurden. Doch verlangte sie angesichts der großen Bedeutung eines sicheren Zugangs zur Adria die Neutralisierung der westungarischen Grenzzone oder ihre Unterstellung unter den Völkerbund. Für den Verzicht auf den slawischen Korridor zwischen Preßburg und Laibach, der Italien sehr unerwünscht war, verlangten die Tschechen zwei Eisenbahnlinien, eine über Österreich und eine über Ungarn. Sie sollten ihnen den Weg zur Adria auch dann sicherstellen, wenn sie mit einem der beiden Staaten — in erster Linie dachten sie an einen Zusammenstoß mit Ungarn — in Konflikt gerieten. Für diesen Fall sollte der Weg über Österreich offen bleiben. Italien machte Einwendungen. Es wollte am liebsten das ganze Gebiet bei Ungarn belassen, freilich gegen Garantien, die Österreich von seinem Nachbarstaat bekommen sollte. Die Festsetzung der Tschechen am rechten Donauufer, am Preßburger Brückenkopf bei Engerau, sollte hintertrieben werden. Daß das Gebiet der Stadt Gmünd ohne den Bahnhof schließlich bei Österreich verbleiben durfte, war eine Kompensation des Verlustes, den Österreich, im Grunde aber die italienische Donauraumpolitik, durch das Hinübergreifen der Tschechoslowakei über den Strom zu verzeichnen hatte. Ebenso verstand es die österreichische Friedensdelegation, durch geschickte Einschaltung in das politische Kräftespiel den Gegensatz zwischen Italien und dem SHS-Staat zugunsten des Burgenlandes auszunützen. Die Grenzziehung zu Österreichs Vorteil hing überdies mit dem Wunsch der Siegermächte zusammen, das ungarische Räteregime zu schwächen.

In der zweiten Fassung der Friedensbedingungen, die der österreichischen Delegation am 20. Juli übergeben wurden, war Österreich ein Gebiet mit einer Bevölkerung von 250.000 Deutschsprechenden in Westungarn zugestanden. Wieselburg, Güns und St. Gotthard wären bei Ungarn geblieben, Ödenburg sollte jedoch zu Österreich kommen. Die Entscheidung darüber war in Paris am 10. und 11. Juli gefallen. Strategische Rücksichten auf die Eisenbahnlinie Preßburg — Agram bestimmten diesen für Österreich sehr ungünstigen Grenzverlauf, was einen Verlust von 50.000 Deutschsprechenden bedeutete. Von einer Volksabstimmung, die Renner vorgeschlagen hatte, sah man ab, da die klaren Bevölkerungsverhältnisse sie überflüssig erscheinen ließen.

Diese Entscheidung löste den Widerstand der Ungarn aus. Der Druck auf die österreichfreundliche Bevölkerung des Burgenlandes verstärkte sich. Dazu kam, daß zur selben Zeit die Räteherrschaft zusammenbrach, die rote Armee in Ungarn sich auflöste. Anarchie schien auch über Westungarn hereinzubrechen. Viele hielten nun den Augenblick für gekommen, daß Österreich nunmehr mit bewaffneter Macht das ihm nach Abschluß des Friedensvertrages zugesprochene Gebiet besetze. Auch fielen jetzt die innerpolitischen Bedenken weg, daß die Arbeiterschaft ein Vorgehen gegen Räteungarn nicht zulassen würde. Dafür sprach auch der Umstand, daß der Leiter der britischen Militärkommission in Wien, Oberst Cunninghame, mehrfach hatte wissen lassen, daß die Entente einen Einmarsch Österreichs in Westungarn dulden würde. Im Auftrag des Staatskanzlers wurden noch knapp vor seiner Abreise nach Saint-Germain vom Staatsamt für Heerwesen alle erforderlichen Maßnahmen getroffen. Doch unterblieb ihre Durchführung, obwohl Oberst Cunninghame am 16. Mai ebenfalls ein österreichisches Vorgehen anriet. Doch wußte man in solchen Fällen nie, ob solche Empfehlungen wirklich ein Mandat seitens aller Ententemächte zu bedeuten hätten. Auch mußte bei der labilen innerpolitischen Situation — Österreich erlebte am 17. April und 15. Juni 1919 kommunistische Putschversuche — in Rechnung gestellt werden, daß Österreich nicht als Arm der Entente gegen das sozialistische Ungarn, das eben damals einen Feldzug gegen die Tschechoslowakei führte, erscheinen durfte.

Anfang August hatte sich aber die Lage vollends geändert. Jetzt bestand die Gefahr, daß rumänische, südslawische, vielleicht auch tschechoslowakische Truppen in das Grenzland einrücken würden. Der Augenblick schien gekommen, österreichische Sicherungskräfte in das Burgenland zu entsenden. Renner gab aus Saint-Germain telegraphisch sein Einverständnis kund und unterrichtete in einer Note Clemenceau, daß der österreichische Grenzschutz bis zur Linie der Friedensbedingungen vorgeschoben worden sei. Dies war ein Mißverständnis und Renner beeilte sich, in weiteren Noten einen direkten Auftrag der Entente für die Besetzung zu erwirken. Auch in Wien konnte man aus den Verhandlungen mit den Ententemissionen kein klares Bild gewinnen, man wußte nicht, ob der Vorsitzende der Waffenstillstandskommission, General Roberto Segré, für alle Alliierten oder nur für Italien spreche, und konnte den Zweifel nicht unterdrücken, ob man das Land gegen einen Angriff, mit dem Ungarn drohte, werde behaupten können. Um Blutvergießen zu vermeiden, beschloß der Hauptausschuß der Nationalversammlung, für die Besetzung auf die Zustimmung der Entente zu warten. In einer Note vom 16. August ließ Ungarn wissen, daß jede den Beschlüssen der Friedenskonferenz vorgreifende Handlung auf bewaffneten Widerstand stoßen würde. Die Vertreter der Entente in Paris machten es sich jedoch leicht. Am 18. August beschloß der Oberste Rat, auf die österreichischen Noten keine Antwort zu geben. Dies bezog sich sowohl auf jene Mitteilungen, die irrtümlich von einer bereits erfolgten Besetzung gesprochen hatten, ebenso aber auch auf spätere Vorstellungen, in denen um ein ausdrückliches Mandat der Entente ersucht wurde.

Am 10. September 1919 unterzeichnete Renner den Friedensvertrag in Saint-Germain. Als einziger territorialer Gewinn war das Gebiet des Burgenlandes in den dort umschriebenen Grenzen zu buchen. Doch weit war der Weg, bis Österreich tatsächlich in den Besitz dieses ihm zugesprochenen Gebietes kam. Mehr als zwei lange Jahre gingen darüber hinweg. Ungarn beharrte darauf, daß das Gebiet weiterhin unter seiner Verwaltung stand, solange ihm nicht selbst die Abtretung in seinem eigenen Friedensvertrage auferlegt wurde. Es änderte nicht viel daran, daß eine interalliierte Militärkommission nach Westungarn entsendet wurde, die

Klagen über Bedrückungen und Verfolgungen der österreichfreundlichen Bevölkerung nahmen kein Ende. Es ist begreiflich, daß die ungarische Friedensdelegation alle historischen, wirtschaftlichen und ethnischen Argumente, mit denen Österreich in Saint-Germain seine Ansprüche gestützt hatte, zu entkräften suchte. Um wessen Interessen gehe es, um die Österreichs oder Westungarns, fragte Graf Apponyi, der Führer der ungarischen Delegation. Die Antwort müsse im Zeitalter des Selbstbestimmungsrechtes eindeutig sein.

Viel kam da auf eine außenpolitische Untermauerung der österreichischen Ansprüche an. Renner suchte und fand jetzt Anlehnung an die Tschechoslowakei. Eine Reise nach Prag im Jänner 1920 führte zu einem Abkommen mit Außenminister Beneš, dessen wesentlicher Inhalt aber der Öffentlichkeit nicht bekanntgemacht wurde, obwohl Renner in der Nationalversammlung dazu eine Erklärung abgab. Die österreichischen Verkehrswege wurden nach dieser Abmachung den Tschechen im Kriegsfall für den Aufmarsch gegen Ungarn zur Verfügung gestellt. Wenn auch die Wiener Ententemission den Ungarn versicherte, man werde auf keinen Fall einen Durchmarsch der Tschechen durch Österreich nach Westungarn gestatten, das noch immer unter der Oberhoheit der Entente stehe, hatte man in Budapest doch Sorge vor einer Einkreisung, da man ähnliche Vereinbarungen Österreichs mit Jugoslawien, vielleicht auch mit Rumänien befürchtete. Eine geplante Kontaktaufnahme mit Belgrad wurde von Italien und Kärnten hintertrieben, da man die eigenen Interessen gefährdet sah. Die interalliierte Militärkommission in Budapest berichtete jetzt an den Obersten Rat in Paris, daß die Bevölkerung Westungarns eine Annexion durch Österreich ablehne und eine Volksabstimmung verlange.

Unter dem Eindruck dieser Entwicklung schlug die ungarische Regierung in Wien die Gewährung einer Autonomie an Westungarn vor, die auch dann gelten sollte, wenn die Volksabstimmung zugunsten Ungarns ausgehen würde. Weiters wurden wirtschaftliche Kompensationen, Präferenzzölle, sogar eine Zollunion in Aussicht gestellt. Wien konnte darauf nicht eingehen, was in der Sitzung der Nationalversammlung vom 19. Februar 1919 einmütig zum Ausdruck kam. Denn Ungarn hatte verlangt, daß das Land von einer begrenzten Anzahl eigener Truppen besetzt bleiben sollte, in deren Anwesenheit das Plebiszit vorzunehmen wäre. Österreich verschloß sich dem Gedanken des Selbstbestimmungsrechtes nicht, wies aber darauf hin, daß ihm das Land de jure bereits angehöre. Es solle sich ehestens durch Wahl eines Landtages als selbständiges Verwaltungsgebiet konstituieren. Das Schicksal der Heidebauern könne kein handelspolitisches Kompensationsobjekt bilden.

Als sich Renner zu Ostern 1920 nach Rom begab, setzte die Budapester Regierung alle Hebel in Bewegung, um von dort auf ihn einzuwirken. Italien wünschte nicht, daß Österreich sich mit den Tschechen gegen Ungarn verbünde, befand sich aber als Vermittler in einer ungünstigen Lage, da es angesichts seiner eigenen starren Haltung gegenüber Südtirol schwer Österreich den Verzicht auf ein Gebiet nahelegen konnte, das ihm durch den Friedensvertrag zugesprochen worden war.

Am 4. Juni 1920 unterzeichnete Ungarn in Trianon den Friedensvertrag und übernahm damit die Verpflichtung zur Abtretung des Burgenlandes, die in dem Instrument festgelegt war. Am 28. Juni richtete die ungarische Regierung ein Memorandum nach Paris und beschwor die Entente, Österreich, das sich über kurz oder lang Deutschland anschließen werde, nicht zu vergrößern. Die französische Diplomatie zeigte dafür Verständnis, wies aber auf die Schwierigkeit hin, daß Frankreich als Signatar der Verträge von Saint-Germain und Trianon offen zu deren Durchlöcherung beitragen solle. Auf keinen Fall käme eine Abtretung des Burgenlandes vor der Ratifikation des Trianoner Vertrages in Frage. Diese ließ noch ein Jahr auf sich warten.

Vorübergehend trat die westungarische Frage in den Hintergrund, als die Russen vor Warschau standen, Wien ebenso wie Budapest dem Vordringen des Bolschewismus mit Besorgnis entgegensahen. Die Beziehungen zwischen beiden Staaten diesseits und jenseits der Leitha schienen sich unter diesen Umständen zu bessern. Doch störte das Abkommen, das Österreich in Kopenhagen mit Rußland über den Rücktransport der Kriegsgefangenen abschloß, einen weiteren Fortschritt. In diesem wurde nämlich auch die Überstellung der nach Österreich geflüchteten Volkskommissäre mit Béla Kun an der Spitze, denen Österreich durch den sogenannten Agoston-Hornbostel-Vertrag vom 2. August 1919 Asyl gewährt hatte, in die Sowjetunion zugesichert. Renner, der eine Einbeziehung Österreichs in die Kleine Entente zu vermeiden suchte, glaubte noch immer zu einem tragbaren Abkommen mit Ungarn gelangen zu können. Dieses suchte sich jetzt der Hilfe Italiens zu versichern. Es erklärte, Westungarn nicht räumen zu können, weil dies von der Bevölkerung als Verzicht aufgefaßt würde, was bei der Volksabstimmung abträgliche Folgen haben müßte. Doch könnte Italien eine Vermittlerrolle übernehmen und Österreich eine Autonomie Westungarns anbieten. Ein weiterer Hebel der ungarischen Politik fand sich darin, daß Österreich wegen der drängenden Lebensmittelnot genötigt war, Ungarn um Aushilfen zu bitten.

Nach den Neuwahlen im Oktober 1920 zog sich in Österreich die Bildung einer Regierung lange hin. Indessen begab sich ein prominenter Vertreter der Christlichsozialen Partei, der frühere Wiener Bürgermeister Richard Weiskirchner, zu Verhandlungen nach Budapest. Er erreichte die Bereitwilligkeit Ungarns zu einem Handelsvertrag mit der Zusicherung, daß Österreich geneigt sei, nach Ratifikation des Vertrages von Trianon mit Ungarn ein direktes Abkommen über das Burgenland abzuschließen. Der ungarische Außenminister Graf Imre Csáky ließ dabei durchblicken, daß eine Volksabstimmung und das Versprechen eines Minderheitenschutzes eine mögliche Grundlage bilden könnten.

Der neue Bundeskanzler Michael Mayr, der auch die Auswärtigen Angelegenheiten führte, schloß sich grundsätzlich diesen Gedankengängen an, dachte aber nur an kleinere Grenzberichtigungen. Auch hielt er es für besser, solche Verhandlungen über die Entente zu führen, da er sonst große Schwierigkeiten im Parlament befürchtete. Er richtete mehrere Memoranden an die Botschafterkonferenz, die an den Ansprüchen Österreichs durchaus festhielten und auf die bedrohliche Entwicklung hinwiesen, die einen Handstreich regulärer und irregulärer ungarischer Formationen befürchten ließen. Als die Ungarn davon erfuhren, bezichtigten sie Mayr eines Doppelspiels und der Perfidie. Der wesentliche Unterschied der Auffassungen bestand jedoch darin, daß Mayr nur an die Abtretung weniger Dörfer dachte, während Ungarn eine befriedigende Lösung nur dann für möglich hielt, wenn ihm ein beträchtlicher Teil des Burgenlandes überantwortet würde. Indes, die Botschafterkonferenz beschloß am 23. Dezember 1920, daß das gesamte Gebiet an die Alliierten und von diesen an Österreich zu übergeben sei. In Budapest, wo man sich den größten Hoffnungen hingegeben hatte, war man bestürzt, drohte mit der Verweigerung der Unterschrift für den Handelsvertrag und erklärte, daß überhaupt erst die ökonomische Auseinandersetzung über das ehedem gemeinsame österreichisch-ungarische Vermögen abgeschlossen werden müßte. Dies schien die Möglichkeit zu einer weitgehenden Verschleppung zu bieten. Außerdem würde sich Ungarn hermetisch gegen das losgelöste Gebiet absperren, womit angesichts des Grenzverlaufes auch eine vollständige Absperrung gegenüber Österreich gegeben sei. Österreich solle sich überlegen, wie dann weiter das Deutschtum in Ungarn gesichert werden könne, den Sieg würde letzten Endes die tschechische Politik davontragen.

Österreich blieb jedoch fest. Bundeskanzler Mayr erklärte, in der Burgenlandfrage könne es sich nur um ein Verfahren außer Streitsachen handeln. Er wollte damit sagen, die Rechtslage sei klar, ein Verzicht unmöglich, über Einzelheiten werde man mit sich reden lassen. Die ungarische Taktik, noch vor Ratifikation des Vertrages von Trianon durch zweiseitige Verhandlungen vollzogene Tatsachen zu schaffen, verfing daher nicht. Die Botschafterkonferenz in Paris setzte fest, daß das Burgenland am 27. August 1921 an die Entente zu übergeben sei, die dann die Souveränität an Österreich übertragen werde. Trotzdem machte Ungarn noch in letzter Stunde in Wien Vorschläge, die auf eine Teilung des Landes abzielten. Österreich lehnte im Bewußtsein seines guten Rechtes ab, ließ aber die Möglichkeit offen, daß nach Übergabe des Landes bei den Details der Abgrenzung der Wille der Bevölkerung berücksichtigt würde.

Ungarn setzte der Übergabe des Burgenlandes durch Freischärler und getarntes Militär bewaffneten Widerstand entgegen. Österreich blieb nur die

Möglichkeit des Protestes. Am 6. September richtete der Bundesrat an die 2. Völkerbundversammlung einen Appell, diese möge geeignete Maß-nahmen zur Erhaltung des Friedens und zur Achtung der durch Verträge gewährleisteten Grenzen treffen. Vergeblich. Auch andere diplomatische Schritte brachten wenig Erfolg. Die Unterstützung der Tschechen und Süd-slawen in Anspruch zu nehmen, schien gefährlich, da man befürchten mußte, daß diese das Land nicht mehr verlassen würden. Wohl trat Außen-minister Beneš als Vermittler auf. Bundeskanzler Schober hatte mit ihm eine Zusammenkunft in Hainburg. Doch zeigte sich bald, daß die Entente, die allmählich mit einem stärkeren Druck auf Ungarn einsetzte, Italien die Re-gelung der ganzen Angelegenheit überlassen hatte. Dieses hatte angesichts seiner Spannungen mit Jugoslawien ein wesentliches Interesse, Ungarn nicht zu sehr zu verstimmen, auch brachte es dem Eingreifen der Tschechen wenig Sympathie entgegen. Es lud daher Österreich zu einer Konferenz in Venedig ein. Dort verlangte Bundeskanzler Schober die Säuberung des Bur-genlandes von den Banden. Beneš hatte Schober zu einem Kompromiß ge-raten. Schober war zu diesem bereit, als er die Einladung des italienischen Außenministers Toretta, der ungarischerseits um Vermittlung gebeten worden war, annahm. Nur nach der Bereinigung des Burgenlandproblemes konnte sich Schober auf die innenpolitischen Fragen stürzen, die das Land zunehmend destabilisierten (Anschlußbewegungen im Westen, Inflation). Italien wies auf die nachteiligen Folgen einer unnachgiebigen Haltung Österreichs für die Finanz- und Kreditverhandlungen hin, die eben im Gange waren. Österreich mußte sich zur Abtretung Ödenburgs und der an-grenzenden Ortschaften an Ungarn verstehen. Wohl sollte eine Volksab-stimmung darüber entscheiden. Es war aber klar, daß dieses Gebiet, das den Mittelpunkt des Burgenlandes hätte bilden sollen, verloren war. Die näch-sten Monate bewiesen, daß die Entente nicht willens war, die Reinheit des Abstimmungsverfahrens in diesem umstrittenen Territorium zu sichern, wie das ein Jahr vorher in Kärnten der Fall gewesen war. Daran ändert der Um-stand nichts, daß der italienische Abstimmungskommissär in Ödenburg, General Ferrario, das Plebiszit für fair hielt und das ungarische Außenmi-nisterium nachträglich der amerikanischen Forscherin Sarah Wambaugh ge-genüber dieselbe Auskunft gab. Viel bezeichnender für den realen Ablauf ist, daß der ungarische Abstimmungskommissär einige Jahre später dem Ge-sandten Hornbostel offen eingestand, daß „für das Verbleiben der Stadt bei Ungarn in der Tat etliche Tausend von längst Verstorbenen und Begra-benen gestimmt haben".

Immerhin, das am 13. Oktober 1921 in Venedig unterzeichnete Protokoll verpflichtete Ungarn, die Aufständischen zur Niederlegung der Waffen zu bewegen. In der Zeit vom 13. bis 30. November rückte das österreichische Bundesheer in das Burgenland ein. Ein letztes Mal entstand eine leichte Krise, als Ungarn im März 1922 unter Berufung auf die Mantelnote des

Vertrages von Trianon größere Grenzberichtigungen begehrte. In einer Sitzung vom 9. März lehnte der österreichische Nationalrat diese Forderungen einmütig ab. Im September gestand der Völkerbund nur geringfügige Änderungen des Grenzverlaufes zu. Seither hat die Burgenlandfrage aufgehört, ein internationales Problem zu bilden. Auch das Schicksal, das ihm in Saint-Germain zugedacht war, ein dauernder Zankapfel zwischen Österreich und Ungarn zu werden, ist ihm erspart geblieben.

Vorübergehend hatte auch der Staatsstreich, den Kaiser und König Karl zu Ostern des Jahres 1921 unternahm, um seine Herrschaft in Ungarn wiederaufzurichten, das Burgenland in den Mittelpunkt der Weltpolitik gestellt, da der Monarch, dem es gelungen war, unangefochten durch Österreich zu fahren, von Westungarn aus seine Pläne in die Tat umzusetzen versucht hatte. Binnen weniger Tage war das Unternehmen gescheitert. In Österreich befürchtete man die schlimmsten Rückwirkungen. Der Arbeiterschaft, die die Gefahr einer Restauration auch diesseits der Leitha zu erkennen glaubte, bemächtigte sich große Erbitterung, auch die Regierung vertrat im Parlament den Standpunkt, daß eine an sich interne ungarische Angelegenheit in ihren Auswirkungen eine Gefährdung der Ruhe und Ordnung der österreichischen Republik bedeuten könne.

Als Kaiser Karl gezwungen war, die Rückreise in die Schweiz über Österreich anzutreten, entstanden daraus erhebliche innerpolitische Verwicklungen, die sogar den Rücktritt des Bundesministers für Inneres und Heerwesen zur Folge hatten. Der Parteivorstand der Sozialdemokraten hatte der Fahrt durch Österreich nur unter gewissen Bedingungen zugestimmt, deren Einhaltung von mitreisenden Vertrauensmännern der Eisenbahner und der Sozialdemokratischen Partei überwacht werden sollte. Ein wesentlicher Punkt dieser Bedingungen war nun, daß der Zug von einer Abteilung der Volkswehr begleitet werden sollte. Daran entzündete sich der Konflikt mit dem Minister, der verlangte, daß die Auswahl dieser Organe nur ihm zustehe, während die Sozialdemokraten beim Bundeskanzler eine Zusammensetzung nach dem Parteiproporz verlangten und erreichten. In Bruck an der Mur ergab sich eine gefährliche Situation, da dort der Bahnhof von Arbeitern besetzt war, die den Zug nicht durchlassen, zumindest aber eine Abordnung zum Kaiser schicken wollten, um ihm ihre Meinung kundzutun. Es bedurfte langwieriger Verhandlungen, um dem Zug die Durchfahrt zu sichern. Alle Anstrengungen schienen vergeblich zu sein, da wirkte schließlich die Drohung der begleitenden Ententeoffiziere, den Kaiser wieder nach Ungarn zurückzubringen; der Brucker Bahnhof wurde geräumt, doch genügte die Anzahl der zugelassenen Delegierten, um in ohrenbetäubender Weise das Mißfallen und das Unbehagen der österreichischen Linkskreise auszudrücken. Ein im Parlament eingebrachter Antrag, das Gesetz über die Landesverweisung der Habsburger zu verschärfen, fand keine Mehrheit, da nur die Sozialdemokraten und Großdeutschen dafür eintraten, während die

Christlichsozialen und die Bauernpartei, der spätere Landbund, dagegen stimmten.

Die Lage erfuhr nochmals eine Verschärfung, als Kaiser Karl einen neuerlichen Versuch zur Restauration in Ungarn machte. Er landete mit einem Flugzeug in Ödenburg, wo sich die Gruppe Osztenburg und Teile des regulären Militärs ihm unterstellten. Diesmal hatte der Monarch bestimmte Zusicherungen seitens der Entente, aber das Unternehmen scheiterte abermals und führte ihn in die Verbannung. Schon nach einem halben Jahr, am 1. April 1922, ist er in Funchal auf der Insel Madeira im Alter von 35 Jahren gestorben. Damit trat auch in der österreichischen Innenpolitik die Frage der Staatsform in den Hintergrund, das Problem des Legitimismus begann erst nach einem Jahrzehnt wieder eine Rolle zu spielen.

Die für viele unerwartet hereinbrechenden Ereignisse des November 1918 hatten zunächst keine andere Wahl gelassen, als daß sich auch die dynastietreuen Teile der Bevölkerung anfangs auf den Boden der geschaffenen Tatsachen stellten. Alsbald begann jedoch innerhalb der Christlichsozialen Partei eine Diskussion über die Staatsform, die zeitweilig die Einheit der Partei in Frage zu stellen schien, dann aber durch das Eingreifen Seipels zugunsten der Realpolitiker entschieden wurde. Konservative Haltung war in der Christlichsozialen Partei geschätzt, die Zeitumstände sorgten dafür, daß Restaurationsgedanken als irreal keine besondere Rolle spielen konnten.

Stärker machten sich legitimistische Strömungen in Kreisen der ehemaligen Offiziere geltend, hier wurde das Problem des dem Obersten Kriegsherrn geschworenen Soldateneides von Bedeutung. Im Militärgagistenverband, später in der Frontkämpfervereinigung, bildeten sich starke monarchistisch eingestellte Zirkel. Die Aristokratie zog sich zunächst auf ihre Güter zurück und verhielt sich zurückhaltend. Eine Gruppe unter Oberst Gustav Wolff, die sich Schwarzgelbe Legitimisten, seit 1923 Kaisertreue Volkspartei nannte, machte sich durch das Temperament ihres Gründers in der Öffentlichkeit mehrfach bemerkbar, konnte aber bei Wahlen nur eine sehr bescheidene Stimmenzahl aufbringen. Mehr in die Breite drang der Reichsbund der Österreicher unter dem Gesandten Friedrich Wiesner. Dieser vermied es aber, aus dieser Bewegung eine Partei zu machen. Seine Politik erfreute sich der stillschweigenden Förderung gewisser christlichsozialer Kreise und begegnete auch in der Publizistik dieser Partei starken Sympathien. Im ganzen blieb aber der Legitimismus eine gesellschaftliche Angelegenheit des Adels, der ehemaligen Offiziere und der zum Teil schon pensionierten höheren Beamtenschaft, soweit sie nicht dem deutschliberalen Lager entstammte. Seit etwa 1930 verstärkte der Legitimismus seinen Einfluß auf die Heimwehrbewegung ständig, unter Dollfuß und Schuschnigg erwies er sich wegen seiner kompromißlos antinationalsozialistischen Einstellung als wertvoller Bundesgenosse der Regierung. Eine Gefahr für die Republik hat er in den ersten 15 Jahren ihres Bestehens nicht gebildet.

In den Tagen nach der Burgenlandkrise hielt man aber die Staatsform noch nicht für genügend gesichert, Großdeutsche und Sozialdemokraten verhandelten über einen Ausbau des Bundesheeres, die Werbungen wurden verstärkt, doch kam es bald zu Mißhelligkeiten, weil die Kontingente länderweise begrenzt waren und die meist christlichsozialen Landeshauptleute sich weigerten, Überschüsse an Mannschaften aus Wien zu übernehmen. Immerhin wurde jetzt das Bundesheer aufgefüllt, wenn es auch noch an Ausrüstung gebrach. Doch konnte es die ihm nunmehr gestellte Aufgabe der Besetzung des Burgenlandes in der Zeit vom 13. bis 30. November im wesentlichen klaglos bewältigen. In Ödenburg und den umliegenden Ortschaften wurde gemäß dem Protokoll von Venedig vom 13. Oktober 1921 abgestimmt, die Durchführung lag in den Händen der Italiener, die es aber in ihrer Sympathie für Ungarn dahin brachten, daß Österreich seine Vertreter zurückzog. Der Ausgang der Abstimmung im Dezember war nicht mehr zweifelhaft, man hat sie nicht zu Unrecht als das „Verbrechen von Ödenburg" bezeichnet.

Ungarn verstand es, im September 1922 beim Völkerbund noch eine weitere kleine Grenzberichtigung durchzusetzen. Das Burgenland wuchs mit Österreich zusammen, wenngleich es erst langsam von den ursprünglichen ungarischen Verwaltungseinheiten, rechtliche Regelungen usw. in die einheitliche österreichweite Verwaltung eingegliedert werden konnte.

Die Anschlußfrage

Die wichtigste Frage, die auf der Friedenskonferenz entschieden werden sollte, war die des Anschlusses Österreichs an das Deutsche Reich. Darüber waren, als die österreichische Delegation aufbrach, die Würfel schon gefallen. Die Alliierten hatten sich am 22. April 1919 darauf geeinigt, im Friedensvertrag Deutschland zur Anerkennung der österreichischen Unabhängigkeit zu verpflichten. Rücksichten auf Frankreich, die Tschechoslowakei und Italien, dem die Durchsetzung seiner Wünsche in der Adria ungleich wichtiger schien als eine gemeinsame Grenze mit dem Deutschen Reich, hatten den Ausschlag gegeben.

Der Anschlußgedanke beherrschte die Politik Bauers, der in der Tradition des bis in den Zweiten Weltkrieg fortlebenden sozialdemokratischen Deutschnationalismus stand. Im Oktober 1918 sah er den Zeitpunkt gekommen, in dem sich die von ihm prophezeiten politischen Möglichkeiten realisieren müßten. Daher versuchte er schon vor dem Zusammentritt der Provisorischen Nationalversammlung durch mehrere Zeitungsartikel in die Entwicklung einzugreifen, während Victor Adler und Karl Renner zunächst noch an dem Gedanken eines Bundesstaates, der unter Beachtung aller Formen der Selbstbestimmung und der Demokratie aus der österreichisch-ungarischen Monarchie hervorgehen sollte, festhielten. Bei den Deutsch-

nationalen waren anfangs zahlenmäßig nur schmale Schichten für den Anschluß, wenn auch der Abgeordnete Kraft bereits am 11. Oktober in einer
Sitzung des alten österreichischen Abgeordnetenhauses auf diese Möglichkeit hingewiesen hatte. Daß sie die Schönerianer begeistern würde, war zu
erwarten gewesen.

In Berlin und bei der deutschen Botschaft in Wien fanden jedoch diese
Bestrebungen zunächst nicht viel Beachtung. Man warnte sogar davor, weil
man glaubte, sie würden bei den Waffenstillstands- und Friedensverhandlungen Schwierigkeiten bereiten. Da aber die Nationen, die sich einst im
Hause Österreich-Ungarn zu einer Gemeinschaft zusammengefunden
hatten, den Ruf des Reststaates nach Zusammenarbeit nicht beachteten, da
die Umstände, unter denen das Friedensangebot des Grafen Andrássy erfolgte, weite Kreise über die Deutschnationalen hinaus schwer verstimmt
hatten, und da schließlich die Entwicklung hüben und drüben zur Republik
drängte, gewannen auch jene Anschauungen immer mehr an Gewicht, die
Otto Bauer vertrat und die auf den sofortigen Anschluß Deutschösterreichs
an die sozialistische Deutsche Republik abzielten. Für ihn gab die Verwirkli-
chungsmöglichkeit des Sozialismus den zentralen Blickpunkt ab, er glaubte,
daß alle objektiven Voraussetzungen für den Sozialismus erst dann in
Österreich erfüllt seien, wenn dieses in die deutsche staatliche Gemeinschaft
eintrete.

So kam denn am 12. November 1918 jener Beschluß der Nationalversammlung zustande, der Österreich als Bestandteil der Deutschen Republik
erklärte. Gewiß waren viele der Abgeordneten, die dafür ihre Stimme abgaben, nur mit halbem Herzen oder überhaupt nicht bei der Sache, in der
damaligen Situation glaubten sie jedoch keinen anderen Ausweg zu haben,
lediglich ein christlichsozialer Abgeordneter, der spätere Bundespräsident
Wilhelm Miklas, stimmte dagegen.

Indes, dem Beschluß der Nationalversammlung folgte kein vollziehender
Akt; es blieb bei einer bloßen Deklaration. Das haben die Anhänger des Anschlusses später Bauer vorgeworfen, indem sie darauf hinwiesen, daß sich
nur damals die Möglichkeit geboten habe, das Wollen auch in die Tat umzusetzen. Richtig ist, daß Frankreich seine Absicht, Österreich mit zwei Divisionen zu besetzen, nicht durchführen konnte und daß die anderen Alliierten, vor allem Amerika und Italien, sich vielleicht mit einer vollzogenen
Tatsache abgefunden hätten. Hemmend war aber der Umstand, daß man in
Berlin keine sonderliche Eile zeigte, die Sache zu beschleunigen, obwohl der
dorthin delegierte Historiker Ludo Moritz Hartmann, ein Mann, der ganz
in der 1848er-Tradition seines Vaters stand, als österreichischer Gesandter
lebhaft dafür eintrat.

Bei der Wahlbewegung, die zu Beginn des Jahres 1919 einsetzte, wurde
vielfach auch die Anschlußfrage in die Debatte geworfen, es gab aber keine
Partei, die offiziell dagegen Stellung genommen hätte. Am stärksten wurden

noch Bedenken und Widerspruch aus Wirtschaftskreisen laut, was für die Sozialisten die Möglichkeit zu einer heftigen Polemik bot. Erst der Zusammentritt der deutschen Nationalversammlung in Weimar schien die Sache weiter in Fluß zu bringen, man lud eine österreichische Delegation ein, die aber dann die Reise nicht antrat. Man begnügte sich in Wien mit einer offiziellen Begrüßung durch die Nationalversammlung, der ein gleichartiger Beschluß des Kärntner Landtages folgte. Renner äußerte sich bei der Länderkonferenz, die am 31. Jänner und 1. Februar 1919 in Wien stattfand: Solange wir nicht wissen, ob, wie und wohin wir angeschlossen werden, können wir an die positiven Verfassungsarbeiten nicht herantreten. Er hielt es für bedenklich, in eine Reichsgemeinschaft einzutreten, in welcher das ungeteilte Preußen als Staat erhalten blieb. Hartmann nahm an den Beratungen über die deutsche Reichsverfassung in Berlin teil.

In der Außenpolitik Bauers spielte der Gedanke der Abwehr einer Donauföderation eine starke Rolle. Er meinte, man könne ihr nicht zustimmen, weil dann Prag der Mittelpunkt wäre, und fand daher immer wieder zu der von ihm eingeleiteten Anschlußpolitik zurück. Im Februar 1919 verhandelte er mit dem deutschen Reichsaußenminister und schloß sogar ein Geheimabkommen ab. Dabei handelte es sich vorwiegend um wirtschaftliche Fragen, die finanziellen Interessen Österreichs sollten sichergestellt werden, auch über den Wechselkurs beim Umtausch der Währungen wurden Vereinbarungen getroffen. Auch in gewissen Kulturbelangen, wie in der Frage der Angleichung des Eherechtes, sollte Österreich eine Sicherstellung erhalten.

Frankreich setzte mit einer Gegenaktion ein. Seit Ende März hatte es einen diplomatischen Vertreter, Allizé, in Wien, der mit den Gegnern des Anschlusses, vor allem mit Wirtschaftskreisen und der Presse, Fühlung nahm. Bis dahin waren es nur vereinzelte Stimmen gewesen, die gegen den Anschluß Bedenken äußerten, sie liefen ja nur allzuleicht Gefahr, als Monarchisten gebrandmarkt zu werden. Einer der ersten war der katholische Publizist Eberle, der die Zeitschrift „Das Neue Reich" herausgab, deren erste Nummern allerdings noch den Titel „Die Monarchie" getragen hatten. Hier wurden jene in der katholisch-konservativen Tradition stehenden Anschauungen vertreten, die später unter Dollfuß und Schuschnigg stark hervortraten: Ablehnung des Nationalstaates, kulturell bestimmte großdeutsche Haltung, Sinn für die österreichische Vergangenheit, Sicherung der deutschsprachigen Minderheiten im Donauraum durch Einbeziehung in eine höhere politische Rechtsordnung.

Wie immer aber die Meinungen in Österreich gerichtet waren, der Staat war ohnmächtig und konnte auf sein weiteres Schicksal wenig Einfluß nehmen. Es ging lediglich darum, aus all der Wirrnis und Not das relativ Beste herauszuholen. Konnte man den Anschluß nicht erreichen, so war es vielleicht möglich, als Kompensation für einen Verzicht anderes zu retten. Es waren Offiziere der englischen Militärmission, die dieses Problem aufzeigten. Man hoffte, von Italien bei einem Verzicht auf den Anschluß Zugeständnisse zu erreichen. Als aber Graf Borghese Bauer bedeutete, daß an der Brennergrenze unter keinen Umständen zu rütteln sei, mußte dieser erkennen, daß seine Politik gescheitert war. Er reichte seine Demission ein. Die Führung der Auswärtigen Angelegenheiten übernahm jetzt Renner selbst und suchte durch die Parole „Westliche Orientierung" zu retten, was noch zu retten war, auch dies ohne Erfolg. Die Entente verlangte in der Mantelnote zu den Friedensbedingungen vom 2. September 1919 die bedingungslose Unterzeichnung. Renner reiste nach Wien und erhielt von den beiden großen Parteien in der Nationalversammlung die Vollmacht, den Vertrag zu unterfertigen. Die Großdeutschen stimmten dagegen, Renner hatte das sogar aus optischen Gründen gewünscht.

Zu den harten Lasten, die der Verlust Südtirols, der Südsteiermark, der Verzicht auf die Sudetendeutschen bedeutete, kamen die schweren Bedrückungen, die sich aus den finanziellen und wirtschaftlichen Teilen des Vertrages ergaben und gerade noch ein Überleben erhoffen ließen.

In Durchführung des Friedensvertrages von Saint-Germain wurde am 21. Oktober das Gesetz über die Staatsform beschlossen, in dem der von der Konstituierenden Nationalversammlung am 12. März 1919 bekräftigte Anschlußartikel gestrichen wurde, die Republik auf den Namen Deutschösterreich verzichtete und sich Österreich nannte.

Der Anschluß war durch den Artikel 80 des Versailler Vertrages mit Deutschland verboten, das sich verpflichten mußte, die Unabhängigkeit Österreichs als unabänderlich anzuerkennen, es sei denn, daß der Rat des Völkerbundes einer Abänderung zustimme. Die Aufnahme dieser in den Fassungen vom 2. Juni und 20. Juli 1919 noch nicht enthaltenen Bestimmung wurde in den endgültigen Text des Friedensvertrages von Saint-Germain als Artikel 88 eingefügt und hat folgende Hintergründe: Ende August lenkte Frankreich die Aufmerksamkeit der Friedenskonferenz auf eine Bestimmung der Weimarer Verfassung, die vorsah, daß Österreich bis zu seinem Anschluß an das Deutsche Reich das Recht der Teilnahme am Reichsrat mit beratender Stimme erhalten solle. Clemenceau erblickte darin eine Verletzung des Versailler Vertrages, England schloß sich dieser Auffassung an und schlug vor, einen entsprechenden Artikel auch in den Vertrag mit Österreich einzuschalten. Die Reichsregierung mußte sich unter der Drohung der Besetzung des rechten Rheinufers in einem Protokoll vom 22. September 1919 verpflichten, den umstrittenen Artikel der Weimarer Verfassung außer Kraft zu setzen. Clemenceau wollte die Abfassung der Note an Deutschland dem englischen Außenminister Balfour überlassen, weil dieser ein gemäßigter Mann sei, aber Balfour erwiderte, er überlasse das seinem französischen Kollegen Berthelot, weil dieser eben kein gemäßigter Mann sei.

Eine Tür blieb offen, mit einhelliger Zustimmung des Rates des Völkerbundes konnte eine Änderung herbeigeführt werden. Daran hielten sich nun die Anhänger des Anschlußgedankens, die Realpolitiker sahen hingegen ein, daß man das Haus des kleingewordenen Staates allein bestellen und Hilfe entgegennehmen müsse, von wo man sie eben erhalten könnte.

Die furchtbare Not des herannahenden Winters veranlaßte Renner, Anfang Dezember nach Paris zu reisen und dort um Hilfe mit der Drohung zu bitten, daß die österreichische Regierung ansonsten zurücktreten müßte und niemand sich bereit finden würde, an ihre Stelle zu treten. Im folgenden Monat suchte er auch in Prag, zu Ostern in Rom Fühlung zu nehmen. Das Ergebnis dieser Bettelgänge war mager. Ein Erfolg lag aber darin, daß das verfemte Österreich wenigstens die diplomatischen Beziehungen zu den ehemaligen Feinden aufnahm.

Im Innern spielte die Anschlußfrage weiter eine große Rolle. Die Großdeutschen liebäugelten mit einer Annäherung an Italien, das über kurz oder lang eine Verbindung mit Deutschland suchen werde, und hofften, auf diesem Umweg zu dem ersehnten Anschluß an Deutschland zu kommen. Die Sozialdemokraten blieben nach wie vor überzeugte Anhänger des Anschlußgedankens, gaben sich aber über die reale Durchführbarkeit für die nächste Zukunft keiner Täuschung hin, wobei der Deutschnationalismus primär von der Parteiführung getragen wurde und weniger von der Masse der organisierten Arbeiterschaft.

Am schwersten hatten es die Christlichsozialen. In ihrer Partei waren die Anhänger eines eigenständigen österreichischen Staatsgedankens am stärksten vertreten. Die früheren konservativen Großösterreicher, wie etwa Ignaz Seipel, Ämilian Schöpfer und der Publizist Friedrich Funder, kamen immer stärker zur Geltung. Aber der Partei gehörten auch Politiker an, die den neuen Kleinstaat nicht von vornherein bejahten und für die die Interessen ihrer Heimatländer im Vordergrund standen. So kam es, daß man im Dezember 1919 im Tiroler Landtag den Beschluß faßte, falls die Reise Renners nach Paris nicht wirtschaftliche Erfolge brächte, müßten von Wien aus Verhandlungen eingeleitet werden, die einen wirtschaftlichen Anschluß Tirols an Deutschland zum Ziel hätten. Die Zeit der sogenannten Tiroler Gebietspolitik, wo man zwischen der Überlegung geschwankt hatte, ob durch einen Anschluß Österreichs an Deutschland Südtirol gerettet werden könnte oder ob vielmehr das Gegenteil zu erwarten wäre, war wohl vorbei; man dachte aber weiter an eine Verbindung mit Bayern. Folgten andere österreichische Länder diesem Beispiel, dann war der österreichische Staat als solcher in Frage gestellt, ganz abgesehen davon, wie sich die Entente dazu verhalten würde.

Auf solche Strömungen hatten die Christlichsozialen Rücksicht zu nehmen und erklärten deshalb auch im Wahlaufruf zu den Wahlen des Jahres 1920: „Wir harren der Stunde, die uns die Freiheit der nationalen Selbstbestimmung wiedergibt und uns den Zusammenschluß mit den Brüdern im Reiche ermöglicht." Bissige Gegner erwiderten, daß die Christlichsozialen wohl dieser Stunde harrten, sie aber nicht herbeiführen wollten. Der Parteiobmann Leopold Kunschak wies darauf hin, daß man zunächst sein eigenes Haus bestellen müsse, damit man nicht später für Deutschland eine politische Verlegenheit würde. Im übrigen fand aber auch er verständnisvolle Worte für den Anschlußgedanken. Auch sein Parteigenosse Mataja erklärte, eine Donauföderation halte er für ausgeschlossen, das österreichische Problem liege zwischen der Möglichkeit einer Selbständigkeit und dem Anschluß. Er neige mehr dem zweiten Wege zu. Dabei bekannte er sich als alter Großösterreicher, der sich aber erst in den neuen Verhältnissen zurechtfinden müsse. Der spätere christlichsoziale Heeresminister Karl Vaugoin schloß im Herbst 1920, knapp vor den Wahlen, bei einer Protestkundgebung, die von den Wiener deutschvölkischen Vereinen gegen die Friedensverträge abgehalten wurde, seine Rede mit den Worten: „Aus deutschem Eichenholz sind auch wir in Österreich." Anschließend sang man die Wacht am Rhein.

Diese Einzelheiten verdienen Erwähnung, weil aus ihnen hervorgeht, daß das politische Denken in Österreich nach der schweren Erschütterung des Zerfalles der Donaumonarchie noch nicht ins Gleichgewicht gekommen war, die politische und wirtschaftliche Lage des Staates war so labil wie jene Anschauungen, die man sich über seinen Sinn und seine Aufgabe zu bilden vermochte. Schwer zu überblicken war auch das Verhältnis zu den östlichen Nachbarn. Da es im Donau- und Karpatenraum nicht gelungen war, bevölkerungsmäßig in sich geschlossene Staaten zu bilden, hörten die Nationalitätenkämpfe nicht auf und vergifteten die Beziehungen zwischen den „Nachfolgestaaten". Artikel 222 des Vertrages von Saint-Germain hatte eine gewisse wirtschaftliche Zusammenarbeit zwischen den Nachfolgestaaten zunächst in der Form von Präferenzverträgen für die Dauer von fünf Jahren vorgesehen. Infolge der negativen Haltung der Tschechoslowakei, die im Besitz von 70 Prozent der Industrie Österreich-Ungarns auf Präferenzen verzichten zu können glaubte, kam es zu keiner organischen Überleitung vom alten zum neuen Zustand. Die allgemeine Tendenz zur Abschließung wirkte sich für alle Staaten ungünstig aus. Die fortgesetzte Gefährdung des Absatzes der in dem Donauraum hergestellten Erzeugnisse, besonders der Agrarprodukte, bewirkte eine nahezu ständige Wirtschaftskrise. Das unter dem Namen „Kleine Entente" zwischen der Tschechoslowakei, Rumänien und dem SHS-Staat geschlossene Bündnissystem war vor allem gegen die Gefahr einer habsburgischen Restauration und gegen den Revisionismus der Ungarn und Bulgaren gerichtet. Das Problem einer wirtschaftlichen Zusammenarbeit vermochte sie nicht einmal zwischen den Bundesgenossen zu lösen. Noch viel weniger war sie imstande, eine „neue Ordnung" aufzubauen, die einen Ersatz für den Wirtschaftsraum der Donaumonarchie gebildet hätte.

In der letzten Sitzung der Konstituierenden Nationalversammlung am 1. Oktober 1920 kam nach Annahme des Bundesverfassungsgesetzes eine

Resolution zur Abstimmung, die von dem großdeutschen Abgeordneten Straffner beantragt worden war. Darin wurde die Regierung aufgefordert, binnen sechs Monaten eine Volksabstimmung über den Anschluß an das Deutsche Reich anzuordnen. Diese Entschließung wurde einstimmig angenommen, der Antrag, diese Volksabstimmung mit den Wahlen zum Nationalrat am 17. Oktober zu koppeln, abgelehnt.

Man muß sich fragen, wie man es sich vorstellte, über das im Friedensvertrag verankerte Verbot hinwegzukommen. Die Bestimmung, daß der Anschluß mit einstimmiger Bewilligung des Völkerbundes gestattet werden könne, bot eine Handhabe. Darum sah man die Zulassung Österreichs zum Völkerbund, für die sich schon Renner in Saint-Germain eingesetzt hatte, für die auch die von dem altösterreichischen Diplomaten Constantin Dumba ins Leben gerufene österreichische Völkerbundliga wirkte und die man noch vor Ablauf des Jahres 1920 erreichen konnte, als großen Erfolg an.

Gewährte der Völkerbund den Kredit, den Österreich brauchte, um nicht unterzugehen, so entfiel der Zwang, alles auf die Karte des Anschlusses zu setzen, die — sieht man von innerösterreichischen Abneigungen ab — international ohnehin nicht stechen konnte. Renner, flexibel wie immer, erklärte damals einem ausländischen Diplomaten, er habe die Anschlußpolitik von Anfang an für verfehlt gehalten, aber sie war von taktischen Erfordernissen bestimmt, sollte als Druck- und Schreckmittel für die Entente dienen und mußte auch auf die öffentliche Meinung Rücksicht nehmen, die damals namentlich in den Alpenländern stark dem Anschluß zuneigte. Hinzuzufügen wäre noch, daß die Anschlußeuphorie der SDAP Karl Kraus Jahre später das scharfe Wort vom Unterricht des Marx' bei Turnvater Jahn finden ließ. In Wien und in den Ländern waren besonders die Hochschulen ein Herd dieser Bewegung. Am 18. Jänner 1921, dem Tag, an dem seit der Errichtung des deutschen Kaiserreiches in Versailles ein halbes Säkulum vergangen war, befürchtete man sogar eine revolutionäre Erhebung der Wiener Studenten. Der Hauptauftrieb kam auch hier aus den Bundesländern. Eine weit verbreitete Untergangsstimmung, die wirtschaftliche Not, der Wunsch nach Selbsthilfe, das Pochen auf die Eigenständigkeit und das Streben, in der Politik, auch der Außenpolitik, Subjekt, nicht Objekt zu sein, trafen sich mit der deutschnationalen Domestikation des akademischen Nachwuchses seit 1848, bzw. der Thunschen Unterrichtsreform und der damit verbundenen Steigerung des deutschen Einflusses auf Österreichs Hochschulen.

Die Bewegung war von Tirol ausgegangen, wo der Landtag schon im Mai 1920 eine Anschlußkommission einsetzte. Welchen Weg man dort auch beschritt, es lag immer der Gedanke zugrunde, die Landeseinheit wiederherstellen zu können, deren Verlust man nicht zu verschmerzen vermochte. Auch der Salzburger Landtag setzte am 23. November 1920 eine Kommission für den Anschluß ein, um diesen womöglich für den ganzen Bundesstaat vorzubereiten.

War hier noch an eine Mitwirkung der Bundesregierung gedacht und trat auch die Absicht eines selbständigen Anschlusses Salzburgs an Bayern nicht in den Vordergrund, so lagen die Dinge in Tirol durchaus anders. Denn dort faßte der Landtag am 20. Jänner 1921 den Beschluß, die Volksabstimmung in Tirol am 27. Februar oder spätestens am ersten Sonntag im März durchzuführen, falls die Bundesregierung nicht einen früheren Tag bestimme.

Die Bundesregierung erklärte das Vorgehen Tirols als unzulässig, konnte aber nicht umhin, den Entwurf eines Bundesgesetzes über Volksbegehren und Volksabstimmung — vom Anschluß war darin nicht die Rede, es sollte bloß im allgemeinen das Verfahren geregelt werden — im Nationalrat einzubringen. Der Tiroler Landtag beharrte auf seinem Standpunkt und setzte mit der Begründung, daß es sich bei der Abstimmung doch nur um eine Äußerung der Volksmeinung handle, die weder aus verfassungsrechtlichen noch aus außenpolitischen Gründen zu verpönen sei, den Abstimmungstag für den 24. April 1921 fest; der Salzburger Landtag folgte diesem Beispiel. Damit sprach man selbst offen aus, daß man es nicht mit einer Volksabstimmung demokratischer Natur, sondern mit einem propagandistischen Akt zu tun hatte.

Da griff die Entente ein. Ihre Vertreter drohten dem Bundeskanzler Mayr, falls die Regierung nicht in der Lage sei, die auf den Anschluß abzielenden Umtriebe abzustellen, die Hilfsaktion für Österreich nicht mehr fortzuführen und die Reparationskommission in ihre früheren Befugnisse wieder einzusetzen.

Die Großdeutschen erreichten am nächsten Tage durch eine dringliche Anfrage an die Regierung eine Resolution: die Regierung sei aufzufordern, bei den Mächten auf die Wahrung der Österreich aus dem Friedensvertrage zustehenden Rechte zu dringen, worunter die Möglichkeit, an den Völkerbund zu appellieren, gemeint war. Die großdeutschen Abgeordneten Dinghofer und Frank beantragten ein Gesetz zur Durchführung der Volksabstimmung über den Anschluß, dessen Aufgabe bloß die Erforschung der Volksmeinung bilden sollte. Doch auch darauf konnte die Regierung nicht eingehen, ohne die schwebenden Kreditverhandlungen zu gefährden. Der Wiener Flügel der Christlichsozialen mit Seipel an der Spitze machte aus seiner Abneigung gegen die Anschlußpolitik kein Hehl, während in den meisten Bundesländern auch[83] die Christlichsoziale Partei im Lager der Anschlußfreunde zu finden war.

Der Schriftsteller Joseph Roth, für den die Dummheit stets aus den Alpen kam — im Gegensatz zu den Blut- und Bodentümlern der Volkskunde, der Literatur und der Politik, die in den Alpenbewohnern den Kraftquell des Volkes sahen —, diagnostizierte in der „Kapuzinergruft", daß in der Anschlußfrage die „christlichsozialen Alpentrotteln" den Sozialdemokraten gefolgt waren. In Salzburg verstand man sich zwar zu einer Verschiebung des

Abstimmungstermins auf den 29. Mai, dafür setzte aber der steirische Landtag für denselben Tag das Plebiszit an. Oberösterreich wünschte eine einheitliche Abstimmung im ganzen Staatsgebiet, welchen Weg auch die Sozialdemokraten eingeschlagen wissen wollten. Sie waren Gegner der länderweisen Abstimmungen, die von den Landeshauptleuten am 1. Februar in einer Beratung im Niederösterreichischen Landhaus beschlossen worden waren. In Wien und Niederösterreich zog die Anschlußbewegung keine weiten Kreise, Vorarlberg blieb teilnahmslos, seit es mit dem Versuch der Angliederung an die Schweiz keinen Erfolg gehabt hatte. Kärnten verhielt sich ablehnend. Obwohl dort der deutschnationale Gedanke stärker als in den meisten anderen Ländern Wurzeln geschlagen hatte, erkannte man doch die großen Gefahren, die der Einheit des Landes drohten, die man eben erst gerettet hatte. Anzeichen deuteten nämlich darauf hin, daß der SHS-Staat im Falle staatsrechtlicher Änderungen in Österreich nach Kärnten einmarschieren würde. Vertreter aller Parteien Kärntens begaben sich daher nach Salzburg, um vor der Anschlußagitation zu warnen. Das Burgenland war damals noch nicht an Österreich angegliedert, die Regierung und die anschlußgegnerische Presse bediente sich aber oft des Arguments, daß auch dort für die reibungslose Aufnahme in den österreichischen Staatsverband Schwierigkeiten entstehen würden, falls der Anschlußbewegung in den Alpenländern nicht Einhalt geboten würde.

Am 24. April wurde in Tirol abgestimmt. Mit rund 90 Prozent ergab sich eine überwältigende Mehrheit für den Anschluß. Handelte es sich auch lediglich um eine Demonstration, so bedeutete sie doch eine Gefahr für die Kreditaktion. Das sahen die Großdeutschen ein. Ursprünglich hatten sie verlangt, daß in ihren Antrag über die allgemeine Anschlußabstimmung ein Termin aufgenommen werde, darüber waren auch Verabredungen mit der Regierung getroffen worden. Diese erklärte sich jetzt außerstande, diese Klausel zulassen zu können, und beschloß, wegen Nichteinhaltung des Versprechens den Großdeutschen die Ministersitze zur Verfügung zu stellen. Diese bestanden aber nicht darauf, so daß eine Regierungskrise vermieden wurde. Nach einer Demarche der Westmächte fuhr der Bundeskanzler nach Salzburg und Graz, um zu überreden und zu überzeugen. Der Erfolg blieb ihm versagt. In Salzburg mußte sich allerdings die Landesregierung von der Beteiligung an der Abstimmung zurückziehen, sie durfte auf Weisung aus Wien nur als private Veranstaltung der Parteien durchgeführt werden. Das Abstimmungsergebnis glich jenem in Tirol (103.000 Ja, 800 Nein, 200 ungültige Stimmen). Es war ein großer Erfolg der Propagandisten und Organisatoren aller Parteien.

Als die Versuche, in Graz die Absetzung der für den 3. Juli in Aussicht genommenen Volksabstimmung zu erreichen, fehlschlugen, trat die Regierung Mayr am 1. Juni 1921 zurück. Beigetragen hatte auch der Umstand, daß die Reichsparteileitung der Großdeutschen, die zumeist aus Nichtparlamentariern bestand, der Regierung die schärfste Opposition ankündigte, wenn in das allgemeine Volksabstimmungsgesetz über den Anschluß kein Termin aufgenommen werde. Von der Bildung einer neuen Regierung konnte erst die Rede sein, bis die Frage der steirischen Abstimmung geklärt war. Dies gelang erst nach einigen Wochen. Landeshauptmann Anton Rintelen wollte unbedingt an der Abstimmung festhalten. Er geriet dadurch in schwere Gegensätze zu den Führern der Christlichsozialen Partei, der er angehörte. Schließlich widerrief der Steirische Landtag am 23. Juni die Abhaltung der Abstimmung. Rintelen, ein Pragmatiker politischer Machtausübung, benützte stets den „steirischen Weg", um innerparteilich zu punkten.

Jetzt galt es aber in erster Linie, zu einer neuen Regierung zu kommen. Der Gedanke einer Konzentration aller Parteien, der angesichts der außerordentlich schwierigen Lage des Staates nahezuliegen schien, fand keinen Anklang. Namentlich die Sozialdemokraten sprachen sich dagegen aus. Ein christlichsoziales Minderheitskabinett erschien ebenfalls unmöglich. Diese Partei forderte, daß die Regierung und die sie wählenden Parteien für eine folgerichtige Durchführung der Sanierungsaktion durch den Völkerbund eintreten müßten und daß keine weiteren länderweisen Abstimmungen über den Anschluß, vor allem nicht in der Steiermark, stattfänden. Darauf gingen die Großdeutschen nicht ein, auch bei den steirischen Christlichsozialen ergaben sich Schwierigkeiten.

Erst als in Graz die Abstimmung abgesagt wurde, war der Weg für die Bildung einer neuen Bundesregierung frei, in die auch die Großdeutschen einen Vertreter entsandten. Sie sahen ein, daß es nicht angehe, Katastrophenpolitik zu treiben. Ein Parteitag in Wien, der Ende Juni stattfand, bestätigte diese Haltung.

Damit stellte sich auch jene Partei, die ihrem Programm und ihrem Namen nach der Anschlußbewegung am nächsten stand, auf den Boden der gegebenen Realität, sie stimmte später sogar dem Genfer Protokoll von 1922 zu, das einen zusätzlichen freiwilligen, wenn auch befristeten Verzicht auf den Anschluß bedeutete. Man beschränkte sich in der Folgezeit darauf, auf wirtschaftlichem und kulturellem Gebiet (Rechtsangleichung, Wissenschaftsbeziehungen) gemeinsame Wege zu suchen, bemühte sich aber in erster Linie um die Bestellung des eigenen Hauses, bis zehn Jahre später das ganze Problem unter neuen Bedingungen mit elementarer Wucht von neuem hervortrat.

Die Anschlußproblematik der jungen Republik wurzelte zum einen in der deutschnationalen Konfliktstrategie des 19. Jahrhunderts, die letztendlich den Nationalitätenkonflikt der Monarchie provozierte, zum anderen in den nun daran anknüpfenden Existenzängsten. Nach dem Zerfall der Donaumonarchie beherrschte weite Kreise der Bevölkerung das Gefühl der Heimatlosigkeit: für das verlorene Große setze man den Traum vom Anschluß, der wirtschaftliche Sicherheit bringen und politische Größe wiedergeben sollte. Die mangelnde Identifikationsbereitschaft mit dem „neuen Vaterland" kompensierte man im Lagerpatriotismus, der die jeweilige Partei zur Heimat werden ließ, gegen deren Feinde man zu kämpfen hatte. Wenn auch das Deutsche Reich unmittelbar nach Kriegsende den österreichischerseits vorgetragenen Ambitionen diplomatisch zurückhaltend auswich, so darf nicht übersehen werden, daß man grundsätzlich an den Aspirationen auf ein „Tor zum Südosten" festhielt und damit den Wilhelminischen Imperialismus in die Politik der Kompensation für die Gebietsverluste einbrachte. Damit verbundene ökonomische Aspekte stören deutschnationale Apologeten, denen der „Ruf des Blutes" anerzogen worden ist, sie sind aber evident: von der Förderung der Anschlußbewegung in Österreich durch deutsche Regierungsstellen in den frühen zwanziger Jahren oder aber dem Deutschen Sängerbundfest 1928 bis hin zur Anschlußplanung des nationalsozialistischen Reiches. Alle jene, die sich gegen die Anschlußhaltung wandten, wurden als Legitimisten denunziert.

Faßt man die Ergebnisse des Friedensvertrages zusammen, muß festgestellt werden, daß es der österreichischen Delegation gelang, minimale Verbesserungen gegenüber den historischen Verwaltungsgrenzen zu Böhmen und Mähren zu erzielen; gegenüber Ungarn wurde ein echter Gebietsgewinn erreicht, dessen wirtschaftlicher Wert durchaus die Gebietsverluste gegenüber dem SHS-Staat kompensierte. „In der ethnischen Mischlage des südsteirischen Gebietes waren es ... wirtschaftlich-geographische Überlegungen gewesen, die die für Österreich ungünstige Grenzziehung ... bewirkten, im Falle des Klagenfurter Beckens hingegen haben gerade diese Überlegungen letzten Endes dem österreichischen Gesichtspunkt zum Sieg verholfen." (Fellner, Vertrag.) Im Gegensatz zum Problem der Abtrennung Südtirols wurden im Friedensvertrag und in den diesen begleitenden Verträgen mit den Nachfolgestaaten Schutzbestimmungen für die jeweiligen ethnischen Minderheiten eingebracht. Italien als Siegerstaat entzog sich derartigen Klauseln, was die Lage der Südtiroler noch massiv verschärfte. Fellner verweist auch auf die den Schutzbestimmungen vergleichbaren wirtschaftlichen Aussagen dieses Vertragsnetzwerkes, die die Liquidationsprobleme des zerfallenen Reiches zu verteilen trachteten. Gleichwohl überschatteten die wirtschaftlichen Probleme, ob sie nun mit dem Friedensvertrag zusammenhängen oder „hausgemacht" waren, und die fehlgeschlagenen Versuche, die eigenen territorialen Forderungen und wohl teilweise auch irrationalen Wünsche durchzusetzen, die Beurteilung des Friedensvertrages.

III

POLITISCHE UND WIRTSCHAFTLICHE
STABILISIERUNGSVERSUCHE

Die sozialdemokratisch-christlichsoziale Koalition

Als das Parlament der Ratifizierung des Friedensvertrages zugestimmt
und die daraus entstehenden Folgerungen durch besondere Gesetzesbe-
schlüsse gezogen hatte, ergab sich die Frage, wie sich von nun an die Zusammenarbeit der Parteien gestalten würde. Ein Winter der schwersten Not
stand vor der Tür. Die bisherige Zusammenarbeit der beiden großen Parteien, deren Stützen die breiten Massen der Arbeiterschaft und des Bauern-
tums bildeten, hatte über die schweren Krisen des letzten Jahres hinwegge-
holfen und die maßgebenden Politiker zeigten Verantwortungsbewußtsein
genug, im Staatsinteresse die bestehende Koalition aufrechtzuerhalten. Freilich wußten beide Teile, daß sie damit auf wesentliche Punkte ihrer Pro-
gramme verzichten mußten und auch in breiten Schichten ihrer Anhänger
nicht verstanden wurden. Es war aber beiden Seiten klar, daß keines der
beiden Lager, weder das sozialistische noch eine Zusammenfassung sämtlicher bürgerlichen Parteien unter den obwaltenden Umständen allein regieren könnte. Auf der Linken wußte man, daß sich eine vorübergehende
Diktatur des Proletariats nicht halten und nur eine um so stärkere Reaktion
zur Folge haben würde, wie man das nach dem Zusammenbruch der Räteherrschaft in Ungarn deutlich zu beobachten Gelegenheit hatte. Das bürgerliche Lager, das zwar über eine Mehrheit verfügte, war sich bewußt, daß es
bei jeder der zahlreichen Wirtschaftsfragen, bei Streiks und Lohnbewe-
gungen, mit dem geschlossenen Widerstand der Arbeitermassen zu rechnen
hatte. Funken, die bei solchen Reibungen entstehen konnten, hätten nur zu
leicht auf das politische Gebiet übergreifen und verheerende Brände hervorrufen können. Es wäre dann nur mehr der Weg der repressiven Gewalt geblieben, für den der Staat zu schwach war. Die sehr differenziert zusam-
mengesetzten Deutschnationalen, die die Wahlen 1919 als Wahlverband der
„Großdeutschen Vereinigung" verloren hatten, zogen sich in die Opposition
zurück, heftig Kritik übend und auf die Rückkehr in die Regierung
wartend. Dabei übernahmen sie zeitweise die Funktion der Haus- und Hof-
opposition der Regierung: „Renner wünscht unsere Opposition und eine
scharfe Kritik des Friedensvertrages. ‚Die Großdeutsche Vereinigung'
könne auch den Anschluß weiterhin scharf betonen, was den anderen beiden
Parteien unmöglich sei, weil sie durch die Abstimmung gebunden sind."

Theoretisch waren die Deutschnationalen auch für eine Koalition mit der SDAP offen, mit der man in der Frage der Trennung von Kirche und Staat (Schul- und Ehegesetzgebung) und auch in der großdeutschen Grundbefindlichkeit eine Basis hätte finden können. In der Praxis überwogen auf Bundesebene der kämpferische Antimarxismus und die Nähe zu den Christlichsozialen, denen man vorwarf, mit der „verjudeten Sozialdemokratie gemeinsame Sache" zu machen. Dennoch war man sich bewußt, daß man die Christlichsozialen stützen mußte, um in sensiblen Bereichen das Eigeninteresse zu wahren (z. B. Betriebsrätegesetz — nationale Gewerkschaften).

Bei den beiden Koalitionsgenossen glaubte sich einer vom anderen übervorteilt. In Gesprächen mit Dinghofer beklagten sich Seipel über die Sozialdemokraten und Seitz über die Christlichsozialen. Es blieb das kein Geheimnis, in zahlreichen Versammlungsreden wurde in aller Öffentlichkeit dieser Mißstimmung Raum gegeben. Der Hauptvorwurf der Sozialisten gegen die Christlichsozialen bestand darin, daß sie zwar in der Regierung säßen und, wie man sich drastisch ausdrückte, aus der Krippe fräßen, dafür aber nicht die Verantwortung tragen wollten und die Regierung als eine rein sozialistische hinstellten, für deren Fehler und Unterlassungen die Linke allein schuldtragend sei. Die Sozialdemokraten befürchteten daher nur allzusehr, daß die breiten Schichten des Volkes alles Negative im Staate und alle Folgeerscheinungen des politischen und wirtschaftlichen Zusammenbruches ihnen in die Schuhe schieben würden.

Das schien gefährlich, das konnte Wähler kosten. Es wurde daher innerhalb der Sozialdemokratischen Partei immer lauter die Frage gestellt, ob man denn nicht anders könne. Es gab Leute, die alles das, was auf sozialpolitischem Gebiet bis dahin unter der Koalition erreicht worden war, gering achteten: Arbeitslosenversicherung, Achtstundentag, Betriebsrätegesetz, Arbeiterurlaub und manches andere. Sie sahen nur, daß der politischen Revolution nicht auch die soziale gefolgt war, wie sie eine solche verstanden. Sie mußten sich von Seitz belehren lassen, daß Österreich unter den obwaltenden Umständen auf dem Weg zum Sozialismus nicht voranschreiten könne. Dann müsse man eben auf die Weltrevolution warten, gaben sie zur Antwort, sie stünde auch in den westlichen Ententestaaten unmittelbar bevor. Indessen sollte man sich aber mit der Teilnahme an einer bürgerlichen Regierung nicht belasten.

Die Führer der Partei aber wußten, daß sie die Regierung erst dann verlassen durften, bis sie sich auch im Staatsapparat genügend Stützpunkte geschaffen hatten. Vor allem trachteten sie danach, die neue Wehrmacht, die gemäß dem Friedensvertrage als Söldnerheer aufgestellt werden sollte, fest in der Hand zu behalten. Auf die Arbeiterräte, die nach außen einen gewissen revolutionären Elan entfalteten und gerade deswegen häufig zu einem Stein des Anstoßes zwischen den Koalitionspartnern wurden, legte man im Grunde weniger Gewicht. Man versicherte zwar, daß die Verwaltung der Bürokraten versage und daß dem durch eine entsprechende Kontrolle durch die Arbeiterräte abgeholfen werden müsse; daraus entstanden aber gar nicht selten Verlegenheiten für die Partei. Die Arbeiterräte waren nicht geschult, stifteten mehr Schaden als Nutzen und neigten zu Übergriffen, die letzten Endes auch die Sozialdemokratische Partei nicht decken wollte. Die längste Zeit war überhaupt das Verhältnis zwischen Arbeiterrat und Partei nicht geklärt, dort wirkten auch Kommunisten mit, die von den Sozialdemokraten als Partei bekämpft wurden. Der Gedanke der Errichtung einer Räterepublik, für die sie hätten eine Plattform bilden können, war in Österreich nur in wenigen Augenblicken aktuell gewesen und bot keine Aussicht für die Zukunft. Da sie keinen sonderlichen Rückhalt für Machtbestrebungen mehr bieten konnten, verloren die Arbeiterräte immer mehr an Bedeutung. Am Ende waren auch die Sozialdemokraten froh, als sie nach Aufhebung der Lebensmittelbewirtschaftung im großen und ganzen ihre Tätigkeit einstellten.

Anläßlich des sozialdemokratischen Parteitages im Jahre 1919, der sich im übrigen trotz vieler Einwände zur Fortführung der Koalition bekannte, hatte Otto Bauer diese Entwicklung theoretisch begründet. Er wies darauf hin, wieviel das Proletariat durch die Steigerung der Macht und des Machtbewußtseins der Arbeiterklasse gewonnen habe. Es hätte jederzeit die Macht an sich reißen, jedoch nicht behaupten können. Die beiden Ideologien, die revolutionäre und die demokratische, müßten sich zu einer dritten verbinden. Die einen meinten, die Revolution sei abgeschlossen, es komme jetzt auf die Überwindung der „Anarchie" und die Wiederherstellung der Majestät des Gesetzes an. Diesen Gedanken vertrat, was Bauer nicht ausdrücklich sagte, Staatskanzler Karl Renner. Auf der anderen Seite stünden jene, die die österreichische Revolution als einen Teil der Weltrevolution betrachteten und von diesem Lande aus ihren Eintritt beschleunigen wollten. Bauer riet zu einem dritten Weg: Bei voller Überzeugung von der bloß vorübergehenden Notwendigkeit einer Zusammenarbeit mit den Bürgerlichen müsse man das Proletariat durch Ausbau seiner Machtpositionen für neue Klassenkämpfe und zur Ausnutzung neuer revolutionärer Situationen wachhalten und befähigen.

Es liegt auf der Hand, daß solche Worte aus der Feder des Gegners bei den Christlichsozialen, die sich über diese Taktik der Sozialisten keinen Illusionen hingaben, keine Begeisterung für die Erneuerung der Koalition hervorrufen konnten. Sie taten denn auch nur unter dem Zwange der Verhältnisse und angesichts der Not des Staates diesen Schritt. Doch stellten sie Bedingungen. Sie verlangten, daß für die künftige Zusammenarbeit ein Rahmenprogramm festgelegt werden müsse. Darüber gab es langwierige und zähe Verhandlungen der Parteiführer, schließlich wurde das Ergebnis am 18. Oktober 1919 in der „Arbeiter-Zeitung" und in der „Reichspost" veröffentlicht.

Man einigte sich dahingehend, daß keine der beiden Parteien vor der Öffentlichkeit die Verantwortung auf den anderen Partner abwälzen dürfe und daß alle auftauchenden Fragen in einem gemeinsamen Koalitionsausschuß beraten werden sollten. Dieser wurde denn auch in der Folgezeit das eigentliche Organ für die Führung der Politik. Die Regierung trat, soweit es sich nicht um Verwaltungsagenden handelte, in den Hintergrund, da alle Gesetzesvorlagen erst dann in den Kabinettsrat kommen konnten, wenn man sich vorher im Koalitionsausschuß wenigstens in den Grundzügen darüber geeinigt hatte.

Das Koalitionsprogramm enthielt weiters die Forderung, daß raschest an die Schaffung der Verfassung zu schreiten sei. Österreich solle als Bundesstaat eingerichtet werden. Der Verfassungsentwurf müsse von der Nationalversammlung beraten werden, wobei allerdings den Ländern Gelegenheit gegeben werden müsse, vorher dazu Stellung zu nehmen. Das Verhältnis zwischen Kirche und Staat sei im Rahmen der Verfassung zu regeln, vorherige Einzelmaßnahmen auf diesem Gebiete seien unzulässig. Damit hatte sich das Bestreben der Christlichsozialen durchgesetzt, der Trennung von Kirche und Staat entgegenzuwirken, alle kulturellen Bastionen zu halten und die Gefahr kulturkämpferischer Mehrheiten zu vermeiden. Angesichts der Mißstände, die die Verwaltungskontrolle der Arbeiterräte gezeitigt habe, müsse, um das Mißtrauen der Bevölkerung gegen die Bürokratie zu überwinden, ehestens für eine Demokratisierung der Bezirksverwaltungen vorgesorgt werden. Weitere Vereinbarungen betrafen Fragen der Sozialpolitik, das Ernährungswesen und eine Vermögensabgabe. Von Bedeutung war der Beschluß, in das Programm der neuen Regierung einen Absatz über den Schutz der staatsbürgerlichen Rechte, vor allem über die ungestörte Ausübung des Vereins- und Koalitionsrechtes aufzunehmen. Gerade auf diesem Gebiete hatte die nichtsozialistische Bevölkerung in dem abgelaufenen Jahre sehr schlechte Erfahrungen gemacht und immer wieder über schwere Beeinträchtigungen bei der Abhaltung politischer Versammlungen und über den Terror der Sozialisten gegen Andersgesinnte in den Betrieben Klage geführt. Auf der anderen Seite setzten die Sozialdemokraten durch, daß ihr Programm für die Einrichtung der neuen Wehrmacht im wesentlichen als Richtschnur in die Koalitionsvereinbarung aufgenommen wurde.

In ihrer Sitzung vom 17. Oktober 1919 wählte die Nationalversammlung die auf Grund dieses Koalitionsprogrammes gebildete neue Regierung. An ihrer Spitze stand wieder Karl Renner, Vizekanzler war wie bisher der Vorarlberger Bauer Jodok Fink. Als neuer Mann trat Richard Reisch, Sektionschef im Finanzministerium und später Direktor der Bodencreditanstalt, in die Regierung ein. Der frühere Staatssekretär für Finanzen, Josef Schumpeter, hatte mit seinem Finanzplan Schiffbruch erlitten. Für die Vorbereitung der Verfassung bestellte man in der Person des christlichsozialen Abgeordneten Michael Mayr einen Staatssekretär ohne Geschäftsbereich.

Mit dieser Regierung nun, die nur mit der kaum störenden Opposition der Großdeutschen zu rechnen hatte, trachtete man über den Winter hinwegzukommen. Die drängende Wirtschaftsnot stand naturgemäß im Vordergrund aller Regierungshandlungen. Es war nur Flickwerk, mit dem man sich behelfen mußte und auch begnügte, da man an der Lebensfähigkeit des neuen Staates zweifelte. Die Auseinandersetzungen über das Wehrgesetz brachten schwere Spannungen, denn die Sozialdemokraten gingen darauf aus, sich das Heer als politisches Machtinstrument zu erhalten. Darum lehnten sie auch den Gedanken ab, kein Heer zu bilden, sondern sich mit Polizei- und Gendarmeriekräften zu begnügen, welche den Landeshauptleuten unterstanden. Unbedingt hielten sie an den staatsbürgerlichen Rechten der Soldaten fest, d. h., daß den Angeworbenen, über deren Aufnahme parteimäßig zusammengesetzte Kommissionen zu entscheiden hatten, die Ausübung des Wahlrechtes gewährleistet bleiben müßte. Bezüglich der Vertrauensmänner wollten die Christlichsozialen diese Institution auf die Wahrnehmung wirtschaftlicher Interessen beschränkt wissen, mußten aber schließlich zugestehen, daß den Soldatenräten auch ein Einfluß auf die staatsbürgerliche Erziehung der Wehrmänner zukomme. Es war eine Folge des Kapp-Putsches in Berlin, der in Österreich zu schweren Reaktionen der Arbeiterschaft zu führen drohte, daß das Wehrgesetz schließlich in der von den Sozialdemokraten gewünschten Form beschlossen wurde. In der Polemik der Deutschnationalen hieß es: „Bei uns also deckt der demokratische Schein die Diktatur der Sozialdemokratie, die schleichende Diktatur." Die Christlichsozialen hielten — so die deutschnationale Kritik — schon deshalb still, weil die Sozialdemokraten keinen Kulturkampf führten und den Christlichsozialen das Kirchliche vor allgemeine Interessen ginge (Ackerl, Funktion).

Ein Stachel blieb allerdings zurück und belastete in den kommenden Monaten das Verhältnis der Koalitionspartner. Wohl hatten sich die Christlichsozialen auf ihrem Parteitag am 28. Februar und 1. März 1920 in ihrer Mehrheit für die Aufrechterhaltung der Koalition ausgesprochen. Fink wandte sich gegen diejenigen, die sagten, man hätte die Regierung den Sozialdemokraten allein überlassen sollen, das hätte doch unfehlbar zum Bolschewismus geführt. Es gab aber einflußreiche Männer in der Partei, die an diese Gefahr nicht mehr glaubten, die herrschenden Zustände als schleichenden Bolschewismus bezeichneten und mit dem Ende der Koalition rechneten. Ignaz Seipel, der sich damals noch im Hintergrund hielt, riet angesichts der Ereignisse in Berlin im März 1920, die bisherige Politik noch eine Zeitlang fortzusetzen, wenn auch ihr Ende erwünscht sei. Doch warnte er vor Überstürzungen, ehe das Verfassungswerk unter Dach gekommen sei.

Auch die Sozialdemokraten, die mit Neuwahlen im Herbst rechneten, hatten nach Verabschiedung des Wehrgesetzes keine Freude an der bestehenden Regierung. Sie klagten, daß man sich keuchend bemühe, eine Last den Berg hinaufzuschleppen und dabei von böswilligen Gassenjungen — den christlichsozialen Teilhabern — mit Steinen beworfen werde. Auf der anderen Seite bediente man sich des Vergleiches mit einem Ochsengespann, bei dem der eine Teil nicht mehr die Rolle des Zugtieres, das der andere mit dem Stecken antreibe, spielen wolle. Beide erinnerten sich nicht des Bildes, das Renner einmal im Hinblick auf die Koalition gebraucht hatte: von den zwei Wanderern, die sich in höchster Bergnot treffen und gemeinsam in einen Mantel hüllen, um den Schneesturm zu überleben. Allerdings, auch er hatte davon gesprochen, daß sich die Wanderer nach dem Überstehen der schwersten Gefahren wieder trennen.

Es gewannen also in beiden Parteien jene Männer immer mehr das Übergewicht, die sich von einer Fortsetzung der Koalition keinen Vorteil versprachen. In kirchlichen Kreisen wußte man aber wohl zu schätzen, daß durch sie ein Kulturkampf vermieden worden war, dessen Hereinbrechen man im Winter 1918 befürchtet hatte. An Reibungen anderer Art fehlte es nicht. In der Frage der Gewährung des Asylrechtes an die geflüchteten Kommunisten aus Ungarn und Bayern taten sich Gegensätze auf, da und dort kam es zu Ausschreitungen der Arbeiterschaft, einmal in Neunkirchen gegenüber einem Schweizer Fabriksdirektor, was zu diplomatischen Verwicklungen führte. Auch die Bauernschaft rottete sich gelegentlich zusammen, nicht nur um gegen die ihr verhaßte Zwangsbewirtschaftung zu protestieren, sondern auch um ihre Mißachtung gegenüber der Staatsgewalt, die ihr als Gendarmerie und Volkswehr gegenübertrat, auszudrücken. Unterblieb dann auf dem Lande der Waffengebrauch der Exekutive, während in den Städten und Industrieorten gelegentlich Blut floß, so hatten weite Bevölkerungsschichten, ohne die Möglichkeit ein objektives Bild zu gewinnen, Anlaß, sich ungerecht behandelt zu fühlen. Berufsagitatoren trugen in Wort und Schrift das übrige zur Aufwühlung der Leidenschaften bei.

So kam es, wie es kommen mußte. An der Frage, ob gewisse Bestimmungen über die Soldatenräte durch den Staatssekretär für Heerwesen selbständig erlassen werden könnten oder ob dazu eine Verordnung der Gesamtregierung notwendig sei, entzündeten sich die Gegensätze so heftig, daß die Koalition am 10. Juni 1920 in die Brüche ging.

Dieser Tag war gewiß einer der folgenschwersten in der Geschichte der Republik. Ein nichtiger Anlaß wurde benutzt, um auf beiden Seiten vorhandenen Unmut über die Koalitionsarbeit und fehlenden Konsensbereitschaft bei anstehenden Materien loszuwerden.

Ausgehend von der Heilsgewißheit, daß der Sozialismus geschichtsnotwendig über den an seinen systemimmanenten Widersprüchen scheiternden Kapitalismus triumphieren würde, erschien es nur „logisch, sich nicht überflüssigerweise mit dem ohnehin dem Zusammenbruch geweihten" System „zu kompromittieren, sondern konsequent abzuwarten und dann nachzu-

helfen, wenn der qualitative Umsprung eintreten" werde (Leser, Bruch).
Pragmatische Regierungspolitik und der Mythos von der Revolution
konnten auf die Dauer nicht nebeneinander bestehen, wenngleich es gerade
der grandiose Revolutionsgestus der SDAP war, der eine Spaltung der
Linken in Österreich verhinderte. Diese Doppelstrategie — konzessionsbe-
reite, pragmatische Regierungspolitik und der Traum von der „österreichischen Revolution" — gefährdete längerfristig auf der eigenen Wählerseite
den Einfluß und bot der nichtmarxistischen Seite jene Anhaltspunkte, die
die heterogenen Kräfte im Antimarxismus zusammenführte. Insbesondere
das christlichsoziale Lager übernahm gleichsam mit negativem Vorzeichen
diesen Revolutionsmythos als propagandistisch hervorragend einsetzbares
Instrumentarium der Identitätsfindung einer durch den Zusammenbruch
der Monarchie und die Kriegsfolgen traumatisierten Anhängerschaft. Die
Deklassierung, bzw. die Deklassierungsängste dieses Potentials machte die
nun so dominanten Sozialdemokraten für alles Negative verantwortlich; die
relative Besserung der Lage der Arbeiterschaft durch die von der Koalitionsregierung auf Betreiben der SDAP erlassenen Sozialgesetze verknüpfte man
mit dem eigenen Abstieg, die Angst vor der Revolution sah man durch die
Regierungsbeteiligung der Sozialdemokraten umso berechtigter an, als
deren Repräsentanten an deutlicher verbaler Abgrenzung es häufig fehlen
ließen: Man registrierte das wohlwollende Sonntagsredenpathos für die
„russische Revolution" — seitens der SDAP gedachte man Jahr für Jahr der
Oktoberrevolution in feierlicher Form — und übersah, daß diese Partei entscheidend an der Abwehr kommunistischer Räterepublik-Gelüste beteiligt
war. Man setzte das Erreichen der absoluten Mehrheit der Sozialdemokraten im Staat und der dann angekündigten Institutionalisierung des Sozialismus mit der Diktatur nach sowjetischem Vorbild gleich.

Ein wesentlicher Bestandteil sozialdemokratischer Agitation bildete die
Forderung nach Trennung von Kirche und Staat. Der kämpferische Antiklerikalismus, der in den gemeinsamen Wurzeln der Partei und der Deutschnationalen im Liberalismus lag, sollte als lagerübergreifendes Phänomen
noch Bedeutung erlangen. Bereits am Parteitag 1888 in Hainfeld wurde die
Trennung von Kirche und Staat, die Erklärung der Religion zur Privatsache, sowie der obligatorische, unentgeltliche und konfessionslose Unterricht gefordert. Die Angriffe richteten sich dabei nicht gegen Mißstände
und überproportionale Präsenz der Kirche(n), sondern zielte grundsätzlich
gegen eine religiöse Haltung, die den Menschen in allen Lebensbereichen —
naturgemäß auch in seinem politischen Denken — beeinflußte. So gesehen
wurde der religiöse Mensch an sich Ziel der Angriffe: dies gilt sowohl für
sozialdemokratische Attacken gegen Christen als auch gegen Juden, da die
Religion der Kritik der modernen Wissenschaft nicht standhalten könne
und die Kirchen und Religionsgemeinschaften, wenn sie sich etwa sozialer
Fragen zuwandten, als lästige Störfaktoren angesehen wurden.

Die folgende antiklerikale Agitation, deren Seele die Freidenkerbewegung innerhalb der SDAP war, richtete sich nahezu ausnahmslos gegen die katholische Kirche und deren Klerus. Innerhalb der Freidenkerbewegung, die nach 1945 nicht mehr ins Organisationsspektrum der Sozialdemokraten aufgenommen wurde, wurde ein Ersatzritual für Taufe und Firmung, bzw. für alle zumeist religiös geprägten Lebensfeste entwickelt, die in eine auffallende Nähe zu ähnlichen Bemühungen innerhalb der NSDAP, insbesondere der SS, gediehen. Antiklerikale Demonstrationen unmittelbar nach Ausrufung der Republik und politisch motivierte Kirchenaustrittswellen seit dem Wahlkampf 1919, die zum Wahlkampfritual sozialdemokratischer Abgeordneter — wie z. B. Karl Leuthners — zählten, verstärkten noch die enge Kooperation zwischen Hierarchie und Christlichsozialer Partei, die hier auf Traditionen zurückgreifen konnte, die zur Formierung des politischen Katholizismus in der Endphase des Liberalismus des 19. Jahrhunderts wesentlich beigetragen hatten. Zum einen bestand eine deutlich nachvollziehbare Relation zwischen Konfessionslosigkeit und sozialdemokratischen Wahlerfolgen, zum anderen kristallisierte sich diese Auseinandersetzung an Problempunkten, die für die Repräsentanten des politischen Katholizismus teilweise bis heute noch einen casus belli bilden: Ehereform, Schulpolitik und letztlich die Forderung nach Freigabe der Abtreibung, bzw. Fallenlassen des § 144 StGB.

Nach dem in der Ersten Republik geltenden Eherecht war in Österreich die kirchliche Trauung die Regel — ausgenommen war das Burgenland, da hier die ungarische Gesetzgebung noch nachwirkte. Konkret bedeutete dies, daß für geschiedene Katholiken eine Wiederverheiratung auch standesamtlich nicht möglich war. Von sozialdemokratischer Seite trat man für die Einführung der obligatorischen Zivilehe ein, wie sie nach dem „Anschluß" 1938 eingeführt werden sollte. Die schon am 21. November 1918 einsetzende Diskussion trug gerade in ihrer polemischen Ausweitung massive antiklerikale Züge, die verletzend wirken mußten. Da eine Verständigung der Regierungspartner nicht möglich war, griffen die Sozialdemokraten auf die staatliche Dispenserklärung und die Notzivilehe zurück, die allerdings mit dem Kirchenaustritt verbunden war; sie wurde vom damaligen niederösterreichischen Landeshauptmann Sever so reichlich gegeben, daß er gleichsam als Schutzpatron namensbildend (Sever-Ehe) wirkte. Nachdem der Verfassungsgerichtshof dieses Instrumentarium als rechtliche Möglichkeit unbeanstandet ließ, setzte auch innerhalb der kirchlichen Hierarchie ein Umdenken ein, das zur Erkenntnis führte, die fakultative Zivilehe als „das geringere Übel gegenüber der Dispensehe mit ihren Folgen" (Kirchenaustritt) anzusehen.

Gleichzeitig mit dieser Diskussion flammte die Kritik über den Einfluß der Kirche auf die Schulen auf. Die Sozialdemokraten postulierten die „freie Schule" als „Grundlage des freien Staates", in dessen Schulen der

„Unterricht ... von pfäffischer Unduldsamkeit ... befreit werden" müßte. In diese Richtung zielte unter anderem das Schulprogramm Otto Glöckels, sei es durch die Beseitigung der religiösen Erziehung in den Schulen oder durch die Abschaffung der religiösen Übungen, an denen alle Schüler teilzunehmen hatten, sei es durch die Beseitigung des Religionsunterrichtes, sei es durch die Verlegung der Pflichtschullehrerausbildung an die Hochschulen, um so die konfessionellen Lehrerbildungsanstalten auszuschalten. Hinzu kam später der ausgeprägte kirchliche Einfluß auf das Pflichtschulwesen im Burgenland, wobei es hier katholische, evangelische und israelitische Schulträger gab. Der Kampf um die Schule hatte hier durchaus den offen einbekannten Aspekt des Kirchenkampfes, denn die „blinde Gläubigkeit von Millionen ihrer Anhänger" verdanke die Kirche „einzig und allein der klerikalen Erziehung in der Schule und im Elternhaus. ... Nehmt der Kirche die Kinder und sie stürzt zusammen!"

Seit 1919 kämpften sozialdemokratische Abgeordnete und Funktionäre gegen den „Mutterschaftszwang", d. h. gegen den § 144 StGB. 1920 forderte die sozialistische Frauenreichskonferenz die Fristenlösung, eine Forderung die im Hinblick auf eine medizinische und soziale Indikation auch Eingang ins Linzer Parteiprogramm finden sollte. Parlamentarische Initiativen, wie sie 1920 die sozialdemokratische Abgeordnete Adelheid Popp setzte und 1923 auch urgierte, scheiterten letzlich aber auch am Widerstand innerhalb der Partei. Julius Tandler lehnte die Abtreibung als individuellen Entscheid prinzipiell ab, für Konfliktsituationen bestimmte er die Parteilinie der Indikationslösung, die institutionalisiert medizinische, soziale und eugenische Aspekte zu beachten hatte. In seiner „Furcht vor ‚lebensunwertem Leben'" (Byer) griff er in letzterem Bezugsfeld Gedankengänge seiner Zeit auf, die „Minusvarianten" auszuschalten trachteten: sei es durch Abtreibung, durch Kastration oder Sterilisation. Weiter denkend näherte er sich rein „akademisch" Gedankengängen, die wenig später auch in Österreich realisiert werden sollten: „Gewiß, es sind ethische, es sind humanitäre oder fälschlich *humanitäre* Gründe, die dagegen sprechen, aber schließlich und endlich wird auch die Idee, daß man lebensunwertes Leben opfern müsse, um lebenswertes zu erhalten, immer mehr und mehr ins Volksbewußtsein dringen. Denn heute vernichten wir vielfach lebenswertes Leben um lebensunwertes zu erhalten."

Otto Bauer formulierte nach dem Bruch der Koalition Ziele, die in dieser erstaunlich produktiven Zusammenarbeit noch verwirklicht hätten werden sollen: neben dem Aufbau eines neuen Heeres nannte er die Schulreform. Seipel, gerade in Schulfragen eng mit dem Wiener Kardinal abgesprochen, war nicht kompromißbereit. Daher kommt Liebmann (Piffl) zum Schluß, daß angesichts der schwebenden Schulfrage und der anderen kirchenkämpferischen Belastungen der Koalition der Bruch innerhalb der Koalition schon vollzogen war, als es am 10. Juni 1920 zum offenen Bruch über eine Frage der Heeresverwaltung kam. Der dennoch gefundene Kompromiß in der Schulfrage in späteren Jahren macht deutlich, daß die Gesprächsbereitschaft auch nach Ende der Koalition teilweise erhalten blieb.

Anlaß zu den Auseinandersetzungen, die zum formellen Bruch der Koalition führten, bot eine dringliche Anfrage der Großdeutschen über den umstrittenen Erlaß des Staatssekretärs Deutsch, der den Wirkungskreis der Soldatenräte regelte. Die Sozialdemokraten vermuteten, daß es sich dabei um ein zwischen den Christlichsozialen und den Großdeutschen abgekartetes Spiel handle und die Anfrage von ihren Koalitionsgenossen bei der Opposition bestellt sei. Dies traf in keiner Weise zu, die Großdeutschen hatten sich da ein Extrastück geleistet, nachher taten sie sich allerdings etwas darauf zugute, daß sie die Koalition gesprengt hätten. Das war an jenem Tage gar nicht ihre Absicht gewesen, ihr Verhalten lag nur ganz allgemein in der Linie ihrer Politik.

Die Sozialdemokraten fühlten sich betrogen und schickten einen ihrer leidenschaftlichsten Redner, den Abgeordneten Leuthner, vor. Der Christlichsoziale Kunschak blieb ihm in seiner Antwort nichts schuldig und schloß mit den Worten: „Wenn Sie aber wirklich und ernstlich glauben, daß wir als zweite Koalitionspartei unsere Entscheidungen nur nach Ihrem Kommando zu treffen haben, dann sprechen Sie das offen aus, denn dann hat mit dieser Stunde die Koalition aufgehört."

Was darauf folgte, war keine Entgegnung in Worten. Der dröhnende Applaus, der sich nun auf der rechten und auf der linken Seite des Hauses erhob, zeigte, wie sehr man sich durch den Eintritt eines Ereignisses, das man im Stillen herbeigewünscht hatte und vor das man sich jetzt unversehens gestellt sah, erleichtert fühlte.

Renner hätte die Koalition am liebsten wieder erneuert. Dafür war aber in beiden Lagern niemand zu haben, zumal die führenden Männer, Seipel und Bauer, bewußt das Ende der bisherigen Zusammenarbeit vorbereitet hatten. Es dauerte einen Monat, bis man einen Weg aus der Krise fand. Eine christlichsozial-großdeutsche Regierung hätte sich angesichts der Stimmung der Massen nicht halten können. Eine Konzentration aller drei Parteien hätte den Großdeutschen einen zu großen Spielraum eingeräumt. Im übrigen verwarf man alles, was auch nur im entferntesten an eine koalitionsähnliche Zusammenarbeit anklingen konnte. Endlich fand man das Ei des Kolumbus und entschloß sich zu einer Proporzregierung, jede Partei sollte nur ihre eigenen Vertreter in der Regierung wählen und für die anderen keine Verantwortung tragen. Dagegen protestierten die Staatssekretäre, die aus dem Beamtenstande hervorgegangen waren und sich nicht parteimäßig abstempeln lassen wollten. Es wurde ihnen daher ihre Wahl mit Stimmeneinhelligkeit zugestanden.

Das Proporzkabinett wies fast dieselbe Zusammensetzung auf wie die bisherige Regierung. Es gab keinen Staatskanzler, Renner zog sich auf das Staatsamt des Äußeren zurück, den Vorsitz im Kabinett führte der Staatssekretär für Verfassungs- und Verwaltungsreform Dr. Michael Mayr. Die

Regierung beschränkte sich auf die Durchführung von Neuwahlen, die für den 17. Oktober ausgeschrieben wurden, und auf die dringendsten Staatsaufgaben.

Die Entstehung der Verfassung

Zu diesen dringenden Fragen gehörte die Schaffung der Verfassung. Die Gesetze vom November 1918 und März 1919 über das Staatsgebiet, die Staatsform und die Einrichtung der Regierungsgewalt waren ja nur Notbehelfe, die mit Mühe und Not den Ablauf der Alltagsgeschäfte ermöglichten. Nur zu oft sprachen maßgebende Männer bis hinauf zum Staatskanzler von einem Chaos, das Regieren und Verwalten fast unmöglich machte, da die brennenden Probleme, die der Aufbau des Staatswesens aufgeworfen hatte, in keiner Weise gelöst waren.

Vor allem war das Verhältnis der Länder zum Staate zu klären. Schon die Bildung Deutschösterreichs war so vor sich gegangen, daß man von den selbständigen Ländern Beitrittserklärungen eingeholt hatte. Renner, obwohl Zentralist, erkannte, daß im Augenblick eine politische Realität nur den Ländern zukommen konnte und nicht einem Gefüge, dessen Umfang und Grenzen, Bevölkerung und politisches Wollen noch gar nicht feststanden, ganz abgesehen von der noch fehlenden völkerrechtlichen Anerkennung und den wirtschaftlichen Verhältnissen, deren Schwierigkeiten sich am ehesten noch im Rahmen kleinerer Gemeinwesen bewältigen ließen. Er griff daher in bewußter Anlehnung an den Vorgang bei der Pragmatischen Sanktion auch jetzt zu dem Mittel der Beitrittserklärungen der Länder, die tatsächlich von allen abgegeben wurden, außer Niederösterreich, dessen Haltung als Kernland des neuen Staatsgebildes selbstverständlich war.

Viel kam dem Kanzler auch darauf an, vollzogene Tatsachen nachträglich zu legalisieren. Er hielt beharrlich fest an dem Grundsatz der Gesetzlichkeit in der Verwaltung und war daher stets bemüht, geeignete „Formeln" zu finden, um Dinge, auch wenn sie ihm nicht gefielen, die sich aber nicht ändern ließen, in das Gewand der Gesetzmäßigkeit zu kleiden. Er berief daher mehrfach Länderkonferenzen nach Wien und wurde nicht müde, auf die Störungen hinzuweisen, die daraus entstanden, daß die Länder so taten, als hätten sie volle Selbstverwaltung, und sich um die von der Nationalversammlung beschlossenen und vom Staatsrat sanktionierten Gesetze nicht kümmerten. Es müsse zu einer Vereinheitlichung der Verwaltung kommen, sonst laufe man Gefahr, daß sie durch die Entente aufgezwungen würde.

Der Vorarlberger Landeshauptmann Ender nannte Renner einen „Imperator redivivus". Die Länder beanspruchten ihre volle Freiheit; man könne wohl sagen, die amerikanischen Verhältnisse paßten nicht als Vorbild, weil Amerika zu groß sei, aber nicht behaupten, daß die Schweiz als Muster zu klein sei. Renner unterstrich nochmals, man könne die Verwaltung reformieren, aber bis dahin müsse man sich an die bestehenden Gesetze halten und könne die Beamten nicht zwingen, diese zu übertreten.

Die Auseinandersetzungen auf der Länderkonferenz am 30. und 31. Jänner 1919 spiegelten den Widerstreit zwischen den historisch denkenden Konservativen und den mit soziologischen Kategorien arbeitenden Fortschrittlichen. Sie verstanden einander nicht und redeten aneinander vorbei, besonders wenn sie die Begriffe Freiheit und Demokratie gebrauchten.

Deutlich drückt sich das darin aus, daß die einen die Länder als die einzigen politischen Realitäten, die den Zusammenbruch überdauert hatten, ansahen, die Länder, die vor der Pragmatischen Sanktion da gewesen waren und jetzt wieder die volle Freiheit des Handelns gewonnen hatten. Die anderen aber dachten, das einzig Reale seien die Parteien, und hatten dabei das Modell des modernen Flächenstaates vor Augen, der sich nach Willkür aufgliedern läßt und den geeigneten Boden für die Forderungen der Demokratie abgibt. Sie glaubten, in anderen Anschauungen den Versuch zur Ausschaltung der Arbeiterschaft erkennen zu müssen.

Darin lag ein Körnchen Wahrheit. Die Männer, die den Länderföderalismus auf ihre Fahnen geschrieben hatten, waren Realpolitiker genug, um nicht zu erkennen, daß sie damit auch ihre Gegner treffen konnten. Wurden wichtige Aufgaben der öffentlichen Hand der Wiener Nationalversammlung entzogen und den Landtagen übertragen, so wäre infolge der Siedlungsverhältnisse in Österreich der Einfluß der linken Arbeiterschaft beträchtlich gesunken. Über all diesen Bestrebungen darf die historische Wurzel der damaligen Selbständigkeitsbestrebungen der Länder nicht übersehen werden. Manche trieben damals sogar selbständige Außenpolitik, es war gar nicht sicher, wie lange sie noch dem Staatsverband angehören würden.

Mit Ausnahme eines kleinen Kreises hatten aber damals die Christlichsozialen den Föderalismus auf ihre Fahnen geschrieben. Auch die Sozialdemokraten, die das Gegenteil vertraten, zeigten in der Praxis manche föderalistische Anwandlung. Die Arbeiterräte, die sich in die Überwachung des Lebensmittelverkehrs einschalteten, waren eifrig bei der Sache, wenn es galt, die Absperrungsmaßnahmen der Länder untereinander und gegen Wien mit dem entsprechenden Brachium zu unterstützen. Das bereitete der Wiener Regierung schwere Sorgen. Die Verpflegung der großen Städte, vor allem Wiens, war dadurch arg beeinträchtigt, der Transportscheinzwang und die Absperrungen gegen Reisende und Sommerfrischler verstießen auch gegen das staatsgrundgesetzlich gewährleistete Recht der Freizügigkeit. Renner mußte seine ganze Beweglichkeit aufbieten, um alle diese Erscheinungen, die er ablehnte, aber nicht ändern konnte, mit einem Firnis von Gesetzmäßigkeit zu versehen, um das Gesicht der Regierung zu wahren.

Obwohl die Zeit bis zum Abschluß des Vertrages von Saint-Germain nicht geeignet war, die Lösung der Verfassungsfrage in Angriff zu nehmen, wurde in der Staatskanzlei an den Vorbereitungen dazu fleißig gearbeitet. Der den Sozialdemokraten nahestehende Staatsrechtslehrer Hans Kelsen hatte starken Anteil daran. Im Mai 1919 traten die Christlichsozialen mit einem Entwurf hervor. In den Verfassungsentwürfen kommt der Grundgedanke, daß Österreich als demokratische Republik und als Bundesstaat einzurichten sei, immer wieder zum Ausdruck. In der Präambel des christlichsozialen Entwurfes hieß es: „Wir freien Völker der selbständigen Länder ... und der freien Stadt Wien schließen uns aus eigenem Antrieb und aus freiem Entschluß zum deutschen Bundesfreistaat Österreich zusammen und geben uns im Vertrauen auf Gottes gnädigen Beistand nachstehende Verfassung." Wie labil die Lage aber war, zeigt der Artikel 2 des Entwurfes: Im Falle der Auflösung des Bundes geht sein Vermögen auf die Länder über.

Nach Unterfertigung des Friedensvertrages versäumte man nicht, den Zwang, dem man sich hatte unterwerfen müssen, in den Einleitungen zu den Verfassungsentwürfen zu unterstreichen. Etwa so: „Unter dem völkerrechtlichen Zwang des Friedensvertrages von Saint-Germain und mit feierlicher Verwahrung gegen die Verweigerung des Selbstbestimmungsrechtes der Völker schließen sich die Länder ... und die Stadt Wien auf Grund der rechtsgültigen Beschlüsse ihrer Landesvertretungen, des Wiener Gemeinderates sowie der Nationalversammlung der Republik Deutschösterreich zu einem Bundesstaat mit dem Namen Republik Österreich zusammen."

Die Präambel des großdeutschen Entwurfes hob den Anschlußgedanken hervor: „Unter dem Zwang des Vertrages von Saint-Germain, der den Anschluß derzeit verwehrt, in dem Bestreben, dem bedrängten Volk des deutschen Alpenlandes einen Aufstieg zu ermöglichen, schließen sich die geschichtlich gewordenen selbständigen Länder ... zusammen."

Auf den Länderkonferenzen, die damals auch die Verfassungsfrage berieten, kam mehrfach zum Ausdruck, daß man die Freiheit der Länder durch die Zwanggemeinschaft des Friedensvertrages beeinträchtigt glaubte. Gar mancher Landesvertreter dachte damals, wie der ehemalige kaiserliche Minister Franz Klein, ein Vertreter der zentralistischen Bürokratie, schrieb, an eine Politik der offenen Ausgangstüre. Ein Staatsmann wie Ignaz Seipel sah aber weiter. Er stellte seinen eigenen Parteigenossen schon im März 1919 vor Augen, daß man zusammenbleiben müsse, wenn nicht aus einem anderen Grund, so aus dem, weil die Entente den Austritt nicht gestatten werde. Man müsse darauf hinarbeiten, daß dieses Beisammenbleiben auf freiwilliger Grundlage, nicht unter äußerem Zwang, vor sich gehe.

Knapp nach Unterzeichnung des Staatsvertrages trat im Oktober 1919 in Wien eine Länderkonferenz zusammen, die sich mit einem Beschluß des Tiroler Landtages befaßte, in dem nachdrücklich gefordert wurde, daß die Verfassung nur auf föderativer Grundlage nach Einigung der Länder auf das Verfassungsstatut zustande kommen könne. Dem gegenüber schlug Renner eine andere Vorgangsweise vor, die den Wünschen der Länder weit

entgegenkam, im Grundsätzlichen jedoch daran festhielt, daß für die Staatsregierung als Auftraggeber nur die Nationalversammlung in Frage kommen
könne. Er riet davon ab, von juristischen Begriffen auszugehen, schlug vielmehr vor, die Bedürfnisse der Praxis in erster Linie im Auge zu behalten.
Die Vertreter der Länder blieben bei der Auffassung, daß die von der Nationalversammlung beschlossenen Verfassungsgesetze der Zustimmung der
Landtage bedürften, räumten aber ein, daß sich am Ende keine wesentlichen
Widersprüche ergeben würden, da ja im Staat wie in den Ländern dieselben
beiden großen Parteien die Mehrheit innehätten.

Auf dem wenig später abgehaltenen sozialdemokratischen Parteitag entwickelte Renner ausführlich seine Gedanken über die Verfassung und den
Weg, der zu ihr führen sollte. Er befürchtete, daß eine Form, bei der eine
auch nur nachträgliche Zustimmung der Länder vorgesehen sei, wahrschein-
lich auch in zehn Jahren noch keinen Abschluß des Gesetzeswerkes bringen
würde. Er hatte daher dafür gesorgt, daß in den Koalitionsvereinbarungen
vom 17. Oktober 1919 zwar das Programm eines Bundesstaates aufgestellt
worden war, bei dem die Bundes- und Landeskompetenzen sehr genau zu
umschreiben seien, daß aber die Verfassung nur durch die Nationalversammlung beschlossen werden konnte, die allerdings vorher die Vertreter
der Länder anhören mußte. Damit war allen Versuchen von vertraglichen
Übereinkommen der Länder, auch dem Gedanken übereinstimmender Ge-
setzesbeschlüsse der Nationalversammlung und der Landtage, der Boden
entzogen.

Man war sich auf dem Parteitage darüber klar, daß Verfassungsfragen
Machtfragen seien, und zitierte darum mehrmals dieses von Ferdinand Las-
salle geprägte Wort. Wieder riet Renner von allzuviel Theorie ab und wandte
sich gegen die Einwände des am linken Flügel der Partei stehenden Max
Adler, der dagegen aufgetreten war, daß Renner die Idee des Rechtsstaates
vertrete, während die Diktatur des Proletariats neue Freiheitsrechte verlange.

In die Koalitionsvereinbarungen war auch die Forderung nach Einsetzung eines von den Ländern zu beschickenden Bundesrates als verbindliche
Richtschnur angenommen worden. Mit diesem Gedanken konnten sich die
Sozialdemokraten sehr schwer befreunden. Sie hatten einen Widerwillen
gegen eine zweite Kammer. Der ursprünglich im christlichsozialen Entwurf
enthaltene Plan eines Ständehauses, das sich aus Länder- und Wirtschafts-
vertretern zusammensetzen sollte, war für sie unannehmbar. Sie lehnten den
Vorschlag, nach Schweizer und amerikanischem Muster von jedem Lande
die gleiche Anzahl von Vertretern in den Bundesrat zu entsenden, ab und
bestanden darauf, daß die verschiedene Größe der Länder und die Zusammensetzung der Parteien in diesen Gebieten berücksichtigt würden. Doch
dachten sie damals daran, dem Bundesrat ein suspensives Veto einzuräumen
und strittige Fragen in letzter Instanz durch Volksabstimmung entscheiden
zu lassen.

Der zur Vorbereitung der Verfassung bestellte Staatssekretär Mayr machte eine Rundfahrt durch ganz Österreich. Was ihm allenthalben als Hauptbeschwerdepunkt vorgetragen wurde, war der Protest gegen den Satz „Bundesrecht bricht Landesrecht". In Salzburg und Tirol arbeitete man extrem föderalistische Entwürfe aus. Mayr faßte das Ergebnis seiner Reisen auf der Grundlage der ihm von Kelsen und der Staatskanzlei beigestellten Elaborate in einem Entwurf zusammen.

Dieser sollte auf einer Länderkonferenz in Salzburg im Februar 1920 beraten werden. Die Staatsregierung suchte diese Tagung zunächst zu hintertreiben. Sie sah sie beinahe als einen revolutionären Akt an, da sie befürchtete, daß dort die Länder, die die Wiener Regierung gar nicht eingeladen hatten, zu selbständigen Beschlüssen kommen würden. Dann erhielt Mayr doch die Erlaubnis, daran teilzunehmen. Sein Entwurf durfte aber nur als Privatarbeit bezeichnet werden. Doch stellte sich bald heraus, daß für einen richtigen revolutionären Länderkonvent die Voraussetzungen fehlten und die Fronten sich nach den Parteien formierten. In der zweiten Länderkonferenz, die im April in Linz folgte, wurde die im Koalitionspakt vorgesehene Mitwirkung der Länder an der Vorbereitung der Verfassung sichergestellt.

Indessen waren auch die Großdeutschen mit einem Entwurf hervorgetreten, aus dem die Einsetzung eines Bundespräsidenten übernommen wurde. Auch die Sozialdemokraten brachten jetzt einen eigenen Antrag in der Nationalversammlung ein, zu einer Zusammenfassung in einer Regierungsvorlage ist es aber nicht gekommen. Das war nicht durchführbar, da die Proporzregierung keine Gesamtmeinung abgeben konnte. So blieb nichts anderes übrig, als die Ausarbeitung der Verfassung den Parteien zu überlassen. Es kam ein zweiter christlichsozialer Vorschlag hinzu, der sich von dem ersten schon ganz wesentlich unterschied, die Standpunkte näherten sich und nach langen Beratungen im Verfassungsausschuß und in einem von diesem gebildeten Unterausschuß kam knapp vor dem Ende der Legislaturperiode am 29. September 1920 die Verfassung im Plenum der Nationalversammlung zur Verhandlung.

Das Referat erstattete Ignaz Seipel. Er wies auf die beiden Grundgedanken hin, den bundesstaatlichen und den demokratischen, die miteinander in Einklang gebracht werden mußten. Er bedauerte, daß, weil man sich nicht einigen konnte, die Frage der Grundrechte und die Regelung des Schul- und Erziehungswesens ungelöst blieben. Hinsichtlich der Kompetenzabgrenzungen zwischen Bund und Ländern war man auf einer mittleren Linie zur Einigung gekommen, die Trennung von Wien und Niederösterreich war kein Streitpunkt mehr, dem Bundesrat als Länderkammer wurde bloß ein suspensives Veto eingeräumt, hingegen hatte man sich für die Einsetzung eines Bundespräsidenten entschieden, dessen Wirksamkeit auf die Repräsentation beschränkt bleiben sollte. Seine Wahl hatte durch die Bundesversammlung, die sich aus Nationalrat und Bundesrat zusammensetzte, zu erfolgen. Eine unmittelbare Bestellung durch das Volk lehnten die Sozialdemokraten ab, weil sie darin Ansätze für einen Cäsarismus zu erkennen glaubten.

Man sieht, es waren reine Machtfragen zwischen den beiden großen Parteien, die das Bild des Verfassungsgesetzes bestimmten. Charakteristischerweise erlahmten die föderalistischen Tendenzen der christlichsozial dominierten Länder in dem Augenblick, als die Christlichsozialen die Regierung übernahmen. Seit diesem Zeitpunkt flammt die Föderalismusdebatte zumeist dann auf, wenn es gilt, parteiinterne Differenzen zwischen den Christlichsozialen in den Ländern und deren Bundesrepräsentanten auszutragen, oder wenn es gilt, eine Bundesregierung unter sozialistischer Führung zu bedrängen. Allzu häufig mischt sich dabei das Minderwertigkeitsgefühl der Provinz gegenüber der Großstadt, dem „roten" Wien, in die Diskussion ein.

Offen blieb die Frage der Verwaltungsreform, woran das Verfassungswerk in letzter Stunde beinahe gescheitert wäre. Die Sozialdemokraten wünschten einen Aufbau der Lokalverwaltung, der in allen Instanzen auf der Volksherrschaft beruhen sollte. Die Gemeinden hatten ja ihre Selbstverwaltung mit gewählten Organen, nicht aber die Bezirke und die Kreise, die man einzurichten gedachte. In diesem Bereich folgte die Administration ihren eigenen, ihr innewohnenden Gesetzen, hier lag ein Wirkungsfeld für eine eigenständige Bürokratie und jene Faktoren, die sie in der Hand hatten. Hielt sie sich an die aus der Monarchie überkommene Tradition der Sachlichkeit und Unparteilichkeit, so lag dies nur im Interesse des Gemeinwohles. Wie aber, wenn nachrückende Beamtengenerationen die überflüssig gewordene Brille des Nationalitätenstreites durch Scheuklappen der politischen Parteien ersetzten?

Dem wollten die Sozialdemokraten durch gewählte Kontrollorgane vorbeugen. Sie befanden sich aber in einer ungünstigen Lage, weil die Wirksamkeit der Arbeiterräte die Rechtssicherheit alles eher als gefördert hatte. Die Christlichsozialen sprachen von einer vollen Politisierung der Verwaltung, die eintreten würde, und beharrten so hartnäckig auf ihrem Standpunkt, daß das ganze Problem schließlich ungelöst blieb.

Eine Novellierung des Bundesverfassungsgesetzes von 1925 änderte an den Grundzügen nichts. Die Artikel über die Kompetenzverteilung zwischen Bund und Ländern wurden nunmehr endlich in Kraft gesetzt, nachdem man die beabsichtigte Bindung an eine vorhergehende Einigung über den Finanzausgleich zwischen Bund und Ländern, die Schulgesetze und ein Gesetz über die Bezirksverwaltungen fallengelassen hatte. In der Verfassungsurkunde vom 1. Oktober 1920, die am 10. November dieses Jahres in Kraft trat, erschien Niederösterreich als selbständiges Bundesland, jedoch mit einer Unterteilung in Niederösterreich-Land und Wien. Der

Landtag hatte sich in zwei Kurien (Kurie Land und Kurie Stadt) zu gliedern. In allen Angelegenheiten, die von der gemeinsamen Landesverfassung als gemeinsam erklärt würden, sollten beide Kurien zusammentreten, während in den nicht gemeinsamen Angelegenheiten jedem Teil die Stellung eines selbständigen Landes zukam. In diesen Fällen wurde der Wiener Gemeinderat zum Landtag, der Bürgermeister hatte als Landeshauptmann zu fungieren.

Auf dieser Basis wurde vom gemeinsamen Landtag am 28. Dezember 1920 eine gemeinsame Landesverfassung beschlossen, die am 1. Jänner 1921 in Kraft trat. In ihr war jedoch vorgesehen, daß die Bildung eines selbständigen Bundeslandes Wien durch übereinstimmende Beschlüsse des Wiener Gemeinderates und des Landtages von Niederösterreich-Land erfolgen könne. Nach langwierigen Verhandlungen, die vor allem vermögensrechtlichen Fragen galten, erfolgte endlich der letzte Schritt. Auf dem vorgezeichneten Wege wurden am 29. Dezember 1921 Landesgesetze für Wien und Niederösterreich-Land beschlossen, mit denen die gemeinsame Landesverfassung außer Kraft gesetzt und die Trennung von Wien und Niederösterreich ausgesprochen wurde. Seit 1. Jänner 1922 ist Wien ein selbständiges, den anderen Ländern gleichgestelltes Bundesland.

Die Regierungen Mayr und Schober

Die Oktoberwahlen des Jahres 1920 veränderten das Bild, das die österreichische Innenpolitik seit zwei Jahren geboten hatte. Die Sozialdemokraten, die bis dahin zwar nicht die Mehrheit besessen, aber doch die stärkste Partei gebildet hatten, rückten an die zweite Stelle. Der neue Nationalrat setzte sich jetzt aus 79 Christlichsozialen, 62 Sozialdemokraten, 18 Großdeutschen, zu denen auch die sechs Mitglieder der Deutschen Bauernpartei zählten, und einem bürgerlichen Demokraten, dem früheren k. u. k. Außenminister Grafen Czernin, zusammen. Die Christlichsozialen als relativ stärkste Partei waren berufen, an die Spitze der neuen Regierung zu treten. Das hätte auch in Form einer Koalition mit den Sozialdemokraten geschehen können. Diese dachten aber jetzt gar nicht daran, sich darauf einzulassen. Auch die maßgeblichen Führer der Christlichsozialen, die ja am Scheitern der früheren rot-schwarzen Koalition geschickt gearbeitet hatten, zeigten dafür kein Verständnis.

Das ist aus der damaligen Lage Österreichs begreiflich, hatte aber zur Folge, daß bei der ziemlichen Konstanz der politischen Anschauungen der Wählerschaft die Fronten erstarrten, daß die eine Partei vom Platz der Opposition, den sie freiwillig bezogen hatte, nicht mehr loskam, während die andere zur Staatspartei emporwuchs, mit allen Lasten, die eine erhöhte Verantwortung mit sich brachte, jedoch auch nicht frei von mancher Gefährdung, die der dauernde Besitz der Macht zur Folge hat. Mehr als eine der tragischen Verwicklungen in der österreichischen Innenpolitik der nächsten Jahre läßt sich von da aus erklären.

Da sich die Großdeutschen freie Hand vorbehielten, war eine tragfähige Mehrheit für eine parlamentarische bürgerliche Regierung nicht zu erzielen, man dachte daher an ein aus Fachmännern zusammengesetztes Beamtenkabinett. Hierin folgte man einer alten Tradition aus der Zeit der Monarchie. Als Bundeskanzler wurde der Wiener Polizeipräsident Johann Schober in Aussicht genommen, der sich bei allen Parteien großen Ansehens erfreute. Die einen dankten ihm die geschickte und von Erfolg gekrönte Art, mit der die Wiener Polizei die Ordnung und Sicherheit seit dem Ende der Monarchie im wesentlichen auch dann zu gewährleisten vermochte, als der Staat schon am Rande des Abgrundes zu schweben schien. Auch die Sozialdemokraten hatten damals gegen ihn nichts einzuwenden. Er wollte also den Versuch machen, ein neutrales Beamtenkabinett zu bilden, in das die bürgerlichen Parteien bloß einzelne Vertreter entsenden sollten. Diese Absicht scheiterte. Es machten sich von verschiedenen Seiten Widerstände geltend, namentlich die Großdeutschen, denen Schober bei aller altösterreichischen Beamtentradition, die ihn kennzeichnete, gesinnungsmäßig am nächsten stand, bereiteten Schwierigkeiten, besonders weil er auf Josef Redlich, der schon der letzten kaiserlichen Regierung Lammasch angehört hatte, als Finanzminister nicht verzichten wollte. Bedenken wegen dessen jüdischer Abstammung artikulierten die Großdeutschen und Teile der Christlichsozialen, was schließlich den Ausschlag gab.

So kam es zur Regierung Michael Mayr. Dieser hatte schon nach dem Ende der Koalition den Vorsitz in der Proporzregierung geführt. Nunmehr trat er als Bundeskanzler an die Spitze des neuen Kabinetts, das sich aus vier Christlichsozialen und acht Beamten zusammensetzte. Die Großdeutschen hielten sich fern, man durfte aber in den meisten Fällen auf ihre Unterstützung rechnen. Weite Ziele konnte man sich ja nicht stecken, man suchte, so gut es ging, der drängenden Alltagssorgen Herr zu werden. In der Außenpolitik trachtete Mayr den schon von Renner beschrittenen Weg der Neutralität nach allen Seiten, das beharrliche Bemühen, nirgends anzustoßen, beizubehalten. Auch in der offiziellen Einstellung gegenüber Ungarn, in der die Christlichsozialen noch am weitesten von der Auffassung der Sozialdemokraten abwichen, änderte sich nichts, da man gezwungen war, auf die Meinung der Opposition Rücksicht zu nehmen.

Zunächst galt es, die Wahl des Bundespräsidenten zu vollziehen, die nach der Verfassung in der Bundesversammlung (Nationalrat und Bundesrat gemeinsam) vorzunehmen war. Keine Partei verfügte dort über die Mehrheit, es gelang auch nicht, sich auf einen gemeinsamen Kandidaten zu einigen. Kurze Zeit schien es, als ob eine Wahl des Großdeutschen Dinghofer mit den Stimmen seiner Partei und mit Unterstützung durch die Sozialdemokraten möglich wäre. Dem widerstrebten aber die Christlichsozialen, so daß mehrere Wahlgänge ergebnislos blieben. Schließlich einigte man sich auf einen Nichtparlamentarier, den Großgrundbesitzer Michael Hainisch, der auch als volkswirtschaftlicher Schriftsteller hervorgetreten war. Er entstammte geistig dem österreichischen Liberalismus, war bei allen Parteien angesehen und wohl geeignet für das Amt des Bundespräsidenten, das sich nach der Verfassung 1920 auf Repräsentation beschränkte.

Bundeskanzler Mayr konzentrierte seine Anstrengungen auf die Erlangung einer Kredithilfe aus dem Ausland. Die gefährliche Lage, in der sich die österreichische Wirtschaft befand, erforderte gebieterisch eine Stillegung der Notenpresse, wofür die Auslandshilfe die Voraussetzung war. Diese war aber nicht zu bekommen, ehe nicht sämtliche Staaten, die nach dem Friedensvertrag Reparationsforderungen an Österreich stellen konnten, auf die ihnen zugesprochenen Pfandrechte verzichteten oder sie zumindest auf die Laufzeit der angestrebten Kredite zurückstellten. Mayr kehrte von den Reisen, die diesem Ziel dienten, mit leeren Händen zurück.

Es scheiterte auch der Vorschlag, den Ende 1920 Sir William Goode, der Leiter der Wiener Sektion der Reparationskommission, erstattet hatte, ein Darlehen von 250 Millionen Dollar in fünf Jahresraten seitens der Ententestaaten zu gewähren. Auch der Plan des französischen Finanzmannes Loucheur, durch ein privates Syndikat 200 Millionen Franken aufzubringen, zerschlug sich, da die Geldgeber die Bürgschaft ihrer Regierungen nicht erhielten. Bundeskanzler Mayr hatte bei seinem Besuch in London im März 1921 zwar erreicht, daß die Kreditaktion unter die Leitung des Völkerbundes gestellt wurde. Voraussetzung einer Anleihe war aber die Zurückstellung der Pfandrechte, die den Alliierten im Friedensvertrag als Sicherstellung für die Reparationsleistungen eingeräumt worden waren. Das Finanzkomitee des Völkerbundes hatte damals drei Vertreter nach Wien entsandt: Avenol, Fraser und Glückstadt. Sie untersuchten die Finanzlage und kamen zu dem Schluß, daß nur nachdrückliche Maßnahmen Österreichs selbst die Zurückstellung der Pfandrechte rechtfertigen könnten. Sie verlangten eine Währungsreform und die Aufnahme einer inneren Anleihe, um der unablässig arbeitenden Notenpresse Einhalt zu gebieten und die Wiederherstellung des Gleichgewichtes im Staatshaushalt zu ermöglichen. Zur Sicherstellung wurde die Verpfändung der Einnahmen aus dem Tabakmonopol und dem Zollgefälle gefordert. Das Finanzkomitee des Völkerbundes hatte sich nicht mit den Erklärungen der Bundesregierung begnügt, es verlangte Zusicherungen der politischen Parteien, zu denen sich mit gewissen Einschränkungen auch die Sozialdemokraten bereitfanden.

Ende 1921 wurden die staatlichen Lebensmittelzuschüsse eingestellt, welche neben den Eisenbahnen die Staatsfinanzen am stärksten belasteten. Da aber den Wünschen der Sozialdemokraten nach Erhaltung des Reallohnes und der Fürsorgemaßnahmen Rechnung getragen werden mußte, trat nur eine geringe Entspannung der Kassenlage ein und die Notenpresse blieb in Tätigkeit. Als der Dollarkurs innerhalb weniger Tage um die Hälfte stieg und die Gefahr einer untragbaren Erhöhung der Lebensmittelpreise drohte, erfolgte am 1. Dezember 1921 ein elementarer Verzweiflungsausbruch der Arbeiterschaft. An Übergriffen und Ausschreitungen aller Art, auch in den Bundesländern, hatte es in den letzten drei Jahren nicht gefehlt. Diesmal entglitten den sozialistischen Parteiführern die Zügel. Ohne Einflußnahme der sozialdemokratischen Organisationen zogen demonstrierende Arbeiter aus den äußeren Bezirken Wiens in die Innere Stadt, wobei sie gegen die Teuerung und die „Inflationshyänen" Stellung bezogen. Während die Appelle sozialdemokratischer Spitzenfunktionäre ungehört verhallten, arbeiteten kommunistische Funktionäre mit größerem Erfolg. Sichtlich waren die kommunistischen Kader bemüht, die Dynamik der Stunde zu nutzen. Statt des erhofften revolutionären Aufbruches kam es zu einer Verwüstung der Innenstadt und der Mariahilferstraße. Der Glasschaden an den zertrümmerten Geschäftslokalen usw. betrug nach Schätzungen knapp zwei Millionen Goldkronen. Die Zusammenarbeit der Sozialdemokraten mit der Regierung verhinderte weitere Exzesse, ohne daß es zu einem schärferen Einschreiten der Staatsgewalt gekommen war.

Die Verzweiflungsstimmung in Österreich nahm zu. Man sprach von einer Aufteilung des Staates an seine Nachbarn, auch wieder vom Anschluß an das Deutsche Reich, den man vom Völkerbund zu erreichen hoffte. Dies war der Sinn der Volksabstimmungen in Tirol und Salzburg, die gegen den Willen der Wiener Regierung stattfanden, im Grunde nur Demonstrationen sein konnten und doch den Staat so schwer erschütterten. Darüber stürzte die Regierung Mayr. Ein Nachfolger aus dem Kreise der Parlamentarier war nicht zu finden. Seipel hielt seine Zeit noch nicht für gekommen. So griff man also wieder auf den Wiener Polizeipräsidenten Schober, der als Hort der Ruhe und Ordnung galt und von dessen Ansehen man eine günstige Wirkung auf das Ausland erwartete, das das Füllhorn seiner Kredite noch immer verschloß, zurück.

Schober gelang die Regierungsbildung, er umgab sich mit einem Stabe tüchtiger hoher Beamter, die die Angelegenheiten ihrer Ressorts verstanden und sich abseits der Parteipolitik stellten. Als Vertreter der Parteien, auf die sich die Regierung stützte, traten der Christlichsoziale Vaugoin und der Großdeutsche Waber in das Kabinett ein. Letzterer machte sich primär durch seine antisemitische Optionspolitik einen Namen, indem er „Ostjuden" die Erlangung der Staatsbürgerschaft unmöglich zu machen trachtete. Nach dem Fehlschlag, den die Anschlußpolitik durch den Abbruch der Abstimmungen in den Ländern erlitten hatte, überwog im „nationalen Lager" jetzt doch die Anschauung, daß man sich an der weiteren Gestaltung der Dinge aktiv beteiligen müsse, um nicht ins Hintertreffen zu geraten. Eine klare Linie vermochte man aber dabei nicht einzuhalten, woraus dem Chef der Regierung noch große Schwierigkeiten erwuchsen.

Das Programm, mit dem sich der Bundeskanzler dem Nationalrat vorstellte, war begrenzt. Er sprach von der Weiterführung der Kreditaktion
und von der Durchführung des Vertrages von Saint-Germain. Das bedeutete indirekt den Verzicht auf die Anschlußpolitik, daneben aber auch das
strenge Festhalten an dem einzigen Gewinn, den Österreich heimgebracht
hatte, der Angliederung des Burgenlandes. Gerade hier aber mußte Schober
schwere Opfer auf sich nehmen; das Protokoll von Venedig, das er unter
starkem Druck der Entente unterzeichnete, zog ihm den Groll der Großdeutschen zu, der aber zunächst noch nicht deutlich in Erscheinung trat.

Die finanzielle Lage verschlechterte sich im Herbst 1921 immer mehr, das
Abgleiten des Kronenkurses nahm beängstigende Formen an. Der Finanzminister Ferdinand Grimm trat zurück und wurde durch den christlichsozialen Abgeordneten Gürtler ersetzt. Das hatte zur Folge, daß Vaugoin
das Heeresamt verlassen mußte, weil nach den Parteivereinbarungen nur je
ein Parlamentarier dem Kabinett angehören durfte. Er wurde durch den
Oberst Josef Wächter ersetzt. Auf Gürtler, der von Beruf Universitätsprofessor in Graz und ein Intimfeind Rintelens war, setzte man große Hoffnungen, um so mehr, als ihm ein bekannter Bankfachmann, der Generalrat
der Anglobank Wilhelm Rosenberg, als Berater an die Seite gestellt wurde.
Das Finanzministerium entfaltete in den nächsten Monaten eine rege Tätigkeit, erzielte auch da und dort gewisse Erfolge. Des Grundübels, der ständigen Beanspruchung der Banknotenpresse, konnte es aber nicht Herr
werden. Die Sozialdemokraten, die zwar in Opposition standen, auf die
aber die Regierung doch weitgehend Rücksicht nehmen mußte, waren am
1. Oktober 1921 mit einem Finanzplan hervorgetreten, der eine Vergröße-
rung der Einnahmen, eine Senkung der Ausgaben und eine innere Zwangs-
anleihe vorsah. Auf Auslandskredite legten sie weniger Wert. Gürtler übernahm wesentliche Anregungen des sozialistischen Finanzplanes, bewarb sich
aber weiter um Auslandskredite im Einklang mit dem Bundeskanzler und
den Christlichsozialen, die eine Rettung Österreichs ohne Auslandshilfe für
ausgeschlossen hielten.

Dieses Ziel leitete Schober, als er den Vertrag von Lana bei Prag mit der
Tschechoslowakei abschloß, der nach einem halben Jahr einer schleichenden
Regierungskrise seinen Sturz herbeiführte.

Schon im Sommer 1921 waren Bundespräsident Hainisch und Schober
mit Masaryk und Beneš in Hallstatt zusammengetroffen, um eine politische
und wirtschaftliche Annäherung herbeizuführen. Nach einem Besuch beim
Präsidenten der Tschechoslowakischen Republik in Lana kam es am 16. Dezember zur Unterzeichnung eines Abkommens, in dem sich beide Staaten
zur Garantie ihres Gebietes verpflichteten und zusicherten, die Bestimmungen der Verträge von Saint-Germain und Trianon durchzuführen, im
Falle eines Angriffes auf einen der beiden Neutralität zu wahren, auf dem
eigenen Gebiet keine Organisationen zu dulden, die gegen die Sicherheit

des anderen gerichtet seien, und alle Streitigkeiten durch ein Schiedsgericht auszutragen.

Mit diesem Vertrag hat Österreich nur die Linie fortgesetzt, die es seit der Gründung der Republik im Auge hatte: Annäherung an die Nachfolgestaaten, ohne in eine zu starke Bindung zu geraten. Diesen Versuch hatte schon Otto Bauer gegen Ende des Jahres 1918 gemacht, als er den Tschechen einen Schiedsgerichtsvertrag vorschlug. Er war auf hochmütige Ablehnung gestoßen. Mehr Erfolg hatte Renner mit dem Abkommen vom Jänner 1920 gehabt, das hauptsächlich der Sicherung Österreichs gegen jene Tendenzen diente, die von Ungarn her die republikanische Staatsform zu beeinträchtigen schienen. Daneben hat dieser Vertrag auch bei der außenpolitischen Abschirmung des Erwerbes des Burgenlandes eine große Rolle gespielt. Schober konnte sich jetzt darauf berufen, daß der Wegfall der militärischen Abmachungen im Vertrag von Lana sogar einen Fortschritt bedeute. Dieser war auf fünf Jahre geschlossen und wurde nach seinem Ablauf nicht mehr erneuert.

Der Vertrag von Lana brachte zunächst einen Kredit von 500 Millionen Tschechenkronen, der für den Ankauf von Kohle und Zucker diente. Als Erfolg konnte man ansehen, daß damit die wirtschaftliche Blockade gebrochen war, unter der Österreich so schwer zu leiden hatte. Die beiden großen Parteien, Christlichsoziale und Sozialdemokraten, stimmten zu. Im „nationalen Lager" erhob sich aber heftiger Widerstand. Man fand die freiwillige Anerkennung des Vertrages von Saint-Germain drückend, sprach von einer Preisgabe des Selbstbestimmungsrechtes der „Stammesgenossen" in den Sudetenländern und einem ersten Schritt auf dem Wege zu einem Staatenbund im Donauraum unter tschechischer Oberhoheit. Die Großdeutschen zogen ihren Vertreter aus der Regierung zurück.

Schober mußte nun sein Kabinett umbilden, er verfügte jetzt nur mehr über eine Mehrheit von drei Stimmen im Parlament (Christlichsoziale, Bauernpartei und Graf Czernin), in den Ausschüssen konnte er leicht in die Minderheit geraten. Er übernahm jetzt das Bundesministerium des Innern und übergab die Betreuung der Auswärtigen Angelegenheiten dem Landwirtschaftsminister Hennet, der aus dem diplomatischen Dienst hervorgegangen war. Das war ein Zugeständnis an die Großdeutschen. Konnten sie Schober als Kanzler nicht stürzen, so wurde ihm doch die Führung der Außenpolitik entwunden. Von einer scharfen Opposition sahen sie ab, sie fürchteten, daß es dann zu einer schwarz-roten Koalition kommen würde. Doch zeigten sie sich nicht abgeneigt, mit den Christlichsozialen zusammenzuarbeiten. Schober aber, der ihnen gesinnungsmäßig nahestand, erschwerten sie immer mehr die Arbeit.

In dieser schwankenden Lage erschien Schober immer mehr als der Repräsentant jener Stabilität, die für das Ausland die Voraussetzung einer Kreditgewährung an Österreich bildete. Als dies der englische Kontrollor

G. M. Young, der in Wien die Verwendung des englischen Beitrages, den man mit Mühe bekommen hatte, überwachte, in zwei Briefen, die in die Öffentlichkeit kamen, deutlich aussprach, warf man Schober vor, er habe diese Kundgebung bestellt, und protestierte gegen diese unzulässige Einmischung des Auslandes. Schober wies diese Anschuldigung mit Entrüstung zurück, erklärte seinen Rücktritt, ließ sich aber Ende März noch einmal bewegen, an der Spitze der Regierung zu bleiben. Die Schwierigkeiten wurden aber immer größer. Finanzminister Gürtler, der bisher von den Sozialdemokraten toleriert worden war, geriet in einen zunehmenden Gegensatz zu ihnen und stürzte im Zusammenhang mit einer Zollerhöhung. Schober übernahm jetzt auch vorübergehend die Leitung des Finanzministeriums, er fuhr nach Genua, wo eine Konferenz der großen Mächte tagte, die dem Wiederaufbau Europas dienen sollte, und erreichte dort die Rückstellung der meisten Pfandrechte. Als er zurückkehrte, erfuhr er, daß er durch die Haltung der Großdeutschen gestürzt worden war. Aus Sorge, in Genua könnte es zur Einbeziehung Österreichs in eine Donauföderation kommen, woran gar nicht gedacht war, verweigerten sie daher der Regierung im Bunde mit den Sozialdemokraten eine dringend notwendige finanzielle Ermächtigung. Schober mußte einsehen, daß er zuletzt nur eine Figur auf dem Schachbrett jenes Mannes gewesen war, der im Hintergrund die Fäden knüpfte, jetzt aber die Zeit für gekommen hielt, selbst in die Bresche zu treten: Ignaz Seipel.

Das Sanierungswerk Ignaz Seipels

Die Lage, die die am 31. Mai 1922 vom Nationalrat gewählte Regierung Seipel vorfand, war katastrophal. Auch von der Opposition war Seipel eingefordert worden, da man die stärkste Persönlichkeit des nichtsozialistischen Lagers, die seit langem im Hintergrunde wirkte, mit der Verantwortung belasten und am Ende scheitern sehen wollte.

Seipel war überzeugt, daß nur ein voller Einsatz aller Kräfte des Landes Erfolg bringen könne. Eine Mitarbeit der Sozialdemokraten schloß er nicht von vornherein aus, doch befürchtete er, in diesem Falle die Freiheit seines Handelns opfern zu müssen. Seit langem war er bemüht, die Großdeutschen, die durch ihre widerspruchsvolle Politik seinen Vorgängern so große Schwierigkeiten bereitet hatten, für eine Zusammenarbeit und damit eine arbeitsfähige Mehrheit zu gewinnen.

Drei Tendenzen stritten im „nationalen" Lager um den Vorrang. Den Anhängern des sofortigen Anschlusses an Deutschland, die mit ihrer Katastrophenpolitik das Parteiprogramm buchstabengetreu zu erfüllen glaubten, standen jene Kreise gegenüber, die, wie die Sozialdemokraten und der als Publizist des „Volkswirt" weithin bekannte Gustav Stolper, die Rettung von einer Selbsthilfeaktion erwarteten, die Österreich so lange über Wasser halten sollte, bis der Anschluß möglich sei. Maßgebliche Führer, wie die Großdeutschen Franz Dinghofer und Felix Frank, schlossen sich jedoch der Meinung Seipels und der Christlichsozialen an, daß diese Maßnahme nicht genüge und man auf eine Kredithilfe von außen nicht verzichten dürfe. Sie setzten diese Anschauung auf einem Parteitag der Großdeutschen in Graz durch, der mit überwiegender Mehrheit (307 gegen 58) den Eintritt in die Regierung genehmigte. Der mit den Christlichsozialen abgeschlossene Koalitionspakt, der in Fragen des Kulturkampfes einen Waffenstillstand vorsah, band die Partei fest an das Steuer, das Seipel mit sicherer Hand zu führen suchte. Die Koalition auf Bundesebene sollte überdies auch auf Länder und Gemeindeebene institutionalisiert werden.

Damit hatte der neue Bundeskanzler das eine Ziel erreicht, das er als Voraussetzung für den Beginn einer Sanierung des Staates ansah, eine stabile Regierungsmehrheit im Innern. Das zweite war das Vertrauen des Auslandes.

Für eine aktive Außenpolitik war Österreich auch weiterhin zu schwach. Noch war nichts Grundlegendes geschehen, um Österreich aus seiner tiefen Notlage zu befreien, wozu sich die Alliierten in der Mantelnote zum Friedensvertrag verpflichtet hatten. Lediglich eine Normalisierung der diplomatischen Beziehungen hatte stattgefunden.

Das Kreditproblem stand seit Errichtung der Republik im Mittelpunkt der Regierungspolitik. Wohl gelang es ab und zu, Hilfe für dringende Lebensbedürfnisse, nicht aber Kredite für produktive Zwecke zu erhalten. Österreich fristete mit Vorschüssen sein Dasein, in die Rolle des Bettlers gedrängt, der nach jeder hilfreichen Hand greift. Der Bevölkerung kamen Hilfsaktionen zugute, die von den neutralen Staaten, vom Vatikan und von Amerika eingeleitet wurden, dem Staate selbst aber aus karitativen Erwägungen beizuspringen, war kein Geldgeber bereit. Welche Sicherheit konnte auch das am Boden liegende, entkräftete und der Verzweiflung nahe Österreich bieten?

Seipel sah neben der materiellen Krise auch eine seelische Krise der Verzagtheit und Verzweiflung. Sie zu beheben, bedurfte es äußerer Erfolge. Wohl hatte Schober unermüdlich um die Auslandskredite gekämpft, englische und tschechische Beiträge waren als Hilfe in der Not eingegangen, aber die umfassende Aktion des Völkerbundes ließ noch immer auf sich warten. Auf der Konferenz zu Genua, die die Wirtschaftsbeziehungen der Nachfolgestaaten Österreich-Ungarns regeln sollte, sich aber vorwiegend mit dem Problem der deutschen Reparation beschäftigte, hatte Österreich eine recht unbeachtete Rolle gespielt; doch war es Schober gelungen, durch persönliche Fühlungnahme mit maßgeblichen Staatsmännern außerhalb der Konferenz Zusicherungen über die Aufhebung des Generalpfandrechtes zu erreichen. Dem mußte aber die Bereinigung der sogenannten Liberationsschulden vorangehen, jener Beträge, die die alliierten Großmächte von den

Nachfolgestaaten der Donaumonarchie als Entgelt für ihre „Befreiung" forderten. Österreich war nur mittelbar in diese Zusammenhänge verflochten, bekam sie aber schwer als Auswirkung zu spüren.

Es galt daher, das Interesse der Siegerstaaten, des Völkerbundes und der internationalen Finanzwelt zu gewinnen und die Parteien auf die Politik des Völkerbundes festzulegen, dem Österreich seit dem 15. Dezember 1920 angehörte, wenngleich es als vollberechtigtes Mitglied erst am 16. August 1927 aufgenommen wurde; die Satzung des Völkerbundes hatte Österreich im Staatsvertrag von Saint-Germain, dessen erste 26 Artikel die Völkerbundssatzung enthielten, schon vorher unterzeichnet und ratifiziert. Auch die Sozialisten und die Großdeutschen bejahten die Genfer Institution, die einen, weil sie sie als Vorstufe einer höheren sozialen Ordnung ansahen, die anderen, weil sich auf diesem Wege die einzige Möglichkeit bot, zu einer Revision der Friedensverträge zu gelangen.

Wenige Tage nach dem Regierungsantritt Seipels beschloß der Interalliierte Oberste Rat, den Empfehlungen des Finanzkomitees des Völkerbundes zu entsprechen. Schon am 26. Mai, nach der Demission des Kabinetts Schober, hatte Seipel einen Finanzplan veröffentlicht, dessen Grundgedanke sehr einfach war: Erhöhung der Einnahmen und Senkung der Ausgaben. Eine unerläßliche Vorbedingung war die Stillegung der Notenpresse, was bis dahin keiner Regierung geglückt war. Die große Vermögensabgabe, die die Konstituierende Nationalversammlung knapp vor dem Zustandekommen der Bundesverfassung beschlossen hatte, war durch den sinkenden Geldwert nahezu unwirksam geworden, dasselbe galt für das laufende Steueraufkommen, das mit der galoppierenden Inflation nicht Schritt halten konnte.

Finanzminister Segúr legte am 21. Juni 1922 dem Parlament den Plan der Gründung einer Notenbank vor. Wegen Erkrankung mußte er nach wenigen Monaten demissionieren; an seine Stelle trat der Wiener Rechtsanwalt Viktor Kienböck, mit dessen Namen die Durchführung der finanziellen Sanierung, mit allen Erfolgen, die sie brachte, und mit allen Bürden, die sie dem Volke auflegte, verknüpft ist. Im halbdunklen Hintergrund stand der Präsident der Biedermann-Bank Gottfried Kunwald, auf dessen Rat Seipel und andere Köpfe der Christlichsozialen Partei großes Gewicht legten. Wollte man die Währung stabilisieren, so durfte die Notenbank unter keinen Umständen für den unmittelbaren Staatsbedarf in Anspruch genommen werden. Sie erhielt das Statut einer Aktiengesellschaft und das Privileg, Banknoten mit gesetzlicher Zahlungskraft auszugeben. Die Großbanken, unter Führung des Hauses Rothschild, wurden von Seipel veranlaßt, einen gewissen Betrag von Goldwerten für das neuzubegründende Institut zur Verfügung zu stellen. Die Opposition vertrat dabei die Meinung, daß die Banken in der Lage gewesen wären, noch weit tiefer in ihre Kassen zu greifen. Immerhin schien man nun über eine bedrohliche Situation hinweggekommen zu sein. Denn schon von Anfang an hatte die Regierung mit beträchtlichen Schwierigkeiten zu kämpfen gehabt. Einem großen Eisenbahnerstreik waren die sprunghafte Kurssteigerung der ausländischen Valuten und eine Brotpreiserhöhung gefolgt, die Verwicklungen befürchten ließen. Nun erhoben unerwartet die Anglo- und die Länderbank, die sich in englischer und französischer Hand befanden, gegen die Finanzpolitik der Regierung Einspruch. Beide Institute verweigerten den Beitrag, mit dem man für die Errichtung des Noteninstitutes gerechnet hatte, das Ausland verhinderte die Selbsthilfe, zu der sich Österreich entschlossen hatte. Der zweite Rettungsanker, die beabsichtigte innere Anleihe, wurde durch die weitere Entwertung der Krone bedeutungslos. Das Finanzprogramm Seipels: Stilllegung der Notenpresse, Stabilisierung des Geldwertes, Herstellung des Gleichgewichtes im Staatshaushalt, Inanspruchnahme von Krediten zum Ausgleich der Handels- und Zahlungsbilanz, war gescheitert.

Die Krone sank auf den 15.000. Teil ihres Goldwertes, ein völliger Zusammenbruch stand bevor, das Ende Österreichs schien nahe. Bundespräsident Hainisch wandte sich ohne Erfolg in einem persönlichen Telegramm an König Georg V. von England. Großbritannien, das damals dazu neigte, sich vom Kontinent zurückzuziehen, zeigte kein Interesse an dem Schicksal des Kleinstaates, von dessen Lebensunfähigkeit es überzeugt war. Darum brachte auch die Note, die der österreichische Gesandte am 7. August 1922 Lloyd George überreichte, keine Hilfe. Darin hieß es, die ausländischen Bankiers, die noch vor einem Jahr bereit waren, eine Anleihe zu bewilligen, erklärten, daß ihnen dies jetzt unmöglich sei, da große Zweifel an der Möglichkeit des weiteren Bestehens des österreichischen Staates bestünden. Sie verlangten eine Garantieerklärung ihrer Regierungen für die zu gewährenden Kredite. Ohne Anleihe aber könne Österreich die notwendigen finanziellen Reformen, mit denen es begonnen habe, nicht weiterführen. Jeder Tag der Verzögerung mache die von Österreich zu seiner Rettung ergriffenen Maßnahmen zweifelhafter. Aus diesem Grunde bitte die österreichische Regierung die Mächte um die sofortige Erklärung, die teilweise Garantie für eine Anleihe von 15 Millionen Pfund zu übernehmen.

Daran schloß sich der Satz, wenn alle Mittel erschöpft seien, müßte das österreichische Parlament zu einer außerordentlichen Tagung einberufen werden, um zu erklären, daß weder die gegenwärtige noch eine andere Regierung in der Lage sei, die Verwaltung des Staates weiterzuführen.

Auch dieser Appell versagte. Sein Zweck war, die Verantwortlichkeit der Alliierten für den drohenden Zusammenbruch des mitteleuropäischen Kernlandes festzunageln. Das künftige Geschick in die Hände der Großmächte zu legen, das hieß, Österreich besetzen und aufteilen zu lassen! Daran dachte aber Seipel, auch als eine ablehnende Antwort aus London eintraf und die Angelegenheit an den Völkerbund verwiesen wurde, nicht im entferntesten. Seine Absicht war, die österreichische Frage aufzurollen, das

Ausland von der loyalen Friedenspolitik Österreichs zu überzeugen und seine Erhaltung als europäische Notwendigkeit zu erweisen. In knapp sechs Wochen ist ihm diese Tat gelungen, welche ihn in die Reihe der Staatsmänner europäischen Formats aufrücken ließ. Denn das jetzt beginnende Jonglieren mit mehreren Kugeln, seine Reisen nach Prag, Berlin und Verona, die meisterhafte Erweckung von Rivalitäten der Nachbarstaaten erreichte jene Hilfe, der Österreich bedurfte, um ein neues Leben zu beginnen.

Überall legte er dar, daß Österreich Anlehnung an ein größeres Wirtschaftsgebiet suchen müsse. In Prag ließ er die Möglichkeit eines Beitrittes zur Kleinen Entente durchleuchten. Von Berlin brachte er die Bestätigung, daß ein Anschluß Österreichs an das Deutsche Reich in der Lage, in der sich dieses damals befand, undurchführbar und eine Hilfe von dort nicht zu erwarten sei. In Verona verhandelte er mit Minister Schanzer über die Möglichkeit einer Münz- und Zollunion mit Italien. Zu bindenden Erklärungen kam es nirgends. Seipel brachte aber von seinen Reisen die Überzeugung heim, daß er auch im Falle des Versagens des Völkerbundes nicht ratlos dastehen würde. Die Opposition sprach von einem Ausbieten Österreichs und wollte nicht verstehen, daß das alles nicht Selbstzweck war. Jetzt mußten die Machthaber Farbe bekennen, wie sie sich das weitere Schicksal dieses Raumes vorstellten. Kamen sie dabei zum Schluß, es sei am besten, Österreich am Leben zu erhalten, so hatte Seipel sein Ziel erreicht. Masaryk, der dies sofort begriff, erklärte in einem Memorandum an die Alliierten, es müsse verhindert werden, daß die durch die Friedensverträge festgesetzte Ordnung Mitteleuropas so verändert würde, daß am Ende der ganze Krieg umsonst geführt worden wäre. Die Prager Machthaber fürchteten nichts so sehr als eine enge Anlehnung Österreichs an die Kleine Entente. Sie wollten nicht die Donaumonarchie zerstört haben, um jetzt wieder mit dem verhaßten Wien in eine engere Verbindung zu treten. Ebensowenig wünschte man den Anschluß oder die Einbindung Österreichs in das sich formierende italienisch-ungarische Interessenspotential. Das Ergebnis dieser und anderer Erwägungen war, daß Außenminister Beneš Seipel die Unterstützung beim Völkerbund zusicherte.

In dieser gefährlichen Lage kam es sehr stark auf die Haltung der Oppositionspartei an. Diese berief für den 23. August eine außerordentliche Konferenz nach Wien ein, auf der ein Manifest beschlossen wurde, das allem Anschein nach von Otto Bauer verfaßt worden war. So begannen in dieser schicksalsschweren Stunde die beiden Männer, die für mehr als ein Jahrzehnt die Repräsentanten der widerstreitenden politischen Strömungen in der Republik waren, die Klingen zu kreuzen. Der Aufruf sprach zunächst davon, daß die Massen der Arbeiter mit bewundernswerter Besonnenheit der Versuchung zum Losschlagen widerstünden, weil dadurch die Gefahr der vollständigen Vernichtung des Wertes der Krone herbeigeführt würde,

was eine fürchterliche Hungersnot zur Folge haben müßte. Ein vollstän-
diger Zusammenbruch des Geldwertes, der Rohstoff- und Lebensmittelver-
sorgung würde zu einer Konterrevolution durch fremde Bajonette führen.
Während aber Seipel eine Rettung ohne ausländische Hilfe für ausgeschlossen hielt, erhoben seine Gegner den Ruf, daß sein Verfahren den vollständigen Verlust der staatlichen Selbständigkeit bringe, beharrten auf dem
Anschluß an Deutschland und erklärten, solange dieser nicht vollzogen
werden könne, müsse die Erhaltung der Selbständigkeit mit allen Mitteln sichergestellt werden.

Seipel wäre wohl auch diesen Weg gegangen, wenn er Erfolg versprochen
hätte. Der Gedanke, durch wirtschaftliche Gewaltmaßnahmen den Staat zu
sanieren, schien verlockend. Dies hätte aber bedeutet, daß alle Bevölkerungsschichten weitere schwerste Einschränkungen erfahren hätten müssen,
und deren Bereitschaft zu einer derartigen dramatischen Aktion war sicher
nicht vorhanden. Für Seipel stand der Gedanke im Vordergrund, daß das
Volk zum Staat und zu seiner Wirtschaft wieder Vertrauen gewinnen müsse.
Er ließ sich durch den sozialistischen Antrag, ihm die Mißbilligung auszusprechen, weil seine Politik die Selbständigkeit der Republik gefährde, nicht
aus der Ruhe bringen und fuhr am nächsten Tage nach Genf.

Dort vertrat er die Sache Österreichs in so eindrucksvoller Weise, daß
ihm letzten Endes Erfolg beschieden war. Er bekannte sich in zwei großen
Reden zur Idee des Völkerbundes. Seine eindrucksvolle Persönlichkeit bot
die Gewähr, daß seine Worte nicht bloß aus Taktik gesprochen waren. Er
ließ keinen Zweifel darüber, daß er die Kontrolle, die für die Verwendung
der Kredite verlangt wurde, für selbstverständlich halte, wenn durch sie die
staatliche Selbständigkeit Österreichs nicht verletzt werde. Er appellierte an
den Völkerbund, dafür zu sorgen, daß das österreichische Volk ohne Erschütterung des Friedens und ohne die Beziehungen der Nachbarn untereinander zu trüben, seine Ketten sprengen könne. Denn dieses Volk wolle
leben und den ihm zukommenden Platz in der Völkerfamilie einnehmen.
Im einzelnen führte Seipel aus:

„Meine Herren!

Mit einer gewissen Ergriffenheit erscheine ich heute vor dem Rate des
Völkerbundes, um die Sache meines Vaterlandes Österreich zu führen. Ich
gedenke hiebei der Zeiten, in denen der Völkerbund, der damals noch nicht
bestand, uns Friedensfreunden ein ersehntes Ideal war. Wir haben neben
den Besten der anderen Nationen, auch wir Österreicher, die wir den
Frieden liebten, uns um Heinrich Lammasch geschart, für die Völkerbundidee unermüdlich geredet, geschrieben, gekämpft! Wir taten dies alles um-
somehr, als schon die damalige Zeit angefüllt war von den gefährlichsten
Konfliktstoffen, die dann wirklich, noch ehe der Völkerbund gegründet
wurde, im Weltkrieg zu einem schrecklichen Ausbruch des Völkerhasses

führten. Dann allerdings im Kriege und in der Nachkriegszeit haben scheinbar die Spötter recht behalten, denn die Völkerbundidee hat den Krieg nicht verhindern können. Die Spötter wollten auch recht behalten, als der Völkerbund Wirklichkeit wurde. Ist er doch durch dieselben Verträge ins Leben gerufen worden, die zwar dem Kriege ein Ende setzten, aber damit leider noch lange nicht den wirklichen Frieden brachten. Konnte es doch scheinen, als ob dieser Völkerbund nur ein Instrument der Sieger im Weltkriege sein sollte. Aber es dauerte nicht lange, so wurden auch Staaten, die im Kriege auf der Gegenseite gekämpft hatten, in den Völkerbund aufgenommen, unter den ersten auch wir. Und jetzt stehe ich, der ich niemals an der Möglichkeit der Völkerversöhnung, niemals an der Möglichkeit einer über die Selbständigkeit der Einzelstaaten hinausreichenden, die Welt umspannenden Völkerorganisation gezweifelt habe, vor dem Völkerbund im Namen eines seiner Mitglieder, um für diese Hilfe zu werben.

Nun mag es freilich scheinen, als ob die Aufgabe des Völkerbundes eine andere wäre, als einem notleidenden Staat Kredit zu vermitteln. Aber Österreich kommt heute nicht zum Völkerbund, nur um finanzielle Hilfe zu suchen. Deshalb wird der Völkerbund keineswegs seiner eigentlichen hohen Aufgabe untreu, wenn er aufsteht und Österreich hilft; denn was wäre mehr die Aufgabe des Völkerbundes, als der Welt den Frieden zu sichern? Von Anfang an dachten jene erleuchteten Männer, die den Gedanken des Völkerbundes geboren haben, daß es ihnen gelingen müsse, Konflikte aus der Welt zu schaffen, die ohne ihn mit den Waffen ausgetragen würden. Wenn das die Aufgabe des Völkerbundes ist, bedeutete es dann nicht noch viel mehr, wenn er solche Konflikte gar nicht entstehen läßt? Ist es der Weisheit seiner Mitglieder nicht um so würdiger, vorbeugend Übel zu verhindern, deren böse Folgen sie nachträglich nur mehr schwer aus der Welt schaffen könnten? So aber verhält es sich jetzt mit Österreich. Wenn Österreich der immer unheimlicher werdenden Entwertung seiner Währung nicht länger standhielte, wenn seine Bevölkerung, die bisher zwar schon viel zu leiden hatte — mehr vielleicht durch die andauernde Sorge um die Zukunft als selbst durch augenblickliche Not — wenn diese Bevölkerung nun wirklich durch Hunger und Kälte dezimiert werden sollte, wenn dann die Aufrechterhaltung der Ruhe und der gesetzlichen Ordnung im Herzen Europas in Frage gestellt würde, hieße das nicht nur, daß für die Weltproduktion und den Welthandel ein verhältnismäßig kleines Absatzgebiet verloren ginge; es hieße nicht nur, daß den Völkern, die im Westen wohnen, der kürzeste Weg nach ihren Absatzgebieten im Osten verlegt würde; es hieße eines der besten und wertvollsten Kulturzentren der Welt zugrunde gehen lassen. Es hieße aber auch den Friedensverträgen ans Leben greifen, wenn das durch sie geschaffene neue Österreich als lebensunfähig nicht nur für den Augenblick, sondern für alle Zukunft erwiesen würde, es hieße, ein Loch mitten in die Karte Europas reißen; es hieße einen luftleeren Raum mitten in Europa schaffen, der mit ungeheurer Saugkraft die Nachbarn erfassen und dadurch das — auch abgesehen von Österreich — nur mit großer Kunst zwischen ihnen aufrechterhaltene Gleichgewicht stören müßte. Der Hohe Völkerbund ist durch die österreichische Frage vor eine ganz große Frage gestellt. Wenn er sich hier bewährt, wenn er die Autorität, die wir willig anerkennen, auch wirklich besitzt, wenn er die Staaten und die Völker erfolgreich auf die Wege zu weisen vermag, die zur Erhaltung des Weltfriedens führen, dann wird die Welt an ihn glauben, dann wird der Völkerbund, vor dem ich heute spreche, der Völkerbund sein, von dem die Friedensfreunde der Welt so lange geträumt haben... Meine Herren! Ich habe zu Beginn meiner Ausführungen in kurzen, ernsten, aber — wie ich versichern möchte — keineswegs übertreibenden Worten gesagt, wie sehr die österreichische Frage im gegenwärtigen Stand ihrer Entwicklung eine politische ist. Meine letzten Bemerkungen zeigen Ihnen, nachdem ich eine Zeitlang von finanziellen Dingen gesprochen habe, wieder, wie wenig sich die politischen Erwägungen von den finanziellen trennen lassen, ja, wie sogar durch die praktische Möglichkeit und den Wert aller Lösungsversuche deren politische Kehrseite mitbestimmt wird. Die Erkenntnis, daß die österreichische Frage, das heißt die Frage, ob unser Land politisch und auf die Dauer auch wirtschaftlich unabhängig erhalten werden kann, eine politische Frage ersten Ranges geworden ist, hat mich bewogen, vor einigen Tagen mehrere unserer Nachbarländer zu besuchen, um zu hören, was sie über Österreich denken, und weil ich nicht, ohne mit ihnen gesprochen zu haben, vor den Völkerbund treten wollte. Meine Reise hatte aber noch einen anderen Zweck. Ich gestehe offen: Ehe das Volk Österreich in seiner Absperrung zugrunde geht, wird es alles tun, um die Schranken und Ketten, die es beengen und drücken, zu sprengen. Daß dies ohne Erschütterung des Friedens und ohne die Beziehungen der Nachbarn Österreichs untereinander zu trüben, geschehe, dafür möge der Völkerbund sorgen!"

Diese von der eindrucksvollen Gestalt des Prälaten vorgetragene Rede verfehlte ihre Wirkung nicht. Am 4. Oktober 1922 kam es zu der Vereinbarung zwischen Seipel und den Vertretern der britischen, französischen, italienischen und tschechoslowakischen Regierung, die unter dem Namen der drei Genfer Protokolle in die Geschichte eingegangen ist.

Im ersten erklärten die vier Regierungen sich bereit, die territoriale und politische Unabhängigkeit Österreichs zu wahren und sicherzustellen, während dieses unter Hinweis auf den Artikel 88 des Friedensvertrages von Saint-Germain sich für zwanzig Jahre verpflichtet, seine Unabhängigkeit nicht aufzugeben. Der angeführte Artikel richtet sich gegen den Anschluß an Deutschland, von dem aber in seiner damaligen Lage kein Eingriff zu befürchten war. Im Augenblick kam ihm eher eine andere Bedeutung zu, eine Abschirmung gegen jene Bestrebungen, die von Italien und der Tschechoslowakei ausgehen konnten und deren Realität Seipel durch seine Reisen aller Welt so deutlich vor Augen gestellt hatte.

Im zweiten Protokoll versprachen die vier Mächte, die Garantie für eine österreichische Anleihe im Betrag von 650 Millionen Goldkronen zu übernehmen, deren Erträgnis nur unter Verantwortlichkeit eines vom Rate des Völkerbundes eingesetzten Generalkommissärs verwendet werden dürfe. Ohne Zustimmung des von den vier Regierungen zu bestellenden Kontrollkomitees sollte Österreich von keiner anderen Seite eine Anleihe aufnehmen.

Das dritte Protokoll enthielt die Verpflichtung Österreichs, binnen eines Monates ein Reform- und Sanierungsprogramm auszuarbeiten, durch das nach zwei Jahren das Gleichgewicht im Staatshaushalt hergestellt werden könne. Die österreichische Regierung mußte vom Parlament die Vollmacht bekommen, die erforderlichen Maßnahmen im eigenen Wirkungskreis durchzuführen. Als Sicherstellung waren die Zölle und das Tabakmonopol zu verpfänden, die Regierung übernahm die Verpflichtung, alle Vorsorgen für die Aufrechterhaltung der öffentlichen Ordnung, Ruhe und Sicherheit zu treffen.

Nach seiner Rückkehr stand Seipel vor der schweren Aufgabe, die Zustimmung des Parlamentes zu erwirken. Wohl trat fast das gesamte Bürgertum ebenso wie die Bauernschaft auf seine Seite, die Sozialdemokratische Partei begann einen leidenschaftlichen Kampf, der auch die Person Seipels nicht schonte. Zwar verfügte er jetzt im Nationalrat über eine sichere Mehrheit, da die Großdeutschen ihre inneren Spannungen überwunden hatten und zur Regierung standen. Für einzelne Punkte des Protokolls war aber eine Zweidrittelmehrheit notwendig, da es sich um Verfassungsbestimmungen handelte, so vor allem in der Frage der Übertragung besonderer Vollmachten an die Regierung, die von der Opposition in turbulenten Sitzungen des Parlamentes, Brandartikeln in der Presse und stürmischen Versammlungen scharf abgelehnt wurde. Schließlich fand man den Ausweg, die geforderten Vollmachten einem besonderen Parlamentsausschuß zu übertragen, in den alle Parteien Vertreter zu entsenden hatten und der die Bezeichnung „Außerordentlicher Kabinettsrat" tragen sollte, da ihm die Regierungsmitglieder wenn auch ohne Stimmrecht — angehörten.

Der Kabinettsrat, in welchem die Regierung wie im Nationalrat über die einfache Mehrheit verfügte, mußte über wichtige Fragen nach seiner Geschäftsordnung binnen wenigen Tagen beschließen. Im Prinzip hatte Seipel gesiegt, die Opposition aber hatte ein Forum gefunden, die Durchführung der Sanierungsmaßnahmen zu überwachen und auf ihren Inhalt einen oft wohltätigen Einfluß zu nehmen. Wenn die Sozialdemokraten für jene Gesetze stimmten, für die man ihre Stimmen benötigte, und jene ablehnten, die auch ohne sie in Kraft treten konnten, so zeigt sich eine demagogisch bedingte Janusköpfigkeit. Der heftige Kampf um Genf diente vor allem innenpolitischen Bedürfnissen. Die Parteistrategen hatten die Möglichkeit erkannt, daraus im Augenblick und auf weitere Sicht Gewinn zu ziehen. Das war reine Taktik. Blutlose Theorie aber war es, wenn Ludo Moritz Hartmann, der erste Gesandte der Republik Österreich in Berlin, im Bundesrat Hegel zitierte und von Österreich als dem gesetzten Widerspruch sprach, es sei ein Staat, der nicht sein solle, da er nicht vernunftgemäß sei. Die Sozialdemokraten verstanden es, den Streit gegen Genf mit dem Mantel eines Kampfes um den Anschlußgedanken zu umhüllen. Ehrlicher war es, daß der Bürgermeister von Wien, Jakob Reumann, ein alter Gewerkschaftsführer, sagte, seine Partei sei gegen den Verrat an der demokratischen Republik, wolle sich aber nicht mit dem Vorwurf belasten, die sogenannte Rettung der Republik verhindert zu haben.

Auch die Arbeiterschaft zog ebenso wie die anderen Volksschichten jeden Hoffnungsschimmer dem Gespenst des drohenden Unterganges vor, sie wäre auch politisch und wirtschaftlich nicht stark genug gewesen, selbständig vorzugehen. Die vielen Worte, die über den Anschluß gesprochen wurden, der in dem Genfer Protokoll auf mindestens 20 Jahre zurückgestellt werden mußte, sollten den Großdeutschen den Wind aus den Segeln nehmen und die Sozialdemokraten als die einzigen Herolde dieses Programms erweisen.

Für Seipel war das Genfer Werk nicht bloß die Rettung, die er seinem Lande in schwerster materieller Not gebracht hatte; er und in steigendem Maße auch seine Anhänger erkannten, daß mit dieser Sanierung der Grund gelegt war, um den Staat erst eigentlich zu konstituieren. Was in den abgelaufenen vier Jahren geschehen war, war Tagespolitik, waren tastende Versuche des Weiterfristens gewesen. Nun kehrte das Vertrauen wieder, daß Österreich eine Zukunft habe, daß es lebensfähig sei, wie immer man sich sein Schicksal vorstellen mochte. Breite Kreise dachten auch ferner an einen Zusammenschluß mit dem Deutschen Reich in weiterer Zukunft, andere an eine Anlehnung an andere Staatensysteme. Alle aber konnten jetzt hoffen, Österreich werde nicht als Bettler solche Schritte vollziehen müssen. So hat die Sanierung, deren Fragwürdigkeit in vielen Punkten auch Seipel nicht verborgen blieb — er betrachtete sein Werk bloß als einen schwankenden Notsteg über einen gähnenden Abgrund —, im geistigen Bereich den großen Erfolg gezeitigt, daß sich die Republik zum erstenmal seit ihrer Errichtung auf sich selbst besann.

Die Tragik im Sanierungswerk Seipels liegt darin, daß es Stückwerk blieb, daß es wohl gelang, die Währung zu stabilisieren und damit die Voraussetzungen für den Wiederaufbau zu schaffen, eine Sanierung der Volkswirtschaft im Grunde aber nicht erreicht wurde. Gerade diese Tatsache trug dazu bei, zehn Jahre später, als unter dem Druck von außen wieder die Existenzfrage des Staates aufgeworfen wurde, unter sehr ungünstigen Bedingungen im Innern den Kampf aufnehmen zu müssen. Denn nicht nur das

Problem der Arbeitslosigkeit, mit dem Österreich nicht fertig werden konnte, ist wenigstens teilweise als eine Folge der Sanierung anzusehen, auch die gefährliche Verkrampfung der innerpolitischen Verhältnisse läßt sich bis zu einem gewissen Grad daher ableiten.

Seipel, der Mann der Kirche, stand von vornherein der Sozialdemokratischen Partei mit ihren damals stark in den Vordergrund tretenden kulturkämpferischen Neigungen durchaus ablehnend gegenüber. Sein ausgeprägter Sinn für Autorität konnte sich auch mit vielen Erscheinungen des politischen Lebens, die seit dem Ende der Monarchie aufgetreten waren, schwer abfinden. Er hatte kein Verständnis für das „Zuredesystem", durch das die sozialistischen Führer die Massen von gefährlichen Wegen abzubringen suchten. Er erblickte in der bewußten Hintansetzung aller Autoritätsfaktoren auch eine Abkehr vom Staate. Eine Furcht vor der Straße kannte er nicht. Daß die Opposition das Genfer Werk in so überaus scharfen Formen bekämpfte, ohne im Grunde etwas Besseres an seine Stelle setzen zu können, hat er ihr nie verziehen. Es ging um Österreich, und wer sich dem letzten Rettungsversuch in unsachlicher Weise entgegenstellte, erschien in Seipels Augen als Feind des Staates. Für das Attentat, das am 1. Juni 1924 ein politischer Wirrkopf auf ihn verübte — Seipel wurde auf dem Südbahnhof durch zwei Pistolenschüsse schwer verletzt —, machte man letztlich die massive Hetze der politischen Gegner und ihrer Presseorgane verantwortlich, nicht zuletzt auch die Sozialdemokraten und deren oft zu weit getriebene Demagogie.

Seipel übersah, daß die Sozialdemokraten bei ihrem Kampf gegen die Genfer Protokolle den Staat nicht von vornherein verneinen wollten. Sie waren wie viele andere Österreicher, wie auch die Großdeutschen, mit denen die Christlichsozialen eine Koalitionsregierung gebildet hatten, Anhänger des Anschlusses an Deutschland. Das besagte zunächst nicht viel, da seine Durchführbarkeit damals kaum absehbar war. Es fragte sich nur, ob man Österreich für ein eigenes Leben oder das in einer größeren Gemeinschaft erhalten könne. Daß aber die Opposition den einzigen in seinen Augen noch gangbaren Weg zu verrammeln suchte, brachte sie in den Verdacht prinzipieller Staatsfeindschaft. Für sie stand etwas ganz anderes im Vordergrund; sie befürchtete vor allem, daß durch die vom Ausland auferlegte Kontrolle die Regierung eine Handhabe finden könnte, Maßnahmen durchzuführen, die sonst gegen den Widerstand der SDAP nicht durchsetzbar gewesen wären; und daß gerade dadurch eine Sammlung sämtlicher nichtsozialistischer Kräfte des Landes erfolgen würde, welche die seit der Revolution behauptete Machtstellung der österreichischen Sozialdemokratie beeinträchtigen könnte.

Statt nun in dieser schweren Staatskrise sich darauf zu beschränken, mit den Mitteln, die jeder Opposition zur Verfügung stehen, in zähen Verhandlungen Verbesserungen aller Art anzustreben und für eine möglichst gerechte Verteilung der notwendigen Lasten und Opfer zu sorgen, betrachteten die Sozialdemokraten den Streit um die Sanierung, die sie im Grunde gar nicht verhindern wollten, als ein Mittel des Kampfes um die Macht im Staat und erreichten damit gerade das Gegenteil dessen, was sie beabsichtigten, das Zusammenschweißen des Bürgertums zu einem festgefügten Block. Das aber führte zu einem Erstarren der Fronten, zu einem andauernden Schützengrabenkrieg und rief schließlich alle jene Kräfte auf den Plan, die wiederum, in einer verhängnisvollen Übersteigerung der ihnen innewohnenden Tendenzen, den Sozialismus in Österreich vorübergehend ausschalteten.

Während der Kampf um die parlamentarische Genehmigung der Genfer Protokolle tobte, trafen schon Experten des Völkerbundes in Wien ein, um die finanzielle und wirtschaftliche Lage des Staates zu prüfen. Nach vielen Fährlichkeiten kam endlich das Wiederaufbaugesetz vom 27. November 1922 zustande, das den Rahmen der für die Sanierung notwendigen Maßnahmen absteckte. Am 18. Dezember 1922 trat der vom Völkerbund bestellte Generalkommissär, der Holländer Zimmermann, sein Amt an, der in den nächsten zwei Jahren mit scharfem Auge und harter Hand die Staatswirtschaft kontrollierte. Das war das große Opfer, zu dem man sich in Genf hatte verstehen müssen. Dabei empfand man es als Erleichterung, daß ein Vertreter eines neutralen Staates zu diesem Amt berufen wurde und nicht ein Tscheche, wie man anfänglich befürchtete. Die Kontrolle war nun da. Die versprochenen Kredite ließen aber noch lange auf sich warten. Um die Jahreswende entstand eine kritische Situation, als der Finanzausschuß der französischen Kammer beschloß, die Genfer Protokolle nicht zu genehmigen, da sie für Österreich zu drückend seien. Es bedurfte des persönlichen Eingreifens des Ministerpräsidenten Poincaré, um diesen Beschluß aufzuheben. Man vermutete, daß die österreichische Sozialdemokratie bei dieser Sache ihre Hand im Spiel hatte. In einem sehr kritischen Zeitpunkt, zu Beginn der Ruhrbesetzung durch Frankreich im Jänner 1923, reiste Seipel zum Völkerbund, der diesmal nicht in Genf, sondern in Paris tagte. Ihm und dem Finanzminister Kienböck, der sich anschließend nach London begab, gelang es, die Verhandlungen mit den ausländischen Bankiers erfolgreich abzuschließen, nachdem endlich alle Siegerstaaten auf ihr Generalpfandrecht verzichtet hatten. Die Notenpresse stand seit 18. November still, die neugegründete Notenbank nahm am 1. Jänner 1923 ihre Tätigkeit auf.

Das Wiederaufbaugesetz vom 27. November 1922 regelte die Basis des Sanierungsprogrammes, die Beseitigung des Budgetdefizits. Durch den Abbau von 100.000 Bundesangestellten und durch die Erhöhung der Steuerlast sollte dies bewerkstelligt werden. Innerhalb eines Jahres erzielte man den angestrebten Ausgleich, obwohl die Einsparungen durch den Abbau — insgesamt waren es 84.000 Bundesbedienstete und Eisenbahner — wegen der Pensionen und Arbeitslosenunterstützungen, bzw. auch wegen der teilweise notwendigen Neubesetzungen hinter dem Plan zurückblieben. Die Sanierung erfolgte durch die Steigerung des Steueraufkommens: vor allem die Warenumsatzsteuer, die im April 1923 eingeführt wurde und die den Massenkonsum belastete, erbrachte für das laufende Jahr achtzig Millionen Schilling, d. h., neun Prozent der Bundeseinnahmen. Die Budgetsanierung wirkte deflationär auf die österreichische Wirtschaft, was im Konnex mit den wirtschaftlichen Schwierigkeiten in den Haupthandelspartnerländern Österreichs zu einer Krise führen mußte. Die Sanierung der Währung spiegelt sich in steigenden Arbeitslosenzahlen als Ausdruck der Stabilisierungskrise.

Auch die Anzahl der Ministerien wurde herabgesetzt. Im Zusammenhang damit trat Seipel am 16. April 1923 zurück und bildete am nächsten Tag eine neue Regierung. Die nächsten Monate waren mit emsiger Arbeit im Dienste des Wiederaufbauprogramms erfüllt. Große Schwierigkeit bereitete die Aufwertung: die Valorisierung der Beamtengehälter, die Entschädigung der Kleinrentner für ihre in der Inflation erlittenen Einbußen und die Regelung der Mietzinse. Gerade dieser Punkt stand für Jahre im Mittelpunkt äußerst heftiger innenpolitischer Kämpfe. Hier hatte die Opposition eine Plattform gewonnen, um weite Bevölkerungsschichten, die ihr gesinnungsmäßig nicht nahestanden, für sich zu gewinnen. War auch die volkswirtschaftliche Notwendigkeit von Reformen auf diesem Gebiete nicht von der Hand zu weisen, so war die Frage, wie die verarmte Bevölkerung, der durch die verschiedenen Sanierungsmaßnahmen immer neue Lasten auferlegt wurden, zusätzliche Ausgaben für den Wohnbedarf auf sich nehmen könne, schwer zu lösen. Da der naheliegende Gedanke einer entsprechenden Erhöhung der Löhne und Gehälter so kurze Zeit nach dem Ende der Inflation nicht durchführbar war und der Finanzminister sich besonders den Staatsangestellten gegenüber abweisend zeigen mußte, war der Knoten kaum zu entwirren. Die Linien liefen dabei quer durch die Parteien. Hatten auch die Sozialisten die Sicherung des Mieterschutzes auf ihre Fahnen geschrieben, so konnten doch auch manche Christlichsoziale und vor allem die Großdeutschen, die im Kern eine Beamtenpartei waren, über die materielle Lage ihrer Wähler nicht hinwegsehen. Seipel unterschätzte diese Strömungen. Er ließ sich von grundsätzlichen Überlegungen, von dem nach seiner Ansicht richtigen Eigentumsbegriff leiten und hielt daher zu dieser Frage Reden, die viele vor den Kopf stießen. Das Ergebnis war, daß die Neuwahlen zum Nationalrate im Oktober 1923 ihm nicht jenen Erfolg brachten, den er als „Retter des Vaterlandes" mochte erwartet haben.

Hätten sich nicht weite bürgerliche Kreise nur wegen der Person Seipels im Lager der Christlichsozialen gesammelt, so hätten diese nicht jene 82 Mandate erzielt, mit denen sie aus der Wahlschlacht heimkehrten. Die Sozialdemokraten erhielten 68, die Großdeutschen zehn und der Landbund fünf Sitze. Nur durch jene Mandate, die ihnen durch das Reststimmverfahren zufielen, konnten die kleinen Parteien überhaupt in das Parlament einziehen. In der Zusammensetzung der Regierung änderte sich jedoch nichts, die Großdeutschen entschlossen sich, die Sanierungspolitik weiter mitzumachen, obwohl sie namentlich wegen der strittigen Beamtenfragen mit großen inneren Schwierigkeiten zu kämpfen hatten. Sie sahen es aber als notwendig an, bei allen Fragen des Wiederaufbaues mitzureden und vor allem auch bei dem Beamtenabbau, der fortgesetzt wurde, nicht von jenen Gruppen überspielt zu werden, die über schlagkräftige gewerkschaftliche Organisationen verfügten.

Außenpolitisch trachtete die Regierung, nach allen Seiten freundschaftliche Beziehungen zu pflegen und sich nach keiner Richtung festzulegen. Die Reisen, die Seipel im Laufe des Jahres 1923 nach Budapest, Belgrad, Rom und Warschau unternahm, hatten keinen hochpolitischen Hintergrund, sie dienten der Orientierung und der Bereinigung schwebender Fragen, die teilweise noch mit der Liquidierung der alten Monarchie zusammenhingen. Mit Ungarn und Polen wurden Schiedsgerichtsverträge unterzeichnet, von denen Österreich in den nächsten Jahren noch eine große Anzahl abgeschlossen hat. Sie sind kennzeichnend für die Lage, aber auch für die Absichten dieses Staates, dessen Hauptziel Friede und Freundschaft nach allen Richtungen bildete. Hat er doch nicht einmal jene Möglichkeiten ausgeschöpft, die ihm der Friedensvertrag in militärischer Hinsicht bot, wohl auch deshalb, weil die Budgetsanierung keine Mitteln offen ließ. Die Sozialdemokraten, die damals noch sehr starke Positionen im Bundesheer hatten, bemängelten das scharf.

Im Frühjahr 1924 wurde die Frage akut, wann die Genfer Kontrolle zu Ende gehen würde. Man glaubte zunächst, daß dies mit Ende des Jahres 1924 der Fall sein werde, da doch für die Durchführung der Sanierung zwei Jahre in Aussicht genommen waren. Der Generalkommissär hielt aber die Lage Österreichs noch nicht hinlänglich gesichert, das erzielte Gleichgewicht im Staatshaushalt bedeute nicht, daß es auch dauernd erhalten werden könne. Im Jahre 1922 hatte man für das sogenannte Normalbudget bestimmte Ziffern festgelegt, die sich aber nicht einhalten ließen. Es zeigte sich, daß nicht nur für die Ausgaben, sondern auch für die Einnahmen beträchtlich höhere Ziffern einzusetzen waren, das Normalbudget also auf einer höheren Ebene stabilisiert werden mußte. Ein solcher Antrag wurde von den Abgeordneten Fink und Waber im Hauptausschuß des Nationalrates gestellt und auch mit den Stimmen der Sozialdemokraten einhellig angenommen. In Genf wollte man aber lange Zeit von einem solchen Modus nichts hören, es bedurfte zäher Verhandlungen des Finanzministers Kienböck, um einen Schritt weiterzukommen. Gewisse Krisenzeichen, die sich damals als Vorboten weit schlimmerer Ereignisse im österreichischen Bankwesen bemerkbar machten, boten dem Finanzkomitee in Genf die Handhabe, auf seinem Schein zu bestehen. Schließlich reiste Seipel, nachdem er von seinen schweren Verwundungen einigermaßen wiederhergestellt war, im September 1924 selbst nach Genf, konnte aber auch nur einen halben Erfolg erzielen.

Es wurde zwar das Normalbudget auf einer höheren Ebene festgelegt, die Beendigung der Kontrolle wurde aber nicht ausgesprochen. Sie sollte erst eintreten, wenn nach Erfüllung bestimmter Voraussetzungen das Finanzkomitee zur Überzeugung komme, daß die finanzielle Stabilität Österreichs erreicht sei und die allgemeine wirtschaftliche Lage dies rechtfertige. Die Bundesregierung mußte sich überdies dazu verstehen, auch bei den Ländern und Gemeinden Einsparungen zu erwirken. Das warf das Problem der Finanzverfassung und der Abgabenteilung auf und zeigte, daß die Stellung der Länder innerhalb des Bundes neu geregelt werden mußte. Kienböck und mit ihm Seipel erblickten in den Genfer Forderungen eine erwünschte Gelegenheit, auch in den Ländern und Gemeinden die Tendenz zum Sparen durchzusetzen und überdies mit einem Schlage auch dem Überwuchern föderalistischer Bestrebungen entgegenzutreten.

Die Antwort bestand jedoch darin, daß die Regierung Seipel gestürzt wurde. Als im November 1924 ein Streik der Eisenbahner ausbrach, weil diese eine ähnliche Besoldungsreform forderten, wie sie die Beamten der allgemeinen Verwaltung in schweren Kämpfen, die mehrfach auch den Weiterbestand der Koalition der Christlichsozialen mit den Großdeutschen in Frage stellten, der Regierung abgerungen hatten, trat Seipel zurück. Er sah ein gedeihliches Fortschreiten des Sanierungswerkes gefährdet, wenn man aus dem Gebäude auch nur einen Stein herausnehme. Doch nicht der Streik der Eisenbahner, der in wenigen Tagen beigelegt werden konnte, bestimmte in erster Linie sein Handeln, sondern die Erkenntnis, daß er im Kreise der eigenen Partei auf starke Widerstände stieß, die in der Hauptsache von den einzelnen Landesregierungen ausgingen. Diese waren nicht bereit, Seipel entsprechende Garantien in der Frage der Abgabenteilung und der notwendigen Reformen auf dem Gebiete des Verfassungs- und Verwaltungsrechtes zu geben, sie sahen die Gelegenheit gekommen, die Regierung Seipel-Kienböck zu stürzen. Unter diesen Umständen verzichtete Seipel, der auch von seinen beim Attentat erlittenen Verletzungen noch nicht voll hergestellt war, auf seine Wiederwahl zum Bundeskanzler.

Die Regierung Ramek

Die Führung der Regierung ging in die Hände des Salzburger Abgeordneten Rudolf Ramek über, der schon den ersten Regierungen der Republik als Staatssekretär angehört hatte. Das Finanzministerium übernahm der Steirer Jakob Ahrer. Er brachte das Wohlwollen des Landeshauptmannes Rintelen mit, der nicht nur die Steiermark gewissermaßen zu einem Staat im Staate gemacht hatte, sondern dort auch eine Richtung einschlug, deren

Übertragung nach Wien teuer bezahlt werden mußte. Rintelen verstand es nämlich als Meister der politischen Intrige zahlreiche Fäden zu knüpfen, die sonst widerstrebende Lager aneinander fesselten, wobei aber alles in einem bewußten Halbdunkel gelassen wurde. Er galt als Mann der Autorität und steuerte zeitweise einen scharfen antimarxistischen Kurs, was aber nicht unbedingt bedeutete, daß er nicht auch pragmatisch sein Verhältnis zu sozialdemokratischen Politikern regelte. Rintelen hatte jenes Charisma, das es ihm ermöglichte, parteiübergreifend seinen Steirern klarzumachen, daß nur am steirischen Wesen Österreich genesen könne. Sein Drang nach oben, sein kaum verdeckter Wunsch, die Bundesregierung zu übernehmen, machten ihn innerhalb der Christlichsozialen obsolet, wobei zunehmend deutlicher erkannt wurde, wie sehr er politische Ambitionen um jeden Preis durchzusetzen bereit war. Sein unleugbares Talent, politische und wirtschaftliche Betätigung auf einen Nenner zu bringen, verhalf ihm zu vielen Anhängern, die ihm zu Dank verpflichtet waren. Darauf gründete sich seine Macht. Ahrer war einer seiner Schützlinge.

Die Regierung Ramek bestand wieder aus einer Koalition der Christlichsozialen mit den Großdeutschen. Diese hatten durch ihre Teilnahme am Sanierungswerk Seipels ihren Kurs festgelegt, auch schätzten sie die Teilnahme am Regierungsapparat höher ein als alle Belastungen, die ihnen bei ihren Wählern, die in der Hauptsache aus Beamten bestanden, erwuchsen. Waren sie unter dem Druck der äußeren Umstände in finanziellen Belangen immer wieder zum Rückzug gezwungen, so trachteten sie jetzt bei der Neubildung der Regierung Sicherheiten gegen die beabsichtigte „Verländerung" der Bundesbeamten bei den Landesregierungen zu erlangen. Sie hatten ihre Hauptstütze in der Bürokratie der Ministerien, die liberal und stark zentralistisch eingestellt war. In der „Verländerung", d. h. in der Unterstellung der Staatsbeamten der alten landesfürstlichen Behörden unter die Personalhoheit der Länder, erblickten sie eine so große Gefahr, daß sie ihren Eintritt in die Regierung von der Zusicherung abhängig machten, eine Änderung der bestehenden Verhältnisse dürfe nur einvernehmlich erfolgen. Dabei spielte auch die Erwägung eine Rolle, daß die Großdeutsche Partei in den Landtagen und Landesregierungen nur schwach vertreten war.

Maßnahmen auf diesem Gebiete waren aber dringend erforderlich, weil sie unter die in Genf übernommenen Verpflichtungen fielen. So mußte in zähen Verhandlungen der Bundesregierung mit den Ländern ein Ausgleich in der Abgabenteilung durchgesetzt werden. Ebenso verlangte die Doppelgleisigkeit der staatlichen und autonomen Verwaltung in den Ländern dringend Abhilfe. Dieser Gegenstand war in der Bundesverfassung von 1920 nicht geregelt worden, man hatte die Aufteilung der Zuständigkeiten in Gesetzgebung und Vollziehung von einer Einigung über die Finanzverfassung und das Schulwesen abhängig gemacht. Jetzt entschloß man sich, es bei dem bestehenden Provisorium zu belassen. Schulfragen konnten auch weiterhin nur durch übereinstimmende Gesetze des Nationalrates und der Landtage geregelt werden; der Komplex der finanziellen Auseinandersetzungen fand eine Sonderlösung, hinsichtlich der mittelbaren Bundesverwaltung in den Ländern kam es zu einem Kompromiß. Die Föderalisten erreichten, daß die Landesregierungen und die Bezirkshauptmannschaften in den Verwaltungs- apparat der Länder eingegliedert wurden, der Bundesregierung aber das Weisungsrecht an den Landeshauptmann vorbehalten blieb. Bei dieser Ver- fassungsreform des Jahres 1925 gingen einzelne Kompetenzen, die ur- sprünglich den Ländern zukamen, an den Bund über. Auch durch den Ausbau der Verfassungs- und Verwaltungsgerichtsbarkeit sowie das Kon- trollrecht des Rechnungshofes entstanden gewisse Beschränkungen der Län- derautonomie.

Waren bei der Novellierung der Bundesverfassung die widerstreitenden Tendenzen nur schwer aufeinander abzustimmen, so brachten die zur selben Zeit geschaffenen Gesetze über das Verwaltungsverfahren den Be- weis, daß auch der neue Staat das Erbe altösterreichischer Verwaltungs- kunst zu bewahren und weiterzuentwickeln vermochte. Die Einordnung der gesamten öffentlichen Verwaltung in ein Rechtssystem mit den Verfahrens- vorschriften der Gerichte entsprechenden Normen sollte der Idee des Rechtsstaates dienen.

Gern hätten die Sozialdemokraten auch ihren alten Wunsch nach Demo- kratisierung der Bezirksverwaltungen durchgesetzt. Im Zeichen der Einspa- rungen, die von Genf verlangt wurden, war es jedoch aussichtslos, zwischen die Gemeinden und die Länder noch neue Volksvertretungen einzuschalten, deren Kostspieligkeit auf der Hand lag. Es kam doch alles darauf an, die Zeit der Kontrolle möglichst abzukürzen. Eine immer stärker in Erschei- nung tretende Wirtschaftskrise, das sprunghafte Ansteigen der Zahl der Ar- beitslosen, die die Arbeiterkammern sogar veranlaßte, von der Regierung besondere Vorkehrungen zur Ermöglichung einer großzügigen Auswande- rung zu verlangen, erklärten das Zögern des Völkerbundes, die Sanierung in Österreich als beendet zu betrachten. Wiederum ging das Wort von der Le- bensunfähigkeit Österreichs um, das unter der wirtschaftlichen Absperrung der Nachfolgestaaten schwer zu leiden hatte. Darauf hat Finanzminister Ahrer bei einem Besuch in London im Frühjahr 1925 nachdrücklich hinge- wiesen. Schließlich kam es dazu, daß der Völkerbund die wirtschaftliche Lage Österreichs durch zwei Experten, Layton und Rist, untersuchen ließ, die in ihrem Berichte vom September 1925 feststellten, der Staat sei lebens- fähig, leide nur in besonderem Maße unter den Schwierigkeiten, mit denen im Grunde ganz Europa zu kämpfen habe.

So kam es im September 1925 in Genf zu der Zusicherung, daß mit Be- ginn des nächsten Jahres der Generalkommissär seine Kontrolle auf die für die Völkerbundanleihe verpfändeten Staatseinnahmen beschränken und nach Erledigung des Budgets für 1926 und Genehmigung des Rechnungsabschlusses für 1925 seine Tätigkeit in Wien einstellen werde. Freilich war dieses Versprechen an Bedingungen geknüpft, die nach außen die Form von „Empfehlungen" trugen. Der besondere Berater der Nationalbank sollte nach Aufhebung der Kontrolle noch weitere drei Jahre im Amte verbleiben, außerdem war vorgesehen, daß diese innerhalb einer Zeit von zehn Jahren wiederaufleben könne, falls das Gleichgewicht des Staatshaushaltes ernstlich gefährdet sei. Dieses Schwert schwebte dauernd über Österreich, besonders drohend, als wenige Jahre später die Folgen der Weltwirtschaftskrise das Land nahe an den Rand des Abgrundes brachten. Immerhin durfte man es aber als Erfolg ansehen, daß am 30. Juni 1926 der Generalkommissär Zimmermann seine Tätigkeit vollends einstellte. Die Bundesregierung war nun, allerdings mit Beschränkungen, wieder Herr im eigenen Hause.

Damit war die Sanierung im wesentlichen beendet. Der Staatshaushalt befand sich im Gleichgewicht, schwer lastete aber eine allgemeine Wirtschaftskrise auf dem kleinen Lande. Es lag nahe, daß unter diesen Umständen alle Mittel ins Auge gefaßt wurden, um die Enge des Raumes zu sprengen. Gerade die Sanierungskrise ließ wieder den Gedanken eines Zusammenschlusses aus wirtschaftlicher Notwendigkeit stärker hervortreten. Es fragte sich nur, wo eine solche Anlehnung zu suchen sei. So erhielten die Idee eines Anschlusses an Deutschland, ebenso aber alle Pläne, die auf eine Zusammenfassung der Staaten im Donauraume abzielten, erheblichen Auftrieb.

Der Anschluß war durch den Friedensvertrag und die Bindung, die Seipel in den Genfer Protokollen eingegangen war, verwehrt. Auch die Anhänger dieser Anschauung wußten, daß auf nahe Sicht damit nicht zu rechnen war. Was staatsrechtlich in weite Ferne gerückt war, konnte aber durch unermüdliche Propaganda und stille Arbeit, die sich in der Sphäre des Nichtpolitischen, der Pflege und des Ausbaues kultureller und wirtschaftlicher Beziehungen bewegte, ersetzt werden. Das Gefühl der Schicksalsgemeinschaft mit Deutschland trat unter den Kriegsteilnehmern und der heranwachsenden jungen Generation lebhaft in Erscheinung. Zweifel an der Lebensfähigkeit des eigenen Staates, Protest gegen die Siegermächte, bedrückende Enge des eigenen Landes taten dabei ihre Wirkung. Die Linke, die in der Revolutionszeit 1918/19 die Hauptträgerin der Anschlußbewegung gewesen war, hielt an diesem Gedanken fest. Die aus besonderen Umständen zu erklärenden Tendenzen, die in den Länderabstimmungen von 1921 zum Ausdruck kamen, zeigten hingegen keine Nachwirkungen. Viel bedeutender war es, daß jetzt namhafte Wirtschaftskreise, die anfangs die Nachteile, die ein Anschluß bringen würde, sehr gefürchtet hatten, immer mehr umzudenken begannen, ja diesen sogar als wirtschaftliche Notwendigkeit hinstellten. Das war die Ebene, auf der man unter den obwaltenden Umständen noch am ehesten Fortschritte erzielen konnte. Gewisse imperialistische Bestrebungen, die von der im Wiederaufstieg begriffenen deutschen Schwer-

industrie ausgingen, spielten hier ebenso mit wie die Lehre vom Selbstbestimmungsrecht der Völker.

Deutschland bewahrte diplomatische Zurückhaltung. Als Reichskanzler
Marx und Reichsaußenminister Stresemann im März 1924 in Wien weilten
— es war dies der erste Auslandsbesuch deutscher Staatsmänner nach dem
Kriegsende —, sprach man zwar deutlich von der kulturellen Verbunden-
heit, im Sachlichen bezogen sich aber die Verhandlungen auf aktuelle
Fragen, wobei die Regelung der Handelsbeziehungen im Vordergrund
stand. Auch der Besuch, den Bundeskanzler Ramek im folgenden Jahr in
Berlin abstattete, hielt sich in diesem Rahmen; es war dafür gesorgt, daß nirgends der Verdacht aufkommen könne, man wolle sich über die in den Verträgen von Versailles und Saint-Germain übernommenen Verpflichtungen
hinwegsetzen.

Der Koalitionspakt, der seit dem Regierungsantritt Seipels zwischen den
Christlichsozialen und den Großdeutschen bestand, enthielt die Vereinbarung, an der Anschlußpolitik festzuhalten, in außenpolitischen Fragen mit
der deutschen Reichsregierung stets Fühlung zu halten und der Anschlußpropaganda der Großdeutschen Volkspartei volle Freiheit zu lassen. Bei der
Regelung der wirtschaftlichen Beziehungen zu den Nachfolgestaaten sollte
jede Bindung, welche die Errichtung eines Donaubundes oder die Einbeziehung Österreichs in eine deutschfeindliche Mächtegruppe fördern würde,
vermieden werden.

Solange Seipel mit überlegener Ruhe die Außenpolitik lenkte, ordneten
sich die Regierungsparteien ihm unter. Als aber der Christlichsoziale Heinrich Mataja als Außenminister in die Regierung Ramek trat, hörten die internen Zwistigkeiten nicht auf. In seiner nervös-fahrigen Art brachte er
immer wieder Unruhe hervor, die auch innenpolitisch heftige Rückwirkungen zeitigte. So hielt er einmal in der Absicht, dem jugoslawischen Vorwurf entgegenzutreten, daß Wien ein Kommunistennest sei, weil sich dort
verschiedene Emigranten aus dem Südosten aufhielten, eine Rede, die Rußland verstimmte und ihm heftige Vorwürfe der sozialdemokratischen Opposition eintrug, da sie die eben sich anbahnenden wirtschaftlichen Beziehungen zu Rußland, die für Österreich eine gewisse Arbeitsbeschaffung
bedeuteten, gefährdet sah. Mataja mußte den Rückzug antreten. Dies blieb
ihm auch nicht erspart, als er anläßlich einer Romreise der „Tribuna" ein Interview gab, über das die Großdeutschen erbittert waren. Sie warfen ihm
vor, er habe in seinen Äußerungen die Anschlußbewegung bagatellisiert,
während doch kurz vorher der legitimistisch eingestellte frühere kaiserliche
Ministerpräsident Hussarek geschrieben hatte, in Österreich würden
95 Prozent der Bevölkerung für den Anschluß stimmen.

Ohne Zweifel war der Anschlußgedanke in Österreich stark verbreitet. Zu
Beginn des Jahres 1925 führten die großdeutschen Parteiführer, Dinghofer
und Frank, der einstige Vizekanzler in der Regierung Seipel, in Berlin Ver-

handlungen mit Politikern der Deutschnationalen und Deutschen Volkspartei und wurden auch vom Reichspräsidenten, dem Reichskanzler und
dem Reichsaußenminister empfangen. Was sie von dort mitbrachten, war
die Erkenntnis, daß die Anschlußbewegung auf das Geleise des Unpoliti-
schen, die Vertiefung der kulturellen und wirtschaftlichen Beziehungen, zu
führen sei. Von da ab begann man, sich mit den Möglichkeiten einer Zollunion zu befassen, deren versuchte Verwirklichung wenige Jahre später zu
einer europäischen Haupt- und Staatsaktion werden sollte. Organisationen,
wie der „Österreichisch-Deutsche Volksbund" und die „Deutschösterreichische Arbeitsgemeinschaft" boten den geeigneten Rahmen zur Erörterung
solcher Probleme, deren Verwirklichung noch in weite Ferne gerückt schien.

An eine gewaltsame Lösung dachte niemand, man vermied, sich auch nur
mit Worten nach irgend einer Richtung festzulegen. Bundeskanzler Ramek
meinte sogar einmal: „Donauföderation, Anschluß, Bildung größerer wirtschaftlicher Einheiten in Mitteleuropa — wir Österreicher fühlen uns in
keiner Weise bewogen, dazu Stellung zu nehmen." Renner, der sich damals
im „Österreichisch-Deutschen Volksbund" führend betätigte, erwartete, daß
das allgemeine Streben nach Weltwirtschaft und übernationalen Staats-
gemeinschaften den Anschluß von selbst reifen lassen würde. Anders dachte
sein Parteigenosse Otto Bauer, der als Staatssekretär in den Jahren 1918 und
1919 den Anschluß an Deutschland zum Schwerpunkt seiner Außenpolitik
gemacht hatte. Er hielt den Anschluß erst dann für durchführbar, wenn
wieder die Revolution durch Europa gehen werde, um die französische
Bourgeoisie und den italienischen Faschismus zu stürzen. Darum lehnte er
eine nationale Einheitsfront mit dem Bürgertum im Kampf um den Anschluß ab und rechnete für die Erreichung dieses Zieles, an dem auch er
nach wie vor festhielt, mit der Bundesgenossenschaft des französischen und
italienischen Proletariats.

Der Schlüssel zur Lösung des ganzen Problems lag tatsächlich bei Frank-
reich und Italien und jenen Mächten, die eine Störung des europäischen
Gleichgewichtes nicht dulden wollten, die jede Änderung des Status im
Herzen Mitteleuropas bedeuten mußte. Italien hatte weniger Sorge davor,
Deutschland als Nachbarn an der Brennergrenze zu bekommen, vielmehr
fürchtete es eine aktive deutsche Außenpolitik am Balkan. Darum hielt es
auch den Anschluß als solchen für weniger gefährlich als die Beteiligung
Österreichs an irgendwelchen mitteleuropäischen Systemen, denen auch
Deutschland angehören würde. Man wußte doch, daß Österreich unter
keinen Umständen bereit wäre, eine außenpolitische Linie zu verfolgen, die
nicht die Zustimmung Deutschlands finden würde.

Das später von Seipel geprägte Wort: „Keine Kombination ohne Deutschland" bildete auch damals seinem Sachgehalt nach die Richtschnur des politischen Handelns der österreichischen Staatsmänner. Gewiß gab es manche
Kreise, die das Problem allzusehr zu vereinfachen suchten. Es fehlte auch

nicht an solchen, die einmal den Anschluß als eine unerreichbare Utopie betrachteten, das andere Mal sich aber allen möglichen Illusionen über eine rasche Verwirklichung hingaben. Dadurch kam etwas Widerspruchsvolles in die Politik der Großdeutschen Volkspartei, man sprach von der Lebensfähigkeit Österreichs, wenn man sich um ausländische Kredite bemühte und behauptete das Gegenteil, wenn man das politische Ziel des Anschlusses vorantreiben wollte. Die Christlichsozialen, von denen auch einige Männer wie Drexel, Hugelmann und Streeruwitz in der Anschlußbewegung mitarbeiteten, verhielten sich im Grunde neutral. Die Neufassung ihres Parteiprogramms vom 29. November 1926 sprach unter Vermeidung des Wortes „Anschluß" von einer Ausgestaltung des Verhältnisses zum Deutschen Reich auf Grund des Selbstbestimmungsrechtes.

Über den bloßen Alltag hinaus — mit seinen Sängerfesten, Zeitungsartikeln und Verbrüderungsreden bei gegenseitigen Besuchen im Rahmen wirtschaftlicher und kultureller Vereinigungen — dachten wenige an eine echte Entscheidung in einer rein politischen Sphäre. Einer der wenigen war Ignaz Seipel. Viel konkreter als Renner schwebten ihm Lösungsmöglichkeiten auf europäischer Ebene vor. Er gehörte dem Präsidium der Paneuropa-Union an, welche Bewegung bezeichnenderweise gerade von Wien ausging und im Jahre 1926 ihren ersten Kongreß in dieser Stadt abhielt.

Seipel meinte, Österreich sei kein Staat, der seinen Bewohnern als die notwendige und selbstverständliche Form ihres Zusammenlebens erscheine, es sei rein aus Gründen der europäischen Politik geschaffen worden und hänge daher mehr als ein anderer Staat von dieser ab. Er vertrat die Auffassung, daß die Österreicher keine von der deutschen verschiedene Nation seien und hielt es für die Aufgabe der Deutschen, Europa aufzubauen. Darum bezeichnete er es als ganz falsch, daß man den Anschluß an Deutschland als einen Gegensatz zu einer Föderation der Staaten im Donaubecken hinstellte. Im Grunde wollten die Österreicher beides als Vorstufe eines europäischen Systems und Bürgschaft für den Frieden. Er lehnte die Politik des ständigen Demonstrierens gegen Tatsachen ab, man dürfe nur Realpolitik treiben und müsse die Welt davon überzeugen, daß Österreich die Verträge achten werde. In einem Vortrag an der Pariser Sorbonne am 3. Juni 1926 sprach er es darum deutlich aus, Österreich wolle an der durch die Gleichheit der Sprache und Kultur zum Ausdruck kommenden Bluts- und Schicksalsgemeinschaft mit Deutschland festhalten, dabei aber für die große Idee der Völkerverständigung eintreten, ohne sich vor dem Tage der Reife auf eine bestimmte Formel festzulegen.

An solchen Formeln fehlte es ja nicht. Die Gedanken einer Donauföderation, eines Staatenbundes und einer Zollunion zwischen den Nachfolgestaaten der alten Monarchie, wurden erörtert. Hier tat sich ein beträchtlicher Gegensatz zwischen Frankreich, in dessen Kielwasser die Kleine Entente segelte, und Italien auf. Daß die ökonomischen Verhältnisse einen

Abbau der Zollmauern erheischten, sah man auf allen Seiten ein. Eine befriedigende Lösung zu finden, die nicht das Übergewicht irgendeiner Mächtegruppe bedeutet hätte, fiel aber sehr schwer. Einmal sprach man von einem Block, der die Tschechoslowakei, Jugoslawien, Ungarn, Rumänien und Österreich umfassen sollte, wogegen Italien Einspruch erhob; ein andermal von Vorzugszöllen, die Österreich von Italien und der Tschechoslowakei erhalten sollte, ohne sie aber selbst zu gewähren, was mit dem Prinzip der Meistbegünstigung nicht in Einklang stand. Mataja wollte diese Fragen in Genf aufrollen, sah aber davon ab, als aus Bukarest, wo sich die Vertreter der Kleinen Entente zusammengefunden hatten, eine scharfe Warnung kam. In Einzelheiten kam es allerdings mit dem tschechischen Außenminister Beneš zu Vereinbarungen. So wurde der vielumstrittene Vertrag von Lana, dessen Geltungsdauer abgelaufen war, durch einen allgemeinen Schiedsvertrag ersetzt und auch mit Polen und Schweden ähnliche Abkommen getroffen.

Das waren keine in die Augen springenden Erfolge der Außenpolitik Matajas. Die verschiedenen Projekte, die er für die wirtschaftliche Organisierung des Donauraumes ins Auge gefaßt hatte, erwiesen sich als undurchführbar. Das hätte noch nicht seinen Sturz herbeigeführt. Als er aber heftige Angriffe der Sozialdemokraten in offener Parlamentssitzung mit einer maßlosen Gegenrede erwiderte, kam es zum Bruch und nach einigen Monaten zu seiner Demission, welche durch die Beziehungen des Außenministers zu der Biedermannbank beschleunigt wurden. Ein parlamentarischer Untersuchungsausschuß fand zwar den Vorwurf, daß diese Bank von der Regierung in besonderem Maße gefördert und Mataja von diesem Institut in auffallender Weise begünstigt wurde, nicht erwiesen, es kam aber doch zuviel schmutzige Wäsche an die Öffentlichkeit: Börsenspekulationen aktiver Politiker, Devisenvergehen, Steuerhinterziehungen. Das war aber erst der Anfang dessen, was im folgenden Jahre an anrüchigen Verbindungen zwischen Politik und Geschäft bekannt wurde.

In diesen neuen Fällen, die sich in der Hauptsache um den Zusammenbruch der Centralbank der deutschen Sparkassen und die hohen Verluste der Postsparkasse gruppierten, ging es nicht darum, welche Politiker mehr oder weniger angeschlagen aus der Untersuchung hervorkamen, sondern um die schweren finanziellen Opfer, die die Allgemeinheit zu tragen hatte. Die Regierung sah sich genötigt, um einen Zusammenbruch der österreichischen Sparkassen hintanzuhalten, 62,5 Millionen Schilling zur Stützung der Centralbank aufzuwenden. Da sie dazu nicht die Zustimmung des Parlaments eingeholt hatte — sie durfte sich durch das Verwaltungsentlastungsgesetz gedeckt halten —, kam es zu schweren Angriffen der Opposition, die die Erhebung der Ministeranklage gegen die Regierung verlangte, was aber von der Mehrheit abgelehnt wurde. Doch mußte sie der Einsetzung eines parlamentarischen Untersuchungsausschusses zustimmen. Dieser bot den

Sozialdemokraten unter der geschickten Taktik des Abgeordneten Danneberg reichlich Gelegenheit zur Entfaltung propagandistischen Feuerwerks, doch muß dahingestellt bleiben, ob man sich ansonsten zur Behebung der schweren Mißstände, die aufgedeckt wurden, so leicht verstanden hätte. Nur wenige Fälle von persönlichen Bereicherungen einzelner Politiker lagen vor. Die Schwierigkeiten der Centralbank gingen auf den Zusammenbruch zahlreicher kleinerer Banken in den Bundesländern zurück, die sich auf gewagte Geschäfte, darunter die Spekulation mit dem Franc, eingelassen hatten. Sanierungsversuche geschahen häufig unter parteipolitischem Druck. Klassisches Beispiel für eine derartige Kettenreaktion war das Schicksal der Steirerbank, die nach dem Krieg aus politischen Überlegungen gegründet wurde. Die inflationäre Scheinblüte hatte in großem Ausmaß derartige regionale Banken hervorgebracht, die zum einen regionalen Wirtschaftsbedürfnissen dienen und zum anderen — damit verbunden — als politisches Machtinstrument Abhängigkeiten schaffen sollten. Stabilisierungskrise, mangelndes Kapital und mißglückte Spekulationen in der Grauzone zwischen „Politik und Geschäft" (Pferschy) führten zu Zahlungsschwierigkeiten, zu mißglückten Fusionsverhandlungen, und schließlich arrangierte Finanzminister Ahrer eine diskrete Rettung der Steirerbank durch die Übernahme von 90 Prozent der Aktien durch die ohnehin selbst massivst angeschlagene Centralbank der deutschen Sparkassen, nach deren Zusammenbruch weitere Fusionierungsmaßnahmen erfolgten. Wenn nun letzten Endes die Allgemeinheit aus Steuergeldern dafür aufkommen mußte, so liegt es auf der Hand, daß dadurch das Vertrauen zu den Regierungsparteien schwer erschüttert wurde.

Kaum war die Centralbankangelegenheit zu Lasten der Steuerträger erledigt, wurden die Verluste der Postsparkasse bekannt. Sie betrugen ungefähr das Doppelte, nämlich 125 Millionen Schilling, für die gleichfalls der Staat aufkommen mußte. Dieses Institut, dessen rechtliche Stellung im Hinblick auf die Nachfolgestaaten lange strittig war, hatte in der Inflationszeit sein Vermögen nahezu eingebüßt. Es hatte sich daher ebenfalls auf große Spekulationen eingelassen und an der Konterminierung des französischen Franc beteiligt, dadurch aber schwerste Verluste erlitten. Verhängnisvoll war es, daß die Postsparkasse eine Geschäftsverbindung mit dem Bankmann Sigmund Bosel eingegangen war und diese in so leichtfertiger Weise durchgeführt hatte, daß Bosel vom Schuldner zum Gläubiger wurde. Dabei handelte es sich jeweils um Beträge von mehreren Millionen Dollar. Große Schuld ist in diesem Falle dem Finanzminister Ahrer beizumessen, der diesen Praktiken zustimmte, wenngleich er nicht als der alleinige Sündenbock angesehen werden darf. Auch Bundeskanzler Ramek und der ressortmäßig zuständige Handelsminister Hans Schürff haben sich in diesen Dingen viel zu lax verhalten. Der Hauptverdacht traf zweifellos Finanzminister Ahrer, der diesen abenteuerlichen Praktiken zustimmte, wohl auch deshalb, weil Bosel stets ein offenes Ohr für Finanzierungswünsche im Vorfeld der Christlich-sozialen, insbesondere auch im Vorfeld Rintelens und im Bereich der von diesem geförderten Heimwehrgruppen hatte. Aber auch der Handelsminister hatte zumindest grob fahrlässig gehandelt, da er in Kenntnis der Unregelmäßigkeiten in der Postsparkasse nichts unternommen hatte. Bosel, der später sein riesiges Vermögen verlor und wegen Betruges und Meineides eingekerkert wurde, hatte übrigens auch zeitweise mit den Sozialdemokraten im Bereich der Ankerbrotwerke zusammengearbeitet. Da Ahrer aus Gründen seines Privatlebens von seiner Partei fallengelassen wurde, später nach Kuba auswanderte, von dort zurückkehrte und wenig später unter geheimnisvollen Umständen wieder abreiste, hefteten sich zahlreiche Gerüchte an ihn, deren Dunkel aber auch der Parteichef Seipel mit voller Absicht nicht aufhellte.

Es zeigte sich, daß die Regierung Ramek nicht weiter im Amt bleiben konnte, man wartete nur einen passenden Moment für den Rücktritt ab. Dieser ergab sich, als wieder einmal ein Konflikt mit den Bundesangestellten ausbrach, deren Gehaltsforderungen nicht erfüllt werden konnten. Schon im Jänner 1926 hatte Ramek sein Kabinett umgebildet, wobei Mataja und Ahrer ausgeschieden waren. Unstimmigkeiten über das von diesem propagierte „Steirische Wirtschaftsprogramm", das zu sehr auf die Bedürfnisse eines einzigen Landes, mehr noch auf die Wünsche bestimmter Interessentenkreise zugeschnitten war, hatten seinen Rücktritt veranlaßt. Der Finanzminister wurde durch den Bürgermeister von Baden bei Wien, Josef Kollmann, ersetzt, der sich aber den auf ihn einstürmenden Problemen nicht gewachsen zeigte.

Das Außenamt übernahm nach dem Ausscheiden Matajas der Bundeskanzler persönlich. Er reiste nach Berlin und besuchte auf der Rückfahrt Prag. Als Deutschland in den Völkerbund aufgenommen wurde, fuhr er nach Genf und hielt dort eine warme Begrüßungsrede. Es war in der Tat ein Zeitpunkt, an dem es berechtigt zu sein schien, Hoffnungen für die Zukunft zu schöpfen. Das deutsch-französische Abkommen von Locarno und der Eintritt Deutschlands in den Völkerbund beendeten eine Epoche. Auch Österreich durfte aufatmen. Nicht mit Unrecht schrieb damals der Gründer der Paneuropabewegung, Richard Graf Coudenhove-Kalergi: „Von Österreich kann die Europafrage aufgerollt werden und von Europa aus kann die österreichische Frage gelöst werden."

Die Frage der Lebensfähigkeit Österreichs

Obwohl die österreichische Wirtschaft in der Mitte der zwanziger Jahre wieder in Gang gebracht war und einzelne Zweige der Industrie und Landwirtschaft beachtliche Produktionssteigerungen aufweisen konnten, stellte sich ein festes Vertrauen in die Zukunft des Landes nicht ein. Der Zweifel an der „Lebensfähigkeit Österreichs" muß als ein bestimmendes Element der Periode von 1918 bis 1938 betrachtet werden. Er hat zeitweise geradezu eine lähmende Wirkung auf den Willen der Bevölkerung ausgeübt, ihr Schicksal zu meistern. Der schnelle Zusammenbruch der Donaumonarchie und die sich daraus ergebende Zerstückelung des bis dahin weitgehend autarken Wirtschaftsgebietes hatten Ratlosigkeit und Verzweiflung ausgelöst. Die folgende Inflation begann die Vermögenssubstanz aufzuzehren. Vorstellungen über die besseren Chancen größerer Wirtschaftsgebilde beherrschten das Denken. Eng verbunden damit waren politische Bestrebungen. In einer Rede am 29. Juli 1919, einem Rechenschaftsbericht über acht Monate Auswärtige Politik, sagte Otto Bauer, eine Vereinigung Deutschösterreichs mit Deutschland sei eine wirtschaftliche, eine politische, eine kulturelle Notwendigkeit. Denn ein Land, das keine Kohle habe, das keine Lebensmittel im eigenen Land erzeugen könne, auch keine Exportindustrie besitze, könne nicht selbständig existieren. Es würde im Dienste fremder Kapitalisten ein Leben der Knechtschaft, der Not und des Elends führen.

Diese Meinung griff weit über die Anhänger der Sozialdemokratischen Partei hinaus. Noch 1925 mußte der Nationalökonom Friedrich Hertz, einer der wenigen, die anderer Auffassung waren, feststellen: Die Frage, ob der neue Staat, der in höchstem Maße auf die Einfuhr der lebenswichtigsten Güter angewiesen und dabei durch Friedensverträge von seinen natürlichen Absatzgebieten abgeschnitten war, überhaupt imstande sein werde, diese Einfuhr mit den Produkten seiner Arbeit zu bezahlen, wird von der öffentlichen Meinung fast einhellig entschieden verneint. Es verging kaum ein Tag, an dem nicht die Presse ohne Unterschied der Partei versicherte, Österreich sei nicht lebensfähig. Selbst Viktor Kienböck, der Finanzminister, der gemeinsam mit Ignaz Seipel das Sanierungswerk durchführte, kam zu dem Schluß, daß er die Lebensfähigkeit Österreichs nicht unbedingt bejahen könne, sie sei eine Frage der Anpassung. Ähnlich wie Seipel, der angesichts der Loslösungsbestrebungen einzelner Länder bereits 1920 erklärt hatte, man müsse beisammenbleiben, weil die „andern" das Auseinandergehen nicht gestatten würden, so meinte jetzt Kienböck: Österreich werde von der Welt nicht gefragt, ob es in seinem jetzigen Umfang lebensfähig sei. Es stehe da und sei gezwungen zu leben. Wie immer man über die Zukunft Europas denke, Österreich müsse alles daransetzen, eine andere, bessere Zukunft in Europa ohne zwischenzeitige Katastrophe zu erleben.

Es hing also alles davon ab, ob sich die österreichische Wirtschaft den Bedingungen, wie sie sich aus dem Zusammenbruch ergaben, anpassen werde oder nicht. Die natürlichen Voraussetzungen schienen nicht die besten. Österreich verfügte nur über 21 Prozent Ackerland, weniger als die Schweiz, besaß aber 13 Prozent Ödland. Steinkohle fehlte fast gänzlich, das Erträgnis der Landwirtschaft war auf die Hälfte, die Industrieproduktion auf 40 Prozent des Jahres 1914 gesunken. Der Reichtum an Holz und Eisen sowie der allmählich einsetzende Ausbau der Wasserkräfte eröffneten jedoch günstigere Aussichten. Die Milchwirtschaft konnte schon bis 1923 ihre Produktion um 32 Prozent steigern, zuletzt konnte sie den Bedarf zu 100 Prozent decken, beim Schlachtvieh wurden 75 Prozent erreicht. Förderlich erwies sich der Zollschutz, der der Landwirtschaft zuteil wurde. Auch der Aufschwung des landwirtschaftlichen Genossenschaftswesens, der Raiffeisenkassen und Bildungseinrichtungen fiel ins Gewicht. Nach dem Einbruch der Weltwirtschaftskrise bekam allerdings auch die Landwirtschaft die geänderten Verhältnisse zu spüren, Butter mußte zu Verlustpreisen exportiert werden und Holz blieb fast unverkäuflich.

Auch für die Industrie war die kurze Spanne der Jahre 1923 bis 1929 zu kurz, um den Anpassungsprozeß zu vollenden und die bestehenden Strukturschwächen der österreichischen Wirtschaft auszugleichen. Die Eisen- und Stahlproduktion sank von 1928 bis 1933 auf ein Siebentel. Die dann einsetzende Belebung leitete sich von der Rüstungskonjunktur, dem Ausbau des Bundesheeres und den Rückwirkungen der deutschen Aufrüstung, her. War doch die Alpine Montangesellschaft, die über den Erzberg verfügte und das obersteirische Industriegebiet beherrschte, mehrheitlich in deutschen Händen. Die Aktienmehrheit war in italienische Hände gekommen und aus diesen an Hugo Stinnes und die Vereinigten Stahlwerke in Düsseldorf übergegangen. Blieb da und dort der wirtschaftliche Aufschwung nicht aus, so war an manchen Stellen die Gefahr einer Überfremdung nicht von der Hand zu weisen. Nur allmählich und niemals ganz gelang der Industrie die Umstellung auf die Notwendigkeit einer gesteigerten Ausfuhr. Die Produktionskosten blieben im allgemeinen zu hoch.

Erst spät wandte sich die öffentliche Hand einer gezielten Arbeitsbeschaffung zu. Auch während der relativen Konjunktur der Jahre 1927 bis 1929 sank die Zahl der Arbeitslosen kaum wesentlich ab. Ab diesem Zeitpunkt stieg die Zahl der Arbeitslosen und erreichte einen absoluten Höhepunkt 1933 mit über 550.000. Daneben gab es noch eine gravierende versteckte Arbeitslosigkeit, die schon mit der Eingliederung der Kriegsheimkehrer in die Nachkriegswirtschaft eingesetzt hatte, als man Frauen aus ihren Stellen zu drängen begann. Die breite Palette der Arbeitssuchenden — die Bezieher der Arbeitslosenunterstützung, die „Ausgesteuerten", die Schulabgänger, die noch nie gearbeitet hatten und denen jede Aussicht fehlte — mußten die „Lebensfähigkeit" Österreichs ebenso in Zweifel ziehen, wie jene, die täglich um ihre Arbeitsplätze zitterten, auf denen sie nur zu oft auf Kurzarbeit gesetzt waren.

Nur zögernd entschloß sich die Bundesregierung, von dem Grundsatz der unbedingten Aufrechterhaltung des Gleichgewichtes im Staatshaushalt, wie er seit dem Sanierungswerk als Axiom galt, abzugehen. Durch die Begebung der Trefferanleihe 1933, der Arbeitsanleihe 1933 und der Investitionsanleihe

Arbeitslosigkeit in Österreich 1919 bis 1937

Jahr	Gesamtzahl	Zahl der unterstützten Arbeitslosen	Arbeitslosenrate	Anteil der Unterstützten an der Gesamtzahl
1919	414.000	147.196	18,4 %	44 %
1920	93.000	32.217	4,2 %	41 %
1921	31.000	11.671	1,4 %	42 %
1922	107.000	49.434	4,8 %	48 %
1923	203.000	109.786	9,1 %	53 %
1924	188.000	95.225	8,4 %	48 %
1925	220.000	149.980	9,9 %	68 %
1926	244.000	176.536	11,0 %	72 %
1927	217.000	172.478	9,8 %	80 %
1928	183.000	156.185	8,3 %	85 %
1929	192.000	164.477	8,8 %	86 %
1930	243.000	208.389	11,2 %	86 %
1931	334.000	253.367	15,4 %	76 %
1932	468.000	309.968	21,7 %	66 %
1933	557.000	328.844	26,0 %	60 %
1934	545.000	278.527	25,5 %	53 %
1935	515.000	261.768	24,1 %	51 %
1936	515.000	259.187	24,1 %	50 %
1937	464.000	231.320	21,7 %	50 %

(Stiefel, Arbeitslosigkeit)

1937 sowie die zeitweise Teilung des Staatsvoranschlages in einen ordentlichen und außerordentlichen Haushalt machte man einige tastende Schritte in dieser Richtung. Die Abhängigkeit vom Ausland war eine Ursache dieses Zögerns, auch lagen die Schrecken der Inflation, die vor allem den Mittelstand betroffen hatte, noch vielen in den Gliedern.

In der Tat war die Sanierung der österreichischen Währung durch eine dauernde Stagnation der Wirtschaft erkauft worden, die nach dem Einsetzen der Weltwirtschaftskrise keiner Hoffnung Raum zu geben schien. Die Stabilisierung der Währung, herbeigeführt durch einen Völkerbundkredit und einschneidende Maßnahmen im Innern — Erhöhung der Einnahmen und radikale Senkung der Ausgaben — ging jedoch an dem von vornherein ziemlich labilen österreichischen Kreditapparat nicht spurlos vorbei. Auch hier handelte es sich um eine Anpassungsfrage. Noch bestanden enge Verflechtungen mit den Nachfolgestaaten der Monarchie. Die Abwälzung der Verluste kleinerer Banken, die gleichwohl in der Monarchie einen Namen hatten, auf die großen Institute, wie Bodencreditanstalt und Creditanstalt, brachte nur Augenblickserfolge. Das bittere Ende folgte in den Jahren 1929 und 1931 nach, als die notwendig gewordene staatliche Hilfe das Budget und die Währung aufs schwerste gefährdeten. Politische Erschütterungen gingen nebenher. In ähnlicher Weise bedeutete der Zusammenbruch der Versicherungsanstalt Phönix im Jahre 1936 eine Katastrophe angesichts des Kampfes, den Österreich gegenüber dem Nationalsozialismus zu bestehen hatte. Wieder war — jetzt in einer von außen bedrohten Situation — die Frage der „Lebensfähigkeit" aufgerollt. Von den Zeitgenossen ließ sie sich kaum in eindeutiger Weise beantworten. Darüber haben erst die folgenden Ereignisse und Erfahrungen Klarheit gebracht. Daß aber diese Frage immer wieder gestellt werden konnte, hat sicherlich dazu beigetragen, daß es bis 1938 nicht gelungen ist, inmitten einer Welt des wirtschaftlichen Nationalismus eine überzeugende Wirtschaftsstruktur aufzubauen.

IV

DIE KRISE DER PARLAMENTARISCHEN DEMOKRATIE

Die zweite Regierungsperiode Seipels

Als sich Ignaz Seipel entschloß, die Nachfolge des Bundeskanzlers Ramek anzutreten, meinte er: „Österreich geht es nicht so schlecht, daß ich das Kanzleramt übernehmen müßte, aber auch nicht so gut, daß ich es ablehnen dürfte." Das Kabinett, das Seipel am 16. Oktober 1926 bildete, blieb zweieinhalb Jahre im Amte. In diesem Zeitraum erreichte Seipel den Höhepunkt seiner Macht. Das Sanierungswerk war abgeschlossen, der Staatshaushalt befand sich im Gleichgewicht, die Festigung der Wirtschaft machte Fortschritte. Es galt, den Schlußstrich unter jene krisenhaften Erscheinungen zu ziehen, deren sinnfälliger Ausdruck die Reihe der Bankzusammenbrüche gewesen war. Der Ausbau der sozialen Errungenschaften, deren Verwirklichung mit dem Namen des Sozialdemokraten Hanusch verknüpft ist, wurde nun unter der Leitung des Christlichsozialen Resch, der schon in der Regierung Renner als Unterstaatssekretär daran beteiligt gewesen war, weitergeführt.

„Allein die Neubildung bzw. Fortbildung dieser Rechtsbereiche erlaubt es, Sozialpolitik insgesamt als Faktor wachsender Integration der davon betroffenen Gruppierungen in den Staat anzusehen" (Bruckmüller, Sozialstruktur). Innerhalb des privatkapitalistischen Rahmens der österreichischen Wirtschaft war angesichts der schlechten ökonomischen Rahmenbedingungen einer krisenanfälligen Weltwirtschaft die angestrebte Neuverteilung von Gütern äußerst schwierig. Hinzu kam, daß das durch die österreichische Kapitalschwäche angezogene ausländische Kapital an innerösterreichischen Integrationsprozessen naturgemäß desinteressiert war bzw. sich — wie das reichsdeutsche Kapital etwa im Bereich der Alpine Montan — als Faktor der Desintegration verstand und die Politik auf Anschluß und gegen gewerkschaftliche bzw. sozialpolitische Interessen richtete. Angesichts dieser Staatsfeindlichkeit muß festgehalten werden, daß es zweifellos ein Versäumnis der Sozialdemokraten in den Jahren 1918 bis 1920 darstellt, Verstaatlichungen nicht durchgesetzt zu haben. Die Repräsentanten des bürgerlichen Lagers waren ihrem privatwirtschaftlichen Denken so verhaftet, daß man selbst zwischen 1933 und 1938, als die Staatsgefährdung durch die deutsche Penetration der österreichischen Wirtschaft evident zu Tage trat, in dieser Frage paralysiert blieb.

Der Schwerpunkt der sozialpolitischen Gesetzgebung lag in den Jahren 1918 bis 1921. Das schon Ende 1918 geschaffene provisorische Achtstundentagsgesetz erhielt am 17. Dezember 1919 unter dem Einfluß der Ergebnisse der Internationalen Arbeitskonferenz zu Washington eine endgültige Gestalt. In den Koalitionsvereinbarungen vom Oktober 1919 behandelte ein Abschnitt den Ausbau der sozialpolitischen Gesetzgebung. Das meiste davon wurde durchgeführt: Die Errichtung von Arbeiterkammern, eine zeitgemäße Form der Arbeitslosenversicherung, die gesetzlichen Grundlagen für den Abschluß von Kollektivverträgen. Andere Maßnahmen gingen damit Hand in Hand: Regelung der Arbeiterurlaube, der Heim- und der Nachtarbeit, das Hausgehilfinnengesetz, Vorsorgen für die Arbeitnehmer im Bäckergewerbe und Bergbau. Das Gesetz über die Angestelltenversicherung fand jedoch erst zu Ende 1926, jenes über die Altersversicherung der Arbeiter erst am 1. April 1927 seine parlamentarische Erledigung. Dieses trat jedoch zunächst noch nicht in Kraft. Sein Wirksamkeitsbeginn wurde an einen „Wohlstandsindex" geknüpft, erst wenn der Durchschnitt der jährlichen Arbeitslosenziffer unter 100.000 gesunken sei, sollte sie in Kraft treten. Die Tragfähigkeit der Wirtschaft war zu schwach, um alle noch so berechtigten Wünsche erfüllen zu können. Freilich gingen die Meinungen der Regierung und der Opposition auseinander, ob nicht durch eine andere Wirtschaftspolitik die für den Ausbau der sozialen Fürsorge notwendigen Mittel wenigstens teilweise aufgebracht werden könnten; dem widersprach aber der Kurs, den man seit der Sanierung der Staatsfinanzen eingeschlagen hatte, und auch die Person des neuen Finanzministers Kienböck, der mit unerbittlicher Härte das Gleichgewicht des Staatshaushaltes als Grundlage der Währungsstabilität verteidigte.

Es liegt auf der Hand, daß durch diese Politik die sozialen Spannungen im Innern des Staates verschärft wurden und die Reibungen zwischen den Regierungsanhängern und der in Opposition stehenden Sozialdemokratie an Bedeutung gewannen, zumal auf beiden Seiten die Neigung bestand, einander nicht einmal die gute Absicht zuzubilligen. Darum rückte der Ausweg, in Neuwahlen eine Entscheidung zu suchen, immer stärker in das Blickfeld der maßgebenden Politiker. Eine gewisse Stagnation lag über dem Lande, ungelöste Probleme häuften sich an, ohne daß abzusehen war, ob sich über die Zerklüftung der Parteien hinweg eine halbwegs tragfähige Lösung, die den sachlichen Gegebenheiten entsprach, werde finden lassen.

So harrte die dornenvolle Lösung der Mietenfrage noch ihrer Erledigung. Ein Weg, volkswirtschaftliche Erfordernisse mit der notwendigen Sicherung der Lohnempfänger und Besitzlosen in Einklang zu bringen, war noch nicht gefunden. Man bemühte sich auch nicht sonderlich darum, es schien den Parteien nutzbringender, daraus eine politische Machtfrage zu machen. Den Schaden trug das Ansehen der Demokratie davon, da die durch die Bundesverfassung geschaffenen Einrichtungen nicht funktionierten und zeitweise durch Obstruktion lahmgelegt waren, ohne daß es die Mehrheit wagen konnte, angesichts der Machtverhältnisse außerhalb des Parlaments zu ver-

schiedenen Maßnahmen zu greifen, die die Geschäftsordnung des Nationalrates geboten hätte. Das politische Leben in der Republik steckte auch ein
Jahrzehnt nach ihrer Errichtung und nach 50 Jahren parlamentarischen Lebens in der konstitutionellen Ära der Monarchie noch in den Kinder-
schuhen. Vor allem war das für jede Demokratie so schwerwiegende Problem des Ausgleiches zwischen Mehrheitsherrschaft und Schutz der Minderheit kaum gedanklich erfaßt, geschweige denn in der Praxis gelöst.

Seipel litt darunter, daß die Handlungsfähigkeit der Mehrheit durch die
Machtpositionen, die die Sozialdemokraten innehatten, eingeschränkt
wurde, ja daß es nicht selten den Anschein hatte, die Minderheit könnte den
Regierungsparteien ihren Willen aufzwingen. So faßte er den Gedanken, in
die Wahlen, die für den 24. April 1927 ausgeschrieben wurden, mit einer
Einheitsliste einzutreten, auf der sich die altbewährte christlichsozial-großdeutsche Koalition, der außerhalb der Regierung stehende, diese jedoch un-
terstützende Landbund und die Reste des liberalen Bürgertums, das in einzelnen wirtschaftlichen Körperschaften den Ton angab, zusammenfinden
sollten.

Der Landbund lehnte sofort ab. Als bäuerliche Standespartei war er be-
strebt, durch selbständiges Auftreten dem festgefügten christlichsozialen
Reichsbauernbund da und dort den Boden abzugraben. Nicht ohne Erfolg,
wie das Wahlergebnis zeigte. Die Großdeutschen zögerten. Jahrelang hatten
sie sich vergeblich bemüht, innerhalb des „nationalen Lagers" eine Einheitsfront herzustellen. Nur mit einem Teil der Nationalsozialisten gelang es, ein
Abkommen zu treffen; jener Flügel, der der in München beheimateten Hitlerbewegung anhing, damals in Österreich aber keine Bedeutung hatte, hielt
sich fern. Es blieb noch eine Anzahl nationaler Vereinigungen, die nur
schwer unter einen Hut zu bringen waren, fast durchwegs an ihrem Arier-
standpunkt festhielten und daher ein Zusammengehen mit den bürgerlich-
demokratischen Wirtschaftskreisen nicht leicht auf sich nahmen. Schließlich
gab aber doch die Sorge der Großdeutschen um das Grundmandat, das erst
die Anrechnung von Reststimmen ermöglichte, den Ausschlag. Es folgte ein
zähes Ringen und hartnäckiges Feilschen um den jeweiligen Platz auf der
Einheitsliste, am Ende trugen sie einen Gewinn von zwei Mandaten heim
und zogen mit zwölf Abgeordneten in den neuen Nationalrat ein.

Der Wahltag brachte der Regierung einen ausgesprochenen Mißerfolg.
Wie schon 1923 waren viele Stimmen wegen der ungelösten Mietenfrage den
Sozialdemokraten zugefallen. Die Zeche bezahlten die Christlichsozialen als
Partei, die neun Mandate verloren und bloß zwei Sitze mehr als die Sozialisten errangen. Verfügte auch die Einheitsliste jetzt über 85 Stimmen, so
schien diese schwache Majorität zu gering für die Sicherung einer handlungs-
fähigen Regierung. Doch rasch gelang es Seipel, gegen Zugeständnisse auf
agrarpolitischem Gebiet den Landbund für den Eintritt in die Regierung zu
gewinnen. Die Großdeutschen fanden sich damit ab, verlangten jedoch in der

Regierungserklärung eine besondere Hervorkehrung der engen geistigen und wirtschaftlichen Beziehungen zum Deutschen Reich. Seipel trug diesem Wunsche am 19. Mai 1927 Rechnung. Er verabscheute jedwede Demonstrationspolitik, hatte auch über das Anschlußproblem seine eigenen Gedanken, doch entsprach es durchaus seiner Auffassung, von den auf gemeinsamer Abstammung und Kultur begründeten engen Beziehungen zu sprechen und daran den Wunsch nach Annäherung auf allen Gebieten zu knüpfen, soweit dies nach der Zeitlage möglich und zulässig sei.

Das Parlament zeigte sich wenig arbeitsfähig, die Schaffung eines neuen Zolltarifes, bei dem sich die Interessen der Agrarier, der Industrie und der Konsumenten überkreuzten, kam nicht vom Fleck, an eine sachliche Beratung der Vorschläge für ein neues Mietengesetz war nicht zu denken. Die Opposition, die drei Mandate gewonnen und 42 Prozent der Stimmen erzielt hatte, fühlte sich im Vormarsch. Der 15. Juli 1927 mit seinen nichtorganisierten Großdemonstrationen, dem brennenden Justizpalast und den 89 Toten traf die Politiker aller Lager unvorbereitet und veränderte die politische Landschaft Österreichs.

Wie bei allem historischen Geschehen liegen die Ursachen, die an jenem heißen Julitage die Eruption bewirkten, weit zurück. Sie sind auf das Bestehen bewaffneter Organisationen innerhalb des Staates zurückzuführen, die sich neben und gegen die legale Staatsmacht gebildet hatten und in der Folgezeit zu den bestimmenden Kräften der österreichischen Innenpolitik werden sollten.

Als nach dem Zusammenbruch der Front und bei der Auflösung der Monarchie die staatliche Ordnung auf das schwerste in Frage gestellt war, hatten sich aus der Not des Tages allenthalben kleinere Formationen gebildet, die neben der schwachen Exekutive zur Herstellung der Ordnung beizutragen suchten. Meist lokalen Ursprungs, setzten sie sich keine weitreichenden Ziele. Sie wollten, so gut es ging, das hereinbrechende Chaos entwirren, den Heimatboden gegen die Gefahren, die von den zurückflutenden Soldaten drohten, schützen und auch jenen Erscheinungen entgegentreten, die im Zusammenhang mit der ja im allgemeinen unblutig verlaufenden Revolution da und dort aufzüngelten und eine Bedrohung von Leben, Sicherheit und Eigentum bedeuten konnten. Es bildeten sich Ortswehren, Bahnhofswachen, Bürgergarden, Arbeiterverbände, die nicht selten in einträchtigem Zusammenwirken die geschilderten Gefahren hintanzuhalten suchten. An Waffen fehlte es nicht, sie lagen in den Tagen des Zusammenbruches sozusagen auf der Straße.

In den letzten Tagen des Weltkrieges sammelte die SDAP verläßliche Soldaten, die ihr nahestanden und als „Volkswehr" die republikanische Armee bilden sollten. Noch vor der Konstituierung der KPDÖ formierte sich in Wien die „Rote Garde", deren revolutionäre Angehörigen sich als bewaffneter Arm einer stürmisch reklamierten Diktatur des Proletariates verstanden und die letztendlich als „Volkswehrbataillon 41" in die Armee der jungen Republik integriert wurden, „um sie zu ‚neutralisieren'"; die „Armee der Republik trug damit für die konservativen Kräfte den Makel einer ‚revolutionären' Einrichtung" (Garscha/McLoughlin). Sowohl die Einrichtung der Soldatenräte als auch die Rekrutierung von Offiziersnachwuchs, die es Männern aus dem Unteroffiziersstand ermöglichte, als „Volkswehrleutnants" („Vomag = Volksoffizier mit Arbeitergesicht") in das konservative Offizierskorps aufzusteigen, wobei naturgemäß die politische Verläßlichkeit eine Rolle spielte, unterstrichen dieses Unbehagen.

Zusätzlich zu der sozialdemokratisch dominierten Volkswehr förderte die SDAP bewaffnete Einheiten von Fabriksarbeitern, die zu beachtlicher Stärke anschwellen sollten; so umfaßten die Arbeiterbataillone in Graz Ende 1919 rund 2000 Mann, die mit der Volkswehr koordiniert operierten und zusammen mit den Arbeiterwehren des Mur- und Mürztales rasch entschieden gegen kommunistische Umtriebe Stellung bezogen, wobei es angesichts der Rätediktatur in Ungarn auch zu Kooperationen mit den Bauernwehren und bürgerlichen Wehrverbänden kam. Da die Volkswehr kein monolithischer Block war — neben Differenzierungen innerhalb des linken Lagers müssen auch noch regionale Besonderheiten, wie etwa in Kärnten, berücksichtigt werden —, konnte es auch zur Aufstellung von Arbeiterbataillonen in Konkurrenz zur Volkswehr kommen (Klagenfurt). Andererseits ist ein deutliches Ost-Westgefälle zu vermerken; während in Wien oder in Oberösterreich starke, sozialdemokratisch dominierte Volkswehreinheiten standen, deren Angehörige teilweise auch an Übergriffen gegen kirchliche Einrichtungen beteiligt waren oder gelegentlich allzu „revolutionär" auftraten, verflachte der linke Einfluß gegen Westen hin nahezu völlig, so daß dort eher antimarxistische Kräfte die Oberhand behielten. Dennoch muß für die Zeit der Koalitionsregierung festgehalten werden, daß die neue Armee ein Instrument der Linken, bzw. SDAP darstellte.

Mit der Übernahme des Verteidigungsressorts durch den Christlichsozialen Carl Vaugoin setzte jene Politik ein, die unter dem Schlagwort der „Entpolitisierung" den Einfluß kommunistischer und sozialdemokratischer Soldatenvertreter (erstere stellten zu Beginn noch rund zehn Prozent der Vertrauensmänner in Wiener Kasernen) im Bundesheer — die Umbenennung der Volkswehr erfolgte 1920 — zurückdrängte. Zur Hilfe kam ihm dabei, daß die meist sechsjährige Dienstzeit der 1918/19 eingetretenen Soldaten 1924/25 auslief. Als Ersatz rekrutierte man — ähnlich wie bei der Exekutive — bevorzugt im bäuerlichen christlichsozialen Milieu.

Angesichts des rückläufigen Einflusses auf den Militärapparat der Republik entschloß sich die SDAP am Parteitag im Oktober 1922 auf Antrag von Julius Deutsch hin, zur „Wehrhaftmachung des Proletariats" zu schreiten, wobei man auf diesem Parteitag — folgt man Otto Bauers Ausführungen — die Genfer Sanierung als Instrumentarium der Regierung interpretierte, die

Errungenschaften der Jahre 1918 bis 1920 zu beseitigen. In der Folge beschloß die am 8. Dezember in Wien tagende Konferenz von Arbeiterräten und Ordnerorganisationen aus allen Bundesländern die Wahl einer Zentralleitung, wenngleich die überwiegende Mehrheit der Ordnergruppen den Arbeiterräten unterstellt blieb. Bereits im November 1922 hatte Julius Deutsch dem Parteivorstand vorgeschlagen, diese Ordnergruppen unter dem Namen „Republikanischer Schutzbund" zusammenzufassen und als Verein zu installieren. Die Vereinsform sollte die Rekrutierung des Nachwuchses aus den Arbeiterturnverbänden und der Sozialistischen Arbeiterjugend erleichtern (Garscha/McLoughlin). Nunmehr umfaßte die im Dezember geschaffene Dachorganisation die Ordnerausschüsse der Arbeiterräte, Mitglieder der Fabriks- und Arbeiterwehren und letztendlich die Ordnerformationen der SDAP selbst, die bereits vor 1918 als parteieigene Ordnungsorgane eingesetzt worden waren. Mit Beginn des folgenden Jahres setzte besonders in Wien eine rege Werbetätigkeit ein, die letztlich zur Einreichung der Statuten des Republikanischen Schutzbundes im Februar 1923 führten. In der Folge beseitigte die SDAP sukzessive die überkommenen Einflußsphären, bis sie am Salzburger Parteitag 1924 die Schaffung eines zentralgeleiteten, uniformen Schutzbundes durchsetzte und die Arbeiterräte bzw. deren Ordnertruppen auflöste oder vollends integrierte. Diese Entwicklung diente der SDAP auch zur Ausgrenzung von kommunistischen Angehörigen, denen ab Juli 1927 auch formell der Beitritt zum Schutzbund unmöglich gemacht wurde. Die Arbeiterräte verfügten im Mai 1920 über rund 47.000 Ordner, der Schutzbund im Juni 1927 über 95.500 Mitglieder, die weitestgehend von der SDAP politisch motiviert wurden.

Obwohl die Militarisierung des Schutzbundes erst nach 1927 verstärkt wurde, waren von Beginn an große Waffenbestände im Besitz des Schutzbundes, der hier auf Lager aus der Endphase der Monarchie und dem Beginn der Republik zurückgreifen konnte. Die Schießausbildung erfolgte in der Regel in den ab 1924 gegründeten Arbeiter-Jagd- und Schützenvereinen, die zumeist engste personelle Querverbindungen zum Republikanischen Schutzbund besaßen. Daneben bildete das Turnen, insbesondere das Wehrturnen, eine zusätzliche legale Trainingsmöglichkeit. Wenn auch die massive Militarisierung des Schutzbundes erst nach 1927 einsetzte, müssen doch charakteristische Militarisierungseffekte und eine daraus resultierende „Landsermentalität" nicht unähnlich der Haltung der antimarxistischen Wehrgruppierungen diagnostiziert werden. So heißt es in einem Eid des Wiener Neustädter Schutzbundes Ende 1925: „Das bewaffnete Proletariat ist die einzige Sicherung unserer Republik. Wir bewaffneten Schutzbündler sind die Sturmtruppen, die die reaktionäre Ordnung der Ausbeutung zerschmettern und die neue Ordnung des Sozialismus aufbauen ... Deshalb ist es unsere Pflicht, jeden Schutzbündler zu bewaffnen. Die kapitalistische Ordnung muß früher oder später zerstört werden. Wir müssen einen rein

sozialistischen Staat schaffen, dessen Hüter ein jeder bewaffneter Schutzbündler ist. In diesem Bewußtsein ergreife ich die mir zugewiesene Waffe
und gelobe mit meinem Ehrenworte, daß dieselbe aus meiner Hand nur
nach meinem Tode genommen werden kann. Breche ich aber mein Gelöbnis, dann bin ich ein Verräter und habe die Folgen selbst zu tragen"
(McLoughlin). Sowohl Demokratieverständnis als auch Landsknechtpathos
weisen eine bemerkenswerte Identität zum Gegner auf. Die Zurschaustel-
lung der eigenen Stärke bei „Paraden" war ein weiteres Element, das in der
militärischen Tradition wurzelte und die Kampfbereitschaft der jeweiligen
Veranstalter demonstrieren sollte. So soll Julius Deutsch 1923 das militärische Kontingent mit 220 Infanterie-, zwölf Eisenbahn- und acht Sturmba-
taillonen sowie 80 Maschinengewehrkompanien angegeben haben; die eigene Mächtigkeit bewiesen die Ordnerformationen schon am 19. November
1922 in Wiener Neustadt mit 10.000 Ordnern und 2000 Wehrturnern in
einer öffentlichen Demonstration. Am 14. Jänner 1923 marschierten in Wien
15.000 bis 20.000 Mann, am 1. Mai 1924 in Linz zwanzig Kompanien, am
5. Juni 1924 in Wien 70 Wiener und zwölf niederösterreichische Bataillone,
am 24. August 1924 in Wiener Neustadt 18.000 Ordner, am 14. Juni 1925 in
St. Pölten in einem einstündigen Schutzbunddefilee, am 6. September 1925
in Krems, am 12. November 1925 in Wien 5000 Schutzbündler, am 11. Juli
1926 in Wien 11.000 Schutzbündler und 4000 Reichsbannermänner, die zum
Reichsordnertag nach Wien gereist waren (Wiltschegg).

Die Angst vor der Revolution, verschärft durch die benachbarten Räterepubliken und deren Agitationsversuche in Österreich, veränderte den Charakter der spontan entstandenen Arbeiter-, Bürger- und Bauernwehren. Die
ursprüngliche Aufgabenstellung mit ihrem defensiven Schutzcharakter war
mit der Stabilisierung des Staatswesens und der endgültigen Sicherstellung
der Grenzziehung erfüllt. Die Staatsgewalt, insbesondere die Landesregierungen, ließ die weiterbestehenden Gruppen in ihrem Bewußtsein verharren,
eine aus der Not geborene Hilfspolizei zu sein, die den Staat zu schützen
habe: unter Schutz des Staates subsumierte man im charakteristischen Lagerpatriotismus die Interessen des eigenen Lagers bzw. der eigenen Klasse.

Im Gegensatz zu den linksorientierten Gruppen, die sukzessive zentrali-
siert und nach einer politischen Säuberung zur Parteiarmee der SDAP for-
miert wurden, waren die rechten, die unter dem Sammelnamen Heim-
wehr(en) erfaßt werden, äußerst heterogen, politisch und regional vielfach
differenziert und blieben selbst in der Phase ansatzweiser Zentralisierung im
Partikularismus stecken. Vereint im Antimarxismus regelten diese Gruppen
ihr Verhältnis zu den korrespondierenden Parteien höchst unterschiedlich;
weniger Partei-, als vielmehr Lagerarmee entwickelten sich große Teile von
ihnen zu einer selbständigen Kraft, wenngleich es auch jene Gruppen gab,
die letztendlich schließlich innerhalb einer Partei aufgingen. Während beim
Schutzbund die Finanzierung von der Partei und der Gewerkschaft zentral

geregelt wurde, wobei man auch auf ausländische Hilfe zurückgriff, fehlte den antimarxistischen Gruppen auch hier die zentrale Leitung, Aufbringung und Verteilung, was den Zustrom ausländischer Gelder erleichterte und ausländische Einflußnahmen bedingte. Von der Angst vor der internationalistischen Revolution traumatisiert, erlag man umso leichter der Vorstellung einer internationalen „konterrevolutionären" Solidarität. Die reichsdeutsche Regierung finanzierte mit Zustimmung des sozialdemokratischen Reichswehrministers Noske die „Einwohnerwehren" Georg Escherichs und Rudolf Kanzlers, die an der Beseitigung der bayerischen Räterepublik aktiv teilgenommen hatten, wobei die Organisation Escherichs (Orgesch) und die Organisation Kanzlers (Orka) engste Kontakte zu gleichgesinnten Gruppen in Österreich hielten. Der bayerische Berufsoffizier August Hörl wurde als Stabschef nach Österreich abkommandiert und Gelder sowie Waffen wurden in Umlauf gesetzt. Ab Februar 1920 fanden Koordinationsbesprechungen mit führenden Politikern, aber auch örtlichen Exekutivorganen statt, wobei in Tirol, Vorarlberg, Kärnten, Salzburg und in der Steiermark einzelne Gruppen mit den antimarxistischen Politikern eng kooperierten, während etwa der oberösterreichische Landeshauptmann Hauser sich gegen derartige Bestrebungen klar aussprach.

Nach dem Abbruch der de facto gepflogenen Unterstellung unter das Münchner Kommando, von dem auch völlig utopische Putschpläne in Bayern, Österreich und Ungarn angeregt worden waren, schlossen sich die Formationen Tirols, Vorarlbergs, Salzburgs, Oberösterreichs und Kärntens am 23. Februar 1923 erstmals zu einer rein österreichischen losen „Vereinigung der alpenländischen Selbstschutzverbände" zusammen, zu deren Vorsitzender der Tiroler Landtagsabgeordnete Richard Steidle gewählt wurde (26. April). Wien, Niederösterreich und die starken steirischen Verbände blieben draußen und führten einen heftigen Grabenkrieg um die Gelder der Industriellenvereinigung, die für die Finanzierung zur Verfügung standen. Das Verhältnis zu diesem Geldgeber war allerdings nicht spannungsfrei, zumal wenn, wie im Jänner 1923 in einem Brief Steidles an Seipel deutlich wurde, Heimwehrkreise eigenständig politische Ziele zu formulieren begannen und sich nicht als Prätorianergarde der antimarxistischen Parteien verstanden. Die angekündigte Ablöse des Parlaments durch die „über den Parteien" stehende Heimwehr war „damals noch Seipel zuviel" (Wiltschegg).

In den Augen der Politiker, die einem Ausschuß angehörten, der die Kontakte zwischen den drei antimarxistischen Parteien und den Heimwehren ab 1922 regelte, waren die rund 110.000 Mann eine Armee im Dienste der Parteien. Nicht zufällig saßen Leute wie Rintelen oder der spätere Handelsminister Schürff in diesem Ausschuß, die im Zuge diverser Bankenskandale wiederum genannt wurden, wobei einiges dafür sprach, daß politischer Langmut in Kontrollfragen mit Geldern an die Heimwehren erkauft worden war.

Trotz dieser Zahl darf die eigentliche Schlagkraft nicht allzu hoch angesetzt werden; sehr unterschiedlich bewaffnet, besaß man keine starke Führung oder zentrale Leitung, war politisch und organisatorisch höchst unterschiedlich eingestellt und hatte größte Finanzierungsprobleme. Die allgemeine Konsolidierungsphase ab 1924 wirkte sich überdies auf den Mitgliederstand deutlich aus; die Gruppen führten „ein kümmerliches Dasein in Winkeln und Wirtshäusern" (Otto Leichter).

Der Zustrom zu den Heimwehrformationen setzte unmittelbar nach dem Linzer Parteitag der Sozialdemokraten im Herbst 1926 und der Statuierung des neuen Parteiprogramms ein. Das revolutionäre Pathos und die Umdeutung jener Passagen, in denen hypothetisch von der Diktatur des Proletariats gesprochen wurde, mobilisierten antimarxistische Traumata, was von Steidle noch im November 1926 offen ausgesprochen wurde.

Ausgehend von der Grundüberlegung, daß innerhalb der demokratischen Ordnung der Sozialdemokratischen Arbeiterpartei als Repräsentantin der Arbeiterklasse geschichtsnotwendig die absolute Mehrheit im Staate zufallen würde, hielt das Linzer Parteiprogramm von 1926 fest: „Die Sozialdemokratische Arbeiterpartei muß daher die Arbeiterklasse in ständiger, organisierter geistiger und physischer Bereitschaft zur Verteidigung der Republik erhalten, die engste Geistesgemeinschaft zwischen der Arbeiterklasse und den Soldaten des Bundesheeres pflegen, sie ebenso wie die anderen bewaffneten Korps des Staates zur Treue zur Republik erziehen und dadurch der Arbeiterklasse die Möglichkeit erhalten, mit den Mitteln der Demokratie die Klassenherrschaft der Bourgeoisie zu brechen. Wenn es aber trotz allen diesen Anstrengungen der Sozialdemokratischen Arbeiterpartei einer Gegenrevolution der Bourgeoisie gelänge, die Demokratie zu sprengen, dann könnte die Arbeiterklasse die Staatsmacht nur noch im Bürgerkrieg erobern. ... Die Sozialdemokratische Arbeiterpartei wird die Staatsmacht in den Formen der Demokratie und unter allen Bürgschaften der Demokratie ausüben. ... Wenn sich aber die Bourgeoisie gegen die gesellschaftliche Umwälzung, die die Aufgabe der Staatsmacht der Arbeiterklasse sein wird, durch planmäßige Unterbindung des Wirtschaftslebens, durch gewaltsame Auflehnung, durch Verschwörung mit ausländischen gegenrevolutionären Mächten widersetzen sollte, dann wäre die Arbeiterklasse gezwungen, den Widerstand der Bourgeoisie mit den Mitteln der Diktatur zu brechen."

Grundmuster dieses Denkens war jener naive Fortschrittsglaube, der charakteristisch für die austromarxistischen Exponenten der Arbeiterbewegung war. Die Interpretation der Geschichte als geradlinigem naturgesetzlichen Fortschritt vom Niederen zum Höheren, als hoffnungsfroher, sinn- und überlegenheitsstiftender Aufwärtsbewegung der Menschheit vom Dunkel ins Licht hat nahezu religiösen Charakter. Die satte Heilsgewißheit von der Erreichung der berühmten 51 Prozent der Stimmen förderte die Euphorie über die bevorstehende Umwandlung Österreichs in einen sozialistischen

Staat. Grundlegende Änderungen der durch die Verfassung definierten politischen Landschaft Österreichs waren aber nur mit einer Zweidrittelmehrheit möglich. „Dieser Umstand widerspricht jedoch der grundlegenden These des Parteiprogramms von Linz, derzufolge eine einfache Mehrheit im Parlament grundlegende gesellschaftliche Änderungen ermöglichen sollte" (Simon, Österreich). Somit mußte auch das Wahlereignis vom April 1927 mit den 42 Prozent der Stimmen für die Sozialdemokratie nicht nur deren Erwartungen steigern, sondern verschärfte die Angst der nichtlinken Noch-Mehrheit vor einem qualitativen Umschwung. Dies und auch die etwa von Bauer immer wieder geforderte eigentliche Revolution in Österreich, das er zu den „bürgerliche(n) Bourgeois-Republiken" Mitteleuropas zu zählen beliebte, brachte die Sozialdemokraten um ihren ehrlich erworbenen Ruf, die Revolutionsversuche der Kommunisten 1919 staatserhaltend zurückgeschlagen zu haben, und erleichterte die Propaganda der Antimarxisten gegen den Austromarxismus. Hinzu kam, daß seitens der austromarxistischen Linken stets eine positive Beurteilung der Sowjetunion vorherrschte und die Einschränkungen, die seitens Bauer etwa gemacht wurden, nicht rezipiert wurden. „Weite Kreise des Bürgertums und der Bauernschaft sahen in Otto Bauers positiver Bewertung der Sowjetunion ein Bekenntnis zum Kommunismus und motivierten eine positivere Bewertung des italienischen Faschismus" (Simon, Österreich).

Die bolschewistische Revolution von 1917, Mussolinis Marsch auf Rom, der die Machtergreifung des Faschismus in Italien besiegelte, und der Putschversuch Adolf Hitlers am 9. November 1923 ließen Gefahren kommender Entwicklungen am Horizont erscheinen. In Spanien hatte de Rivera 1923 eine Diktatur errichtet, in der Türkei Kemal Pascha gleichzeitig ein totalitäres Einparteiensystem durchgesetzt. 1924 schlugen Polen unter Josef Pilsudski, Litauen unter Augustinas Woldemaras und mit einigen Abweichungen Portugal unter Carmona den gleichen Weg ein. 1929 folgte Jugoslawien unter König Alexander. Lediglich in Westeuropa und in Skandinavien blieb die parlamentarische Demokratie, die dort eine lange und ruhmvolle Tradition besaß, intakt.

Die antiparlamentarischen Strömungen faschistischer und nationalsozialistischer Prägung fanden Eingang in die unterschiedlichen Gruppen, wobei vorerst noch allgemeine Merkmale vorherrschten: Ablehnung des Staates, Verachtung der „roten Republik", antimarxistische Grundhaltung, Verschwörungstheorien, Kultivierung sogenannter „soldatischer Tugenden", rückwärtsgewandte Utopien. Die Bandbreite reichte von der „Deutschen Wehr" der frühen Nationalsozialisten bis hin zur legitimistischen Vereinigung „Ostara". Aber auch innerhalb eines solchen Verbandes konnte es diese Bandbreite geben, wie etwa die aus dem „Wirtschaftsverband der nichtaktiven Offiziere und Gleichgestellten Deutschösterreichs" hervorgegangene „Frontkämpfervereinigung", die zunächst alle Schattierungen vom

Monarchisten bis zum Nationalsozialisten umfaßte. Im Juni 1921 zählten in Wien, dem Schwerpunkt der Vereinigung, 3800 Mitglieder zu diesem paramilitärisch ausgerichteten „Kameradschaftsbund", wovon 50 Prozent ehemalige Offiziere und Reserveoffiziere waren. Auch sie hatte neben der Pflege „konservativer" Ideale zunächst keine aktiven Ziele. Sie trat hin und wieder als Saalschutz bei Versammlungen in Funktion, für die breiten Massen der Linken galt sie als Inbegriff der Reaktion.

Nicht ohne Schuld der Führung war die Sozialdemokratische Partei in der Mentalität der Revolution steckengeblieben. Sie witterte oft auch bei harmlosen Erscheinungen des öffentlichen Lebens gefährliche Anschläge gegen die Republik und war nur zu leicht geneigt, mit Kanonen auf Spatzen zu schießen. Dies nicht in dem Sinne, daß sie nach den ihr zur Verfügung stehenden Waffenlagern gegriffen hätte, es genügte, ihre physische Macht auf andere Weise zur Geltung zu bringen. Das beste Mittel dazu war der Terror gegen Andersgesinnte, Sprengung von Versammlungen, Störung öffentlicher Kundgebungen und Aufzüge, mitunter auch kirchlicher Prozessionen, Zwangsmaßnahmen in den Betrieben. Letztlich war auch dies eine Folge der Politik der radikalen Phrase, durch die die „Gewalt immer noch von einem nicht geringen Teil der Arbeiterschaft als ein Mittel der Politik angesehen wurde" (Botz, Gewalt). Aber gerade das Ansteigen von Gewalt verursachte bei den Betroffenen eine Psychose der Recht- und Hilflosigkeit, sie suchten ihre Unterlegenheit auszugleichen, indem sie sich mit Waffen ausrüsteten und von ihnen mehr als einmal Gebrauch machten. Es war nicht das Aufeinanderprallen der beiden großen Heerlager, es war der Kampf Mann gegen Mann oder höchstens in kleinen Gruppen, der die Entwicklung bestimmte. So kam es, daß bei solchen Scharmützel die Sozialdemokraten trotz ihrer zahlenmäßigen und physischen Überlegenheit alsbald die größere Anzahl von Opfern zu beklagen hatten.

Die auf solche Scharmützel folgenden Gerichtsverfahren brachten in der durch Pressepolemiken, Parlamentsdebatten und gewerkschaftliche Maßnahmen überreizten Atmosphäre zumeist keine hinlängliche Klärung des Tatbestandes. Es fehlte nicht an Einschüchterungsversuchen gegenüber Zeugen. Oft ergab sich, daß die Linken der angreifende Teil waren. Schwierig war unter diesen Umständen die Zumessung der Strafen. Manchmal wurde nur auf Notwehrüberschreitung erkannt, manchmal echte Notwehr zugebilligt, so daß Freisprüche erfolgten, die wieder auf der anderen Seite Öl ins Feuer gossen. Zwischen 1923 und 1927 hatten die Sozialdemokraten bereits vier Tote zu beklagen gehabt, die aber wegen der beschriebenen Urteilspraxis als ungesühnt angesehen wurden.

Unter diesen Umständen wäre eine allgemeine Abrüstung und die Auflösung aller uniformierten Selbstschutzverbände am Platze gewesen. Die SDAP trat auch mit solchen Vorschlägen hervor. Die Regierung und die bürgerlichen Parteien glaubten aber nicht an die Ehrlichkeit dieser Ab-

sichten, das gegenseitige Mißtrauen war zu groß, besonders als die Sozialdemokraten ihre Ordnerformationen in den Republikanischen Schutzbund
überleiteten und militärisch zu schulen begannen. Dieser verfügte über nicht
unbeträchtliche Waffenvorräte, die zeitweise auch die Aufmerksamkeit der
Interalliierten Kommissionen erweckten, welche die Durchführung des
Friedensvertrages von Saint-Germain zu überwachen hatten. Ein wirklich
entscheidender Schritt erfolgte aber von dieser Seite nie.

   Die Regierung und auch Seipel hatten damals noch keine weiterge-
steckten Pläne mit der Heimwehr im Auge, man betrachtete sie als Notpolizei, die bei Bedarf eingesetzt werden konnte. Auch als willkommene
Reserve und Ergänzung des Bundesheeres konnten die Selbstschutzverbände dienen. Als an der Jahreswende 1925/26 die Situation am Brenner
bedrohlich wurde — Mussolini hatte unverblümt davon gesprochen, daß
man gegebenenfalls die Trikolore über den Brenner tragen müsse —, versuchte das Heeresministerium im Einvernehmen mit dem Tiroler Landeshauptmann die Abwehr vorzubereiten. Damals kam es zu offiziellen Verhandlungen mit dem früheren Staatssekretär Deutsch, der jetzt an der
Spitze des Schutzbundes stand. Er erklärte sich bereit, zusammen mit der
Heimwehr unter Führung des Bundesheeres an der Landesverteidigung in
Tirol mitzuwirken.

   Auch im Burgenland waren noch nicht alle Bedrohungen von außen her
gewichen. Es war daher ein vernünftiger Gedanke, daß sich die Parteien
dieses Bundeslandes darauf einigten, in diesem Land zunächst keine Ortsgruppen paramilitärischer Art zuzulassen. Erst 1926 begannen die Frontkämpfer auf Betreiben ihrer Wiener Zentrale auch im Burgenland mit der
Errichtung von Ortsgruppen, die besonders Leute anzog, denen man ein
Nahverhältnis zu Ungarn nachsagte: Gutsbesitzer, deren Untergebene, katholischer Klerus — wie in Kärnten auch hier stets mit irredentistischen
Zielen in Verbindung gebracht —, teilweise Lehrer und Beamte. Ohne pro-
grammatischen Ansatz gab man sich pro-ungarisch. Nationale und konfessionelle Gegensätze verschärften in dieser Region die politischen und sozialen Spannungen.

   In Schattendorf, nahe der ungarischen Grenze, erfolgte die Ortsgruppen-
gründung der Frontkämpfer, im Sommer 1926, kurz danach antwortete die
dominierende sozialdemokratische Seite mit der Gründung des Schutzbundes; es stand etwa 70:30 für die Linke. Trotz gelegentlicher Querelen
verständigte man sich dahingehend, die jeweiligen Veranstaltungen alternie-
rend in einem vierzehntägigen Rhythmus abzuhalten. Die Schutzbündler
gingen allerdings am 30. Jänner 1927 davon ab, da sie verhindern wollten,
daß der Führer der Frontkämpfer, Oberst Max Hiltl, mit großem Gefolge
an der angemeldeten Frontkämpferveranstaltung teilnehme. Eine behörd-
liche Anmeldung der Schutzbundgegendemonstration unterblieb, obwohl
zweihundert Schutzbündler zusammengezogen wurden.

Nachdem es bereits beim ersten Vorbeimarsch der Schutzbündler am Gasthof Tscharmann, dem Sitz der Frontkämpferortsgruppe, zu Streitigkeiten und Schüssen gekommen war, verhinderten die Schutzbündler den Zuzug ankommender Frontkämpfer am Bahnhof. Siegreich heimkehrend — man hatte zehn Frontkämpfer zur Umkehr gezwungen — marschierten die Schutzbündler am Gasthaus Tscharmann vorbei; die Söhne des Wirtes, Josef und Hieronimus, der Schwiegersohn Johann Pinter und rund 15 Frontkämpfer zogen sich in die Privatwohnung auf der anderen Seite des Wirtschaftshofes des Gasthauses zurück, wo Jagdgewehre bereitlagen. Schutzbündler, die in den Hof eingedrungen waren — etwa dreißig —, wurden, ohne daß jemand Schaden erlitt, unter Feuer genommen. Gleichzeitig begann man auch auf die vorbeiziehenden Schutzbündler auf der Straße zu schießen; fünf schwerverletzte Personen und zwei Tote — der kriegsinvalide Hilfsarbeiter Matthias Csmarits und der achtjährige Josef Grössing, der vom Straßenrand aus zugesehen hatte — waren das Resultat dieser sinnlosen Schießerei der Wirtssöhne und ihres Schwagers, die zunächst fliehen konnten. Man war sich einig, daß die Schüsse nicht in Notwehr abgegeben worden waren und letztlich eine völlig überzogene Reaktion auf die Schutzbundprovokation darstellten. Die Begräbnisfeierlichkeiten am 2. Februar waren von einem viertelstündigen, österreichweiten Generalstreik begleitet.

Ein halbes Jahr später standen die Täter, die für den tragischen Ausgang verantwortlich waren, vor dem Schwurgericht in Wien. Wieder zeigten sich alle jene widrigen Umstände, die es so schwer machten, in einem solchen Fall zu einem klaren Bild des Sachverhaltes zu kommen, noch dazu vor einem der Schwurgerichte, die schon vorher in vielen Fällen versagt hatten. Es gehörte zu jenen Fieberschauern, unter denen der Staat litt, daß die Wiener Geschworenen in zahlreichen Fällen das Fundament einer geordneten Rechtspflege in Frage stellten. Nicht nur bei politischen Vergehen und Presseprozessen, die fast durchwegs mit Freisprüchen endeten, sondern auch bei geständigen Mördern blieb oft die Sühne aus. Trotzdem glaubte man, im Schattendorfer Prozeß mit geringfügigen Strafen wegen Notwehrüberschreitung rechnen zu können. Die Geschworenen verneinten aber auch diese Frage, nicht nur jene auf fahrlässige Tötung und Körperverletzung im Raufhandel. Den Berufsrichtern blieb nichts anderes übrig, als den Freispruch der Angeklagten zu verkünden und sie aus der Haft zu entlassen. Für die Linke war der Freispruch ein Paradebeispiel der auch im Linzer Parteiprogramm apostrophierten „Klassenherrschaft der Bourgeosie", die hier „Mörder" schützte, die gegen Hilflose, einen Kriegsinvaliden und ein Kind, vorgegangen waren. Erst unter Dollfuß kam es zu einer Änderung des Geschworenenverfahrens, die eine Aussetzung des Urteils ermöglichte.

Es war zu erwarten, daß das Urteil Erbitterung auslösen und am nächsten Tag zu Demonstrationen führen würde. Obgleich sich schon während der

Nacht gewisse Anzeichen dafür bemerkbar machten, gaben sich die maßgebenden Personen einer verhängnisvollen Sorglosigkeit hin. Die Polizei begnügte sich mit der Auskunft der sozialdemokratischen Parteileitung, daß eine offizielle Demonstration nicht beabsichtigt sei, und stellte nur sehr schwache Kräfte für den nächsten Tag in Bereitschaft. Die Parteiführer aber unterließen es, einer durch Jahrzehnte bewährten Praxis zu folgen und durch den Einsatz eigener Ordnergruppen aufgeregten Demonstranten den Anblick uniformierter Vertreter der Staatsgewalt nach Möglichkeit zu „ersparen". Sie befanden sich in einer schwierigen Lage, weil man nicht durch offizielle Kundgebungen gegen ein Geschworenenurteil den bürgerlichen Parteien den Anlaß bieten wollte, mit ihren schon längst gewünschten Reformbestrebungen auf diesem Gebiet hervorzutreten.

Dafür warf aber ein Leitartikel, den der Chefredakteur der „Arbeiter-Zeitung", Friedrich Austerlitz, am Morgen des 15. Juli in seinem Blatte veröffentlichte, den Funken in das Pulverfaß. Auch er wollte keine Revolution herbeiführen, er wollte nur die Regierung und ihre Anhänger in den Augen der sozialistischen Arbeiterschaft vernichtend treffen, und er lieferte ein „Musterbeispiel der journalistischen Verantwortungslosigkeit" (Simon, Österreich). Er malte das Gespenst des Bürgerkrieges an die Wand und bedachte nicht, daß am nächsten Tage die aufgestachelten Massen im Kampf gegen die Staatsgewalt den Schrei nach Waffen ausstoßen würden, dem sich ihre Führer ebenso versagen mußten, wie sie es in den Wirren des Jahres 1919 getan hatten. Dabei mangelt es diesem Artikel an manchen Stellen durchaus nicht an Verantwortungsbewußtsein; so, wenn Austerlitz davon spricht, daß die Versagung der Gerechtigkeit das Schlimmste sei, was dem arbeitenden Menschen angetan werden könne, oder voraussieht, daß es, wenn einmal der Glaube an die Gerechtigkeit vernichtet und das Vertrauen zu ihr verschüttet werde, um die Rechtsordnung geschehen sei. Diese Einstellung hat im Februar 1934 Teile des Schutzbundes in Kampf und Untergang geführt. In den Julitagen des Jahres 1927 aber dachte noch niemand Vernünftiger an eine Veränderung des demokratischen Staatsaufbaues, wenngleich sich viele seiner Mängel wohl bewußt waren. So muß man Austerlitz nicht Sorglosigkeit, wie den anderen, sondern grobe Fahrlässigkeit vorwerfen, wenn man seinen Anteil an den Ereignissen dieses Unglückstages kennzeichnen will.

Führerlos zogen die Massen am Morgen des 15. Juli in die Innere Stadt, nachdem in den meisten Betrieben die Arbeit eingestellt und der Verkehr lahmgelegt worden war. Zu Gewalttätigkeiten entschlossene Elemente mischten sich unter die Menge. Bald kam es zu Zwischenfällen mit der Polizei, die eingreifen mußte, ohne über genügend Kräfte zu verfügen. Als ein Sturm auf das Parlament zu befürchten stand, setzte die Polizei ihre Reiterabteilung ein. Das steigerte die Erbitterung der Demonstranten, die plötzlich um eine Illusion ärmer geworden waren. Daß die Staatsgewalt gegen verbrecherische Handlungen einschreiten mußte, hat man so lange, als es sich um kleinere Gruppen handelte, mit denen man sich nicht identifizierte, wie bei den Plünderungen in Wien am 1. Dezember 1921, als gegeben hingenommen. Jetzt sah man aber, daß die Exekutive einen Machtfaktor in der Hand der Regierung darstellte, an dessen Wirksamkeit im Ernstfalle man um so weniger geglaubt hatte, da die große Mehrheit der Polizisten, wie sich nun zeigte, mehr zur Verfechtung ihrer wirtschaftlichen Interessen den Freien Gewerkschaften angehörte. Alle Träume von Klassen-, bzw. Parteisolidarität waren dahin. Der Apparat hatte sich auf die Seite der Gegner gestellt. Der Justizpalast ging in Flammen auf, Beschwichtigungsversuche der zu spät herbeigeeilten sozialdemokratischen Mandatare fruchteten nichts, die Menge wich nicht vom Platze und verweigerte der Feuerwehr die Zufahrt. Schließlich stellte sich der Bürgermeister von Wien, Karl Seitz, selbst auf eine Feuerspritze, aber auch er vermochte nicht durchzudringen. Als Landeshauptmann hätte er die Assistenz des Bundesheeres in Anspruch nehmen können, doch lehnte er dahingehende Anträge des Polizeipräsidenten strikte ab. Er stand ganz im Bann jener Anschauungen, mit denen die sozialdemokratischen Führer über die Klippen der ersten Nachkriegsjahre hinweggekommen waren, alle Repressionen zu vermeiden und sich auf das „Zuredesystem" zu verlassen. Seitz, von Schober darüber informiert, daß die Polizei nunmehr mit Bundesheerkarabinern ausgerüstet war, versuchte, auf einem Feuerwehrspritzwagen stehend die Menge zu beruhigen und die Löscharbeiten zu ermöglichen. Die Demonstranten — unter denen sich der kommunistische Einfluß verstärkte — beschimpften Seitz und griffen diesen tätlich an, so daß er sich zurückziehen mußte. Als schließlich auch der Schutzbund abziehen mußte, schien Seitz selbst „im Schwanken gewesen" zu sein, „ob nicht geschossen werden müsse" (Botz, Gewalt). Der Justizpalast brannte aus, Theodor Körner und Schutzbundeinheiten gelang es aber noch, die darin befindlichen Richter, Beamte und Polizisten in Sicherheit zu bringen.

Man hat Schober den letzten Bürokraten der alten österreichischen Schule genannt. In ihm lebte ein gutes Stück alter Beamtentradition und bedingungsloser Hingabe an die Staatsautorität. Er meisterte aber auch alle Feinheiten der Verwaltungskunst, mit denen man in den letzten Jahrzehnten der Monarchie das Gesicht gewahrt, im wesentlichen aber doch den Vormarsch der Sozialdemokratischen Partei kaum gehemmt hatte. Aus dieser Zeit stammte seine Wertschätzung für Victor Adler. Die Parteiführer der Republik arbeiteten gerne mit ihm, der stets „loyal seine Pflicht" tat, zusammen. Es lag nicht in seiner Linie, den Schießbefehl zu geben, aber in dieser Situation sah er keine andere Möglichkeit.

Die Polizei eröffnete das Feuer zunächst über die Köpfe hinweg, dann, als dies keine Wirkung zeigte, direkt in die Demonstranten. Die zum größeren Teil völlig unerfahrenen Polizeischüler, die wegen ihrer Verläßlich-

keit in politischer Hinsicht eingesetzt wurden, schossen zunehmend blind,
teilweise mit Scheibenmunition, die wie Dumdumgeschosse wirkte, und sie
schossen auch, als die Menge flüchtete. Der für das Innenministerium zuständige Vizekanzler Karl Hartleb sprach vom Stil einer Hasenjagd.

So wurde die Auseinandersetzung, die sich am Abend und am nächsten
Tage in die Wiener Vorstädte verlagerte, im Blut erstickt. Der Sieg der Regierung stand eindeutig fest. Wie verhielten sich nun die Führer der Sozialdemokraten im Wirbel jener Ereignisse? Als sie erkannten, daß sie der losge-
bundenen Massenherrschaften nicht Herr werden konnten, erschienen sie
beim Bundeskanzler Seipel und verlangten den Rücktritt der Regierung.
Bauer und der SDAP-Vorstand stellten sich in der Folge eine Beamtenüber-
gangsregierung vor und im Anschluß daran eine Regierungsbeteiligung der
Sozialdemokraten. Seipel lehnte den Rücktritt ab. Als in den Straßen Blut
floß und den Gewehrsalven auch eine Anzahl Unbeteiligter zum Opfer fiel,
erhoben radikale Elemente die Forderung nach Bewaffnung des Schutzbundes. An Waffen fehlte es sicher nicht. Waren auch wenige Monate
früher nicht unbeträchtliche Bestände durch den Heeresminister Vaugoin
im Wiener Arsenal beschlagnahmt worden — es handelte sich um die Aus-
hebung eines Lagers, das aus der Zeit der Vorbereitung einer gemeinsamen
Abwehr zur Zeit der Burgenlandkämpfe herrührte, später aber allein dem
Schutzbund zur Verfügung stand —, so fehlte es doch den Sozialdemokraten nicht an der nötigen Ausrüstung, mit der sie die von den Kommunisten, linken Sozialdemokraten und erregten Bevölkerungsschichten geforderte Bewaffnung des Proletariats hätten durchführen können. Die sozialdemokratischen Führer wußten aber, daß dies die Besetzung Österreichs
durch ausländische Mächte und den Untergang der Partei zur Folge haben
würde. So entschlossen sie sich, die Bewegung auf andere Weise aufzu-
fangen, indem sie zunächst einen eintägigen Generalstreik proklamierten, an
den sich ein allgemeiner Verkehrsstreik von unbegrenzter Dauer anschließen sollte. Es gelang ihnen tatsächlich, die Massen auf diese Weise
wieder in ihre Hand zu bekommen, ihr weitergestecktes Ziel, damit die Regierung zum Rücktritt zu zwingen, erreichten sie nicht. Seipel blieb uner-
schütterlich, vor Abbruch des Verkehrsstreiks ließ er sich auf keine weitergehenden Verhandlungen ein. Doch zögerte er nicht, als sich die Sozialdemokraten zum Abblasen des Streikes bereitfanden, die Zusicherung zu
geben, daß er die Lage nicht zu Angriffen auf die sozialen Rechte der Arbeiterschaft ausnützen werde. Er hat dieses Versprechen gehalten und auch
nicht zu dem Mittel von Neuwahlen gegriffen, wovon sich manche Kreise
der Christlichsozialen Partei großen Erfolg versprachen. Er gab sich damit
zufrieden, daß es gelungen war, die Staatsautorität in Wien allein mit den
Mitteln der Exekutive wiederhergestellt zu haben, während in den Ländern,
vor allem in Tirol, Vorarlberg und Steiermark, das selbständige Eingreifen
der Heimwehren als Hilfspolizei der Landesregierungen — die Verbin-

dungen mit Wien waren ja vollständig lahmgelegt — zum vorzeitigen Abbruch des Verkehrsstreikes beigetragen hatte. Seitens der Sozialdemokratie erkannte man auch diesen Mißerfolg, der nun das Selbstbewußtsein der Gegner steigerte.

So stand Seipel für das In- und Ausland als unbestrittener Sieger da. Der 15. Juli hatte 89 Tote gefordert, vier davon auf der Seite der Polizei, darunter ein Polizist, der im Kugelhagel seiner Kollegen starb. 120 Polizisten erlitten schwere Verletzungen, rund 480 leichte. Amtliche Quellen sprachen von 548 verletzten Zivilisten, die „Arbeiter-Zeitung" von 1057 verletzten Demonstranten, 328 mußten in stationäre Behandlung aufgenommen werden, 57 davon waren schwer verletzt. Die krasse Opferdifferenz tote Polizisten — tote Demonstranten erinnert an den 15. Juni 1919.

Seipel fiel es schwer, sich in die Mentalität seiner Gegner hineinzudenken. Daß er das Verlangen nach einer Amnestie für alle diejenigen, die im Gefolge der Ereignisse in Strafuntersuchung gezogen wurden, ablehnte, ist verständlich. Die Begründung seines Standpunktes war, obwohl von staatsmännischem Ethos getragen, nicht sehr geschickt formuliert, so daß von ihr nur die seinem Ansehen so abträgliche Kurzfassung „Prälat ohne Milde" erhalten blieb, die die Innenpolitik der nächsten Jahre so schwer gestört und ihn selbst zur Zielscheibe heftiger, unsachlicher, oft auch unverdienter Angriffe gemacht hat*). Seine Haltung war wesentlich davon bestimmt, daß es seine Gegner ablehnten, einen Trennungsstrich gegenüber jenen Radikalen zu ziehen, die entweder mitschuldig waren an der geistigen Einstellung der Massen, die sich zu schweren Ausschreitungen hatten hinreißen lassen, oder selbst solche Handlungen vollbracht hatten. Er berücksichtigte nicht, daß es eine Grundthese der österreichischen Sozialdemokratie war, an der Einheit der Partei unter allen Umständen festzuhalten.

Als die Demonstration in offenen Aufruhr überging, wurde die sozialdemokratische Partei in mehrfacher Hinsicht getroffen:

— Die Parteileitung und Schutzbundführung hatten keine Großkundgebung vorbereitet; der sich rasch entwickelnde Aufmarsch signalisierte deutlich, daß hier der Führungsanspruch nicht aufrecht erhalten werden konnte und die revolutionäre Phrase losgelöst von der Parteileitung in eine nichtkontrollierbare Aktion umkippte.

— Der im nachhinein alarmierte Schutzbund war nicht mehr in der Lage, die Ordnung wiederherzustellen. Andererseits wurde der „große Verlierer des Juli 1927" aber seitens der Demonstranten teilweise als Hilfstruppe der staatlichen Ordnungsmacht empfunden.

— Aus der Kritik am zögernden Verhalten der Parteileitung heraus kam es

---

*) Der umstrittene Satz hieß im Wortlaut: „Verlangen Sie nichts vom Parlament und von der Regierung, was gegenüber den Opfern und Schuldigen dieser Unglückstage milde erscheint, aber grausam wäre gegenüber der verwundeten Republik."

zu Absetzbewegungen sozialdemokratischer Sympathisanten; Karl Kraus z. B. unterstützte nun plötzlich die Arbeit der Kommunisten in der Roten Hilfe.

— Für die nichtsozialdemokratische Bevölkerung waren die Wiener Ereignisse eine versuchte Revolution; daraus erklärt sich der steigende Zustrom zu den antimarxistischen Wehrverbänden als Sicherheitsventil vor einer neuerlichen „roten Revolution".

— Die Führungskräfte des nichtsozialistischen Lagers erkannten erstmals in aller Dramatik, daß man die Stärke der Sozialdemokratie nicht nur an den imponierend disziplinierten und doch revolutionär drohenden Aufmärschen am 1. Mai zu messen hatte, sondern daß Führungsanspruch über die Arbeitsmasse und Gefolgschaftstreue und organisatorische Beweglichkeit etwas anderes waren.

Auf dem sozialdemokratischen Parteitag, der im Spätherbst dieses Jahres in Wien stattfand, stand die Frage der Parteieinheit außer jeder Diskussion. Woran sich die Meinungen schieden, war die Erwägung, ob man in Opposition bleiben oder die Beteiligung an der Regierung anstreben solle. Wilhelm Ellenbogen bezog sich ebenso darauf, wobei ja der Parteivorstand selbst im Juli 1927 daran dachte, wenngleich Deutsch sich am 16. Juli hatte sagen lassen müssen, daß man nicht über Leichen in Ministerfauteuils steigen dürfte (Garscha, McLoughlin). Otto Bauer wandte sich gegen die Vorwürfe, daß die Politik der Sozialdemokratie den Machtwillen der Arbeiterschaft übersteigert habe, und verteidigte die unversöhnliche Haltung, die die Partei bisher eingenommen hatte. Karl Renner hingegen sah das Gespenst des Bürgerkrieges heraufziehen und riet zu einer Mitbeteiligung an der Staatsgewalt. Der Grundsatz „Alle Macht oder nichts" sei falsch, eine Neueinstellung zur Politik tue not, es gehe nicht um die Nützlichkeit eines Mitregierens, sondern um das Recht dazu. Theorie und Praxis standen einander gegenüber. Das Wort Bauers „Lieber einen falschen Weg einig gehen..." gewann die Oberhand über jene Anschauung, die ein dem Renner-Flügel angehörender Parteigenosse, Oskar Trebitsch, in einer der Gewissenserforschung dienenden Schrift „Der 15. Juli und seine rechte Lehre" niedergelegt hatte, in der er sagte, es sei besser, mit der unrichtigen Theorie zu leben und zu wirken, als bei einem Versuch zur Verwirklichung der richtigen Theorie zugrunde zu gehen. In der internen Parteikritik wandte sich am Parteitag 1927 Karl Renner gegen Otto Bauer, indem er die Unmöglichkeit einer Revolution in Österreich für die nächste Zeit betonte. „Man muß also das rhetorische Pathos des Vordersatzes im Nachsatz aufheben. Es ist eine Gefahr und ein Widerspruch, immer von Revolution zu reden und zugleich behaupten zu müssen, daß man sie nicht machen könne, ein Widerspruch, der von uns höchste Vorsicht in dieser Propaganda fordert. Dasselbe gilt auch in bezug auf den Klassenkampf." Dieser Mythos von der Revolution war ein ähnlicher Kitt wie der Mythos vom Klassenkampf oder vom Antiklerikalismus; er diente der Parteileitung der Sozialdemokraten von 1918 an als Legitimation ihres Marxismus, er leistete die entscheidende Konsolidierung des eigenen absoluten Herrschaftsanspruches im linken Parteispektrum. „So wurde das Spiel mit dem Revolutionsbegriff und den einhergehenden Erwartungen zu einem Wechselbad von Aufwiegelung und Abwiegelung, zu einer Behandlung der Massen, die imstande schien, sie ohne weiters zufriedenzustellen und in einem labilen Gleichgewicht zu halten; aber auch die Gefahr heraufbeschwor, daß sie dieser Schaukelpolitik eines Tages überdrüssig und sich nicht an die von der Führung ausgegebene Marschroute halten werden" (Leser, Linzer Parteiprogramm). Der Juli 1927 bildete den Auftakt; die Enttäuschung der Sympathisanten folgte, der massive Angriff auf das Gewerkschaftsmonopol der Sozialdemokraten durch antimarxistische Gruppierungen nutzte diese Situation, und schließlich waren es die Sympathisanten und Mitglieder selbst, die resignierend auch unter der zunehmenden wirtschaftlichen Not sich zurückzogen.

Viel kam auf die Aufnahme an, die solche Stimmen im gegnerischen Lager fanden. Seipel war wenig geneigt, darauf zu hören. Er würdigte zwar das Bekenntnis zur Demokratie, das der Parteitag gezeigt hatte, doch wollte er auch Taten sehen. Außerdem machte ihm die scharf ablehnende Einstellung der austromarxistischen Politiker zu Religion und Kirche, die sich, an seine Person anknüpfend, zusehends steigerte, schwer, an eine wirkliche Sinnesänderung zu glauben. Auch war die öffentliche Meinung, die sich nach den Julieregnissen gebildet hatte, einem Zusammengehen mit den Sozialdemokraten abgeneigt. Die für Wahlzwecke vorgenommene Zusammenfassung in der Einheitsliste erhielt jetzt erst Realität in der fortschreitenden Festigung eines Bürgerblocks, dem die Parole des „Antimarxismus" Ziel und Richtung gab. Noch dachte man nicht an eine vollständige Vernichtung des Gegners, man begnügte sich zunächst damit, das Gesetz des Handelns in die eigenen Hände zu nehmen.

Die Christlichsoziale hatte in Reaktion auf das Linzer Parteiprogramm am 29. November 1926 ebenfalls zu einem neuen Programm gefunden. In ihm klingt bereits eine Antwort auf Linz an, wenn es heißt, sie weise mit Entschiedenheit jeden Versuch zur Aufrichtung einer Klassendiktatur zurück. Die Partei wolle alle Schichten des Volkes umfassen. Sie verlange vollen Schutz der ehrlichen geistigen und manuellen Arbeit sowohl gegen terroristische Behinderung als auch gegen selbstsüchtige Ausbeutung. Sie fordere den Ausbau der sozialen Gesetzgebung unter Bedachtnahme auf die Zeitumstände und die Leistungsfähigkeit der Wirtschaft. Sie bestehe auf Anerkennung des rechtmäßig erworbenen Privateigentums, fordere aber auch, daß beim Erwerb und Gebrauch der irdischen Güter auf das Allgemeinwohl gebührend Rücksicht genommen werde. Einen breiten Raum nehmen die Kulturfragen ein: Zusammenwirken von Kirche und Staat, Freiheit der kirchlichen Organisationen, konfessionelle Schule als Ziel, zumindest aber

Anerkennung des Religionsunterrichtes und der religiösen Übungen als Pflichtgegenstand, Festhalten am katholischen Eherecht für Katholiken und Schutz des keimenden Lebens.

Gerade in diesen Belangen bestand ein tiefer Gegensatz zur Sozialdemokratischen Partei. Das Linzer Programm formulierte: „Im Gegensatz zum Klerikalismus, der die Religion zur Parteisache macht, um die Arbeiterklasse zu spalten und breite proletarische Volksmassen in der Gefolgschaft der Bourgeoisie zu erhalten, betrachtet die Sozialdemokratie die Religion als Privatsache des einzelnen. Die Sozialdemokratie bekämpft also nicht die Religion, die Überzeugungen und Gefühle der einzelnen, aber sie bekämpft Kirchen und Religionsgesellschaften, welche ihre Macht über die Gläubigen dazu benützen, dem Befreiungskampf der Arbeiterklasse entgegenzuwirken und dadurch die Herrschaft der Bourgeoisie zu stützen."

Selbst diese Deklaration begegnete dem Widerspruch der Freidenkerbewegung, die den Kampf um ein areligiöses Denken als einen Bestandteil des ganzen proletarischen Kampfes ansah. Darüber kam es auf dem Linzer Parteitag zu gewissen Auseinandersetzungen, doch drang der vom Parteivorstand vorgeschlagene Text durch. Eine kleine Gruppe der sogenannten „Religiösen Sozialisten", um die sich der Wiener Theologe Michael Pfliegler sehr bemühte, kam damals und später wenig zur Geltung.

In kulturpolitischen Fragen hatten die Christlichsozialen auch mit Hemmungen durch ihre Koalitionsgenossen, die Großdeutschen, zu rechnen. Diese Partei war aus zahlreichen Gruppen und Verbänden entstanden, die seit 1920 zu einer Einheit zusammenwuchsen. Nationale, liberale, antiklerikale und antisemitische Elemente fanden sich dort unter dem beherrschenden Gedanken des Anschlusses an Deutschland zusammen. Von den ersten Anhängern der nationalsozialistischen Bewegung, die stark zerklüftet war, fand nur eine Splittergruppe unter Schulz dort Unterschlupf, während die stärkere Anhängerschaft von Walter Riehl, der später von Hitler bekämpft wurde, abseits blieb. In ihrer Struktur waren die Großdeutschen vorwiegend eine Beamtenpartei, auch unter den Honoratioren der alpenländischen Städte und Märkte waren sie stärker vertreten. Es bedeutete für sie eine schwere Belastung, daß sie in der Regierung Seipel-Kienböck die Sanierungspolitik mitverantworten mußten. Es bestand ein Koalitionspakt, der ihnen volle Freiheit in der Anschlußpropaganda zusicherte und in der Außenpolitik eine enge Fühlungsnahme mit der deutschen Reichsregierung in Aussicht stellte. Streitpunkte, die das Verhältnis von Kirche und Staat betrafen, sollten zurückgestellt werden. Dies entsprach dem Ziel Seipels, in den Kultusfragen alle Positionen zu halten. Wurden solche Dinge von anderer Seite aufgeworfen, wie etwa das Problem der Ausdehnung des Reichsvolksschulgesetzes auf das Burgenland, so stimmten die Großdeutschen unangefochten mit den Sozialdemokraten, in der Praxis änderte sich jedoch nichts. Erst die fortschreitende Radikalisierung des „nationalen Lagers" unter dem Druck der Heimatschutzbewegung und des aufkommenden Nationalsozialismus änderte nach zehn Jahren grundlegend das Bild.

Eine Sonderstellung nahm die Deutsche Bauernpartei ein, die sich später Landbund nannte und ihren Schwerpunkt in Oberösterreich, Kärnten und der Steiermark besaß. Sie hatte ihre Stütze bei jenen Bauern, die nicht dem christlichsozialen Reichsbauernbund zuneigten, betrieb eine reine Standespolitik und machte sich daher vorwiegend in Wirtschaftsfragen bemerkbar. In diesem, kaum theoretisch unterbauten Sinn gedachte sie den Ständegedanken zu fördern. Im übrigen walteten demokratische Strömungen vor und brachten den Landbund in starken Gegensatz zur Heimwehrbewegung. Seit 1927 stellte er in mehreren Regierungen den Vizekanzler, von der Radikalisierung des „nationalen Lagers" durch den aufstrebenden Nationalsozialismus wurde der Landbund anfangs weniger betroffen als die Großdeutschen. Er vermochte daher bis zum Herbst 1933 seine Ministersitze zu behaupten. Jedenfalls beherrschten in dieser Partei die Realisten und Praktiker das Feld.

Bei allen sozialen und materiellen Triebkräften, die das Bild der Parteien bestimmten, war in ihnen doch ein gutes Stück an Ideologie und Weltanschauung, ja eines messianistischen Zukunftsglaubens zu erkennen. Als jüngere Kräfte, vor allem aus der Weltkriegsgeneration von 1914 bis 1918, in die Parteiapparate einrückten, verdichtete sich die ihnen eigene Kompromißlosigkeit nicht selten zu einem Fanatismus, der die politischen Auseinandersetzungen vergiftete, die Vernichtung des Gegners anstrebte und letzten Endes auch vor Gewaltmitteln nicht zurückschreckte. Seipels Kritik der Demokratie als eines Systems des Dreinredens, bei dem der am meisten erreiche, der am lautesten schreie, machte Schule, der auch sonst im Europa jener Jahre erkennbare Zug nach autoritären Formen und Stabilitätsfaktoren machte sich mehr und mehr geltend. Dem Radikalismus gehörte die Zukunft.

Es muß verwundern, daß unter diesen Umständen der Kommunismus in Österreich nicht Fuß fassen konnte. Wohl trug die Einstellung der Sozialdemokratischen Partei nicht wenig dazu bei, die Linie des Austromarxismus, der stets die Einheit der Arbeiterklasse vor Augen hatte und dem die kleine, in den ersten Novembertagen 1918 entstandene Kommunistische Partei nicht gefährlich werden konnte. Ihr Stimmenanteil bei den Wahlen zum Nationalrat bewegte sich um 20.000, in keiner Gesetzgebungsperiode vermochte sie ein Mandat zu gewinnen. Die Versuche zur Aufrichtung einer Rätediktatur waren im Jahre 1919 gescheitert. Seither betrachtete die Sozialdemokratie die durch innere Streitigkeiten zerklüftete Kommunistische Partei lediglich als Sekte. Diese suchte bereits nach dem Juli 1927 unzufriedene und enttäuschte Sozialdemokraten an sich zu binden, was ihr aber letztlich erst ab dem Februar 1934 in einem größeren Umfang gelang.

Auch die Heimwehrbewegung profitierte von den Ereignissen des 15. Juli 1927. Der Unmut über die Tatsache, daß durch eine Parole politischer Gegner Handel und Wandel im ganzen Staatsgebiet lahmgelegt werden konnten, verbunden mit der Erkenntnis, daß ein energisches Auftreten dagegen nicht ohne Erfolg blieb, verlieh den Heimwehren starken Auftrieb. Ihre länderweise Organisation wurde durch eine einheitliche Zusammenfassung ersetzt, der Innsbrucker Rechtsanwalt Dr. Steidle trat an die Spitze der Bundesführung. Ihm zur Seite stand als Stabschef Major Waldemar Pabst, ein gebürtiger Rheinländer, der 1920 in den Kapp-Putsch verwickelt gewesen war und in Tirol Asyl gefunden hatte.

Noch trat die außenpolitische Anlehnung der Heimwehren an das faschistische Italien nicht hervor; sie waren ein Sammelbecken der verschiedensten Strömungen, unter denen die auf den Anschluß an Deutschland eingeschworenen Kreise das Übergewicht hatten. Wohl aber kam sehr bald zutage, daß die Heimwehren von der Industrie und anderen geldkräftigen Kreisen finanziert wurden, eine Tatsache, die das Mißtrauen und die Ablehnung der Arbeiterschaft zumal in dem Augenblick wachrufen mußte, als die Heimwehren durch die Gründung „Unabhängiger Gewerkschaften", die nur zu leicht als sogenannte „gelbe" (von Unternehmerseite aufgezogene) zu erkennen waren, in die Betriebe, vorab der obersteirischen Schwerindustrie, einzudringen begannen. Dagegen wehrte sich der festgefügte Block der linken Arbeiterschaft. Auch mit den unter Führung von Leopold Kunschak stehenden Christlichen Gewerkschaften kam es zu Reibereien.

Seipel sah die Heimwehren als willkommenen Prellbock an, der zur Zurückdrängung der Sozialdemokratie dienen konnte. Er glaubte, sich ihrer als Mittel bedienen zu können, und fürchtete nicht, daß sie dem Staate über den Kopf wachsen würden. Darum duldete er die zahlreichen uniformierten Aufmärsche, die wieder Gegenkundgebungen des Schutzbundes zur Folge hatten; sein Streben ging dahin, die Heimwehren zu hindern, eine eigene Partei zu werden, und sie doch als Figuren auf dem politischen Schachbrett zu gebrauchen. Auch von den führenden Männern der Großdeutschen drängten sich viele, um in den Leitungsstellen der Heimwehren eine Rolle zu spielen, nur der Landbund hielt sich ferne.

Die Heimwehren verstanden es, sich in der Öffentlichkeit immer stärker zur Geltung zu bringen; diesem Ziele dienten vor allem die zahlreichen Aufmärsche. Man proklamierte das „Recht auf die Straße", das zwar die aus der konstitutionellen Monarchie stammenden Staatsgrundgesetze dem Worte nach nicht kannten, das aber seinem Sinne nach als Gleichheit aller vor dem Gesetz und Recht der freien Meinungsäußerung in der verflossenen Ära meist besser angewendet worden war als in den ersten Jahren der Republik. In viel zu geringem Grad war das Erlebnis der Demokratie in Österreich in die Tiefe gedrungen und zu einem Teil des Massenbewußtseins geworden. Jetzt aber, ein Jahr nach dem 15. Juli, war die Einschüchterung, die bis dahin weite Bevölkerungskreise bedrückt hatte, gewichen, es hatte sogar dem Gegenteil, einem übersteigerten Selbstbewußtsein, Platz gemacht. Das kam in den Reden der Heimwehrführer zum Ausdruck, die keine klare Linie verfolgten und sich oft in heftigen Drohungen gegen die politischen Parteien und das Parlament ergingen. So wenig solche Erscheinungen in ein geordnetes Staatswesen passen mochten, die Zerfahrenheit im Heimwehrlager bot demjenigen, der, wie der Bundeskanzler, diese Vorgänge von überlegener Warte aus betrachtete, keinen Grund zur Besorgnis. Die Heimwehren waren ihm willkommene Bundesgenossen in seinem Kampf gegen die Sozialdemokratie, dem er sich verschrieben hatte. Er behielt kaltes Blut, wenn die Wogen der innerpolitischen Auseinandersetzungen noch so hoch gingen, seine Politik lief darauf hinaus, die einander befehdenden Gegner zu Entscheidungen zu zwingen, die in sein Konzept paßten.

Darum ließ er es auch am 7. Oktober 1928 auf die Kraftprobe von Wiener Neustadt ankommen. Die steirischen Heimwehren hatten für diesen Tag einen Aufmarsch angekündigt, den die Sozialdemokraten mit allen Mitteln hintanzuhalten suchten. Sie wollten sich „das Recht auf die Straße" mitten im niederösterreichischen Industriegebiet nicht entwinden lassen. Die Anmeldung eines gleichzeitigen Schutzbundaufmarsches machte auf Seipel keinen Eindruck, er bot Polizei, Gendarmerie und das Bundesheer auf und ließ durch Stacheldraht getrennte Veranstaltungen abrollen. Wie er vorausgesetzt hatte, geschah nichts. Ihm kam es in erster Linie auf die Wahrung der Staatsautorität an, die er von niemandem wollte in Frage stellen lassen.

Die Sozialdemokraten bekamen so eine Lehre, die für die weitere Entwicklung der Innenpolitik hätte heilsam werden können. Sie erkannten, daß sie ihre Gegner und die staatliche Exekutive nicht zugleich bekämpfen konnten. Das bedeutete den Übergang zur Defensive. Bis zum Februar 1934 wichen sie denn auch jedem offenen Zusammenstoß mit der Staatsgewalt aus.

Sie suchten die Lage durch einen Abrüstungsvorschlag zu retten. Seipel sah das aber nur als Taktik an, er wollte nicht bloß Symptome behandeln lassen, wenn krankhafte Grundübel weiterwucherten. Darum verlangte er die Sicherheit, daß sich niemand mehr vor den Sozialdemokraten zu fürchten brauche und daß das ruhige Nebeneinander verschiedener gewerkschaftlicher Organisationen, der Arbeitsfriede in den Betrieben, gewährleistet sei. Auch lehnte er eine Beeinträchtigung der parlamentarischen Arbeiten durch außenstehende Kräfte ab.

Solche Ziele ließen sich nicht an einem Tag verwirklichen. Es war gewiß sehr folgerichtig gedacht, auf jene Grundvoraussetzungen hinzuweisen, die erst das volle Gelingen jeder Befriedungsaktion bedeuten konnten. Indes geben in der Tagespolitik oft nicht die Prinzipien, sondern die unscheinbaren Begleiterscheinungen den Ausschlag. Hätte man damals nur einen kleinen Anfang gemacht, hätte man durch geeignete Maßnahmen vor aller

Welt klargestellt, daß die Exekutive unter allen Umständen auf dem Boden der Verfassung stehe, es wäre für alle, die über illegale Waffen verfügten, ein Merkzeichen gewesen. Dies aber unterblieb. Allzu enges Parteidenken sah in jedem Entgegenkommen in der Entwaffnungsfrage einen Erfolg der Austromarxisten, die tatsächlich auch dann noch über scharfe Kampfmittel durch die Beherrschung der Verkehrsmittel verfügten, und Seipel wollte seine Trümpfe nicht zu früh aus der Hand geben. So verliefen die nach dem Tage von Wiener Neustadt eingeleiteten Verhandlungen über die innere Abrüstung, bei der sich beide Teile im Ton schwer vergriffen, ergebnislos.

Auch hatte sich Seipel damals schon weitere Ziele gesteckt. Es schwebte ihm vor, daß nach der Sanierung der Finanzen noch eine zweite Sanierung, eine Neufundierung des ganzen Staatsaufbaues, notwendig sei. Darum trat er anläßlich der Zehnjahresfeier der Republik mit dem Vorschlag vor die Öffentlichkeit, die Verfassung dahin auszubauen, daß der Bundespräsident durch das Volk zu wählen und mit größeren Rechten auszustatten sei. In wenigen Wochen mußte ja ein neues Staatsoberhaupt bestellt werden, da die Amtszeit des Präsidenten Hainisch ablief. Die Sozialdemokraten lehnten aus grundsätzlichen Erwägungen eine Volkswahl ab. Es blieb bei der Wahl durch die Bundesversammlung. Die Christlichsozialen stellten den bisherigen Präsidenten des Nationalrates, Wilhelm Miklas, die Sozialdemokraten Renner und die Großdeutschen Schober als Kandidaten auf, für den auch der Landbund stimmte. Zunächst konnte keiner die erforderliche Mehrheit erzielen. Erst als im dritten Wahlgang die Sozialdemokraten leere Stimmzettel abgaben, fiel die Entscheidung zugunsten von Miklas.

Die Erfahrungen bei der Bundespräsidentenwahl bewirkten eine Verstimmung der Christlichsozialen gegen ihre Koalitionsgenossen, mit denen sie schon längere Zeit nicht mehr reibungslos zusammenarbeiteten. Wäre nämlich von den Großdeutschen nicht Schober, sondern nach dem Beispiel des Präsidenten Hainisch eine andere angesehene Persönlichkeit des öffentlichen Lebens als Kandidat aufgestellt worden, so hätten mit großer Wahrscheinlichkeit zuletzt auch die Sozialdemokraten diesem ihre Stimme gegeben. Bei Schober, den sie seit dem 15. Juli hemmungslos bekämpften, war ihnen das unmöglich. Das bestimmte ihre Haltung, auch befürchteten sie, daß sich die Mehrheitsparteien schließlich auf Seipel einigen könnten.

Die Großdeutschen zeigten damals das Bestreben, sich von der engen Verbindung mit den Christlichsozialen loszulösen. Sie hatten zwar durch die Teilnahme an der Einheitsliste Erfolg gehabt, fürchteten aber gerade darum, als Partei aufgesogen zu werden. In Fragen des Schul- und Eherechtes begannen sie aus der Reihe zu tanzen, während Seipel einen Kulturkampf, das Zusammengehen des bürgerlichen Freisinns mit der Linken gegen die von den Christlichsozialen behüteten Postulate der katholischen Kirche, zu verhindern suchte. Auch sonst fehlte es nicht an Reibungen. Forderungen der Beamtenschaft, für die sich die Großdeutschen in besonderem

Maße einsetzten, fanden beim Finanzminister taube Ohren. Wenn auch die Großdeutschen trotz ihrer geringen Mandatszahl zwei Ministerstühle besetzen und schon dadurch die Personalpolitik beeinflussen konnten, so erhoben sie doch auch aus ihrer josefinisch-liberalen Tradition heraus mit Nachdruck die Forderung nach Entpolitisierung der öffentlichen Verwaltung und des Bundesheeres. In diesen Belangen war ein starker Umschichtungsprozeß im Gange. Auf die frei werdenden Plätze rückten nämlich immer mehr Kräfte, die das Vertrauen der führenden Staatspartei, der Christlichsozialen, genossen, und soweit es sich um Akademiker handelte, oft Angehörige des Cartellverbandes der farbentragenden katholischen Studentenverbindungen (CV) waren. Die „Alten Herren" der Burschenschaften, die bisher in der hohen Bürokratie und im Justizdienst den Ton angegeben hatten, verloren zusehends an Boden.

Soweit es die bescheidenen Mittel zuließen, hatte der langjährige Heeresminister Vaugoin aus der österreichischen Wehrmacht eine schlagkräftige Truppe gemacht. Da aber die Soldaten in ihren politischen Rechten in keiner Weise beschränkt waren, Vertrauensmänner hatten und Gewerkschaften angehören durften, ging Vaugoin den Weg der Umpolitisierung. Die Linken aus der Volkswehrzeit schieden allmählich aus, die in das freiwillige Söldnerheer Neuaufgenommenen wurden gründlich gesiebt. Die Politik zeigte schließlich Erfolg im Sinne Vaugoins: 1929 gingen die Christlichsozialen als Sieger aus der Vertrauensmännerwahl der Soldaten hervor. Eine ähnliche Umpolitisierungsstrategie wurde auch im Bereich der Exekutive angewandt.

An der Jahreswende 1928/29 war die Lage so, daß Seipel in einer Rede erklärte, er bekenne sich zur Koalition, solange es gehe, er wisse aber nicht, wie lange dies der Fall sein werde. Wieder war die Arbeit im Parlament wenig fruchtbar, obwohl Seipel mit der sozialdemokratischen Opposition zu einem gewissen Waffenstillstand gekommen war. In der vielumstrittenen Mietenfrage, die nun mit einem Wohnbauförderungsprogramm gekoppelt werden sollte, schloß er eine Vereinbarung, die die letzte Entscheidung dem Volk — durch Neuwahlen oder eine besondere Abstimmung — vorbehielt. Seipel und die Mehrheitsparteien verkannten nicht, daß damit eine Durchsetzung der ursprünglichen Absichten, eine allmähliche Steigerung der Wohnungsmieten bei Aufrechterhaltung des Kündigungsschutzes, nur in einem beschränkten Ausmaß möglich war. Doch tröstete man sich mit dem Gedanken, daß damit überhaupt die Dinge in Fluß gekommen waren und die parlamentarische Arbeit weitergeführt werden konnte. Ein Mietengesetz, das Aussicht hatte, bei einer Volksabstimmung durchzugehen, konnte wahrlich auch im Parlament beschlossen werden. Es überraschte daher ungemein, daß Seipel knapp nach Ostern 1929 den Rücktritt seines Kabinetts erklärte. Die inneren Spannungen hätten ein solches Ausmaß erreicht, daß es ihm richtig scheine, die politischen Parteien in anderer Weise als unter seiner Führung die Zukunft sicherstellen zu lassen. Es solle weder den einen ein Weg zur Rückkehr zu sachlicher Arbeit versperrt noch den anderen eine Möglichkeit für Ausreden geboten werden, wenn sie dies nicht täten.

Der verblüffende Entschluß Seipels erzeugte Verwirrung. Es begann ein Rätselraten, was die tieferen Ursachen gewesen sein mochten, ob etwa die von den Sozialdemokraten nach dem 15. Juli eingeleitete Kirchenaustrittsbewegung den Ausschlag gegeben habe, ob Widerstände in der eigenen Partei sein Tun bestimmt hätten oder ob sein Schritt einen Schachzug in einem weiter gesteckten Plane darstelle. Bundeskanzler Seipel ließ das alles bewußt im Dunkeln.

Das Fehlen seiner starken Hand machte sich auch bald innerhalb der Christlichsozialen Partei bemerkbar; die verschiedensten Tendenzen drängten jetzt an die Oberfläche, persönliche Aspirationen und Intrigen, die namentlich vom steirischen Landeshauptmann Rintelen in Szene gesetzt wurden, erschwerten die Lage. Es war ein Glück, daß Jodok Fink noch lebte, der mit seiner langjährigen parlamentarischen Erfahrung und dem großen Ansehen, das er allenthalben genoß, die Christlichsozialen führte.

Die Regierungen Streeruwitz, Schober und Vaugoin

Die Bildung der neuen Regierung beanspruchte ungewöhnlich lange Zeit. Schwer war es, einen Bundeskanzler zu finden. Wer dieses Amt anstrebte, wie Rintelen, kam nicht zum Zuge. Jene, denen es angeboten wurde, wie Leopold Kunschak und der Landeshauptmann von Vorarlberg, Ender, lehnten ab. Man verfiel auf seinen Mitarbeiter in der Landesregierung, Johann Josef Mittelberger, gegen den sich aber der Landbund wandte, der damit die Christlichsozialen schwer verärgerte. Jeder Kandidat mußte einen langen Wunschzettel der Großdeutschen und des Landbundes entgegennehmen, ohne daß das kommende Verhältnis zur Opposition geklärt war. Im ganzen schien alles darauf hinauszulaufen, durch Männer zweiten Ranges einen Kompromiß herzustellen, der von vornherein der neuen Regierung nur Übergangscharakter gab.

Eines Tages wurde Ernst Streeruwitz als kommender Mann für das Finanzministerium genannt. Als ehemaliger aktiver Offizier, der 1900 im Generalstabskurs stehend von sich aus in die Reserve übergetreten war und sich dem industriellen Management zuwandte, war er ein Mann, der nicht dem Parteilager der Christlichsozialen entstammte. Als sich diese über ihren alten Rahmen hinaus zur allgemeinen bürgerlichen Staatspartei entwickelten, wurde er als Industrievertreter in den Nationalrat entsandt. Obwohl er sich in der Partei stets als Außenseiter fühlte, schoben ihn die Parteiinstanzen der Christlichsozialen immer mehr in den Vordergrund, bis sich schließlich die Regierungsmehrheit auf ihn als künftigen Bundeskanzler einigte. Es war eine Verlegenheitslösung, bei der sich Streeruwitz selbst am wenigsten wohl fühlte. Zwar hatten die Unterhändler seiner Partei in zähen Verhandlungen mit den Sozialdemokraten, die weiterhin in Opposition blieben, ein Arbeitsprogramm festgelegt, durch das das Parlament aktionsfähig wurde, sogar über das heißumstrittene Mietengesetz kam jetzt eine Einigung zustande, aber die grundlegenden Probleme der Innenpolitik blieben ungelöst.

Streeruwitz konnte und wollte sich keine weitgespannten Ziele setzen. Seine Absicht war, reine Wirtschaftspolitik zu treiben. Auf diesem Gebiet brachte er auch Erfolge heim. Die latente Staatskrise zu meistern, fehlte ihm das Format. Die Heimwehrbewegung nahm immer stärkeren Umfang an, ihre Drohungen gegen das Parlament wurden immer heftiger, besonders als Seipel in einer vielbeachteten Rede in Tübingen die Schwächen der Demokratie analysiert und auf die Gefahren einer übersteigerten Parteienherrschaft hingewiesen hatte. Es lag in seiner Absicht, den Heimwehren ein Ziel zu geben, die daraufhin laut den Ruf nach einer Verfassungsreform erhoben. Da sie aber in ihren Kundgebungen das parlamentarische System überhaupt ablehnten, das Schlagwort eines Ständestaates in die Debatte warfen, unter dem sich die wenigsten etwas Bestimmtes vorstellten, und ihre Forderungen mit Gewalt durchsetzen zu wollen erklärten, wurde die Öffentlichkeit unruhig. Die Sozialdemokraten begannen sich auf alle Eventualitäten vorzubereiten. Die bürgerlichen Parteien fürchteten für ihre Mandate bei den nächsten Wahlen und beeilten sich, möglichst viele Führerstellen in dem sich immer weiter ausbreitenden Apparat der Heimwehrorganisationen zu besetzen. Die an den Juli 1927 anschließende Aufstiegsphase der Heimwehr führte zu einer deutlicheren, wenn auch nicht umfassenden Zentralisierung der verschiedenen Wehrverbände. Als eigentliche Sieger der „Niederlage" bzw. des „Versagens" der SDAP 1927 wurde nunmehr die Heimwehr in die Überlegungen Mussolinis und Bethlens einbezogen, die in einer von der Heimwehr getragenen Regierung Österreichs die Garantie für ihre politischen Pläne im Donauraum sahen und letztlich in diesem Zusammenhang jene Politik konzipierten, die wenige Jahre später tatsächlich realisiert werden konnte. Mit der Wahl Steidles zum Bundesführer des „Bundes der österreichischen Selbstschutzverbände" (14./15. Oktober 1927) begannen jene österreichweiten Aktivitäten, die die Politik der „freien Straße" proklamierte, eine zur Schau gestellte Uniformität einleitete und die schließlich am 21. Februar 1928 in Leoben zur Gründung der Unabhängigen Gewerkschaft führte — auch hier war die tatkräftige Unterstützung der Alpine Montangesellschaft evident. Was als Angriff auf das „Gewerkschaftsmonopol" des Austromarxismus und dessen „Betriebsterror" gegen alle jene, die sich dem Zwang der Freien Gewerkschaften nicht beugen wollten, verkündet wurde, stieß auch bei den Vertretern der Christlichen Gewerkschafter auf so manche Kritik. Die zunehmende Radikalisierung der Heimwehren wurde durch die Wahl Pfrimers zum 2. Bundesführer personalisiert, wobei jedoch auffallend ist, daß gerade in dieser Phase der Radikalisierung und des Zustroms künftige Spaltungen und Bruchstellen eingelagert wurden. Der niederösterreichische Bauernbund trat mit seinem großen Mitgliederstand korporativ der Heimwehr bei. Der Landbund folgte nicht diesem Beispiel, stellte aber auf einer Tagung in Deutsch-Feistritz ein eigenes Verfassungsprogramm auf, das sich an die Ideologie des Ständestaates anlehnte und dessen Verwirklichung als dringlich bezeichnete.

Die Unruhe im Lande wuchs, besonders als es auf dem heißen Boden der Obersteiermark zu einem schweren Zusammenstoß zwischen Heimwehr und Schutzbund in St. Lorenzen kam, der den Auftakt zum Bürgerkrieg zu bilden schien. Es handelte sich nämlich nicht um eine der üblichen Sonntagsraufereien. Auf beiden Seiten wurden Schußwaffen verwendet, was drei Schutzbündler das Leben kostete, während die Heimwehr dreißig Schwerverletzte zu zählen hatte, der Schutzbund zwei. Die mehr als nachlässige Untersuchungsführung und Handhabung der Exekutive erleichterte die propagandistische Überhöhung des Einsatzes eines Maschinengewehres, von dem am Tage nach dem Vorfall zu lesen war, daß es vom Dach des Kirchturms zum Einsatz gekommen wäre.

Streeruwitz erklärte im nachhinein die Haltung Rintelens, der die Hauptschuld an den Vorgängen trug, mit dessen Absicht, durch Steigerung der öffentlichen Unruhe den Sturz der Regierung herbei zu führen. Verschiedene Hinweise sprechen dafür, daß die Vorgänge um Lorenzen in das Konzept eines eindeutig projektierten Staatsstreiches paßten, den die Heimwehren seit Anfang des Sommers mit einem auf den 29. September 1929 proklamierten „Marsch auf Wien" mehrmals angekündigt hatten.

Streeruwitz blieb untätig, nicht zuletzt auch deshalb, weil er die schwindende Unterstützung seiner Partei registrieren mußte. So half ihm auch die Sympathiekundgebung des Niederösterreichischen Bauernbundes am 21. September in Wien — der Bauernbund war am 28. August 1929 kooperativ der Heimwehr beigetreten, um die „schwache Stellung des niederösterreichischen Landesführers" Julius Raabs zu stärken (Wiltschegg) — nichts mehr. Am 26. September wurde Schober Bundeskanzler, der seit vielen Jahren Kontakte zur Heimwehr unterhielt, deren Führer und Putschpläne gut kannte und auch Waffen diesen hatte zukommen lassen.

Schober sah sich plötzlich von den Wellen der öffentlichen Meinung emporgetragen und verstand diese Umstände zu nutzen. Er war nach dem 15. Juli in den Ruf des starken Mannes geraten. Das war er nicht, er war der korrekte altösterreichische Beamte, der auf der Klaviatur des Verwaltungsapparates virtuos zu spielen verstand, er war aber auch zweifellos machtbewußt, überaus ehrgeizig, eitel und empfindlich. Als alter Polizist wußte er, wie radikale Bewegungen oft aufgefangen wurden, indem sich die Führer von ihnen tragen ließen und dabei doch ihren Willen durchsetzten. Das versuchte er nun mit der Heimwehr. Er ließ sie glauben, ganz ihre zu sein.

Seine Versicherungen über das Festhalten an der Legalität verstanden die Heimwehrführer nicht. Sie träumten schon von ihrem Marsch auf Wien und verbohrten sich so in diese Idee, daß sie die für das In- und Ausland bestimmten Erklärungen Schobers nicht auf sich bezogen, welche die große Beunruhigung eindämmen sollten, die sich der Wirtschaft bemächtigt hatte und Befürchtungen für die Währung aufkommen ließ.

Die Stellung des Bundeskanzlers Streeruwitz wurde unhaltbar. Er ließ Entwürfe für eine Verfassungsreform ausarbeiten, obwohl er sich nicht zum politischen Reformator berufen fühlte. Von allen Seiten sah er sich bedrängt. Die Heimwehren steigerten ihren Druck, der Landbund verlangte dringend die Verwirklichung des Programms von Deutsch-Feistritz, in der eigenen Partei fand er keinen Widerhall, die Sozialdemokraten sahen die politische Hochspannung als so gefährlich an, daß sie Bürgermeister Seitz veranlaßten, in einer persönlichen Aussprache Frieden mit Schober zu schließen. Als sich dann der Landbund deutlich anschickte, die Regierung zu verlassen, bedurfte es kaum mehr einer mit Windeseile kolportierten Äußerung des Majors Pabst, um den Sturz des Kabinetts zu besiegeln.

Es beleuchtet die Situation, daß Streeruwitz es auf sich nehmen mußte, selbst Schober als seinen Nachfolger vorzuschlagen, von dem er annahm, daß er neben Seipel stark daran gearbeitet hatte, ihm den Boden abzugraben. Keine Partei gönnte nämlich der anderen den Vorrang, den Mann, nach dem die Heimwehr und die öffentliche Meinung riefen, auf den Schild zu heben.

Schober stellte seine Bedingungen. Er wollte nur ein Kabinett aus persönlichen Vertrauensleuten bilden, während die politischen Parteien der bisherigen Mehrheit nur je eine Ministerstelle besetzen sollten. Dies wurde ihm ohne Bedenken zugestanden, doch ergaben sich nach der Überwindung der Verfassungskrise bedeutende Schwierigkeiten, weil sich die Christlichsozialen dadurch beeinträchtigt fühlten. Schober lag viel daran, hervorragende Fachmänner oder doch Persönlichkeiten, die in der Öffentlichkeit Rang und Ansehen hatten, als Mitarbeiter um sich zu scharen. So traten der frühere Bundespräsident Hainisch, der Theologieprofessor und spätere Kardinal-Erzbischof von Wien Theodor Innitzer und der bedeutende Historiker Heinrich Srbik in Schobers Regierung ein. Einen ausgesprochenen Heimwehrmann zu bestellen, lehnte Schober ab. Als Verbindungsmann fungierte mehr zum Scheine der großdeutsche Justizminister Franz Slama, der in der oberösterreichischen Heimwehrbewegung eine zweitrangige Rolle spielte. Die neue Regierung war also halb ein Beamten- und halb ein Parteienministerium, die zwischen drei Fronten, der Heimwehr, den Sozialdemokraten und gegen die Widerstände aus dem eigenen Lager zu lavieren hatte.

Schon in den ersten Tagen machte der Zusammenbruch der Bodencreditanstalt große Schwierigkeiten. Die Lösung, zu der Schober griff, die Vereinigung mit der Creditanstalt, reichte nicht über den Augenblick hinaus; sie hatte zur Folge, daß die Creditanstalt und das Wiener Haus Rothschild zwei Jahre später in die schwerste Krise gerissen wurden.

Es dauerte nicht lange, bis die Heimwehren begriffen, daß Schober unter keinen Umständen bereit war, in der Verfassungsfrage vom Wege der Legalität abzuweichen. Exekutive und Bundesheer fest in seiner Hand haltend, war er gegen Putschversuche der Heimwehr gewappnet. Im übrigen nahm er solche Vorbereitungen, die da und dort aufzüngelten, nicht ernst. Um so gefährlicher schienen diese den Sozialdemokraten, doch hielten sie strenge Disziplin, sie blieben bei ihrer Taktik, auf keinen Fall ein Zusammengehen der Staatsgewalt mit den Heimwehren hervorzurufen. Wenn auch Schober sich der Heimwehren als Instrument seiner Politik bediente, so betrachtete er sie im Grunde doch nur als Hilfspolizei, die er zur Unterstützung der legalen Gewalten im Notfalle aufbieten wollte. Vielen bürgerlichen Politikern erschien es bequem, in den Heimwehren ein ständiges Druckmittel gegenüber den politischen Gegnern zu haben. Mit Putsch und Staatsstreich wollten auch sie nichts zu tun haben, schon deshalb, weil eine Heimwehrdiktatur auch die meisten Parteimänner hinweggeschwemmt hätte.

Zur Verfassungsreform war im Nationalrat eine Zweidrittelmehrheit notwendig, die nur mit Hilfe der Sozialdemokraten zu erreichen war. Der Vorschlag, das sogenannte Kriegswirtschaftliche Ermächtigungsgesetz aus dem Jahre 1917 als Grundlage zu nehmen, wurde — anders als wenige Jahre später — als juridische Spitzfindigkeit angesehen. Auch die Unentwegten, die in der Öffentlichkeit den Mund sehr voll nahmen, erkannten bald, daß mit Schober die Verfassungsänderung nur auf legalem Wege zu machen war. Auch den Plan, die Verfassungsänderung durch eine Volksabstimmung herbeizuführen, ließ man fallen, da er der geltenden Verfassung widersprach. Dazu kam die Rücksicht auf das Ausland. Durch ihre internationalen Beziehungen hatten die Sozialdemokraten die öffentliche Meinung der Welt mobilisiert und besonders die Unterstützung der englischen Arbeiterpartei gefunden.

So kam es, daß man den Weg von Verhandlungen beschritt, doch wagte zunächst niemand, dies von Partei zu Partei zu besorgen. Man überließ es Schober, in langwierigen Beratungen mit dem Sozialdemokraten Danneberg das Feld des Erreichbaren abzustecken.

Der erste Entwurf, den Schober im Parlament zur Diskussion stellte, enthielt so ziemlich alles, was von den verschiedenen Seiten als abänderungsbedürftig bezeichnet worden war. Eine Änderung, ein Abgehen von der demokratischen Republik, bedeutete er nicht. Trotzdem war klar, daß infolge des Widerstandes der Sozialdemokraten nur Teile davon Gesetz werden konnten. Wesentliches Ziel war eine Reform des Parlamentarismus und die Hebung der Staatsautorität. Auf der mittleren Linie, die schließlich das Ergebnis war, suchte man diese Punkte auf die Weise zu erreichen, daß dem durch direkte Volkswahl zu berufenden Bundespräsidenten erweiterte Rechte eingeräumt wurden. Man wollte ihn als selbständigen Faktor dem Parlament gegenüberstellen, dessen Allmacht und Allgegenwart eingeengt wurden. Es blieb nicht wie bisher ständig versammelt, durch die Festlegung bestimmter Tagungsabschnitte sollte der Regierung auch Zeit zu ruhiger Verwaltungsarbeit gegeben werden. War sie bis jetzt vom Nationalrat gewählt worden, so war sie nach der neuen Verfassung durch den Bundespräsidenten zu ernennen, dem auch das Recht zur Auflösung des Parlaments und unter bestimmten Voraussetzungen zur Erlassung von Notverordnungen eingeräumt wurde. Bei einer nicht rechtzeitigen Erledigung des Bundesvoranschlages sollte automatisch ein Provisorium eintreten, was die Mehrheit davon befreite, an die Minorität auf anderen Gebieten Konzessionen zu machen. Eine Einigung erzielte man hinsichtlich der Stellung der Stadt Wien. Diese Frage schien vielen der Kernpunkt zu sein, man hatte besonders seitens der Heimwehr gehofft, durch geeignete Bestimmungen die Wiener Festung der Sozialdemokratie erschüttern zu können. Das schlug fehl. Auch die Haltung der Bundesländer, die sich ihre Rechte nicht beschneiden lassen wollten — Wien verlangte, nicht schlechter als diese behandelt zu werden —, trug mit dazu bei. Die Verfassung sah auch gewisse Möglichkeiten für Volksbefragungen vor; ein sozialdemokratischer Antrag, der Minderheit im Parlament bei jedem Gesetz die Möglichkeit zu eröffnen, es einer Volksabstimmung zu unterziehen, und damit ein scharfes Druckmittel zu gewinnen, drang nicht durch. Um den aufgeworfenen Schlagworten zu genügen, wurde beschlossen, den Bundesrat, der bis dahin ein Scheindasein führte, in einen Länder- und Ständerat umzuwandeln. Diese Änderung blieb auf dem Papier, obwohl Seipel bald darauf mit konkreten Vorschlägen hervortrat. Die SDAP lehnte weiters jene Änderungsvorschläge der Regierung ab, die den Verfassungscharakter des Adelsgesetzes vom 3. April 1919 usw. beseitigt wissen wollten, die auf eine Änderung des Staatswappens zielten, die die Einführung der Zensur erleichtern sollten, die erweiterte Kompetenzen der Regierung im Ausnahmezustand herbeigeführt hätten, die gegen die Geschworenengerichtsbarkeit gerichtet waren, die die SDAP aus jenen Landesregierungen entfernt hätten, in denen diese einen Minderheitstatus besaßen, die in ähnlicher Weise in kleinen (bäuerlichen) Gemeinden die SDAP aus der Gemeindeverwaltung ausgeschlossen hätten, die auf eine Reform des Bundesrates abzielten und in ihrer Konsequenz die Reduktion der SDAP-Mandatare gebracht hätten.

Die Reformen, die die Dezemberverfassung von 1929 brachte, hätten dazu dienen können, den Boden der Innenpolitik aufzulockern und die Parteien auf den demokratischen Weg festzulegen. Es hatte sich vor allem gezeigt, daß trotz radikaler Tendenzen eine Gesprächsbasis über die Lagergrenzen hinweg gefunden werden konnte, sogar mit einem Mann, der 1927

Chef der Wiener Polizei gewesen war. Wohl grollte die Heimwehr, sie bekam es aber bald mit inneren Krisen zu tun und trat für einige Zeit in den Hintergrund. Bedenklich war, daß sich die Unzufriedenheit mancher Kreise jetzt gegen Schober wandte, mit dessen halben Erfolgen man sich nicht abfand, und daß manche Schichten, nicht nur die Heimwehr, der Gedanke beherrschte, was geschehen würde, wenn die Sozialdemokratie auf demokratischem Wege einmal die Mehrheit gewinnen sollte. Im Geist des Antimarxismus, der noch immer das Feld behauptete, glaubte man außerparlamentarischer Kräfte nicht entraten zu können und war ebensowenig bereit, einen Trennungsstrich gegen rechts zu ziehen, wie es die Linke unterlassen hatte, sich von ihrem radikalen Flügel deutlich zu distanzieren.

Nach Erledigung der Verfassungsfrage wandte sich Schober mit großem Erfolg außenpolitischen Problemen zu. Als Voraussetzung für die angestrebte Investitionsanleihe, um die sich schon Seipel bemüht hatte, erreichte er im Haag die Aufhebung aller Kriegsschulden und des Generalpfandrechtes sowie die Streichung aller Forderungen der Nachfolgestaaten. Der Weg dahin war weit gewesen. Die Lösung dieser Fragen hing eng mit der Stellung zusammen, die Seipel in der österreichischen Außenpolitik bezogen hatte.

Im Ausland genoß Seipel den Ruf eines Staatsmannes europäischen Formats. Die Art, wie er in Genf die Völkerbundaktion für Österreich eingeleitet hatte, die zahlreichen Äußerungen, die er in überlegener Art zu verschiedenen Gegenwartsfragen abgab, trugen wesentlich dazu bei, ihm und seinem Land ein besonderes Ansehen zu verschaffen. Der Weg, den er in der Außenpolitik einschlug, hatte im wesentlichen darin bestanden, daß er keine Außenpolitik trieb. Das war in der Lage Österreichs, auf dessen Boden sich die verschiedensten Kraftfelder kreuzten, weniger einfach, als es auf den ersten Blick scheinen mag. Seipels Hauptziel war es, Österreich aus allen europäischen Verwicklungen herauszuhalten, sein Bestreben ging darum dahin, weder Feindschaften auf sich zu ziehen noch allzu enge Freundschaften, die verpflichten konnten, zu schließen. Dies drückt sich in den vielen Schiedsverträgen aus, die er und seine Nachfolger abschlossen und die Österreich als Mitglied des Völkerbundes in den Rahmen des von Genf vertretenen Systems stellten. Wenn Seipel erklärte: „Wir nehmen es ganz ernst mit dem Völkerbunde", so hatten solche Worte in seinem Munde Gewicht, er konnte es auch wagen, in Wort und Schrift, vor allem in Fragen des Minderheitsschutzes, der Genfer Liga ins Gewissen zu reden. Darum förderte er auch die Paneuropa-Bewegung, dachte über die Gegenwart hinaus und hielt viele Dinge, die den politischen Alltag bewegten, für kleinlich und nebensächlich.

Auch die Frage des Anschlusses Österreichs an das Deutsche Reich war ihm in solchem Licht erschienen. Er war überzeugt, daß sich dieses Problem eines Tages auf einer höheren europäischen Ebene von selbst lösen werde.

Er war durchdrungen von den engen kulturellen Zusammenhängen zwischen beiden Staaten, die er immer wieder hervorhob. Eine Teilnahme an einer europäischen Gruppenbildung lehnte er nach jeder Richtung ab. Er ließ offen, ob Österreich eines Tages in eine größere oder eine kleinere, eine europäische, mitteleuropäische, deutsche Lösung hineingehen könne, betonte aber mit Nachdruck, daß eine Kombination, die Deutschland ausschließe, nicht in Frage komme.

Auch gegenüber der Kleinen Entente hatte er Zurückhaltung bewahrt. Den Vertrag von Lana, der seinerzeit so große Aufregung verursacht hatte, hat Seipel nach seinem Ablauf nicht erneuert, er wurde durch einen Schiedsvertrag der üblichen Art ersetzt. Seipels Reise nach Prag im Februar 1928 diente nur der allgemeinen Orientierung und dem Versuch, Schwierigkeiten, die dem Abschluß der Investitionsanleihe in den Weg gelegt wurden, zu beheben. Auch der Besuch des deutschen Reichskanzlers Marx und des Reichsaußenministers Stresemann in Wien entbehrte einer politischen Aktualität.

Im Verhältnis zu Ungarn hatte Seipel in mehrfachen öffentlichen Auseinandersetzungen das unbedingte Festhalten Österreichs an dem ihm zugesprochenen Burgenland betont und keinen Zweifel darüber gelassen, daß ein Rütteln an dieser Grenze den Frieden Europas bedrohen würde; aufgeregten Aktionen, die mehr parteipolitischer Taktik entsprangen, begegnete er mit dem Hinweis, seine Zurückhaltung sei der beste Beweis, daß er sich nicht beunruhigt fühle, im übrigen sei es am besten, selbst an der Tatsache der Vereinigung des Burgenlandes mit Österreich nicht zu zweifeln und sich mit niemandem in Diskussionen darüber einzulassen.

Am schwierigsten hatte sich in der Regierungszeit Seipels das Verhältnis zu Italien gestaltet. Die Trauerfahne am Standbild Andreas Hofers in der Innsbrucker Hofkirche kündete vom Schmerz, den nicht allein Tirol, sondern ganz Österreich über den Verlust Südtirols empfunden hatte.

Die Tiroler jenseits des Brenners waren besonders seit der Machtergreifung des Faschismus zahlreichen Bedrängungen ausgesetzt. Österreich war gezwungen, die Südtirolfrage offiziell als eine innerstaatliche Angelegenheit Italiens zu behandeln, ließ es sich aber nicht nehmen, Unrecht als Unrecht zu bezeichnen. Das löste wieder Verärgerung auf der anderen Seite aus, besonders dann, wenn solche Worte in öffentlichen Körperschaften, im Tiroler Landtag oder im Wiener Parlament, fielen.

Bei einem Zusammentreffen mit Mussolini in Mailand hatte Seipel vorsichtig auf diese Dinge hingewiesen. Das Problem war aber dadurch sehr erschwert, daß Italien im Friedensvertrag keine Verpflichtungen zum Schutz der Minderheiten übernommen hatte. Nur in der Mantelnote zu diesem Text konnte man gewisse Anhaltspunkte finden.

Der Problemkreis Südtirol hatte in Österreich eine außen- und innenpolitische Dimension, wobei die damit verknüpften wirtschaftlichen Aspekte

nicht übersehen werden dürfen. Die von Österreich aus betriebene Südtirolpropaganda war in Tirol, aber auch in anderen Bundesländern lagerüber-
greifend und zudem — im Hinblick auf die aktivistischen Vereinigungen in
Tirol — grenzüberschreitend, da auch reichsdeutsche Stellen hier engagiert
waren.

Die erste direkte Kontroverse fiel in den Oktober 1923, als man italienischerseits durch die „Lex Gentile" die Italienisierung des Unterrichtes, der
Amtssprache und der Aufschriften den Rahmen für eine äußerst rigide faschistische Politik absteckte. Die heftigen österreichischen Angriffe durch
Presse und parlamentarische Einrichtungen führten zur Zitierung des österreichischen Geschäftsträgers in Rom, zu Angriffen auf die österreichische
Regierung und zur Aufnahme einer Südtirolerklärung in die Regierungserklärung Seipels am 21. November 1923, die an Italien und an innerösterreichische Exponenten gerichtet war. Aber erst die direkte Kontaktaufnahme
Seipels mit Mussolini konnte Fortschritte in der Entspannung bringen, die
dadurch erleichtert wurde, daß es nach kirchlichen Interventionen zu Besse-
rungen im Religions- und Deutschunterricht gekommen war. 1925/26
wurde der Konflikt durch eine breit angelegte Boykottpropaganda gegen
italienische Waren und Reisen nach Italien erneut belebt. In diesem Konnex
fiel im Zuge eines verbalen Schlagabtausches zwischen dem bayerischen Ministerpräsidenten Held, dem deutschen Außenminister Stresemann und
Mussolini die Drohung, daß Italien die Brennergrenze überschreiten
könnte. Auf heftige österreichische Reaktionen hin erklärte Mussolini, daß
eine derartige Aktion nur für den Fall eines Anschlusses Österreichs an das
Deutsche Reich in Aussicht gestellt worden wäre.

Die massive Forcierung der Italienisierung Südtirols ab 1927 — unter anderem wurden die Organisatoren des privaten Deutschunterrichtes Noldin
und Riedl in Haft genommen — mobilisierte die öffentliche Meinung in
Österreich, und Seipel mußte mehrmals im Nationalrat zur Südtirolfrage
Stellung beziehen, wobei ihm innerösterreichisch zur Last gelegt wurde, daß
er das Südtirolproblem nicht internationalisiere. Diesem Wunsch stand aber
die fehlende rechtliche Basis für eine Anrufung des Völkerbundes im Wege.
Am 23. Februar 1928 kam es zu einem gut vorbereiteten Angriff der Tiroler
Abgeordneten im Nationalrat: der Christlichsoziale Franz Kolb leitete ein
und vermied wie der Großdeutsche Straffner und der Sozialdemokrat
Abram bei aller Kritik an der offiziellen Südtirolpolitik den Ruf nach dem
Völkerbund. Daraufhin hielt Seipel jene Rede, die Italien verärgerte, Seipel
aber als Befreiung der Bundesregierung von innerösterreichischen Querelen
nutzen wollte. Italien reagierte mit der Rückberufung seines Gesandten aus
Wien, und Mussolini hielt am 3. März eine theatralische Rede, in der er die
„Südtirolkundgebung des österreichischen Nationalrats", die international
eine gute Presse gefunden hatte, „zu einer antiitalienischen und antifaschistischen Redeübung und zu einer ‚pangermanischen Kampagne' stempelte"

(Weiß, Südtirol). Gleichzeitig drohte er Österreich auf wirtschaftlichem Gebiet, da er offen erklärte, die von Österreich angestrebte Investitionsanleihe
verhindern zu wollen, wenn man nicht die Südtirolagitation auf allen
Ebenen einstellte.

Zur Aufnahme der Anleihe bedurfte es der Zustimmung jener Staaten, die
ein generelles Pfandrecht an den österreichischen Staatseinnahmen besaßen;
die in der Reparationskommission und im Reliefkomitee sitzenden Staaten
— Italien zählte zu diesen — hätten ihre Pfandrechte zugunsten der Anleihe
zurückstellen müssen. Mussolini hatte hier Seipel im Frühherbst 1927 während der internationalen Verhandlungen über die Anleihe seine Unterstützung zugesagt, die er nunmehr zurückzog. Diese Zusage wurde nun von
Mussolini zum Handelsobjekt, an dem er festhielt — entgegen ursprünglichen Zusagen —, nachdem Seipel Südtirol als inneritalienische Angelegenheit bestätigt hatte und damit die Rückkehr des italienischen Gesandten
nach Wien möglich geworden war. Der Südtiroler Bevölkerung suchte
Seipel durch das Vorantreiben eines allgemeinen Minderheitenschutzes
beim Völkerbund zu helfen, was jedoch nicht nur an Seipels Rücktritt scheiterte.

Die Politik des Hinauszögerns seiner Zustimmung zur Investitionsanleihe
setzte Mussolini auch gegenüber der Regierung Streeruwitz fort, wobei er
— angesichts der mit Ungarn gemeinsam betriebenen Politik gegenüber den
Heimwehren — innerösterreichisch auf die „Evolution nach rechts" setzte.
In der Hoffnung auf eine von ihm für den Herbst 1929 erwartete Regierung
unter Heimwehreinfluß setzte er auf Zeitgewinn; bereits im August 1928
hatte sich Steidle in einem Geheimabkommen bereit erklärt, daß er im Fall
eines für den Herbst 1928 geplanten Heimwehrputsches bei dessen siegrei-
chem Ausgang auf das Südtirolproblem nicht zurückkommen werde und
dieses als inneritalienisches Anliegen betrachte. Dafür erhielten diese Gruppierungen italienische Waffen- und Finanzierungshilfen. Vorangegangen
waren Erklärungen Mussolinis an den ungarischen Ministerpräsidenten
Bethlen, die Verbesserungen für die betroffenen Südtiroler signalisierten.
Bethlen unterließ es in der Folge bewußt, Steidle von der Rücknahme dieser
Äußerungen zu informieren, da er nicht die „Aktion" gefährden wollte.
1929 bekannte sich die Heimwehrführung in aller Öffentlichkeit zu einem
Verzicht auf die Südtirolpropaganda, da man die eigene Bewegung wirksam
zu organisieren wünschte und dies nicht gegen Italien möglich wäre. Eine
ähnliche Position hatte Hitler schon frühzeitig eingenommen und unterstrich diese 1928 erneut.

Bundeskanzler Streeruwitz fand in der kurzen Dauer seiner Übergangsregierung nicht die Zeit, die außenpolitische Stellung Österreichs neu zu gestalten. Ein Zusammentreffen mit Außenminister Beneš in Pilsen verfolgte
keine weittragenden Ziele, es diente der Prüfung der Stellung Österreichs
im Kraftfeld der von Italien und der Kleinen Entente ausgehenden Ten-

denzen, nicht zuletzt auch der Orientierung darüber, wie weit die Tschechoslowakei die von ihr ausgehenden Hemmungen gegen die geplante Investitionsanleihe aufgeben werde.

Schober signalisierte unmittelbar nach seiner Regierungsbildung Mussolini, daß er — ganz im Stile seiner Vorgänger — ebenso das Südtirolproblem als inneritalienische Angelegenheit betrachten wollte. Mussolini sah in Schober den Mann, der den erwünschten Rechtsruck in Österreich vollziehen könnte, was dazu führte, daß man nunmehr eine weitere Unterstützung der Heimwehr in finanzieller und waffentechnischer Hinsicht für überflüssig zu halten begann. Das Mitwirken an der dringend notwendigen Investitionsanleihe aber machte man italienischerseits nicht nur von der Südtirolpolitik, sondern auch von der Verfassungsreform im Sinne der Heimwehr abhängig. Dieser Querschuß beruhte auf Interventionen der Heimwehrführer, die erkennen mußten, daß Schober die Verfassungsreform auf legalem Wege mit den Stimmen der Sozialdemokratie herbeizuführen suchte. Schober gelang es aber, Mussolini zu überzeugen, daß die künftige Entwicklung ganz in dessen Sinne laufen würde, wenngleich man aus außenpolitischen und wirtschaftlichen Gründen zu Kompromissen mit der SDAP gezwungen wäre. Damit erreichte Schober Ende November/Anfang Dezember 1929 die Mitwirkung Italiens an der geplanten Anleihe. Die Position Österreichs zur Südtirolfrage, wie sie Seipel im Frühsommer 1928 formuliert hatte und wie sie von Streeruwitz fortgeführt wurde, blieb bei Schober unverändert; innenpolitisch deckten diese Haltung naturgemäß die Regierungsparteien, aber auch die Sozialdemokraten. „Wie in der Frage der Verfassungsreform zeigte sich auch hier die Tendenz der Sozialdemokraten zu Konzessionen gegenüber Schober, wie sie Seipel wohl nicht eingeräumt worden wären. . . . Seipels intensives Taktieren mit den Heimwehren war bekannt, auch gab er diesen durch verschiedene Grundsatzreden programmatische Leitlinien, so daß aus sozialdemokratischer Sicht Schober das kleinere bürgerliche ‚Übel‘ war, das gestützt werden mußte, um Schlimmeres hintanzuhalten" (Weiß, Südtirol). Dies obwohl man in der Diskussion um die Gestaltung des österreichisch-italienischen Verhältnisses in diesen Tagen in der „Arbeiter-Zeitung" und im Hauptausschuß des Nationalrates von seiten der Sozialdemokraten auf die Pläne eines italienisch-ungarisch-österreichischen Blocks besorgt hinwies.

Aber auch Schober hatte im Haag mit schweren Widerständen der Kleinen Entente zu kämpfen; Italien, das bis dahin den Hauptwiderstand geleistet hatte, versagte jetzt seine Zustimmung zur Aufhebung des Generalpfandrechtes nicht mehr. Mit diplomatischem Geschick verstand es Schober, die Absicht Italiens, sich Österreich zu verpflichten und auf weitere Sicht seinen außenpolitischen Absichten anzunähern, nicht allzusehr in den Vordergrund treten zu lassen. Er schloß einen Freundschafts- und Schiedsgerichtsvertrag mit Italien, seinen Besuch in Rom schob er aber lange hinaus, um ihn als Dankesvisite und nicht als Bittgang erscheinen zu lassen. Österreich nahm keinerlei Verpflichtungen auf sich, so daß auch die Sozialdemokraten für diesen Vertrag stimmten, doch ergab sich als stillschweigende Folge, daß die Erörterungen über die Lage in Südtirol, wo sich der Druck abschwächte, in der Öffentlichkeit zurücktraten.

Dazu kam, daß sich die Heimwehren jetzt immer mehr nach der faschistischen Ideologie ausrichteten, ihre Beziehungen zu Italien, von wo sie finanzielle Unterstützungen bezogen, verdichteten und ähnlich wie die Nationalsozialisten bereit waren, sich an Südtirol uninteressiert zu erklären. Das machte in Österreich auch innerhalb der Heimwehr böses Blut.

Schober unternahm auch eine Reise nach Berlin und schloß einen Handelsvertrag ab, um den seit Jahren gerungen wurde. Die Struktur der beiderseitigen Wirtschaftsverhältnisse gestattete nur schwer, zu einem tragbaren Ausgleich zu kommen. In der Innenpolitik gelang Schober noch die Verabschiedung des „Antiterrorgesetzes" (Gesetz zum Schutz der Arbeits- und Versammlungsfreiheit), gegen das sich die Linke mit aller Leidenschaft wandte. Wieder zeigte sich, daß viele Dinge, die in einem demokratischen Staatswesen gar keinen Gegenstand der Erörterung bilden sollten, die aber durch die in den ersten Jahren der Republik eingerissenen schlechten Gewohnheiten den österreichischen Alltag mit steten Mißhelligkeiten erfüllten, durch die Überschneidung der verschiedensten Probleme und Tendenzen schwer zu entwirren waren. Es war ein Erfolg der Heimwehr, daß sie nicht als erste — das hatten die Christlichen Gewerkschaften getan —, doch mit besonderem Nachdruck Arbeits- und Versammlungsfreiheit gefordert hatte, gefährlich aber war es, daß der ursprüngliche Text auch dem Lohndruck Tür und Tor geöffnet hätte. Den Sozialdemokraten gelang es, entsprechende Sicherungen einzubauen, die Mehrheitsparteien dagegen waren zufrieden, ihre Prinzipien anerkannt zu sehen und einen Erfolg gegenüber der Linken errungen zu haben. Das verbesserte auch ihre Stellung zu den Heimwehren.

Doch änderte sich sofort das Bild, als Schober daranging, die Entwaffnungsfrage auf die Tagesordnung zu setzen. Wollte er die lang erwartete Investitionsanleihe bekommen, so mußten die Bedenken zerstreut werden, die der demokratische und kapitalkräftige Westen über die innere Lage Österreichs angesichts des Fortbestandes zweier bewaffneter Heerlager hegte. Schober gab nur unverbindliche Versprechungen. Als gewiegter Bürokrat verfolgte er die Methode „Ich wasche dir den Pelz und mache dich nicht naß". Nicht anders war sein Vorschlag auf eine Abänderung des Waffenpatents zu verstehen, die für eine Entwaffnung gar nichts bedeutete, sondern nur eine Kompetenzverschiebung von den Landeshauptmännern auf den Bundeskanzler brachte. Dieses Gesetz sollte Österreich im Ausland angesichts der Anleiheverhandlungen nützen, trotzdem entfesselte die Heimwehr dagegen einen heftigen Kampf, dem sich viele Antimarxisten aus dem bürgerlichen Lager auch gerne angeschlossen hätten. Sie hielten sich aber zurück, weil sie die Anleihe nicht gefährden wollten. Die Lage verschärfte sich, als bei einer Tagung der Heimwehrführer in Korneuburg am 18. Mai 1930 ein Programm aufgestellt wurde, das sich zu den Grundsätzen des Faschismus bekannte, die bestehende Staatsform negierte und ausdrücklich verkündete, daß die Heimwehr nach der Macht im Staate greifen wolle.

Steidle veranlaßte die Teilnehmer der Tagung, ein Gelöbnis auf diese Grundsätze abzulegen. Das Ganze ging in ziemlicher Verwirrung vor sich, so daß mancher nachträglich beteuern konnte, er hätte den Schwur nicht geleistet. Es befanden sich ja auch viele Mandatare der bürgerlichen Parteien darunter, deren Verpflichtung auf die geltende Bundesverfassung schwer mit dem Korneuburger Gelöbnis in Einklang zu bringen war. Diese Auffassung vertrat vor allem Leopold Kunschak, doch schloß sich seine Partei nicht dieser Meinung an, griff zu dem Mittel gekünstelter Interpretationen und erlaubte ihren Vertretern die Ablegung des Korneuburger Gelöbnisses. Etwas stärkere Zurückhaltung zeigten die Großdeutschen, doch setzte sich auch bei ihnen keine einheitliche Linie durch. Der Landbund lehnte rundweg ab, Innenminister Schumy geriet in heftige Auseinandersetzungen mit der Heimwehr, die ihn aus ihren Reihen ausschloß, worauf der Landbund zur Errichtung eigener Bauernwehren (Dezember 1929) überging, die zunächst in der Steiermark, in Kärnten und in Oberösterreich deutlich in Erscheinung traten, 1932 als „Grüne Front" reorganisiert wurden und nachdem sie den Weg der Parteiführung in die Opposition mitgegangen waren, schließlich als „Grüne Wehr" am Putschversuch der NSDAP mitbeteiligt war.

Der Tag von Korneuburg war ein Symptom der inneren Krise der Heimwehr, die Überrumpelung mit dem Gelöbnis sollte die erschütterte Stellung des Bundesführers Steidle festigen. Doch lag dieser Taktik auch eine tiefere Absicht zugrunde. Die Heimwehr hatte einsehen müssen, daß sie einen Putsch nicht wagen konnte, auch auf einen Staatsstreich durfte sie unter Schober nicht rechnen. Sie wollte daher den Parlamentarismus von innen her zertrümmern, indem sie die ihr angehörigen Abgeordneten aller Parteien an ihre Befehle band. Andererseits sahen die Parteiführer die im nächsten Jahr fälligen Neuwahlen herankommen und befürchteten ein selbständiges Auftreten der Heimwehr. Wiederum begann daher ein Wettlauf darum, ihr den Wind aus den Segeln zu nehmen.

Was aber die Parteien nicht zu tun wagten, sich von der Heimwehr zu distanzieren, das vollbrachte nunmehr Schober. Er verkannte nicht, welche Fortschritte die österreichische Politik seit dem 15. Juli 1927 gemacht hatte, wie die Verfassungsreform und das Antiterrorgesetz bewiesen. Es gefiel ihm nicht, daß sich die Heimwehr nicht in das Staatsgefüge einpassen wollte, daß sie Ruhe und Ordnung störte und ihm in der Entwaffnungsfrage so große Schwierigkeiten bereitete. Er verstand keinen Spaß, als er merkte, daß die Heimwehr ihre Agitation in die Staatsexekutive hineinzutragen begann und daß auch manche Quertreibereien, die in Italien gegen die Anleihe unternommen wurden, bei ihr ihren Ursprung hatten.

Schober löste das Problem, seinem Beruf treubleibend, durch eine polizeiliche Maßnahme. Er ließ den Stabschef der Heimwehren, Major Pabst, verhaften und, da er nicht die österreichische Staatsbürgerschaft besaß, ausweisen. Damit machte er sich die Heimwehr vollends zum Feind, was ihn zunächst nicht weiter anfocht. Aber auch alle diejenigen, die seine neutrale, auf das Staatswohl bedachte Einstellung nicht verstanden, waren verstimmt. Dazu gehörten weite Kreise der Christlichsozialen. Man verübelte ihm, daß er Heimwehren und Schutzbund auf eine Linie stellte, zieh ihn zu großer Nachgiebigkeit gegenüber den Sozialdemokraten und war, als die Anleihe endlich unter Dach gebracht war, nur allzusehr geneigt, den erfolgreichen Kanzler fallenzulassen.

Die Christlichsozialen hatten ja von Anfang an keine Freude an der Zusammensetzung des Kabinetts. Sie fühlten sich in ihrer führenden Stellung gehemmt, in Fragen der Personalpolitik kamen sie ins Hintertreffen, sahen das Gespenst eines Neuauflebens des Liberalismus heraufziehen und wollten unter einer solchen Regierung nicht in den nächsten Wahlkampf gehen. Die Großdeutschen, denen der Kanzler in seinen politischen Anschauungen nahestand, erwarteten sich gerade von ihm eine Reform des Wahlrechtes, die es ihnen ermöglichen würde, mit Aussicht auf Erfolg selbständig aufzutreten.

In der letzten Sitzung des Nationalrates vor den Sommerferien hatten alle Parteien in einer gemeinsamen Feierstunde der zehnjährigen Wiederkehr der Kärntner Volksabstimmung im Jahre 1920 gedacht. Nichts deutete nach außen darauf hin, daß dieses Parlament im Herbst nicht mehr zusammentreten würde.

Ein strittiger Punkt war seit Monaten die Reform der Verwaltung der Bundesbahnen. Hier besaßen die Sozialdemokraten eine sehr starke Machtposition, die besonders durch den Einfluß der Personalvertretung unterbaut war. War es nun dem Heeresminister Vaugoin gelungen, das Bundesheer umzupolitisieren, so wollte man solche Maßnahmen nun auch bei den Bundesbahnen einleiten. Man strebte daher an, durch Männer, die einen scharf antimarxistischen Kurs vertraten, diesem Ziel näherzukommen. Die Heimwehren meldeten ihre Wünsche an und Landeshauptmann Rintelen präsentierte einen Kandidaten, den Generaldirektor der Grazer Straßenbahnen Strafella. Schober zögerte, es kam zu schweren Auseinandersetzungen mit Vizekanzler Vaugoin, der die Bestellung Strafellas zu einer Frage seines persönlichen Prestiges machte. Schobers Taktik, Zeit zu gewinnen, schlug fehl, er mußte sich vorwerfen lassen, gegebene Versprechungen nicht einzulösen. Er hingegen wollte nur Wünsche gelten lassen, wo Vaugoin von Bedingungen sprach, die er gestellt habe. Der Konflikt spitzte sich immer mehr zu

und wurde unlösbar, als durch einen Freispruch in einem Verleumdungs-
prozeß gerichtlich festgestellt wurde, daß man Strafellas Spekulationsge-
schäfte als „unsauber und unkorrekt" apostrophieren dürfe.

Vaugoin nutzte diese an sich auch für ihn peinliche Situation dennoch,
um Schober, der nun erst recht an seiner Haltung Strafella betreffend festhielt, zu stürzen. Er und der Landwirtschaftsminister Födermayr demissio-
nierten und stürzten so das Kabinett, dessen übrige Mitglieder für diese
Haltung kein Verständnis aufbrachten. Wohl hatten die Christlichsozialen
seit langem schon angestrebt, einen Regierungswechsel herbeizuführen, um
wieder ein von ihnen geführtes Kabinett zu schaffen. Es mag sein, daß der
überraschende Wahlsieg der Nationalsozialisten bei den deutschen Reichstagswahlen im September 1930 ihre Pläne beeinflußt hat. Sie wollten die
Wahlen in Österreich zu einem Zeitpunkt, da sich der österreichische Nationalsozialismus noch nicht gesammelt hätte und auch von den Heimwehren
keine zu große Gefahr drohte. Vollkommen verfehlt war aber die Taktik,
einen ganz ungeeigneten Anlaß zum Ausgangspunkt der beabsichtigten
Wende zu nehmen. Das forderte den Widerspruch weiter Bevölkerungskreise heraus, untergrub das Vertrauen zu den Parteien und war ein neues
Zeichen für die Krise des Demokratieverständnisses. Es besserte die Lage
nicht, daß auch die bisherigen Spitzen der Bundesbahnverwaltung in ein
zwiespältiges Licht gerieten und die breite Öffentlichkeit solche Erscheinungen als Auswüchse der Demokratie betrachtete. Vaugoin suchte nun
eine Regierung zu bilden, die sich auf die bisherige Mehrheit stützen sollte.
Doch die Großdeutschen lehnten sogleich, der Landbund nach einiger
Überlegung ab. In voller Verkennung aller Realitäten glaubte nun Vaugoin,
mit der Parole des Antimarxismus bei sofort auszuschreibenden Neuwahlen
eine absolute Mehrheit der Christlichsozialen und darüber hinaus noch eine
ansehnliche Vertretung der Heimwehren im Parlament erreichen zu
können. Er schwelgte als alter christlichsozialer Parteimann in Erinnerungen an die Volksbewegung, die dereinst Karl Lueger emporgetragen
hatte. Sein Ziel war die Herstellung einer Einheitsliste mit der Heimwehr,
doch bedachte er nicht, daß damit die Christlichsozialen, die in der Republik stets ein Hort des Konservatismus und der Stabilität gewesen waren, in
revolutionäre Bahnen gedrängt wurden.

Denn diese Einstellung herrschte jetzt in der Heimwehr vor. Bei einer Tagung in Schladming war am 2. September Steidle gestürzt worden, sein Erbe
trat der junge Fürst Ernst Rüdiger Starhemberg an, der damals noch stark
„national" eingestellt war, und dem der Steirer Pfrimer, dessen Neigung
zum Losschlagen bekannt war, an die Seite trat. Als nun Vaugoin an die
Heimwehrführer wegen eines Eintrittes in seine Regierung herantrat,
stellten sie zunächst gewisse Forderungen auf Durchsetzung eines faschistischen Kurses, auf die sich Vaugoin nicht einließ, doch köderte er sie durch
die Vorteile, die eine gemeinsame antimarxistische Liste versprach, so daß

sich schließlich Starhemberg und der Salzburger Heimwehrführer Franz Hueber entschlossen, das Innen- und das Justizministerium, damit gewichtige Machtzentren, im Kabinett Vaugoin zu übernehmen. Starhemberg hatte sich gegenüber den Radikalen seiner Anhänger verpflichtet, es überhaupt nicht zu Wahlen kommen zu lassen und vorher einen Staatsstreich zu vollziehen. Am 30. September 1930 übernahm Vaugoin sein Amt.

Aber der ungünstige Eindruck, den die Wendung in Österreich in der Welt machte, und die Beunruhigung in der Wirtschaft mahnten zur Vorsicht. Es setzte ein scharfer Regierungskurs ein, nachdem der Bundespräsident das Parlament, in dem Vaugoin keine Mehrheit gefunden hätte, aufgelöst hatte. Putschvorbereitungen, die von der Steiermark ausgingen, trat Starhemberg entgegen. Noch immer erwartete er für sich von den Wahlen einen großen Erfolg.

Doch schon der Aufmarsch dazu geriet in bedenkliche Unordnung. Nur zum Teil fanden sich die Heimwehren bereit, auf einer gemeinsamen Liste mit den Christlichsozialen zu kandidieren, der nationale Flügel, der damals das Übergewicht hatte, trat mit Starhemberg an der Spitze selbständig auf. Verhandlungen über ein gemeinsames Vorgehen mit den Nationalsozialisten, die mit Adolf Hitler und seinen Beauftragten geführt wurden, scheiterten.

Die bürgerliche Mitte griff einen Gedanken auf, der schon früher erwogen worden war, einen Block zu bilden, der unter die zugkräftige Führung Schobers gestellt werden sollte. Ursprünglich hatte er mit solchen Plänen nichts zu tun, jetzt nach seinem Sturz ließ er sich aber dazu überreden und wich damit von der Linie ab, die er bisher eingehalten hatte. So wurde er als Parteimann in den Mittelpunkt heftiger Anfeindungen gerückt, der Kampf der Christlichsozialen konzentrierte sich immer mehr auf ihn, da sich das nationale Lager, soweit es nicht unter den Fahnen der Nationalsozialisten und der selbständig auftretenden Heimwehr ins Feld zog, in dem von ihm geführten Nationalen Wirtschaftsblock sammelte. Wie der Name sagt, hatten sich dort auch bürgerliche Wirtschaftskreise, bei denen Schober in hohem Ansehen stand und über deren Presse er verfügen konnte, zusammengefunden. Der Schoberblock „erschien als eine Wiederbelebung der national-liberalen Tradition" von 1848 und 1867 und konnte so auch Stimmen des jüdischen liberalen Wiener Bürgertums gewinnen (Simon, Österreich), während die nationalen Repräsentanten der Heimwehr betont antisemitisch agierten.

Es ist charakteristisch, daß Strafella nun doch zum Generaldirektor der Bundesbahnen bestellt wurde und Major Pabst, allerdings erst nach den Wahlen, nach Österreich zurückkehrte.

Die Regierung Ender und der Plan einer Zollunion mit Deutschland

Die wenigen Wochen, die der Wahlkampf währte, verliefen ohne erhebliche Zwischenfälle. Auch als Innenminister Starhemberg mit Zustimmung des Kanzlers schlagartig in ganz Österreich nach Waffen des Schutzbundes suchen ließ, bewahrte die sozialdemokratische Anhängerschaft Disziplin. Sie wußte, daß sich am Wahltag das Blatt wenden würde. In der Tat besiegelte der 10. November die Niederlage des eingeschlagenen Regierungskurses. Trotzdem sich auf der christlichsozialen Liste auch Vertreter jenes Heimwehrflügels befanden, der unter Führung des Majors Fey stand, verlor die Partei sieben Mandate, während die Sozialdemokraten trotz des Verlustes von einem Prozent gemessen am Stimmenanteil der letzten Wahl eines gewannen. Die Mitte konnte sich dank der Zugkraft, die Schobers Name ausstrahlte, mit 19 Sitzen gut behaupten, obwohl am rechten Flügel der Heimatblock unter Führung Starhembergs als neue Partei in das Parlament einzog. Die Nationalsozialisten der Hitler-Richtung, die sich gegen die konkurrierende Schulz-Gruppe durchzusetzen vermochten, erreichten in ganz Österreich ungefähr 111.000 Stimmen. Sie blieben im Nationalrat ohne Vertretung, da sie in keinem Wahlkreis das erforderliche Grundmandat erzielten.

Die Lage Vaugoins war unhaltbar geworden, er versuchte sich zunächst mit kleinen taktischen Schachzügen über den Augenblick hinwegzuhelfen, mußte aber bald einsehen, daß er beim Zusammentritt des neugewählten Nationalrates unweigerlich stürzen würde. Seipel riet zu einer Arbeitsgemeinschaft aller bürgerlichen Parteien einschließlich des Heimatblocks und schlug ein gemeinsames Statut für die Zusammenarbeit in einem einzigen Klub vor. Die kleinen Parteien merkten sofort, daß damit die Rolle, die sie als selbständige Faktoren spielen konnten, beeinträchtigt würde, und lehnten ab. Nun griff der Bundespräsident ein und betraute den Landeshauptmann von Vorarlberg Ender, dessen Haltung allseits als gemäßigt anerkannt war, mit der Regierungsbildung. Obwohl sich das Staatsoberhaupt damit durchaus im Rahmen jener Befugnisse hielt, die ihm die Verfassungsreform von 1929 eingeräumt hatte, waren die Christlichsozialen, aus deren Reihen er hervorgegangen war, verstimmt. Sie fühlten sich zurückgesetzt, obwohl auch Ender ihrer Partei angehörte. Viele hätten gern einen Kurs der starken Hand weitergeführt und wollten darum auf Vaugoin als Kanzler nicht verzichten. Seipel lehnte es ab, in ein Kabinett Ender einzutreten. Die Regierung konnte sich nur auf die Christlichsozialen und den Schoberblock stützen. Den Heimatblock einzubeziehen war undurchführbar, weil dieser zu hohe Forderungen stellte und Schober darauf drang, daß der Kurswechsel nach außen deutlich erkennbar werde. Auch sollte die Opposition der Linken nicht allzustark herausgefordert werden. Eine schwache Mehrheit stand einer starken Minderheit gegenüber.

Schober trat in die Regierung als Vizekanzler ein und übernahm das Außenamt; das Ministerium des Inneren, in dessen Ressort die immer wichtiger werdenden Agenden des Sicherheitsdienstes fielen, wurde dem Landbündler Franz Winkler übertragen, der als Exponent des steirischen Landeshauptmannes Rintelen gelten konnte. Vaugoin behielt das Heeresministerium. Der Wiener Christlichsoziale Eduard Heinl, dem das Handelsministerium zufiel, arbeitete ein Wirtschaftsprogramm aus, von dem Ender einiges übernahm.

Die immer stärker fühlbare Wirtschaftskrise rückte von Anfang an die Sorge um die Staatsfinanzen in den Vordergrund. Versuche, durch eine Reform der Sozialversicherung eine Entlastung des Haushaltes herbeizuführen, lösten den heftigen Widerstand der Sozialdemokraten aus, der Sozialminister Josef Resch zum Rücktritt veranlaßte. Hingegen gelang es Ender in zähen Verhandlungen, das dornige Problem der Abgabenteilung zwischen Bund, Ländern und Gemeinden zu lösen. Diese Aufgabe war um so schwieriger, als es sich nicht bloß darum handelte, die nach allen Seiten zu kurze finanzielle Decke mit der Fülle der meist sehr berechtigten Forderungen und Wünsche in Einklang zu bringen, es ging dabei auch um die Grundfrage, welche Stellung Wien im Staate einzunehmen hatte. Auch hier fand Ender eine mittlere Linie, auf der die Interessen der Länder mit den Bedürfnissen der Bundeshauptstadt abgestimmt werden konnten. Er versuchte nicht, in politischer Hinsicht vorzustoßen und damit dem „Roten Wien", das von Freund und Feind allzuoft als austromarxistischer „Staat im Staat" verstanden wurde, den Boden abzugraben. Das blieb einer späteren Zeit vorbehalten.

Nach den Bestimmungen der Verfassung war nach dem Zusammentritt des Nationalrates auch die Neuwahl des Bundespräsidenten auszuschreiben, die zum erstenmal durch das Volk zu erfolgen hatte. Man einigte sich auf den 18. Oktober als Wahltag. Doch ist es dazu nicht gekommen. Die schweren Erschütterungen, die Österreich seit dem Frühjahr in wirtschaftlicher Hinsicht erlitt, ließen es ratsam erscheinen, die allgemeine Unruhe nicht zu steigern. Aber diese Überlegung gab nicht den Ausschlag. Bestimmend war die Haltung der kleinen Parteien, vorab der Großdeutschen, die schließlich eine Rückverlegung der Wahl in die Bundesversammlung, wie es dem Zustand bis zur Verfassungsreform entsprach, beantragten. Der tiefere Grund war der, daß diesmal Seipel, dessen politisches Denken sich immer stärker in Richtung der Herbeiführung einer starken Staatsautorität bewegte, das Amt des Bundespräsidenten anstrebte. Seine Partei ließ ihn dabei im Stich und stellte Miklas als Kandidaten auf. Dagegen wären weite Kreise der Heimwehranhänger bereit gewesen, in einem zweiten Wahlgang, mit dem man rechnete, weil aller Voraussicht nach beim ersten weder Miklas noch sein Gegenkandidat Renner den Sieg davontragen würden, für Seipel zu stimmen. Um das zu verhindern, beantragten die Großdeutschen, beim alten Vorgang zu bleiben. Sie wußten wohl, daß sie in der Bundesversammlung einen eigenen Kandidaten nicht durchbringen konnten und begnügten sich damit, auf diese Weise die Amtsdauer des bisherigen Bundespräsidenten zu verlängern, womit die Sozialdemokraten einverstanden waren, die ja schon während der Reformdiskussion Bedenken gegen die Volkswahl formuliert hatten, da sie darin die Gefahr der Machtsteigerung und Staatsstreichgelüste zu erblicken meinten.

Der Umstand, daß die Wahl, aus der Miklas mit einer Mehrheit von nur 16 Stimmen hervorging, nicht durch das Volk erfolgt war, hatte schwere Folgen. Hätte Miklas die Bekräftigung durch eine Volkswahl gehabt, hätte er vielleicht doch den Weg gefunden, seine Mentalreservation gegenüber dem Regierungskurs ab dem März 1933 nicht nur in Briefentwürfen und Gesprächen im kleinsten Kreis zu verbalisieren, sondern auch zum konkreten politischen Handeln zu nutzen.

In außenpolitischer Hinsicht bekräftigte ein Besuch des ungarischen Ministerpräsidenten Bethlen in Wien die freundschaftlichen Beziehungen, die zu dem Nachbarlande bestanden und durch die Unterzeichnung eines Vergleichs-, Freundschafts- und Schiedsvertrages unterstrichen wurden. Österreich verblieb dabei in der Linie, die es in seinen diplomatischen Beziehungen seit Jahren eingehalten hatte. Der nächste Schritt, den der Wiener Ballhausplatz tat, führte hingegen auf das glatte Parkett der Weltpolitik, auf das sich Österreich auf den Rat Seipels seit der Genfer Sanierung nicht hinausgewagt hatte, und scheiterte.

Die allgemeine Konstellation brachte es mit sich, daß die Freunde des Anschlußgedankens ihre Bestrebungen seit einem Jahrzehnt nur auf dem Gebiet der Verdichtung kultureller und wirtschaftlicher Beziehungen für aussichtsreich hielten. Auf einer Tagung in Stainach an der Enns griff am 11. Jänner 1926 ein Kreis österreichischer Industrieller einen Plan auf, der auf den österreichischen Wirtschaftspolitiker und zeitweiligen Gesandten in Berlin, Richard Riedl, zurückging. Dieser hatte als Sektionschef im Handelsministerium im letzten Jahr des Ersten Weltkrieges an jenen Salzburger Verhandlungen bestimmend mitgewirkt, die ein wirtschaftlich geeintes Mitteleuropa schaffen sollten. Die Bundesregierung nahm zunächst davon wenig Notiz, um so mehr als der Außenminister Mataja mehr einer wirtschaftlichen Zusammenarbeit der Länder, die ehedem zur österreichisch-ungarischen Monarchie gehört hatten, zuneigte. Für diese Bestrebungen kam das Schlagwort „Donauföderation" auf und wurde je nach der politischen Einstellung zum Allheilmittel oder Kampfobjekt erklärt. Von außen glaubte die Kleine Entente das Gespenst einer Habsburgerrestauration heraufziehen zu sehen, im Innern teilte die Linke diese Ansicht, während sich das nationale Lager jener Versuche erinnerte, die der französische Gesandte Allizé im Laufe des Jahres 1919 nach dieser Richtung unternommen hatte. Seipel hielt sich zurück und Mataja vermied es, sich nach einer Richtung festzulegen. Doch wurde Seipels Erklärung: „Keine Kombination ohne Deutschland" nachgerade zum geflügelten Wort. Im Mai 1927 faßte der christlichsoziale Reichsbauernbund den Beschluß, man möge bei zukünftigen Wirtschaftsverhandlungen, die sich erfahrungsgemäß immer schwierig gestalteten, eine Zollunion mit Deutschland ins Auge fassen. Ohne offenes Zutun der deutschen Reichsregierung kam auch die Volksvertretung in Berlin zum selben Ziele, indem der deutsche Reichstag am 14. März 1929 einstimmig die Forderung nach einer Zollunion mit Österreich erhob. Innerösterreichisch verstärkte sich die Anschlußträumerei deutlich ab dem Deutschen Sängerbundfest in Wien 1928, wobei diese Stimmung durch gezielte reichsdeutsche Förderung vorangetrieben wurde.

Die drängende Wirtschaftskrise, die um 1930 einsetzte und unter der Österreich besonders stark zu leiden hatte, trieb jedoch die Entwicklung voran. Im Jänner dieses Jahres trat der spätere Bundeskanzler Dollfuß, der damals Direktor der niederösterreichischen Landwirtschaftskammer war, in Genf als Sachverständiger des Völkerbundes für das sogenannte Nachbarrecht ein, das mit Hintansetzung der in den meisten Handelsverträgen vorgesehenen Meistbegünstigung die wirtschaftlichen Beziehungen von Nachbarländern enger verknüpfen sollte. Der Völkerbund setzte eine Zollfriedenskonferenz ein, die keinen Erfolg brachte. Im Mai 1930 trat der französische Außenminister Briand mit einem Europaplan hervor — er dachte an die Schaffung eines europäischen Staatenbundes —, stieß aber auf den Widerstand Deutschlands und Italiens. Fragen der allgemeinen Abrüstung standen dabei im Vordergrund, doch hätte die Europakommission des Völkerbundes, die sich mit dem Studium dieser Probleme befassen sollte, leicht auch die Frage der wirtschaftlichen Konsolidierung des Kontinents ins Auge fassen können.

Solche Gedanken deutete Schober in einer Genfer Rede am 11. September 1930 an, nachdem er sich vorher mit dem Reichsaußenminister Curtius darüber verständigt hatte. Auch nach den Reichstagswahlen am 14. September, bei denen die Nationalsozialisten unerwartete Erfolge errangen, arbeiteten Curtius und Schober weiter im stillen an der Vorbereitung eines Planes über eine deutsch-österreichische Zollunion. Bei einem Besuch des Reichsaußenministers in Wien fanden vom 3. bis 5. März 1931 die abschließenden Besprechungen statt. Schon in seiner Regierungserklärung vom 5. Dezember 1930 hatte Bundeskanzler Ender von der Notwendigkeit eines stufenweisen Aufbaues der europäischen Union gesprochen. Dies schien das Mittel zu sein, mit dem man den zu gewärtigenden Widerständen die Spitze abzubrechen glaubte. In einem Aufsatz in der „Reichspost", die als Sprachrohr der Regierung galt, suchte der Staatsrechtslehrer Professor Hugelmann jene Einwände zu entkräften, die von der Gegenseite weniger mit Berufung auf den Friedensvertrag als vielmehr auf Grund des ersten Genfer Protokolls von 1922 ins Treffen geführt werden konnten. Innerhalb der Christlichsozialen Partei, die schon 1927 im Nationalrat die Bildung einer Kommission zum Studium einer Zollunion mit Deutschland beantragt hatte, fand das Projekt weitgehend Zustimmung. Auch der Bundespräsident und der Bundeskanzler erklärten sich einverstanden.

Daß das Vorhaben nicht ungefährlich war, wußte man sowohl in Wien wie in Berlin. Der deutsche Reichskanzler Brüning kam mit voller Absicht nicht nach Wien, weil bei einem Fehlschlag weitgehende innerpolitische Rückwirkungen zu erwarten waren. Alles hing davon ab, wie man Europa und die Welt vom Zollunionsplan in Kenntnis setzte. In dieser Hinsicht geschahen nun die entscheidenden Fehler. Gegen die Absicht Schobers unterließ man eine rechtzeitige Fühlungnahme mit den Kabinetten der Großmächte und zog weder Briand noch Mussolini vorher ins Vertrauen. Österreich wollte die Angelegenheit erst im April vor den Völkerbund bringen, Curtius aber drängte zur Eile, weil schon im März eine Sitzung der Europakommission stattfinden sollte. So mußte die gemeinsame Demarche, die Österreich und das Deutsche Reich für den 21. März 1931 in den europäischen Hauptstädten angesetzt hatten, wie eine Bombe wirken. Daß durch Presseindiskretionen schon vorher die geplanten Schritte bekannt wurden, verschlechterte die Lage noch mehr.

Auch innenpolitisch war nichts vorbereitet, der Hauptausschuß des Nationalrates erhielt ebenfalls erst am 20. März offiziell Kenntnis vom Zollunionsprojekt. Der Hinweis, daß es sich in keiner Weise um vollzogene Tatsachen handle, daß das Übereinkommen von Wien nur die Absicht kundtue, über eine deutschösterreichische Zollunion im Einvernehmen mit den zuständigen Faktoren einen Vertrag zu schließen, verfehlte vollkommen seine Wirkung. Der deutsche Botschafter in London versicherte, daß 90 Prozent des deutschen Volkes gegen einen staatsrechtlichen Anschluß Österreichs seien. Es war alles umsonst. Der Stein war einmal ins Rollen gekommen und riß Österreich beinahe in den Abgrund. Frankreich sah in dem Projekt einen Versuch der Rückkehr zu den deutschen Mitteleuropaplänen von 1918 und einen ersten Schritt zur Verwirklichung des Anschlusses. Die Kleine Entente sekundierte, England sah die Abrüstungskonferenz gefährdet und verharrte in Reserve, Italien distanzierte sich zwar von den Westmächten, war aber fest entschlossen, alles zu verhindern, was seinen eigenen Donauraumplänen auf weite Sicht gefährlich werden konnte.

Dabei fehlte es durchaus nicht an zustimmenden Stimmen. Die Reaktion in der amerikanischen Presse war anfangs positiv. Auch Winston Churchill äußerte sich im selben Sinne, doch stellte Großbritannien die Rücksicht auf Frankreich in den Vordergrund und ließ ökonomische Erwägungen zurücktreten. So kam es, daß England immer mehr in die Rolle eines Vermittlers eintrat. An der Vorsprache des französischen, italienischen und tschechoslowakischen Gesandten, die am 21. März bei Schober stattfand, hatte es sich nicht beteiligt. Doch wirkte sich sein diplomatischer Einfluß dahin aus, daß der Streitfall im Mai vor den Völkerbund kam, der die Sache an den Ständigen Internationalen Gerichtshof im Haag verwies. Dieser entschied mit einer einzigen Stimme Mehrheit (8 : 7 Stimmen), daß die Zollunion nicht gegen das Anschlußverbot des Friedensvertrages verstoße, jedoch im Widerspruch mit dem Genfer Protokoll von 1922 stünde. Vergeblich hatte der deutsche Vertreter darauf hingewiesen, daß gerade eine Zollunion alle Anschlußgedanken hinfällig mache. Der Entscheid des Haager Gerichtshofes bedeutete eine Verurteilung der Zollunionspolitik. Dazu kam der andauernde französische Druck, der einen Verzicht nur dann gelten lassen wollte, wenn er vor dem Gerichtsspruch erfolge. So mußten denn Schober und Curtius sich dazu verstehen, am 3. September 1931 in Genf zu erklären, daß ihre Staaten den Plan einer Zollunion nicht weiter verfolgen würden.

War diese diplomatische Niederlage vermeidbar? Es steht fest, daß in Wien und Berlin bei der Behandlung des Gegenstandes viele Fehler geschehen sind. Der Plan selbst hatte Sinn und Bedeutung, was auch von Seipel anerkannt wurde. Günstig schien, daß England ein starkes Interesse zeigte, die Regierung Brüning keinen starken innerpolitischen Erschütterungen auszusetzen. Doch behielt die französische Politik die Oberhand.

Der Zusammenbruch der Creditanstalt. Die Regierung Buresch

Als zu Beginn des Monats Juni 1931 Brüning und Curtius mit dem englischen Premier MacDonald und Außenminister Simon in Chequers zusammentrafen und eben beim Konferenztisch saßen, öffnete sich eine Tür und der Gouverneur der Bank von England stürzte mit dem Schreckensruf herein: „Südosteuropa steht in Flammen. Die Creditanstalt in Wien hat ihre Schalter geschlossen!"

In der Tat riß der Zusammenbruch dieser letzten altösterreichischen Großbank, die noch auf dem Boden des neuen Staates bestand, nicht nur die österreichische Wirtschaft in den Abgrund, zerstörte ihre noch immer bestehenden engen Beziehungen zu den Nachfolgestaaten und löste letzten Endes auch ähnliche Erscheinungen in Deutschland aus. Die Stabilität mehrerer Währungen, nicht bloß des österreichischen Schillings, geriet ins Wanken, über Mitteleuropa, das seit seiner Zerreißung 1918/19 nicht zur Ruhe gekommen war, brach das wirtschaftliche Chaos herein.

Am 8. Mai erfuhren der Finanzminister und wenig später auch der Bundeskanzler, daß die letzte Bilanz der Creditanstalt einen Verlust von 140 Millionen Schilling aufwies, den die Leitung der Anstalt im wesentlichen auf die seinerzeitige Übernahme der Bodenkreditanstalt zurückführte. Von der Creditanstalt waren die Sparkassen und ein Großteil der österreichischen Industrie abhängig. Was blieb übrig, als daß die Regierung, ohne sich vorerst viel um die Schuldfrage zu kümmern, eine Stützungsaktion in die Wege leiten mußte, da die Bank alle Rücklagen und vom eigenen Aktienkapital vier Fünftel verloren hatte. Man entschloß sich, mit 100 Millionen Schilling aus Bundesmitteln einzuspringen, während die Nationalbank und das Haus Rothschild als Hauptaktionäre der Bank überdies je 30 Millionen zur Verfügung stellten. Die Sozialdemokraten protestierten dagegen, daß Privatschulden in Staatsschulden verwandelt werden sollten, drangen aber mit ihrem Vorschlag, die Aktien auf ein Fünftel ihres Wertes abzustempeln oder überhaupt die Bank zu verstaatlichen, nicht durch. Doch war es nicht ihre Absicht, in der Sache selbst allzu große Schwierigkeiten zu machen, weil sie auf den Weiterbestand der von der Creditanstalt abhängigen Industriebetriebe ebenso Rücksicht nehmen mußten, wie auf die Tatsache, daß die Gemeinde Wien nicht unbeträchtliche Gelder bei dieser Bank eingelegt hatte. Die Linke wahrte das Gesicht, indem sie in Minderheitsanträgen die Bestrafung und Haftbarmachung der Schuldigen und für die neue Leitung eine Kontrolle der Arbeiter-, Handels- und Landwirtschaftskammern forderte. Obwohl der Bund das Geld, das er zur Verfügung stellte, gar nicht besaß, sondern mit Zustimmung des Völkerbundes Schatzscheine ausgeben mußte, schien zunächst eine Katastrophe abgewendet zu sein. Es setzte jedoch ein Sturm der Inlandsgläubiger auf die Kassen der Bank ein, der durch seine Rückwirkung auf die Nationalbank auch die Währung in schwere Gefahr brachte. Das verstimmte die Auslandsgläubiger, die sich bis dahin zurückgehalten hatten. Sie verlangten eine Haftung des Bundes. Nur in diesem Fall wollten sie ihre Forderungen auf zwei Jahre stunden.

Innerhalb der Regierung herrschte keine einheitliche Auffassung. Sie ließ sich die parlamentarische Ermächtigung geben, Haftungen zu übernehmen. Auch die Sozialdemokraten zeigten in dieser Phase eine große Kompromißbereitschaft und stimmten sieben der acht Creditanstaltgesetzen zu. Bald entstanden jedoch Streitigkeiten, ob diese Garantie bloß für neue Einlagen nach dem Stichtag des 28. Mai 1931 gelten sollte oder sich auch auf alte Guthaben bezog. Ohne zu einem klaren Entschluß zu kommen, gab schließlich das Kabinett dem Finanzminister in drängender Eile freie Hand. Dieser argumentierte, daß jedes alte Guthaben durch Kündigung und neuerliche Einlage in ein solches verwandelt werden könne, das nach dem Stichtag falle, und unterschrieb die Forderungen der Auslandsgläubiger, was eine neuerliche Haftung in der Höhe von 71 Millionen Dollar oder rund 500 Millionen Schilling bedeutete.

Der Vertreter des Landbundes Franz Winkler erklärte sich damit nicht einverstanden und demissionierte. Er folgte dem Beispiel des Großdeutschen Schürff, der schon vorher wegen einer drohenden Kürzung der Beamtengehälter zurückgetreten war. Der Sozialminister Resch hatte noch früher sein Amt verlassen, so daß nunmehr der Bundeskanzler auch den Rücktritt der Gesamtregierung erklären mußte. In der kritischen Lage, in der sich diese Ereignisse abspielten, war die Regierung auch an Stadtrat Breitner, den bedeutendsten Finanzfachmann der Sozialdemokraten, herangetreten. Dieser warnte vor der Haftungsübernahme, doch war auch er nicht imstande, einen anderen Weg zu zeigen. Seinen Vorschlag, das Haus Rothschild und das internationale Finanzkapital zur Deckung des Ausfalles heranzuziehen, hielt er selbst für kaum durchführbar, denn jede Heranziehung der Auslandsgläubiger hätte zu Repressalien geführt. Offen blieb die Frage, wie weit auch Haftungen, welche die Creditanstalt gegenüber ausländischen Instituten, so der Amstelbank in Amsterdam, übernommen hatte, unter die Staatsgarantie fielen. Gerade diese internationalen Verflechtungen führten zu schweren Zerrüttungen des europäischen Geldmarktes, rissen die angesehensten Institute Deutschlands und Englands mit sich. Nur Frankreich vermochte seine Kapitalkraft zu bewahren.

In Wien war man, als das Verhängnis über die Creditanstalt hereinbrach, von Anfang an nicht darüber in Zweifel, daß damit das Schicksal der Zollunion entschieden war. Wollte man den Schilling sichern, blieb kein anderer Weg als der zu Frankreich, der nicht ohne politische Kompensationen zum Ziel führte. Es bedurfte dazu kaum einer nachdrücklichen Vorstellung des französischen Gesandten in Wien am Tage des Rücktritts Enders. Verzicht auf die Zollunion, Einsetzung einer ausländischen Kontrolle bei der Creditanstalt und über die Finanzgebarung des Bundes waren die Bedingungen, die Frankreich als Voraussetzung für eine Hilfeleistung stellte. Österreich brauchte aber nicht nach diesem Strohhalm zu greifen. Die Bank von England gewährte der österreichischen Nationalbank einen Kredit von 150 Millionen Schilling, der allerdings kurzfristig kündbar war. Brüning und Curtius, die eben zu dieser Zeit in England weilten, hatten sich dafür eingesetzt und auch die guten Beziehungen, die die österreichischen Sozialdemokraten zur Labour Party unterhielten, taten ihre Wirkung.

War so für den Augenblick das Schlimmste verhütet, so erhob sich nunmehr die Frage, in welcher Zusammensetzung eine neue Regierung den Ernst der Lage meistern sollte. Zunächst betraute der Bundespräsident wieder Ender mit der Kabinettsbildung. Nach dem Vorbild Brünings verlangte dieser durch ein zu beschließendes Verfassungsgesetz besondere Vollmachten, die es ihm ermöglichen sollten, im Verordnungswege die notwendigen Maßnahmen zu treffen. Die Sozialdemokraten lehnten ab. Ender hatte im Grunde nicht mehr verlangt, als was das Parlament Seipel durch Schaffung des außerordentlichen Kabinettsrates zur Durchführung der Genfer Sanierung bewilligt hatte. Indes die Verhältnisse hatten sich geändert. Was wenige Jahre nach Errichtung der Republik noch unbedenklich schien, mochte nun, da allenthalben die antiparlamentarischen Strömungen immer stärker an die Oberfläche drängten, Gefahren bergen.

Ender hätte die angestrebten Vollmachten auch zur Sicherung seiner Position im eigenen Lager bedurft. Einflußreiche Kreise der Christlichsozialen hatten von Anfang an wenig Freude an dem Plane der Zollunion gehabt und vertraten nun vollends die Meinung, daß Hilfe vom Ausland nur bei einem Wechsel des außenpolitischen Kurses erreichbar sei. Auch verschiedene Wirtschaftszweige fürchteten Schäden, obwohl Schober und Curtius für den Anfang Zwischenzölle in Aussicht genommen hatten. Der Bundespräsident hätte am liebsten eine Konzentration aller Parteien gesehen, doch überraschte es, daß er Seipel den Auftrag gab, diese herbeizuführen.

Es war klar, daß dieser trotz seiner geschwächten Gesundheit — sein Diabetes und wohl auch die Folgen des seinerzeitigen Anschlages bereiteten zunehmend Schwierigkeiten — als stärkste politische Individualität, über die die Bürgerlichen noch immer verfügten, in die Bresche treten wollte. Angesichts der katastrophalen wirtschaftlichen Lage, deren Sanierung nur mit ausländischer Hilfe möglich schien, und diese Hilfe konnte sich nur eine gefestigte Regierung sicher erwarten, und angesichts der großen Kompromißbereitschaft der SDAP war es naheliegend, daß Seipel an die Bildung einer Konzentrationsregierung dachte, wobei der Führungsanspruch der Christlichsozialen voll gewahrt bleiben sollte. Das Arbeitsprogramm einer solchen Regierung war für eine knappe Zeit — etwa bis Jahresende — bemessen und sollte der Creditanstalt-Sanierung und der Budgetreduktion zur Währungsstabilisierung dienen. Die Sozialdemokratie hat letztlich in Opposition bleibend die Creditanstalt-Gesetze im wesentlichen mitgetragen und dem Budgetsanierungsgesetz, das unter dem Druck des Völkerbundes eingebracht worden war, im Herbst 1931 am „Höhepunkt" der „Kompromißbereitschaft" die Zustimmung gegeben.

Seipels Angebot an die Sozialdemokraten, die durch Seitz, Bauer, Danneberg und Renner vertreten waren, legte sein Arbeitsprogramm dar und beinhaltete die Aufforderung, sich an einer Regierung zu beteiligen, die die Repräsentanten der prinzipiellen Grundsätze umfassen sollte — im Klartext hieß dies Seipel und Bauer. Für das Sparprogramm machte er deutlich, welche engen Grenzen Kompromissen zur Verfügung stünden. Einen Vorstoß Renners, eine Regierungsbildung doch mit Personen, „die sich leichter verstehen", zu versuchen, lehnte „Seipel brüsk ab", da „ein solches System vor den Parteien nur bestehen könne, wenn die schärfsten Vertreter beisammen sitzen" (Ellenbogen). Die Enge des Verhandlungsspielraumes wurde auch unterstrichen, als Seipel Renners Idee einer Suche von „Näherungswerte(n)" ablehnte. Es steht außer Frage, daß Seipel ein Angebot unterbreitete, welches für die SDAP nicht gerade verlockend war, wenngleich man zunehmend Mandatare traf, die wie Renner eine Regierungsbeteiligung an sich begrüßt hätten. Seipel spielte in diesem Gespräch auch mit offenen Karten, indem er seine Position deutlich markierte. Die Absage der SDAP auf dieses Angebot der Regierungsbeteiligung kam nicht überraschend, da man die Gefahr sah, hier Regierungsverantwortung gerade in Bereichen tragen zu müssen, die die eigene Wählerschaft massiv tangierten, ohne dafür aber im Gegenzug innerhalb der Regierung einen gesicherten Raum für ei-

gene Profilierung zu gewinnen. „Man wollte sich den Weg zur ganzen
Macht nicht durch einen partiellen Vorgriff verbauen und das antizi-
pieren, was einem ohnehin als reife Frucht in den Schoß fallen müsse. In
diesem Sinne meinte Otto Bauer am Parteitag 1931: „Ich kann mir gewiß
vorstellen, daß dann, wenn die Bourgeoisie zur Gänze am Ende ihres La-
teins sein wird, ein Zustand kommen kann, wie etwa im Herbst des Jahres
1918, in dem wir in die Regierung nicht nur gehen können sondern nichts
mehr anders können, ein Zustand aber, wo das nicht mehr bedeuten
würde den Eintritt von Sozialdemokraten als dienendes Glied in eine bürgerliche Regierung, sondern das bedeuten würde, was es im Herbst 1918
bedeutet hat: die Übernahme der Führung durch die Sozialdemokratie“
(Leser, Seipel). Gleichsam im Widerspruch zu dieser Politik des Abwartens, bis sich der Kapitalismus selbst ein Ende bereitet hätte, stand die
schon angezogene Mitwirkung der SDAP an den Sanierungsgesetzen. So
gesehen war das Nein zum Angebot Seipels tatsächlich jene „Politik der
versäumten Gelegenheiten“, von der Ellenbogen spricht. Eine Fortführung
der Gespräche hätte überdies gezeigt, wie weit Seipel tatsächlich zu
diesem Angebot stand. Das Nein Seipel gegenüber kann auch als Konzes-
sion an den eigenen Verbalradikalismus gegenüber der linken Anhängerschaft gesehen werden, da ein „Zusammengehen“ mit dem „Prälat ohne
Milde“ hier wohl kaum positiv rezipiert worden wäre.

Für die weitere politische Entwicklung war es gewiß ein Verhängnis, daß
damals die Regierung Seipel-Bauer nicht zustande gekommen ist. Will man
von Schuld sprechen, muß man sie auf beiden Seiten suchen. Die beiden
weitaus besten Köpfe des politischen Österreich konnten zueinander nicht
finden, weil der eine in seinem Denken doch schon weit über das hinausgeschritten war, was er in augenblicklicher Taktik als das Gebot der Stunde
ansah. Der andere aber konnte sich darauf berufen, daß sein Widerpart innerhalb der Partei, Karl Renner, der seit Jahren die Notwendigkeit und die
Vorteile einer schwarz-roten Koalition unterstrichen hatte, unter den obwaltenden Umständen, deren Beurteilung nicht unbeeinflußt war von den
Erfahrungen, die die deutsche Bruderpartei mit dem Kabinett Brüning gemacht hatte, ebenfalls gegen eine Beteiligung an der Regierung stimmte.

Seipel wollte nun aus den bürgerlichen Parteien eine Mehrheitsregierung
bilden, was auf eine Erneuerung der Basis, wie sie unter Ender bestand, hin-
ausgelaufen wäre. Der Heimatblock hielt sich ferne und konnte nicht ins
Kalkül einbezogen werden. Seipel scheiterte an dem Widerstand der Großdeutschen. Er bestand darauf, daß Kienböck Finanzminister werde. Das
lehnten die Großdeutschen ab, die als Beamtenpartei bei den zu erwar-
tenden Gehaltskürzungen nicht einen Mann zum Gegenspieler haben
wollten, dessen unerbittliche fiskalische Einstellung bekannt war. Weit mehr
aber stießen sie sich an seiner frankophilen Haltung, die sie ihm zum Vorwurf machten. Sie spannten Schober vor und fanden Rückhalt bei der deut-

schen Gesandtschaft. Das brauchte gar nicht in offizieller Form zu geschehen, es genügte, daß Großdeutsche und Landbund mit der Metternichgasse ständigen Kontakt hielten.

Der Gedanke, eine schwarz-rote Regierung unter Führung des am linken Flügel der Christlichsozialen stehenden Resch zu bilden, wurde ebenso rasch verworfen, als er aufgetaucht war. Der Bundespräsident drohte jetzt mit der Ernennung einer Beamtenregierung, schließlich gelang es aber dem erfahrenen Taktiker Buresch, auf den er großes Vertrauen setzte, die bisherige Mehrheit (Christlichsoziale, Großdeutsche und Landbündler) auf ein gemeinsames Programm zu einigen. Schober blieb Vizekanzler und Außenminister, das Finanzministerium übernahm der wegen seiner internationalen Beziehungen geschätzte Universitätsprofessor Josef Redlich, der aber keine Erfolge erzielen konnte und später durch den Abgeordneten Weidenhoffer ersetzt wurde. Nicht mit Unrecht bezeichnete man dieses Kabinett Buresch als eine Regierung der schwachen Hand. Sie begnügte sich damit, so gut es ging, die laufenden Geschäfte fortzuführen und in zähem Kleinkrieg mit den Parteien Maßnahmen zur Sicherung des Staatshaushaltes, dessen Defizit bedenklich anschwoll, durchzusetzen. Das erforderte auf allen Seiten Opfer. Die Regierung war daher auf die Duldung der Sozialdemokraten angewiesen.

Dabei schwebte über den Häuptern der Minister das Schwert der Kündigung der Kredite, die England und die Bank für internationalen Zahlungsausgleich gewährt hatten. Die Kassen waren leer. Wieder mußte man beim Völkerbund wegen einer Anleihe vorstellig werden. Genf verlangte aber drakonische Sparmaßnahmen, die Buresch zunächst nach dem Beispiel Brünings durch Notverordnungen des Bundespräsidenten durchsetzen wollte. Später aber suchte er doch Fühlung mit den Sozialdemokraten und konnte mit ihrer Unterstützung das Budgetsanierungsgesetz unter Dach bringen. Wäre eine Einigung darüber nicht erfolgt, hätte die Gefahr bestanden, daß der Völkerbund neuerdings — wie in den letzten Jahren der Sanierung unter Seipel — einen Generalkommissär einsetzte.

Die allgemeine Not, die Wirtschaftskrise, die trüben Aussichten für die Zukunft lasteten auf der Stimmung im Lande. Die Unruhe wuchs, als die Mißstände bei der Creditanstalt bekannt wurden, und die Bevölkerung verlangte, daß die Verantwortlichen zur Rechenschaft gezogen würden.

Als Ausstrahlung dieser verworrenen Lage kann man jene Ereignisse ansehen, die sich am 13. September 1931 in Steiermark abspielten. Die Heimwehr befand sich seit langem in einer inneren Krise. Starhemberg hatte sich zur Ordnung seiner privaten wirtschaftlichen Verhältnisse zeitweilig vom Amte des Bundesführers zurückgezogen, an seine Stelle war der Judenburger Rechtsanwalt Pfrimer getreten, der dem radikalen Flügel angehörte. Obwohl der Heimatschutz jetzt im Parlament vertreten war, gewann doch die faschistische Richtung Boden, die materiell von der Schwerindustrie und von Italien unterstützt wurde. Waffen waren besonders in Steiermark reichlich vorhanden. So ließ denn Pfrimer in einer Sonntagnacht den steirischen Heimatschutz aufbieten und Plakate anschlagen, daß der Heimatschutz die Macht im Staate ergriffen und er selbst die Staatsführung übernommen habe. Er vermochte aber nicht einmal die Heimwehrführer der benachbarten Länder zum Losschlagen zu veranlassen, obwohl einzelne vorher seinen Plänen zugestimmt hatten.

Der Tag verlief wie so mancher Sonntag in der Vergangenheit, der zu bewaffneten Auseinandersetzungen zwischen Heimwehr und Schutzbund geführt hatte. Denn dieser ergriff sofort Gegenmaßnahmen, so daß es bei der Besetzung einiger weniger Ämter blieb. Die staatliche Exekutive verhielt sich auf Befehl des Landeshauptmannes Rintelen zuwartend und auch der Einsatz des Bundesheeres erfolgte mit Wissen des Heeresministers Vaugoin recht zögernd. Trotzdem scheiterte der Putschversuch rasch. Die Bundesregierung erließ folgenden Aufruf:

„Mitbürger!

In einer Stunde der schwersten Not unseres Vaterlandes hat ein kleiner Bruchteil von Bundesbürgern, jeder Verantwortung bar und gewissenlos, unsere österreichische Heimat in verbrecherischem Leichtsinn in eine Lage gebracht, aus der im Innern und in den auswärtigen Beziehungen unabsehbare Gefahren hätten entstehen können. Es obliegt dem gesamten Volke, vor allem aber seinen berufenen Führern und der verfassungsmäßigen Regierung, diesen Gefahren mit allen gesetzlichen Mitteln und mit der gebotenen Strenge entgegenzutreten, um nicht nur die verletzte Rechtsordnung wieder herzustellen, sondern auch alle Vorkehrungen zu treffen, damit das verbrecherische Unternehmen rasch unterdrückt und eine Wiederholung derartiger hochverräterischer Abenteuer für alle Zukunft ausgeschlossen bleibt.

In dieser Schicksalsstunde ist es ein Trost, daß der Bundesregierung erprobte und verläßliche Machtmittel, Bundesheer, Polizei und Gendarmerie zur Verfügung stehen, die, vollständig in der Hand der Regierung, allen Situationen gewachsen sind. Auch die Bundesbahnen, Post, Telegraf und Telefon haben ihre Aufgabe voll erfüllt.

Mit Genugtuung wird festgestellt, daß dank der Pflichttreue aller Staatsorgane und der Gesetztreue der überwältigenden Mehrheit unserer Mitbürger, die den verbrecherischen Anschlag mit Entrüstung und Abscheu von sich wies und sich um die gesetzmäßige Regierung scharte, das Unternehmen nur auf einen Teil des Bundesgebietes beschränkt wurde, und auch dort ohne Erfolg geblieben ist. Die Bundesregierung wird pflichtgemäß die Schuldtragenden ungesäumt und mit der ganzen Strenge des Gesetzes zur Verantwortung ziehen.

Die Bundesregierung.“

Man spricht wegen der chaotischen Durchführung des Umsturzversuches häufig von einem Operettenputsch, was schon angesichts des Zieles, aber auch angesichts des Blutzolls verharmlosend ist; ein sinnlos betrunkener Putschist macht noch keine Operette, eine dilettantische Durchführung ebensowenig. Pfrimers Freispruch im folgenden Prozeß durch die Geschworenen mögen unter anderem als Beweis für die glänzenden Fähigkeiten seines Verteidigers, des honorigen Bruders Anton Rintelens, Max, gelten, machten aber erneut deutlich, wie reformbedürftig die Geschworenengerichtsbarkeit geworden war, nicht zuletzt, da bei einem Freispruch auch bei evidentem Irrtum das Urteil gar nicht aufgehoben werden konnte.

Die Lage im Innern besserte sich auch in der Folge nicht. Dies nützten die Nationalsozialisten, die bis dahin mehr im Hintergrund gestanden hatten, denen aber nunmehr aus allen Lagern Mitglieder zuströmten. Auch die Haltung der Parteien zur Frage des Anschlusses erfuhr jetzt eine Wandlung. Es hatte auch bisher neben den Anhängern dieses Gedankens, die in der Öffentlichkeit mehr oder weniger das Feld beherrscht hatten, zahlreiche Gegner solcher Bestrebungen gegeben. Nun aber sammelten sich die Anschlußfreunde vorwiegend unter dem Hakenkreuzbanner. Die Situation änderte sich vollends, als Hitler deutscher Reichskanzler geworden war und man mit Schrecken gewahren mußte, was von dieser Seite zu erwarten war.

Karl Renner, der an der Wiege der Republik gestanden war, schrieb damals:

„Die Nationalversammlung erklärte am 12. November 1918 den Anschluß der demokratischen Republik Österreich an die Deutsche Republik, indem sie zu der einen Parole der nationalen Selbstbestimmung die andere hinzufügte, daß die Welt nun sicher gemacht sei für die Demokratie ... Für die Anschlußerklärung war Demokratie und Föderalismus wesentlich, war es ebenso wesentlich, daß die künftige Stellung Wiens im Reichsganzen als eine zweite Reichshauptstadt, als Wirtschafts-, Finanz- und Verwaltungszentrale an der Seite Berlins anerkannt werde. Auch nicht ein Mitglied der Nationalversammlung hätte für einen Anschluß die Hand erhoben, der Österreich einfach gleichgeschaltet, einfach wie eine gefundene Sache ungefragt in den Sack gesteckt hätte ... Österreich kann sich nicht wegwerfen; es war mitberufen, nur mit allen übrigen Bruderstämmen einverständlich und vereinbarlich das nationale Erbe zu übernehmen, aber es kann sich nicht freiwillig dazu drängen, eine etwa noch leer gebliebene Gefangenenzelle zu beziehen und einem ostelbischen Kerkermeister die Referenz zu erweisen. Es ist nicht Österreichs Schuld, wenn die Politik von 1918 liquidiert ist. Ihre selbstverständlichen Träger waren die demokratische Republik Deutschösterreich und die demokratische und föderative Republik Deutsch-

land. Der eine dieser beiden Träger besteht nicht mehr, er ist dahin — nicht
durch Österreichs Schuld."

Aber auch im „nationalen" Lager gärte es. Die Heimwehr trug, seit nach
dem Mißerfolg Pfrimers wieder Starhemberg die Führung übernommen
hatte, trotz zeitweiligem Schwanken konservativ-legitimistischen Strömungen stärker als bisher Rechnung. Die im Parlament noch nicht vertretenen Nationalsozialisten machten sich in der Öffentlichkeit immer mehr
bemerkbar, die wirtschaftliche Not und die allgemeine Unzufriedenheit
kamen ihnen zugute. Die Großdeutschen befürchteten zerrieben zu werden
und beschlossen daher, bei nächster Gelegenheit aus der Regierung auszutreten. Sie machten Schober zum Bannerträger des von ihnen geforderten
deutschen Kurses in der Außenpolitik und beharrten deshalb auf seinem
Verbleiben im Kabinett auch dann noch, als das Schicksal der Zollunion
schon besiegelt war und der Reichsaußenminister Curtius demissionierte.
Sie empfanden das Scheitern dieses Projekts als nationales Unglück und
wurden darin durch die Haltung bestärkt, die die Westmächte einnahmen.
Der Widerstreit zwischen Selbstbestimmung und Erhaltung des Gleichgewichtes in Mitteleuropa trat deutlich in Erscheinung, wenn nicht nur französische, sondern auch englische Diplomaten, ebenso aber auch der italienische Vertreter beim Haager Gerichtshof ohne Umschweife aussprachen,
zwischen beliebigen Ländern seien Zollunionen zulässig, nur Deutschland
und Österreich könnten sie nicht gestattet werden. Das war Wasser auf die
Mühlen des Nationalismus.

Die Großdeutschen sprachen am 9. Jänner 1932 bei Buresch vor und verlangten Zusicherungen über die Beibehaltung des deutschen Kurses. Die
Antwort des Kanzlers befriedigte sie nicht. Dieser wußte, daß von Frankreich die notwendigen Kredite nur bei einer Änderung im Außenamt zu erwarten seien. Auch drängte man bei den Christlichsozialen darauf, sich von
dem Druck zu lösen, den die kleine Gruppe der Großdeutschen auf ihren
großen Partner in der Regierung ausübte. So entschloß sich Buresch zu demissionieren und bei dieser Gelegenheit Schober auszubooten oder wenigstens auf ein anderes Ressort zu schieben. Die Großdeutschen ergriffen die
Gelegenheit, sich zurückzuziehen, Buresch verfügte mit seinem zweiten Kabinett, das sich nur aus Christlichsozialen und Landbündlern zusammensetzte, über keine Mehrheit im Parlament, er mußte sich auf eine stillschweigende Duldung durch die Linke verlassen, wogegen die Heimwehr, die eben
in diesen Tagen wieder mit Putschdrohungen Unruhe stiftete, heftig protestierte. Die seit zehn Jahren bestehende christlichsozial-großdeutsche Zusammenarbeit, die dem Lande eine gewisse Stabilität gesichert hatte, war in
die Brüche gegangen, der Riß, der sich jetzt zum „nationalen Lager" auftat,
konnte wegen der großen Umschichtungen, die sich dort vollzogen, nicht
mehr geschlossen werden.

In die neue Regierung trat Schuschnigg als Justizminister ein, Dollfuß blieb an der Spitze des Landwirtschaftsressorts, das er schon unter Ender übernommen hatte. Damit war eine neue Generation heraufgestiegen, die Frontkämpfergeneration des Ersten Weltkrieges begann sich im politischen Leben allmählich durchzusetzen. Beide Männer, der Tiroler und der Niederösterreicher, vertraten noch kein umstürzendes Programm. Beide aber verkörperten schon damals jene Strömungen, die an der Berechtigung des Parlamentarismus in der hergebrachten Gestalt zweifelten und ihn durch andere ihnen besser erscheinende Formen zu ersetzen suchten.

Aber noch bestand das Parlament, in dem Buresch keine Mehrheit hatte. Doch gelang es ihm, die Zustimmung der Opposition für ein wirtschaftspolitisches Ermächtigungsgesetz zu gewinnen. Die Wintersession des Nationalrates wurde vorzeitig geschlossen und damit der Bestand der Regierung für einige Zeit gesichert.

Allgemein sah man das zweite Kabinett Buresch als eine Übergangsregierung an, nur wußte man nicht, was ihr folgen sollte. In der Öffentlichkeit wurde viel von einem ständischen Aufbau gesprochen, für welchen Gedanken Seipel warb. Doch kam man über theoretische Erörterungen nicht hinaus. Auch der Gedanke einer verfassungsmäßigen Diktatur der Mitte wurde erwogen. Dies hätte die parlamentarische Zustimmung der Sozialdemokraten zur Voraussetzung gehabt, die aber dafür nicht zu haben waren. So beschränkte sich die Regierung darauf, bei der Nationalbank den früheren Finanzminister Kienböck als Mann ihres Vertrauens zum Präsidenten zu ernennen. Noch immer erwiesen sich die Probleme, die der Zusammenbruch der Creditanstalt aufgeworfen hatte, als nahezu unlösbar, die schwere Erschütterung der österreichischen Wirtschaft bedrohte weiter das Gefüge des Staates.

Da entschloß sich Buresch, Österreich als europäisches Wirtschaftsproblem zur Diskussion zu stellen. Er berief am 16. Februar die Gesandten der vier Großmächte Deutschland, England, Frankreich und Italien zu sich und erklärte, Österreich müsse unter allen Umständen eine Erweiterung seines Wirtschaftsraumes finden oder durch Einfuhrverbote seinen heimischen Markt schützen. Die Regierung wollte damit einen geeigneten Ausgangspunkt für die zur Stützung der Währung dringend erforderliche Anleihe finden. Damit wurde die Frage der wirtschaftlichen Ordnung in Mitteleuropa mit all ihren Auswirkungen auf die Außen- und Innenpolitik aufgerollt. Seit die Wirtschaftseinheit der Donaumonarchie durch die Friedensverträge zerschlagen war, verließen Unruhe und Unsicherheit niemals diesen Teil des Kontinentes. Wirtschaftliche Notwendigkeiten wurden von politischen Realitäten überlagert. Mehr als das, das Herz Europas wurde zum Kampfplatz, auf dem mehr als eine Ideologie um die von ihr erstrebte Allgemeingültigkeit rang.

Der Plan einer deutsch-österreichischen Zollunion war gescheitert. Es mußte sich zeigen, ob andere Projekte leichter zum Ziele führten. An solchen fehlte es nicht. Seit Jahren beschäftigten sich Männer der Wirtschaft, Gelehrte und Politiker mit den Problemen des Donauraumes. Die unter der geistigen Leitung des tschechoslowakischen Außenministers Beneš stehende Kleine Entente war anfänglich als politisch-militärischer Machtfaktor gedacht gewesen. Seit 1927, seit der Konferenz von Joachimsthal, rückten aber Erwägungen in den Vordergrund, wie dieser Staatenbund wirtschaftlich unterbaut werden könnte. Seit 1926 trat der Budapester Universitätsprofessor Hantos mit verschiedenen Plänen hervor, die eine wirtschaftliche Zusammenarbeit der südosteuropäischen Staaten zum Ziele hatten. Er wollte grundsätzlich die Beteiligung von Großmächten ausgeschaltet wissen, weshalb Deutschland dieses Projekt ablehnte. Schwer ließen sich auch die Tendenzen nach einer Revision des Friedensvertrages mit einer Zusammenarbeit mit jenen Staaten in Einklang bringen, die wie die Nachbarn Ungarns an der Erhaltung des bestehenden Zustandes das größte Interesse hatten. Auch Beneš ließ daran nicht rütteln. Doch trachtete er, seinen Bestrebungen eine Form zu geben, die eine Mitwirkung der Großmächte, vor allem auch Deutschlands, nicht ausschloß. Italien suchte sich in steigendem Maße einzuschalten und geriet damit in Widerstreit nicht nur zu Deutschland, sondern auch zu Frankreich, von dem es noch andere Gegensätze trennten.

Im Jahre 1932 hatte Frankreich das Wort. Es hatte die von Schober und Curtius angestrebte Zollunion vereitelt und versuchte nun, seine Stellung durch eigene Vorschläge auszubauen. Dieses Beginnen wird als Tardieu-Plan bezeichnet. Der Chef der französischen Regierung riet den fünf Donaustaaten (Österreich, Ungarn, Tschechoslowakei, Jugoslawien und Rumänien), einander Vorzugszölle zu gewähren. Dafür stellte er eine langfristige Finanzhilfe im Rahmen des Völkerbundes in Aussicht. Damit wäre eine ausgedehnte Wirtschafts-, Währungs- und Finanzreform in allen diesen Staaten verbunden gewesen.

Auf den ersten Blick sah der Plan einer Wiederherstellung des Wirtschaftsraumes der alten Monarchie vernünftig und verheißungsvoll aus. Doch durfte man nicht übersehen, wie sehr sich die Nachfolgestaaten wirtschaftlich auseinander entwickelt hatten und daher gar nicht imstande waren, ohne die Beteiligung von Großmächten den notwendigen Absatzmarkt zu sichern. Deutschland und Italien befürchteten ausgeschaltet zu werden. Deutschland ging sogar so weit, Österreich Präferenzen anzubieten. Italien wollte keine unübersteigbaren Schranken durch einen in sich geschlossenen Donaublock gegenüber seinen eigenen Expansionstendenzen aufrichten lassen, auch konnte es das politische Mißtrauen gegen die Kleine Entente, die solcherart durch Österreich und Ungarn unter der Patronanz Frankreichs erweitert worden wäre, nicht unterdrücken. Für Englands Außenpolitik standen die Regelung der Reparationen und die Abrüstungsfrage im Vordergrund und es war daher geneigt, in Mitteleuropa, dem es selbst wenig helfen konnte, den Absichten Deutschlands und Italiens nicht allzu heftig entgegenzutreten. So wurde schließlich der Tardieu-Plan unter dem Vorwand, die Donaustaaten sollten zunächst selbst einen Weg suchen, sich untereinander wirtschaftlich zu unterstützen, zurückgestellt, um sein Scheitern zu bemänteln. Damit blieb aber den bedrängten Donaustaaten die erwartete Hilfe versagt.

Noch standen die innerpolitischen Fronten nicht fest. Die bisherige Konstellation war in Bewegung geraten. Auch Dinge, die bisher im politischen Alltag unbestritten waren, wurden allmählich problematisch. Dazu gehörte die Haltung der Parteien zur Frage des Anschlusses. Man begann jetzt die Anschlußfreunde immer mehr als Staatsfeinde zu empfinden. Dies steigerte sich, als sich die Anhänger des Anschlusses vorwiegend unter dem Hakenkreuzbanner sammelten, mochten sie auch dem Nationalsozialismus als Weltanschauung fremd gegenüberstehen. Die Großdeutschen fürchteten aufgerieben zu werden und suchten ihr Heil in der Opposition gegen die Regierung. Sie verziehen Buresch die Art, in der er den Sturz Schobers herbeigeführt hatte, nicht. Die Lage im Heimatschutz war unklar. Nach dem Mißerfolg des Putsches am 13. September 1931 trat die nationalrevolutionäre Richtung mehr in den Hintergrund, obwohl die steirische Heimwehr ein Kampfbündnis mit den Nationalsozialisten schloß. Für diese führte der Norddeutsche Theo Habicht die Verhandlungen, der als Landesinspekteur seiner Partei in Österreich fungierte.

Die Großdeutschen suchten Anlehnung bei den Deutschnationalen in Berlin, die damals mit starker Unterstützung des „Stahlhelms", eines nationalen Wehrverbandes, eine einheitliche Front der Rechten mit Einschluß der Nationalsozialisten aufzurichten suchten. Die Unterhandlungen darüber fanden in Bad Harzburg statt. Rasch versuchte man, den Gedanken auch auf Österreich zu übertragen, und fand dafür das Schlagwort, es gehe hier um „Harzburg oder Habsburg". Dieser Versuch bedeutete nicht allein eine geschickte Propagandabasis, er brachte auch Geld ein. Die Subsidien, die die Heimwehr bisher von der Industrie, fallweise auch aus Italien, bezogen hatte, tröpfelten nur mehr. Jetzt kam aus dem Norden nicht unbeträchtliche Unterstützung.

Diese Entwicklung mißfiel Seipel, der die Niederlage, die der mißglückte Putschversuch der steirischen Heimwehr gebracht hatte, geradezu begrüßt hatte. Er schickte daher den Rivalen Pfrimers, Steidle, nach Paris, um jenen Heimwehrflügel zu stärken, den Seipel in sein politisches Konzept einbezogen hatte und der mehr die konservativ-legitimistischen Kräfte innerhalb dieser Bewegung repräsentierte. Starhemberg schwankte zwischen den beiden Richtungen, doch begann er einzusehen, daß die Eroberung der Macht leichter im Bündnis mit dem Staatsapparat zu erreichen sei. Das hieß Anlehnung an die Christlichsozialen. Als er dann im Sommer 1932 nach Italien kam, verlangte er von Mussolini Geld und Waffen. Beides wurde ihm in reichem Maß zuteil.

Inzwischen hatte sich die innenpolitische Lage in Österreich stark verändert. Am 24. April 1932 hatten die Wahlen für die Landtage von Niederösterreich, Salzburg und Wien stattgefunden. Die Analyse dieser regionalen Wahlergebnisse — gleichzeitig fanden auch Gemeinderatswahlen in der Steiermark und in Kärnten statt — zeigt, daß „jeder zweite österreichische NSDAP-Wähler außerhalb Wiens ... 1930 noch für die SDAP oder den nationalen Wirtschaftsblock gestimmt" hatte; bezogen auf die Linke bedeutet dies, daß „jeder zehnte Wähler der SDAP oder KP von 1930 bei den Landtagswahlen 1932 für die NSDAP" stimmte (Falter/Hänisch). Zum Vergleich die Christlichsozialen: hier dürfte — ebenfalls außerhalb Wiens — „nur rund jeder zwanzigste Wähler zur NSDAP übergegangen" sein. Angesichts der dramatischen Verluste der ohnehin schwachen Wiener Christlichsozialen kann geschlossen werden, daß es der NSDAP neben dem totalen Einbruch ins großdeutsche Potential gelungen war, Einbrüche in die Wählerschichten der jeweiligen Minderheitspartei zu erzielen. Sich als antikapitalistische, antimarxistische, antidemokratische, antisemitische und antiklerikale Kraft stilisierend, gelang es der NSDAP, Protestwähler widersprüchlicher Richtung anzusprechen und gleichsam unter negativen Vorzeichen zu einer modernen „Volkspartei" zu sammeln. Das Wahlergebnis übte auch auf die Christlichsozialen geradezu eine Schockwirkung aus. Ihre Verluste waren in den meisten Ländern erträglich, nur in Wien hatten sie ausgesprochen schlecht abgeschnitten. Dort hatten die Nationalsozialisten viele Stimmen der Gewerbetreibenden, der Beamten und der Jungwähler gewonnen und die Christlichsoziale Partei beinahe auf die Hälfte ihres bisherigen Besitzstandes zurückgedrängt. Weniger beeindruckt zeigte sich die SDAP, obwohl gerade die regionalen Ergebnisse in den Industriegebieten um Wien und St. Pölten, zwischen Leoben, Donawitz, Eisenerz und Kapfenberg — in der Steiermark fanden Gemeinderatswahlen statt — Verluste der SDAP und daraus resultierende Gewinne der NSDAP aufwiesen.

Bei nüchterner Betrachtung hatte der 24. April bloß erwiesen, daß es mit der Herrschaft zweier politischer Gruppen in den öffentlichen Vertretungskörpern nunmehr vorbei war, daß man in Hinkunft mit einem Dreiparteiensystem zu rechnen habe. Es lag nahe, daß die Nationalsozialisten und mit ihnen alles, was ihnen auf Grund der erzielten Erfolge nunmehr zuströmte, auf Neuwahlen auch für den Nationalrat drängten. Gerade das aber trachteten die Christlichsozialen und mit ihnen die Bundesregierung zu verhindern. Dabei hätte klare Überlegung gezeigt, daß dabei zwar gewisse Einbußen zu erwarten waren, in der Hauptsache aber nur die uneinheitlichen Mittelparteien durch neue Leute ersetzt würden. Infolge der Wiener Niederlage überschätzte man die Verluste, die zu gewärtigen waren, man befürchtete sogar, von den Nationalsozialisten überholt zu werden. Dies war sicherlich übertrieben, doch mußte man damit rechnen, daß sich bei der Regierungsbildung nach Neuwahlen erhöhte Schwierigkeiten ergeben würden. In Kreisen der Christlichsozialen Partei war man geneigt, das Ergebnis des 24. April als eine Absage an eine potentielle schwarz-rote Koalition zu deuten. Man führte nämlich das schlechte Ergebnis in Wien auf das Mißfallen der Wähler mit der zu nachgiebigen Haltung gegenüber der austromarxistischen Gemeindeverwaltung zurück. Auf jeden Fall wären die Sozialdemokraten im neuen Parlament zur relativ stärksten Partei geworden. Bei den scharfen Gegensätzen, die sie von den Nationalsozialisten trennte, war eine rot-braune Koalition unwahrscheinlich, doch bestand die Gefahr, die Seipel immer hintanzuhalten suchte, daß sich beide Gruppen in Kulturkampffragen zu einer Mehrheit gegen die Christlichsozialen fänden.

Es war ein schwerwiegender taktischer Fehler der SDAP — vergleichbar der Ablehnung des Seipelschen Koalitionsangebotes 1931 — in dieser Situation Neuwahlen zu verlangen, wie es auch seitens der NSDAP geschah (Holtmann, Defensivpolitik). Angesichts dieser Wahlergebnisse und jener des November 1932 in Vorarlberg, die einen geringfügigen Zuwachs für die NSDAP brachten, bzw. jener vom Frühjahr 1933 , am 23. April errangen die Nationalsozialisten in Innsbruck 40 Prozent, können bundesweit 20 bis 25 Prozent NSDAP-Wähler angenommen werden (Jagschitz, Putsch). Buresch und die Christlichsozialen setzten aber auf eine Verzögerungstaktik.

Diese Vorgangsweise hatte weittragende Folgen. Denn als es dann zur „Selbstausschaltung" des Nationalrates kam und als der Kampf um die Erhaltung des selbständigen österreichischen Staates einsetzte, wußte niemand zu sagen, ein wie großer Teil der Bevölkerung hinter der Regierung stand. Man war auf Schätzungen angewiesen, die es dem einen wie dem anderen ermöglichten, für sich die eigentliche Mehrheit zu beanspruchen und den Gegner als unbedeutende Minderheit zu bezeichnen. Dazu kam, daß sich viele um ein staatsbürgerliches Recht geprellt sahen, ihren Groll auf die Regierung, der sie Machtstreben und Pfründensucht vorwarfen, übertrugen und aus diesen Gründen ins Lager der Opposition traten. Gerade von diesen hätte mancher für den Kampf um ein selbständiges Österreich gewonnen werden können, doch fehlte das Vertrauen zur Regierung, das infolge der starren Ablehnung von Neuwahlen weiter geschwächt wurde.

Die Anfänge der Regierung Dollfuß

Der Bundespräsident betraute Buresch mit der Neubildung der Regierung. Er stellte sich vor, daß es zu einer Zusammenfassung aller bürgerlichen Parteien, also mit Einschluß der Großdeutschen und des Heimatblocks, kommen könnte. Eine Anlehnung nach links zu suchen, schien nach der Deutung, die man den Ergebnissen des 24. April gegeben hatte, nicht opportun. Der Name Buresch stieß aber bei den Großdeutschen, die ihn nach dem Sturz Schobers als den Hauptvertreter der französischen Orientierung in der Außenpolitik ansahen, auf heftigen Widerstand. Man suchte einen Ausweg und fand ihn in der Person des bisherigen Landwirtschaftsministers Engelbert Dollfuß. So übernahm dieser die Regierungsbildung.

Der 1892 als lediges Kind einer Bauerntochter geborene Engelbert Dollfuß studierte nach der Absolvierung des Knabenseminars Hollabrunn an der Universität Wien zunächst Theologie, ehe er sich den Rechtswissenschaften zuwandte. Das Studium schloß er kriegsbedingt — er kehrte als mehrfach dekorierter Oberleutnant des Kaiserschützenregiments II zurück — erst 1923 ab. Nach einem Auslandsstudienaufenthalt in Berlin und diversen Aktivitäten innerhalb der Deutschen Studentenschaft, der Vertretungskörperschaft der Mehrheit der österreichischen und reichsdeutschen Studenten, arbeitete er ab 1922 in der Landes-Landwirtschaftskammer Niederösterreichs, deren Kammeramtsdirektor er 1927 wurde. Geprägt von seiner bäuerlichen Herkunft, der sozialstudentischen Bewegung Carl Sonnenscheins und der CV-Verbindung „Franco-Bavaria" formte ihn der Krieg, an dessen Ende er von der grundsätzlichen Neugestaltung des Staates überzeugt war. Den Materialismus von seiner katholischen Position aus ablehnend, rezipierte er die Wirtschafts- und Gesellschaftstheorien Othmar Spanns, dessen Hörer er war, dem er sich in der „Deutschen Gemeinschaft" verbunden wußte und der ihn durch seine nationalökonomischen, soziologischen Ideen beeinflußte. Als Vertreter des deutschnationalen Flügels des CV setzte er sich nach dem Krieg für eine Zusammenarbeit mit den deutschnationalen Korporationen ein; was auf Hochschulebene angesichts der gemeinsamen Kriegserfahrung eine Zeitlang funktionierte. Eine vergleichbare Basis der katholisch-nationalen Kooperation hatte auch die „Deutsche Gemeinschaft", eine politische Geheimgesellschaft, deren Mitglieder auf die Pflege des Gesamtdeutschtums und des Antimarxismus eingeschworen waren. Zur Durchsetzung ihrer Ziele achtete man auf strategische Postenbesetzungen. Wie die Zusammenarbeit auf Hochschulboden verflachte auch dieser Zirkel in der zweiten Hälfte der zwanziger Jahre und löste sich 1930 auf. Deutschnational blieb Dollfuß auch in seiner Arbeit als renommierter Agrarexperte, der 1931 als Landwirtschaftsminister in die Bundesregierung eintrat. Dem sozialistischen Lager stand er ursprünglich nicht ablehnend gegenüber. Mit der Heimwehr hatte er bis zu seinem Regierungsantritt wenig Berührung. Politisch war er bisher nur dadurch hervorgetreten, daß er im Herbst 1930 auf Wunsch des Bundeskanzlers Vaugoin und der Christlichsozialen Partei als Präsident der Bundesbahnen den höchst umstrittenen Strafella zum Generaldirektor dieses Unternehmens ernannt hatte.

Die Heimwehr wünschte wie bisher eine Regierung unter dem steirischen Landeshauptmann Rintelen als Bundeskanzler. Die Verhandlungen mit den Großdeutschen zerschlugen sich. Sie verlangten von Dollfuß die Vorlage eines Programms, fanden aber, daß sich dieses ganz auf der von Buresch eingehaltenen Linie bewege, und lehnten ab. Nach Überwindung zahlreicher Klippen und Fährnisse, die teils vom Heimatblock, teils vom Landbund ausgingen, wurde am 20. Mai 1932 die Regierung Dollfuß vom Bundespräsidenten ernannt. Sie bestand aus Vertretern der Christlichsozialen, des Landbundes, für die Franz Winkler als Vizekanzler eintrat, und des Heimatblocks, der den Handelsminister Jakoncig stellte und auf dessen Rechnung auch der zum Unterrichtsminister bestellte Rintelen zu setzen war, wiewohl er der Christlichsozialen Partei angehörte. Doch ging er gerne seine eigenen Wege und stand auch jetzt von allem Anfang an in einem verdeckten Gegensatz zum Bundeskanzler.

Das Programm der Regierung hielt sich in engen Grenzen. Sicherung der Währung und des Gleichgewichts im Staatshaushalt waren die Hauptpunkte. Als Übergangsregierung gedacht, sollte sie die Geschäfte führen „bis zu einer Abklärung der innenpolitischen Lage" (Jagschitz, Putsch). Bedenklich war, daß die Regierung im Nationalrat bloß über eine Mehrheit von einer Stimme verfügte und im Bundesrat, dessen Zusammensetzung von der Konstellation der einzelnen Landtage abhing und in den daher nunmehr auch Nationalsozialisten einzogen, in der Minderheit war. Das hatte zur Folge, daß der Bundesrat die Inkraftsetzung der meisten Gesetze durch Einsprüche verzögerte. Verhindern konnte er sie nicht, weil der Nationalrat immer wieder Beharrungsbeschlüsse faßte. Doch waren dort die Verhältnisse sehr labil, weil nicht nur Krankheitsfälle, sondern auch die unsichere Haltung einzelner Abgeordneter des Heimatblocks die Lage von Tag zu Tag änderten. So stiefmütterlich die Rolle war, die von der Verfassung dem Bundesrat zugeteilt wurde, jetzt kam er, nicht zur Freude der Regierung, zusehends zur Geltung.

Dies zeigte sich, als die Regierung das Protokoll von Lausanne, das Dollfuß am 15. Juli 1932 unterzeichnet hatte, dem Parlament zur Genehmigung vorlegte. Nach Überwindung vieler Hemmnisse hatte der Völkerbundrat Österreich eine Anleihe von 300 Millionen Schilling in Aussicht gestellt. Aber diese Hilfe sollte nicht ohne Gegenleistung erfolgen, das Protokoll umschrieb deutlich jene Bedingungen, die Österreich auf sich zu nehmen hatte. In wirtschaftlicher Hinsicht bestanden sie darin, daß der Anleiheerlös zur Rückzahlung der beiden bisher immer wieder verlängerten Kredite der Bank von England und der Bank für internationalen Zahlungsausgleich sowie zur Abdeckung sonstiger Verbindlichkeiten des Staates gegenüber der Nationalbank zu verwenden sei. Das hieß also die Umwandlung kurzfristiger Wechsel in langfristige Schulden. Denn die Laufzeit betrug zwanzig Jahre. Gerade daran knüpften sich die politischen Forderungen, die zu erfüllen waren. Sie lauteten kurz auf die Anerkennung des Genfer Protokolls von 1922, das Seipel vor zehn Jahren unterzeichnet hatte.

Darob entbrannte nun ein heftiger innenpolitischer Kampf. In ihm bildeten sich Fronten, die alsbald unter dem mächtigen Druck von außen nach

der Machtergreifung Hitlers aneinanderprallten. Es wurden Intrigen gesponnen und Ressentiments wachgerufen, die noch in der Folgezeit ihre oft
unheilvolle Wirkung hatten. Bei allem Elan und bei aller Entschlußkraft ver-
schmähte Dollfuß jedoch nicht taktische Winkelzüge, die zu Unberechen-
barkeiten und Widersprüchen führten. Dazu kam eine persönliche Empfind-
lichkeit, die ihn mitunter einer unrichtigen Einschätzung seiner Gegner an-
heimfallen ließ.

Worum ging es in diesem Kampf? — Es handelte sich darum, daß durch
die weitere Wirksamkeit des Genfer Protokolls das Anschlußverbot, das ohnehin durch den Friedensvertrag gegeben war, für weitere zehn Jahre freiwillig anerkannt wurde. Das erhitzte die Gemüter, die durch den Mißerfolg
des Zollunionplanes noch erregt waren. Vergeblich wies Dollfuß darauf hin,
daß der Reichskanzler von Papen ihn in Lausanne zum Unterschreiben er-
mutigt hatte. Deutschland wollte sich anfänglich sogar mit einem Betrag von
7 Millionen Schilling an der Anleihe beteiligen. Umsonst blieb auch das Auf-
zeigen der Möglichkeit, die Anleihe unter Umständen bereits nach zehn
Jahren, das wäre also 1942 beim Ablauf des Genfer Protokolls gewesen, zu-
rückzuzahlen. Das „nationale Lager" und darüber hinaus weite Bevölkerungskreise, nicht zuletzt auch die Jugend, die unter dem Einfluß der An-
schlußideologie herangewachsen war, verschlossen sich allen diesen Argumenten. Von einer realpolitischen Einschätzung der Lage war wenig zu
sehen. Hugelmann, der als christlichsozialer Bundesrat seinerzeit nachdrücklich für das von Seipel unterzeichnete Genfer Protokoll eingetreten
war und ebenfalls Mitglied der „Deutschen Gemeinschaft" gewesen war,
wandte sich jetzt heftig gegen das Abkommen von Lausanne. Dadurch
würde, wie er meinte, die Möglichkeit der Verwirklichung des Anschlusses
gerade jener Generation aus der Hand genommen, die 1918 diesen Gedanken in die Welt gesetzt hatte.

Die Sozialdemokraten bekämpften gleichfalls Lausanne. Auch sie unterließen es nicht, die Verzögerung allfälliger Anschlußmöglichkeiten zu unterstreichen. Für sie bildeten aber mehr die vorgesehenen Kontrollen durch das
Ausland, die sich vor allem auf die Gebarung der Bundesbahnen und der
Nationalbank erstrecken sollten, den Stein des Anstoßes. Im übrigen ent-
sprang aber ihre Haltung ganz ihrer oppositionellen Einstellung. Seit Aufnahme des Heimatblockes in die Regierung hatte sich naturgemäß die stille
Duldung, die sie zeitweise Buresch gegenüber geübt hatten, gewandelt.

Der Landbund zog sich dadurch aus der Schlinge, daß er, als er mit
seinem Vorschlag, die Sache auf den Herbst zu verschieben, nicht durch-
drang, Abänderungsanträge stellte, die auf eine Interpretation des Textes
des Protokolls abzielten. So sollte der Passus, daß der Völkerbundrat mit
Mehrheit über die Durchführung und allfällige vorzeitige Rückzahlung zu
beschließen habe, durch das Erfordernis der Stimmeneinhelligkeit ersetzt
werden. Damit wurde es ermöglicht, Deutschland, das über einen Ratssitz

verfügte, einzuschalten. Dollfuß gelang es, diese Forderung durchzusetzen. Trotzdem entging er nur mit Mühe einer parlamentarischen Niederlage, die ihn zum Rücktritt gezwungen hätte. Bei einer entscheidenden Abstimmung nach dem Tode Seipels, dessen Stimme ihm gefehlt hätte, wurde er nur durch sofortige Einberufung des Ersatzmannes gerettet. Auch Schober lag auf dem Sterbelager und war verhindert, seine Stimme gegen Lausanne abzugeben.

Als es endlich gelang, nach einer immer wieder verlängerten Parlamentssession das Protokoll von Lausanne unter Dach zu bringen, trat eine merkbare Beruhigung ein. So konnte es zumindest nach außen scheinen, obwohl die aufstrebende NSDAP mit ihren radikalen Methoden, ihrer materiellen Unterstützung aus Deutschland, dem unausgesetzten Propagandalärm und den verschärften Auseinandersetzungen mit den Gegnern, die nicht immer bei bloßen Handgreiflichkeiten blieben, sondern beinahe zu Straßenkämpfen führten, eine Massenbasis zu gewinnen suchte. Doch drohte von hier aus der Regierung noch keine unmittelbare Gefahr. Dollfuß war sich aber klar, daß die Grundlage seines Kabinetts zu schwach war. Er suchte daher sehr intensiv die Großdeutschen für einen Wiedereintritt in die Regierung zu gewinnen. Er bot ihnen sogar das Sicherheitsministerium an, ganz abgesehen davon, daß er auch für den Gesandtenposten in Berlin, auf dem eben ein Wechsel eintrat, den langjährigen großdeutschen Minister Hans Schürff ins Auge faßte. Ein Teil seiner Partei schwankte. Schließlich gewannen aber die Strömungen, die in der Opposition gegen die Regierung das Allheilmittel vor der Konkurrenz der Nationalsozialisten sahen, das Übergewicht. Lausanne bot das auf die Masse wirksame Aushängeschild. Trotzdem hätten die meisten gerne eingelenkt, hätte Dollfuß ihre alte Forderung nach einer Änderung des Wahlrechtes anerkannt, die in einer Beseitigung des Grundmandates bestand, das erst die Anerkennung von Reststimmen ermöglichte.

Diese starre Haltung der Großdeutschen war für die Weiterentwicklung der politischen Verhältnisse in Österreich von großer Bedeutung. Da nämlich Dollfuß im Parlament keine ausreichende Mehrheit fand, drängte sich ihm immer mehr der Gedanke nach anderen Lösungen auf. Die allgemeine Zeitstimmung mit ihrer antiparlamentarischen Tendenz auf dem ganzen Kontinent tat ein übriges. Ging es nicht auf demokratischem Weg, so suchte nun Dollfuß mit anderen Kräften seine Stellung zu unterbauen. Er traf mit maßgeblichen Heimwehrführern in Pörtschach zusammen und beriet mit ihnen die Schaffung eines Präsidialkabinetts nach dem Muster der Regierungen Brüning und Papen. Dieses kam nicht zustande, auch deshalb, weil der Bundespräsident nicht dafür eingenommen war und überhaupt nicht über die Machtfülle des deutschen Reichspräsidenten verfügte. Die Heimwehren bestanden aber auf Einlösung des ihnen in Pörtschach gegebenen Versprechens nach Verstärkung ihrer Stellung im Kabinett. Sie erhielten zwar keinen weiteren Ministerposten, doch übernahm ihr Wiener Führer Emil Fey das Amt eines Staatssekretärs für Sicherheitswesen. Formell war er dem Bundeskanzler unterstellt, tatsächlich bekam er die gesamte staatliche Exekutive, Polizei und Gendarmerie, in seine Hand. Sie wurden ihm Mittel für sein Machtstreben.

Dollfuß war also gezwungen, immer stärker autoritären Bestrebungen Raum zu geben. So erließ die Regierung eine Verordnung über die Haftung von Funktionären der Creditanstalt für die durch ihre Geschäftsführung eingetretenen Verluste. Mit dieser Verordnung hoffte die Regierung sich populär zu machen. Die beklagenswerte Bedeutung der Maßregel lag darin, daß Handlungen, welche zur Zeit ihrer Begehung straflos waren, mit rückwirkender Kraft für strafbar erklärt wurden, daß Österreich von der Bahn des Rechtsstaates abwich. Dollfuß stützte sich auf das Kriegswirtschaftliche Ermächtigungsgesetz von 1917, das damals zur Regelung der Versorgung der Bevölkerung mit Bedarfsgütern erlassen worden war. Auch in den ersten Jahren nach Kriegsende war es in diesem Umfang noch immer angewendet worden und stand nach der Verfassungsreform 1929 weiterhin in Geltung. Schon in den Kämpfen um die Verfassungsreform, die im Herbst dieses Jahres tobten, waren Stimmen laut geworden, daß man mit diesem Gesetz einfach alles machen könne. Ohne auf sie zu hören, regelte die neue Verfassung in besonderer Weise das Notverordnungsrecht des Bundespräsidenten, das eng umschrieben und an die Zustimmung eines kleinen Parlamentsausschusses gebunden wurde.

Die Sozialdemokraten, die sich bereits in der Verfassungsreformdiskussion für die Eliminierung des Gesetzes ausgesprochen hatten, andererseits aber die Anwendung des Gesetzes im Dezember 1929 (!) nicht beanstandeten, da damit die Kleinpächterschutzbestimmungen und andere sozialrechtliche Regelungen verlängert wurden, artikulierten nunmehr den „kleinen Diktaturparagraphen", der seit dem Kriegsende rund 250 Mal angewandt worden war und geradezu zum „Jahreslauf" der Regierungspraxis zählte (Hasiba, Rechtliche Zeitgeschichte). Sie verlangten die Aufhebung des Kriegswirtschaftlichen Ermächtigungsgesetzes, da die von ihm zu regelnden außergewöhnlichen durch den Krieg hervorgerufenen Verhältnisse behoben seien. Die Regierung weigerte sich darauf einzugehen. In der offiziösen Publizistik unterstrich man hingegen, daß die trüben wirtschaftlichen Verhältnisse des Heute eben auch noch Kriegsfolgen seien und daher keine Kompetenzüberschreitung vorliege. Die Regierung legte die Verordnung dem Nationalrat zur nachträglichen Genehmigung vor und fand dort die Zustimmung aller Parteien mit Ausnahme der Sozialdemokraten.

Die Flüssigmachung der Lausanner Anleihe zog sich in die Länge. Wohl kam es zu einer Vereinbarung mit den Auslandsgläubigern der Creditanstalt; die Verhandlungen darüber führte Unterrichtsminister Rintelen in London. Der Staat nahm damit eine schwere Belastung auf sich und war auch zunächst nicht imstande, den übernommenen Verpflichtungen nachzukommen. Die endgültige Regelung erfolgte erst 1935. Aber die Ratifizierung des Protokolls von Lausanne in den beteiligten Staaten verzögerte sich weiter, besonders durch den Sturz der Regierung Herriot. Von allem Anfang an machte die Beteiligung Frankreichs große Schwierigkeiten. Für die Westmächte standen ja das Abrüstungs- und Reparationsproblem und im Zusammenhang damit die Abstattung ihrer eigenen Verpflichtungen an Amerika im Vordergrund. Dazu kamen die Meinungsverschiedenheiten, ob man einen einzelnen Donaustaat unterstützen dürfe oder ob nicht vielmehr politische Forderungen im Sinne des Tardieu-Planes zu stellen seien. Da waren es die französischen Sozialisten, die in der Kammer die Lage retteten, indem sie für die Ratifizierung stimmten. Die österreichischen Sozialdemokraten, die im eigenen Lande aus Opposition gegen die Regierung Lausanne bekämpft hatten, rieten ihren Parteifreunden im Westen zu dieser Haltung. Das hätte auch innerpolitisch eine Entspannung herbeiführen können, wenn nicht Fey und die Heimwehren nachdrücklich einen ausgesprochen antimarxistischen Kurs gefordert hätten. Dazu kam, daß Dollfuß die Einstellung zu der von ihm nur mit äußerster Anstrengung erkämpften Anleihe von Lausanne als Prüfstein nahm für den Grad des Patriotismus, den er Freund und Feind zuzubilligen geneigt war. Als nun die österreichische Linke die Regierung in eine schwere Krisis im Verhältnis zu den Westmächten trieb und dadurch das Einfließen der so dringend erwarteten Anleihe von neuem in Frage gestellt wurde, brach Dollfuß alle Brücken nach links ab und legte sich so stark fest, daß er später nicht mehr die Kraft zur Umkehr hatte.

Es war die Aufdeckung der sogenannten Hirtenberger Waffenaffäre durch die „Arbeiter-Zeitung", die den Anstoß zu dieser folgenschweren Entwicklung gab. Dabei handelte es sich um Transporte, die von Italien über Österreich nach Ungarn gingen und gegen die Verträge von Trianon und Saint-Germain verstießen. Zumindest wurde diese Auffassung von Frankreich und England, die ganz unter dem Einfluß der Kleinen Entente standen, vertreten. Österreich berief sich darauf, daß über seine Bahnen auch reichlich Kriegsmaterial aus der Tschechoslowakei nach Jugoslawien rolle. Doch handelte es sich in beiden Fällen um Siegerstaaten, für die anderes galt als für die Unterlegenen des Ersten Weltkrieges. Immerhin zeigte sich, daß sich die Regierung durch die Duldung solcher Transporte in ein Wespennest gesetzt hatte. Die Reaktion aus dem Westen war heftig, der Ton drohend und beleidigend. Es hätte die Lage erleichtert, wenn sich Dollfuß sofort bereit erklärt hätte, die Waffen nach Italien zurückzuschicken, welcher Vorgang schließlich als Lösung gefunden wurde. Doch der Ballhausplatz suchte hinter Italien Deckung, das in dieser Angelegenheit federführend wurde. Für einen Augenblick dachte Dollfuß daran, sich wieder Deutschland zu nähern, wo die Regierung Schleicher anders als die vorhergehende Papens den österreichischen Problemen ziemlich interesselos gegenüberstand.

Daß Dollfuß so lange zögerte und sich lieber der Gefahr eines Ultimatums aussetzte, das freilich später hinfällig wurde, erklärte sich aus dem steigenden Einfluß Roms auf die österreichische Außenpolitik und zugleich aus der Rücksicht auf die Heimwehr, die in diese Waffenschiebungen verwickelt war. Das ging so weit, daß der Generaldirektor der Bundesbahnen — in diesem Falle der Strohmann ganz anderer Faktoren — durch das Anbot einer hohen Bestechungssumme die Eisenbahnergewerkschaft veranlassen wollte, den von Dollfuß zugesicherten Rücktransport der Waffen nach Italien durch Fehlinstradierungen doch nach Ungarn abzufertigen. Als dies bekannt wurde, ließ ihn die Regierung sofort fallen, es blieb aber der üble Geschmack von Praktiken zurück, die man bis dahin nicht gekannt hatte. Außenpolitisch hatte man sich gegen die Westmächte gestellt, innenpolitisch führte dies zu einer Frontstellung „gegen die Gewerkschaften und die Person Koloman Wallisch" (Neck, Thesen). Das Ansehen der Regierung litt gerade zu einer Zeit, da sie ihre Autorität stärker zur Geltung zu bringen suchte. Bisher unbestrittene Rechte, wie der Streik, auch in lebenswichtigen Betrieben, wurden als politisches Kampfmittel verpönt. So berechtigt der Schutz der Staatsautorität war, so schien doch die Regierung Dollfuß mit ihrem allzu schwachen Rückhalt im Parlament nicht berufen zu sein, dem Übel zu steuern, daß in den 15 Jahren der Republik wiederholt politische Fragen durch den Druck der Straße entschieden wurden. Die Politik der starken Hand — Nachfolger des entlassenen Egon Seehfehlner wurde „der starke Mann von Dollfuß" Anton Schöpfer — wurde offenbar, als die Eisenbahner zum Protest gegen die Auszahlung ihrer Bezüge in drei Monatsraten einen kurzen Streik durchführten, in den die Regierung energisch mit Polizei eingreifen ließ. Wohl spielten politische Motive mit. Die unter nationalsozialistischem Einfluß stehende Gewerkschaftsgruppe der Eisenbahner, besonders das radikalisierte Streckenpersonal, erhoffte den Sturz der Regierung, während die große Masse der Freien, aber auch der Christlichen Gewerkschafter verständnislos einer Situation gegenüberstand, die ihr seit 1918 ganz undenkbar schien. Die Regierung aber begann unter der neuen Lehre „Der Staat sind wir" jeden, der sie aus was immer für Motiven bekämpfte, als einen Staatsfeind anzusehen.

Am 4. März 1933 kam es im Nationalrat zu einer heftigen Debatte über die Eisenbahnerfrage. Die Stellung der Regierung war gefährdet. Wieder ging es um eine Stimme Mehrheit oder mindestens um Stimmengleichheit für einen Mißtrauensantrag gegen Dollfuß. Es entstand ein Streit über die Gültigkeit eines Stimmzettels. In der Erregung legte der sozialdemokratische Präsident Renner sein Amt nieder und sicherte so seine Stimme seiner Partei, da er als Vorsitzender nach der Geschäftsordnung nicht hätte mitstimmen können. Renners Schritt war schon „seit längerem" vorbereitet, wobei man innerhalb der Partei Bauer und Seitz dafür verantwortlich machte; die Aktion Renners wird auch als Zeichen für den Niedergang des Ansehens des Parlamentarismus im sozialdemokratischen Lager gewertet (Neck, Februar). Hätte nun der Christlichsoziale Ramek als zweiter Präsident ungestört fungieren können, wäre das Ergebnis zuungunsten der Regierung ausgefallen. Niemand von den Christlichsozialen dachte in diesem Augenblick an einen Staatsstreich. Die Sozialdemokraten befürchteten, daß ein schwankender Abgeordneter des Schoberblocks nunmehr für die Regierung stimmen würde. Aber auch aus Gründen reiner parlamentarischer Orthodoxie erhob nun Seitz, dessen profunde Kenntnis der Geschäftsordnung bekannt war, Einwände mit dem Ergebnis, daß jetzt auch Ramek sein Amt niederlegte. Der Wirrwarr hatte seinen Höhepunkt erreicht. Der dritte Präsident, der Großdeutsche Straffner, betrat die Präsidententribüne und legte ebenfalls sein Amt nieder. In Erregung gingen die Abgeordneten auseinander. Nur wenige waren sich in diesem Augenblick der Tragweite des Ereignisses bewußt. Ein Abschnitt in der Geschichte der Republik ging damit zu Ende.

Die Krise des Parlamentarismus

Was niemand vorausgesehen hatte, und was auch die Regierung nicht herbeizuführen dachte, war eingetreten: die Handlungsunfähigkeit des Nationalrates. Die Entwirrung konnte nur unter Mitwirkung der Regierung erfolgen, doch diese verstand die Lage im gegenteiligen Sinn zu nützen.

Der Nationalrat hätte nun vom Bundespräsidenten aufgelöst werden können, was aber die Ausschreibung von Neuwahlen zur Folge gehabt hätte. Für eine Flottmachung durch Notverordnung wäre ein Antrag der Regierung Voraussetzung gewesen, ohne deren Gegenzeichnung der Bundespräsident nicht handeln konnte. Dollfuß machte den meisterhaften Schachzug, daß er formell zurücktrat und sich vom Bundespräsidenten von neuem bestätigen ließ. Damit hatte er ihn zu seinem Gefangenen gemacht. Denn nichts konnte der Bundespräsident ohne Mitwirkung der Regierung tun, als eben den Bundeskanzler entlassen. Dafür fehlte der Anlaß, wenn man, wie Miklas, der Meinung war, daß sich binnen kurzem eine Entwirrung herbeiführen lasse. Auch Dollfuß hatte noch keine weitgesteckten Pläne, ihm war es vorerst um Zeitgewinn zu tun. Dann reifte seine Absicht, die Situation auszunützen und die Opposition zur Zustimmung für eine Parlaments- und Verfassungsreform zu zwingen, wobei er sich auf die Christlichsozialen stützen konnte. Vaugoin als Partei-, Buresch als Klubobmann und Kunschak verständigten sich am 5. März in dieser Richtung, die vom nicht anwesenden Dollfuß geteilt wurde und in den folgenden

Tagen vom Klub, Parteivorstand und den christlichsozialen Landeshauptleuten abgesegnet wurde.

Am 5. März 1933 hatten die Wahlen in Deutschland den Sieg des Nationalsozialismus besiegelt, dessen Führer am 30. Jänner von Hindenburg zum
Reichskanzler ernannt worden war. Schwere Rückwirkungen auf Österreich, wo der von außen gesteuerte Nationalsozialismus ebenfalls zur Macht
drängte, waren zu erwarten, damit war zugleich die Existenz des Staates in
Frage gestellt. Das begriffen alle diejenigen nicht, die in Anschlußideologien
schwelgten und nunmehr dieses Ziel näherkommen sahen. Sie sahen in den
Abwehrmaßnahmen, zu denen Dollfuß griff, „nationalen Verrat" und versteiften sich in ihrer Oppositionsstellung. Eine politische Weltanschauung,
die bisher nahezu unbehelligt geblieben war, mußte nunmehr mit den Mitteln der Staatsautorität immer schärfer bekämpft werden. Es war ein Verhängnis, daß keine Zeit blieb, mit Vernunftgründen die Träger dieser Bewegung von ihrer Gefährlichkeit zu überzeugen. Jetzt sollte in Monaten, wenn
nicht Wochen geschehen, was ebensoviele Jahre zur Reife erfordert hätte
und auch nur dann Erfolg versprach, wenn der Druck von außen nicht zu
stark wurde.

Dazu kam das große Mißtrauen, das weite Kreise der Regierung entgegenbrachten. Der Kampf um den Staat war zugleich ein Kampf um die Macht,
welche die einen erobern und die anderen nicht aus der Hand geben wollten;
in diese Auseinandersetzung mündeten auch alle jene Strömungen ein, die in
diesem Angelpunkt des europäischen Gleichgewichtes zusammentrafen. Was
war da noch Politik der österreichischen Selbständigkeit und was war Einfluß
auswärtiger Mächte? — Diese Problematik, vor die sich Dollfuß und seine
Nachfolger gestellt sahen, hat zur Verwirrung der Lage im Innern in starkem
Maße beigetragen. Was immer der Kanzler tat, es sprach meist ebensoviel
dafür wie dagegen. Es war schwer, eine klare Linie einzuhalten, Dollfuß verließ sich da mehr auf seinen Instinkt und nahm Mißgriffe in Kauf. Vieles
ergab sich auch zwangsläufig aus der Entwicklung der abgelaufenen Jahre.
Dollfuß wagte nicht, ernsthaft Brücken nach links zu schlagen. Das hätte ihn
im eigenen Lager diskreditiert und dem Nationalsozialismus Auftrieb gegeben. Vor allem mußte er ein Abschwenken der Heimwehren befürchten.
Um ihnen den Wind aus den Segeln zu nehmen, schlug er zunächst einen
scharf antimarxistischen Kurs ein. Doch kann man ihm glauben, daß er an
eine vollständige Vernichtung der Sozialdemokraten noch nicht dachte.

Jedenfalls schien er nicht abgeneigt zu sein, Verhandlungen über eine
Verfassungsreform einzuleiten, bei denen er allerdings dank seiner günstigen Ausgangsstellung seine Forderungen nicht zu niedrig gehalten hätte.
Dieser günstige Ansatz wurde durch den schicksalhaften 15. März 1933 verhindert.

Für diesen Tag hatte der dritte Präsident des Nationalrates Straffner den
Nationalrat zu einer Sitzung einberufen. Vieles sprach dafür, daß er trotz

seines Amtsverzichtes dazu berechtigt war. Die Regierung erklärte dies aber als unzulässig. Vermittlungsversuche des Bundespräsidenten scheiterten. So ging die Gelegenheit verloren, das Staatsoberhaupt als bestimmenden Faktor in der Parlamentskrise einzuschalten. Regierung und Mehrheitsparteien wären nämlich vor dem 15. März bereit gewesen, durch Einberufung des Hauptausschusses die von der Verfassung geforderte parlamentarische Mitwirkung an Notverordnungen des Bundespräsidenten sicherzustellen. Damit wäre die Anwendung des Kriegswirtschaftlichen Ermächtigungsgesetzes, das in der Folgezeit die Regierung zu einer immer kühneren Interpretation ihrer Vollmachten verleitete, weggefallen.

Es bedeutete wenig, daß ein Streit darüber entstand, ob die Nationalratssitzung am 15. März nun wirklich stattgefunden habe oder nicht. Die Regierung hatte nämlich Kriminalpolizei eingesetzt, die den Zutritt zum Sitzungssaal verhindern sollte. Das gelang nicht ganz. Ein Teil der sozialdemokratischen und großdeutschen Abgeordneten war schon vorher anwesend. In dieser Lage ging es wirklich nicht mehr um Formalismen. Politisch entscheidend wurde, daß die Sozialdemokraten sich nicht entschlossen, durch einen Generalstreik oder andere Aktionen ihre außerparlamentarische Macht in die Waagschale zu werfen. Es wäre für sie die letzte Gelegenheit gewesen. Sie fürchteten, zwischen den beiden Mühlsteinen Nationalsozialismus und antimarxistischer Kurs in Österreich zerrieben zu werden und scheuten daher davor zurück, „einen Präventivkrieg zu führen". Die Regierung erblickte darin ein Zeichen der Schwäche und löste den Republikanischen Schutzbund auf, der damit ein Jahr vor dem Ende der Partei in die Illegalität gedrängt wurde. Auf der anderen Seite wurden aber „die die Staatspolitik der Regierung unterstützenden Organisationen" als Notpolizei herangezogen, wie dies schon seit einem Jahr in Tirol der Fall war. Das wäre vielleicht noch angängig gewesen, wenn diese Assistenzkörper eine Verstärkung der Exekutive geblieben wären. Die Führer der Wehrverbände, vor allem des Heimatschutzes, rechneten aber mit ihnen als Faktoren, mit denen man Politik machen und einen totalen Staat schaffen könne. Als jedoch die Heimwehren sich in Wien sammelten und geneigt schienen loszuschlagen, wurden sie am 15. März mit Zustimmung des Kanzlers gegen den widerstrebenden Fey von der Polizei demobilisiert.

Die Regierung hatte mit Schwierigkeiten in ihrer eigenen Mitte zu kämpfen. Das Verhältnis zur Heimwehr war noch ungeklärt. Sie bildete den rechten Flügel, als ihr Widerpart suchte der Landbund gewisse demokratische Formen aufrechtzuerhalten. Dollfuß balancierte die Kräfte aus und behielt so die Freiheit des Handelns. Im Mai schritt er zu einer Umbildung der Regierung. Unterrichtsminister Rintelen, den er stets als Rivalen betrachtete, trat zurück und wurde auf den Gesandtenposten beim Quirinal abgeschoben. Bedeutsam wurde, daß Fey jetzt den Rang eines Ministers erhielt. Überhaupt bahnte sich eine Wendung im Kurse der Regierung an. Nach außen trat dies bei dem Parteitag, den die Christlichsozialen in Salzburg abhielten, und bei einem großen Heimwehraufmarsch in Wien am 14. Mai deutlich in Erscheinung.

Dollfuß hatte sich vorher zu Ostern überraschenderweise nach Rom begeben. Er wollte sich über die Einstellung Mussolinis und des Vatikan zum nationalsozialistischen Deutschland Klarheit verschaffen. In beiden Fällen gab es Unsicherheitsmomente. Man wußte noch nicht, wie weit sich Deutschland und Italien angesichts der Verwandtheit der beiden Staatsideologien nahekommen würden. Der Vatikan schloß damals das Reichskonkordat ab. Bei seiner Rückkehr aus Rom brachte Dollfuß die beruhigende Gewißheit mit, daß für Mussolini die italienischen Interessen im Donauraum durchaus im Vordergrund standen, ohne daß er in den Fragen der großen Politik einer Zusammenarbeit mit Hitler abgeneigt war. Mit der Einbindung Österreichs in die italienisch-ungarischen Donauraumpläne hatte Österreich endgültig die traditionelle Außenpolitik, wie sie Seipel geprägt hatte, verlassen und an die Stelle einer relativen Äquidistanz den Weg in eine Bündnispolitik beschritten, der außen- und innenpolitisch die Bewegungs- und Entscheidungsfreiheit der Regierung weitestgehend beschnitt. Die Chancen, die sich durch die Änderung im Verhältnis zum Deutschen Reich boten, nützte man in keiner Weise.

In Berlin war man aber noch weit davon entfernt, diese Realitäten zu erkennen. Auch gab es innerhalb des Nationalsozialismus zahlreiche Faktoren, die auch durch das auf die Spitze getriebene Führerprinzip nicht auf einen Nenner zu bringen waren und ihre eigene Politik betrieben. Das galt vor allem in den Beziehungen zu Österreich. Man wußte, was das Endziel war, und kümmerte sich daher wenig um die Zurückhaltung, welche die offiziellen Stellen im „Reich" zeitweise zur Schau trugen. Diese stützten sich wiederum in ihren Entschlüssen auf jene Informationen, die sie aus Österreich erhielten und die ihnen die Lage sturmreif erscheinen ließen. Die österreichischen Nationalsozialisten verfügten über keine geeigneten Führer. Daher nahm ein Reichsdeutscher, der Landesinspekteur Habicht, das Heft in die Hand. An seinem kompromißlosen Rabaukentum scheiterten manche Ausgleichsmöglichkeiten. Noch dachte man in Berlin angesichts der internationalen Lage nicht an einen faktischen Anschluß. Man wollte sich mit einer politischen Gleichschaltung begnügen. Alles weitere würde sich im geeigneten Zeitpunkt finden.

Auf dieser Basis verhandelte Habicht Anfang Mai mit Rintelen, Buresch und Schuschnigg, die Dollfuß dazu bevollmächtigt hatte. Man kam zu keinem Ergebnis. Wohl bot Habicht an, daß Dollfuß weiter Kanzler bleiben solle, wenn nationalsozialistische Minister in die Regierung einträten. Auch sollten die Wahlen bis zum Ablauf der Legislaturperiode hinausgeschoben werden. Im Grunde wäre aber eine solche Regierung doch ein Wahlkabinett geworden. Das wollte man vermeiden, auch wären auf diese Weise Nationalsozialisten in den Staatsapparat eingedrungen. Im übrigen schreckte die Behandlung, die Zentrum und Bayerische Volkspartei durch Hitler erfuhren, die österreichische Bruderpartei ab.

Ehe aber die aufgenommenen Fäden weitergesponnen wurden, brachte die verblendete Taktik des Nationalsozialismus den Umschwung. Durch den Besuch des Ministers Frank in Wien, den die Regierung als unerwünscht bezeichnete, weil er in einer Rundfunkrede Österreich offen mit gewaltsamer Einmischung gedroht hatte, verschärfte sich die Lage so, daß zunächst alle Gesprächsmöglichkeiten abgeschnitten waren. Auch hätte ein Eingehen auf die Forderungen Habichts eine Preisgabe der Heimwehr bedeutet, auf deren Brachialgewalt aber Dollfuß weder verzichten konnte noch wollte.

Dies war die Ausgangsstellung, von der aus der Nationalsozialismus in Österreich mit dem latenten Bürgerkrieg einsetzte. Dem Terror von unten begegnete der Druck von oben, Aktion und Gegenwehr steigerten einander. In dieser gefährlichen Lage machte die Regierung den verhängnisvollen Schritt, daß sie den Verfassungsgerichtshof ausschaltete und damit zweifellos den Boden des Rechtsstaates verließ. Eine Reihe von Notverordnungen war nämlich angefochten worden und hätte einer Überprüfung schwerlich standgehalten. Hatte noch im März der Bundespräsident gegenüber dem Bundesrat, der jetzt als einziges parlamentarisches Forum fungierte, erklärt, man könne nicht jedes Verhalten der Regierung als Verfassungsbruch bezeichnen, es bedürfe des Nachweises einer bewußten Absicht, so ersetzte diese Äußerung doch nicht den Spruch der zuständigen obersten Gerichtsinstanz. Dieser Weg war nun versperrt. Die Regierung nahm für sich ein Notrecht in Anspruch, das sich in die geltende Rechtsordnung nicht einfügen ließ, sie verlor jetzt in den Augen vieler alle Autorität. So trat die verhängnisvolle Auswirkung ein, daß ein Häuflein von Terroristen das Gesetz des Handelns an sich riß und dabei die innerliche Sympathie weiter Kreise fand, die im Grunde der Gewalttätigkeit abhold waren. Jetzt sammelte sich alles, was dem Anschlußgedanken anhing, im nationalsozialistischen Lager. Sowohl die Großdeutschen wie der Steirische Heimatschutz schlossen Kampfbündnisse mit der Hitlerbewegung ab.

Als sich die Gewalttätigkeiten häuften und bereits Menschenleben zu beklagen waren, verbot die Regierung am 19. Juni 1933 jede Betätigung für die Nationalsozialistische Partei in Österreich. Ein Bevölkerungsteil, dessen zahlenmäßige Stärke von Freunden und Gegnern oft weit überschätzt wurde, trat damit in die Illegalität. Das wäre an sich nur ein Problem des Sicherheitsdienstes gewesen, wenn es sich nicht um eine im Aufstieg befindliche und überdies von Deutschland aus unterstützte Bewegung gehandelt hätte, der mit polizeilichen Mitteln schwer beizukommen war, und wenn nicht dieser Konflikt auch eine außenpolitische Seite gehabt hätte.

Die Reichsregierung beantwortete die Maßnahmen, die Dollfuß und Fey anläßlich des provokanten „Besuches" des Ministers Frank getroffen hatten, mit einer Ausreisesperre nach Österreich. Sie wurde an eine Taxe von tausend Mark geknüpft, die kaum ein deutscher Staatsbürger erlegen konnte. Damit war der österreichische Fremdenverkehr schwer getroffen. Von diesem Wirtschaftskrieg erwartete man von reichsdeutscher Seite den Zusammenbruch der Regierung Dollfuß bis zum Sommer, die sich trotz der Schwere des Angriffes und auch durch andere Maßnahmen gegen die österreichische Wirtschaft nicht zu echten Wirtschaftssanktionen gegen das Deutsche Reich aufraffen konnte, ja man ging sogar gegen Boykottaufrufe der SDAP gegen reichsdeutsche Waren vor. Im Verein mit anderen wirtschaftlichen Maßnahmen mußte das dazu führen, daß in den Alpenländern, wo der Nationalsozialismus in den Städten und Märkten feste Kader hatte, die Unzufriedenheit wuchs und die oppositionelle Einstellung auch auf die Bauern übergriff. In steigendem Maße gingen jetzt junge Männer, die sich in Österreich etwas hatten zuschulden kommen lassen, über die Grenze. Während die Welle der Terrorakte zeitweise abebbte, wurden die Strafen auf die reine Propagandatätigkeit verschärft, wozu eine Kollektivhaftung trat, die in der Aufstellung von „Putzscharen" zum Ausdruck kam. Im Herbst wurden dann Anhaltelager eingerichtet, um verdächtige Personen noch vor Vollbringung der Tat sicherzustellen.

Die Flüchtlinge wurden in Bayern militärisch ausgebildet und in einer „Österreichischen Legion" zusammengefaßt. Den ganzen Sommer über bestand die Gefahr eines bewaffneten Einfalles. In Eile traf die Regierung Abwehrmaßnahmen. Da die Stände des Bundesheeres, der Gendarmerie und der Wachmannschaften nicht ausreichten, wurde zusätzlich das Schutzkorps aufgeboten, das sich aus den regierungstreuen Wehrverbänden zusammensetzte. In Tirol und Salzburg, wo die Lage besonders gefährlich war, nahm man auch Fühlung mit dem aufgelösten Republikanischen Schutzbund auf, der sich ohne Zögern zur Teilnahme an der Landesverteidigung bereiterklärte. Die Sozialdemokratische Partei strich nun auch den Anschlußparagraphen aus ihrem Programm. Im übrigen verhielt sich die Linke der Regierung gegenüber weiterhin abwartend und betrachtete sie ab dem Herbst 1933 gegenüber dem Nationalsozialismus als das kleinere Übel.

Die Drohung, welche die „Legion" für Österreich bildete, war begleitet von den Einmischungen, die eine ständige Rundfunkpropaganda im Münchener Sender und die Grenzverletzungen durch Flugzeuge, die Agitationsmaterial abwarfen, bedeuteten. Grund genug für Dollfuß zu überlegen, wo und wie die außenpolitische Stellung Österreichs zu unterbauen sei. Bei seiner Anwesenheit bei der Weltwirtschaftskonferenz in London war er ebenso wie später in Genf bei der Völkerbundsversammlung Gegenstand großer Sympathiekundgebungen. In Frankreich bestand eine gewisse Zurückhaltung wegen seiner Einstellung zu den Sozialdemokraten und seiner

Tendenz zu einem autoritären Regime. Er überbrückte dieses Mißtrauen durch das Versprechen an Paul Boncour, die Sozialisten in Österreich nicht vernichten zu wollen. Auch Beneš, mit dem er zweimal in Wörgl und in Wien zusammentraf, riet zu Mäßigung. Als einzige Großmacht, die im Ernstfall wirklich helfen konnte, blieb nur Italien übrig. Dollfuß vergewisserte sich darüber durch weitere zwei Besuche bei Mussolini in Rom und in Riccione. Seit Schober mit Italien einen Freundschaftsvertrag abgeschlossen hatte, verdichteten sich die Beziehungen der beiden Nachbarstaaten. Eine Hemmung bildete das Schicksal Südtirols. Jetzt gelang es Dollfuß, von Mussolini die Zusage gewisser Erleichterungen für den deutschen Sprachunterricht zu erhalten. Österreich bildete für Italien ein wichtiges Glied seiner Stellung im Donauraum. Dabei spielten der Gegensatz zu Frankreich und der Kleinen Entente wie auch die Einbeziehung Ungarns in die italienische Interessensphäre eine Rolle. Strategisch konnte Österreich bei einem Konflikt mit Jugoslawien für Italien große Bedeutung haben. Es kam daher schon unter Schober zu Geheimabmachungen über einen Durchmarsch durch Kärnten. Entscheidend wurde jetzt die Frage, welche Stellung der Faschismus gegenüber Hitler einnahm. Sie war nicht in allen Fällen einheitlich.

Italien stand in der Revisionsfront, die eine Änderung des durch die Pariser Friedensverträge geschaffenen Status anstrebte. Daher seine eindeutige Förderung Ungarns. Mit Deutschland, England und Frankreich schloß Italien am 7. Juni 1933 den Viermächtepakt ab, der allerdings niemals ratifiziert wurde. Er ging auf einen Entwurf Mussolinis zurück, stand grundsätzlich auf dem Boden der Revision der Friedensverträge und sollte Deutschland die Gleichberechtigung bei der Abrüstung sichern. Durch gegenseitiges Einvernehmen im Rahmen des Völkerbundes sollten die Bestrebungen der Abrüstungskonferenz gefördert werden. Das Abkommen nahm ausdrücklich Bezug auf den Völkerbundpakt und die Locarnoverträge. Somit wäre Österreich als Mitglied des Völkerbundes gesichert gewesen. Deutschland strebte damals offiziell noch nicht den Anschluß, sondern die Gleichschaltung an. Auch das war angesichts der dem Nationalsozialismus innewohnenden Dynamik für Österreich gefährlich. Italien war jedoch entschlossen, eine solche Entwicklung nicht zu dulden. Am ehesten hätte vielleicht noch eine Neutralisierung Österreichs genützt. Dieser Gedanke war schon im Zusammenhang mit der Hirtenberger Waffenaffäre aufgeworfen worden, fand aber bei Mussolini keinen Anklang. Italien befürchtete, von Ungarn und Österreich abgekapselt zu werden und Deutschland erblickte darin eine Neuauflage des Tardieuplanes. Auch machte die Neutralisierung eines Staates, der dem Völkerbunde angehörte, Schwierigkeiten. Innenpolitisch hätte ein solcher Vorgang eine gewisse Erleichterung bedeuten können, weil zumindest jene Kreise für den Gedanken eines selbständigen Österreich gewonnen worden wären, die bisher in den Maßnahmen der Regierung allzusehr den Einfluß auswärtiger Mächte, Frankreichs oder Italiens, zu erkennen glaubten. Doch gab es auch im „nationalen Lager" genug Stimmen, die eine solche Entwicklung als „Verschweizerung" bekämpften.

Dollfuß machte nun ernst mit dem Versuch, „nationale" Elemente, die die Selbständigkeit Österreichs, wenn schon nicht für dauernd, so doch für die unmittelbare Gegenwart als notwendig ansahen, zu sammeln. Das hätte die Begründung einer österreichischen NSDAP bedeutet, die ihre Richtlinien nicht mehr aus München oder Berlin bezog. Walter Riehl, einer der Gründer der NS-Bewegung in Österreich, neigte dieser Entwicklung zu. Auch der Großdeutsche Mittermann schloß sich an. Es fehlte ihnen aber der Rückhalt im eigenen Lager. Die meisten Führer saßen schon in München und schürten von dort das Feuer. Nach dem Parteiverbot fehlte auch der Apparat, um für solche Ideen zu werben. Die Masse der Anhänger war schon zu sehr radikalisiert und stimmte innerlich zu, als Habicht Riehl wegen dessen bremsenden Haltung aus der Partei ausschloß.

Der Abschluß des Viermächtepaktes hatte gezeigt, daß Mussolini nicht an ein Bündnis mit Deutschland dachte. Würde er nun geneigt sein, die Vermittlung in dessen Konflikt mit Österreich zu übernehmen? Ließ sich die immer deutlicher zur Schau getragene Freundschaft für Dollfuß mit den Sympathien des Faschismus für die innerpolitische Entwicklung in Deutschland verbinden? — Der Vorrang der Außenpolitik entschied. Bei aller Förderung revisionistischer Tendenzen, soweit sie in sein Konzept paßten, ließ Mussolini keinen Zweifel darüber aufkommen, daß er als einzigen Ertrag der Friedensverträge „die Befreiung der Donauvölker von der Herrschaft der germanischen Rasse" ansah.

In Berlin setzte man angesichts der Verwandtschaft des nationalsozialistischen und faschistischen Regierungssystems große Hoffnungen auf Rom. Doch die Hilfe von dort blieb gering. Wohl dachte Mussolini an eine Zusammenarbeit auf vielen Gebieten, eine Einigung über Mitteleuropa nach den Absichten Hitlers schloß er aber von vornherein aus. Auch als die Abgesandten Berlins immer deutlicher von einer Garantie der Brennergrenze zu sprechen begannen, blieb er zurückhaltend. Doch unterstützte Mussolini Deutschland in der Abrüstungsfrage und war geneigt, sein Vorgehen in Formen zu kleiden, die in Berlin nicht verstimmten. Darum beteiligte er sich auch nicht an dem Schritt der Westmächte, die in Berlin gegen die Überfliegung österreichischen Gebiets durch deutsche Flugzeuge zu Propagandazwecken und die Einmischung des Münchener Senders in die österreichische Innenpolitik protestierten. Er zog es vor, gesondert Vorstellungen zu erheben. Die Luftraids hörten daraufhin auf, doch die Rundfunkpropaganda ging ohne Unterbrechung weiter.

Österreich konnte aus dieser Konstellation Nutzen ziehen und hoffen, Mussolini als Vermittler in den Auseinandersetzungen mit Deutschland zu gewinnen. Bundeskanzler Dollfuß mußte aber bald einsehen, daß diese Hilfe nicht umsonst zu gewinnen war. Vollends klar wurde das bei einer Zusammenkunft, die er am 19. und 20. August 1933 in Riccione mit dem italienischen Staatschef hatte. Daß Österreich gegebenenfalls auch auf militärische Unterstützung durch Italien rechnen konnte, wußte er schon seit Ostern. Auch in Berlin übersah man das nicht, weshalb die Gefahr eines Einfalls der Österreichischen Legion im Lauf des Sommers etwas zurückging. Nun aber stellte Mussolini konkrete Forderungen bezüglich der Gestaltung der österreichischen Innenpolitik. Er stand darüber schon seit langem mit Dollfuß in Gedankenaustausch, auch die Beziehungen zur Heimwehr, die aus Italien finanziert wurde, taten ihre Wirkung. Sein Rat, mit dem Schlagwort der Unabhängigkeit Österreichs eine Zusammenfassung der politischen Kräfte herbeizuführen und von dieser Basis aus den Kampf um die Selbständigkeit des Landes zu führen, deckte sich mit den Absichten, die Dollfuß bei der Schaffung der Vaterländischen Front im Frühjahr geleitet hatten. Diese Organisation hatte ihre Kinderkrankheiten noch nicht überwunden. Anfangs waren ihr nur die Nichtwähler, die mit den herrschenden politischen Verhältnissen Unzufriedenen, soweit sie nicht in Opposition zur Regierung standen, zugeströmt. Die Abgrenzung der Machtsphäre, die die Christlichsozialen zu behaupten und die Wehrverbände auszubauen bemüht waren, blieb lange ungeklärt. Innerhalb der Regierung entstand darob ein heftiger Gegensatz zwischen dem Heeresminister Vaugoin, der zugleich Obmann der Christlichsozialen Partei war, und dem Heimwehrführer Fey, der die neuaufzustellenden Hilfspolizei- und Schutzkorpsformationen, derer man wegen der unsicheren Lage an der deutschen Grenze und der oppositionellen Haltung weiter Bevölkerungskreise im Innern nur allzusehr bedurfte, uneingeschränkt in seine Hand zu bekommen suchte.

Der Landbund unter Führung Franz Winklers hatte zunächst den autoritären Kurs mitgemacht, suchte aber später zu bremsen und glaubte, durch Gründung einer „National-Ständischen Front" seine Position zu retten. Der Gedanke fand wenig Widerhall. Auf weite Strecken ging das nationale Lager, vorab die Jugend, zum Hakenkreuz über, Winkler wurde mehr und mehr isoliert, um so mehr, als er massiven Angriffen seitens der Heimwehr ausgesetzt war.

Der Mitte September in Wien abgehaltene Allgemeine Deutsche Katholikentag schien den Fluß der Ereignisse zu unterbrechen. Aber gerade in diesen Tagen hielt Dollfuß am 11. September 1933 eine große Rede vor der Vaterländischen Front auf dem Wiener Trabrennplatz, in der er sein Programm für den Neuaufbau des Staates auf berufsständischer Grundlage entwickelte. Nur wenige Eingeweihte wußten, daß dies eine der Verpflichtungen war, die er in Riccione hatte übernehmen müssen. Das zeigte sich erst kurz darauf, als er seine Regierung umbildete. Er tat das mit großem Geschick. Er stürzte Vaugoin, und die Christlichsozialen schieden als Partei aus dem Kabinett aus. Auch Winkler mußte weichen. Rededuelle, die er und Starhemberg bei Kundgebungen in Graz und Kufstein geführt hatten, be-

leuchteten grell die Spannungen innerhalb der Regierung. Der Heimatschutz drängte zur vollen Diktatur und befand sich damit in Einklang mit
dem Programm Mussolinis. Dollfuß wollte sich aber das Gesetz des Handelns nicht vorschreiben lassen und verstand sich daher zunächst nur zu
halben Maßnahmen in der in Riccione eingeschlagenen Richtung. Er nahm
das Sicherheitswesen und die Landesverteidigung selbst in seine Hand,
wobei er sich von Fachmännern als Staatssekretären unterstützen ließ. Er
ließ Winkler ziehen, schloß aber mit ihm ein Abkommen, das der National-
ständischen Front eine Betätigungsmöglichkeit sichern sollte. Auch konnte
sie zwei aus der liberalen Bürokratie hervorgegangene Vertreter in die Regierung entsenden, die dort zwar wenig zu sagen hatten, jedoch von der Beamtenschaft, soweit sie den neuen Kurs nicht mit innerer Begeisterung mit-
machte, als Garanten für die Sicherung ihrer individuellen und staatsbürgerlichen Rechte angesehen wurden. Fey wurde Vizekanzler, verlor aber für die
nächsten Monate an Macht.

Weitere Verschärfung der innenpolitischen Spannungen. Februar 1934

Im allgemeinen bot die Lage im Innern im Spätherbst 1933 das Bild einer
gewissen Entspannung. Zwar wurden jetzt Anhaltelager eingerichtet, auch
ein Attentat auf Dollfuß, bei dem der Bundeskanzler leicht verletzt wurde,
verschärfte die Stimmung. Die Regierung führte die Todesstrafe ein, sah
aber zunächst von ihrer Anwendung ab. Unter den Christlichsozialen regten
sich gewisse Kräfte, die für eine Erledigung der bevorstehenden Verfassungsreform auf parlamentarischem Weg eintraten. Auch der Landbund arbeitete in dieser Richtung. Dollfuß leitete um diese Zeit Verhandlungen ein,
die eine Klärung des Verhältnisses zu Deutschland und eine Befriedung im
Innern, soweit es das „nationale Lager" betraf, herbeiführen sollten. Dabei
zeigte sich, wie verschlungen die Fäden waren, die entwirrt werden mußten
und wie schwer die einander kreuzenden Strömungen auf einen Nenner zu
bringen waren. Vorsicht und Mißtrauen beherrschten allseits das Feld. Oft
wußte man nicht genau, wer tatsächlich bevollmächtigt war und wer als Auftraggeber in Betracht kam. So kam es zu Widersprüchen, Vertrauensbrü-
chen und Mißhelligkeiten, die am Ende alles scheitern ließen.

Dollfuß hielt es angesichts der Sicherungen, die ihm außenpolitisch Italien bot, für möglich, den Einbau „nationaler" Kräfte in den selbständigen
österreichischen Staat bewirken zu können. Schwierigkeiten bot die praktische Durchführung. In Berlin hätte man sich mit einer Gleichschaltung nach
dem Beispiel Danzigs begnügt. Auch Österreich lehnte den Parteienstaat
und den Parlamentarismus ab, zumindest hob die Regierung dies immer
wieder hervor. Auf Wahlen, die das tatsächliche Kräfteverhältnis gezeigt
hätten, über das es in allen Lagern nur Mutmaßungen gab, wollte sie sich
nicht einlassen. Offen blieb auch immer die Frage, was der erste und was der

zweite Schritt aller Vereinbarungen sein müßte. War eine innenpolitische Befriedung die Voraussetzung für eine Verständigung von Staat zu Staat, oder waren nach einem auf diplomatischem Wege erzielten Abkommen bessere Früchte zu erwarten? Dollfuß entschloß sich, zwei Eisen im Feuer zu halten. Er nahm eine Anregung, die ihm der deutsche Gesandte Rieth während des Katholikentages gegeben hatte, auf, und bevollmächtigte gleichzeitig die beiden Abgeordneten der früheren Großdeutschen Partei Franz Langoth und Hermann Foppa zu Unterhandlungen mit Habicht. Daneben liefen noch andere Fäden, die den Unterrichtsminister Schuschnigg im Auftrag des Kanzlers zu Heß und Himmler führten. Es zeigte sich, daß Hitler sein Urteil über Österreich auf den Informationen aufbaute, die er von Habicht und dem Kreis der emigrierten Landesleitung der Nationalsozialisten in München erhielt, und danach seine Politik abstimmte. Am Ende mündete wieder alles bei Habicht. Für Dollfuß war es schwer, gerade mit diesem in Kontakt zu treten, zeitweise glaubte er, durch Mittelsmänner direkt an Hitler herankommen zu können, wodurch sich die Lage für alle Beteiligten allzusehr verwirrte.

Dazu kam, daß die Heimwehr selbständige Verhandlungen begann, die sie aber ebenso wie Dollfuß vor dem Partner in der Regierung geheimzuhalten suchte. Alle gingen von der Voraussetzung aus, daß derjenige das Spiel in Österreich gewinnen würde, der das „nationale Lager" auf seine Seite bringe. Fey und Starhemberg waren Gegner und gingen auch in diesen Belangen jeder seinen eigenen Weg. Beide waren beherrscht von dem Gedanken eines faschistischen Österreich, das sich nach ihrer Meinung mit Hilfe der diktaturbegeisterten Nationalsozialisten leichter aufbauen ließe als mit dem Schwergewicht, das die in die Vaterländische Front eingeschwenkten Christlichsozialen bedeuteten. Dollfuß suchte den Ausgleich mit den Nationalen, weil er zeitweise in Gefahr geriet, ein Gefangener der Heimwehr zu werden und weil ihm der Weg nach links, der ihm auch persönlich widerstrebte, durch die Richtlinien von Riccione versperrt war. Da er aber im entscheidenden Augenblick doch niemals auf die Heimwehr verzichten konnte, um nicht seine innerpolitische Stellung zu gefährden, verliefen letzten Endes alle Bemühungen im Sande.

Auch die Haltung der Nationalsozialisten, die unter dem Befehl Habichts standen, trug dazu bei. Als es zu einer Zusammenkunft Habichts mit Dollfuß kommen sollte, wandten sich Fey und Starhemberg massiv dagegen, worauf Habicht mitgeteilt werden mußte, daß das geplante Gespräch wegen der wiederum einsetzenden schweren Ruhestörungen — die Propaganda- und Papierbölleraktionen der Hakenkreuzler erreichten einen Höhepunkt — abgesagt werden müßte. Habicht, rechtzeitig informiert, flog dennoch nach Wien, sichtlich um das Gespräch zu erzwingen. Nach diplomatischen Interventionen mußte er von Hitler über Funk, schon über dem Flughafen Aspern kreuzend, zurückgeholt werden. Habicht versprach sich eine Stärkung seiner Position durch Verhandlungen. Dollfuß war nicht der Mann, solchen Pressionen nachzugeben. Er konnte es auch nicht, da die Heimwehr von seinen Absichten Wind bekommen hatte und heftig protestierte. Wenn schon eine Einigung herbeigeführt werden sollte, behielt sich das die Heimwehr vor. Der niederösterreichische Landesführer Graf Alberti, der in der Ideologie eines faschistischen Totalstaates lebte, hatte mit Wissen Starhembergs solche Fäden gesponnen, jetzt fuhr Fey dazwischen und zerriß das Geflecht, auch er in der Absicht, daß nur sein Weg zum Ziele führen dürfe.

Es waren mehr als ein halbes Dutzend Versuche gewesen, die von September 1933 bis Jänner 1934 zu diesem Zweck unternommen wurden; Berufene und Unberufene hatten dabei ihre Hand im Spiel. Neben den bereits erwähnten Bestrebungen sind noch die des früheren Heimwehrministers Jakoncig bei Major Pabst in München und die des österreichischen Gesandten in Rom Rintelen zu erwähnen, der gleichfalls auf eigene Faust mit Verhandlungen einsetzte. Letzterer schlug sogar die Einbürgerung Habichts in Österreich vor. Das alles vollzog sich im geheimen. Offen suchte jedoch der Vizebürgermeister von Innsbruck, Walther Pembaur, durch Gründung eines Verbandes für österreichisch-deutsche Verständigung, dessen Satzungen behördlich genehmigt wurden, diesem Ziele zu dienen. Wäre es Hitler wirklich nur auf eine Ausgangsstellung angekommen, die ihm Österreich für seine Mitteleuropa- und Südostpolitik bieten konnte, so wäre eine Einigung darüber zu erzielen gewesen. Den weltanschaulichen Totalitätsanspruch jedoch, den der Nationalsozialismus stellte, lehnten in Österreich auch Schichten jener Bevölkerungskreise ab, die aus „nationalen" Gründen der Regierung Dollfuß kritisch gegenüberstanden.

Als Mitte Jänner das kunstvolle Geflecht der Geheimverhandlungen mit Deutschland offenkundig wurde, versteifte sich allseits die Haltung. Der Heimwehrführer Graf Alberti, der knapp vorher zum Justizminister ausersehen worden war, wurde verhaftet. Dollfuß hatte von diesen Bestrebungen der Heimwehren Kenntnis gehabt, er ließ sie anfangs gewähren, um ein Druckmittel zu haben, falls das von ihm eingeleitete Unternehmen Erfolg haben sollte. In völliger Verkennung der Mentalität der handelnden Personen verstärkte nun auch Habicht die von München aus eingeleiteten Terroraktionen. Daraufhin entschloß sich die Bundesregierung, beim Völkerbund Protest zu erheben. Doch zögerte man in Wien lange, der Absicht sogleich die Tat folgen zu lassen, umso mehr als Italien und England einen solchen Schritt im Augenblick nicht für opportun hielten.

Ende Jänner weilte der Unterstaatssekretär im italienischen Außenamt Suvich in Wien, der vorher auch Besprechungen in Berlin und Budapest abgehalten hatte. Es wurden damals die Fäden geknüpft, die später zu den Römer Protokollen führten. Doch liegt die Bedeutung dieses Wiener Besuches des Vertreters Mussolinis vielmehr in den weittragenden Folgen, die er für die österreichische Innenpolitik hatte. Schon die Intensität, mit der

Dollfuß jeweils die Verhandlungen mit Deutschland geführt hatte, war bestimmt gewesen von der Haltung, die Italien einnahm. Zu Beginn war er von der Absicht geleitet, im Schutze der Garantie, die Italiens Hilfsstellung bot, sich doch eine gewisse Handlungsfreiheit zu wahren und dem Netz zu entgehen, in das ihn Mussolini in Riccione verstrickte. Darum ließ er auch die Fäden zum Landbund nicht abreißen und dachte daran, ihn alsbald wieder in die Regierung aufzunehmen. Je nach der augenblicklichen Lage wechselte er häufig die Taktik. Bald suchte er sich von der Heimwehr zu distanzieren, bald ließ er wieder die angesponnenen Beziehungen zum „nationalen" Lager abflauen. Nunmehr bestand Mussolini auf der Durchführung der in Riccione gegebenen Ratschläge. Diese gipfelten darin, daß die österreichische Unabhängigkeit nur durch Beseitigung aller Parteien und eine Verfassungsreform in antiparlamentarischem und korporativem Sinn nach dem Vorbild des faschistischen Staatsaufbaues gesichert werden könne. Die Durchführung dieses Planes bedeutete den uneingeschränkten Kampf gegen links, letzten Endes die Vernichtung der Sozialdemokratischen Partei und jener Positionen, die sie sich in eineinhalb Jahrzehnten aufgebaut hatte.

Dollfuß zögerte zunächst, obwohl er auch von der Heimwehr gedrängt wurde. Er versprach sich von einer langsamen Zermürbungstaktik mehr Erfolg. Er wollte nicht als der Angreifer erscheinen, da er gegenüber der französischen Regierung beruhigende Äußerungen abgegeben hatte. Zudem überschätzte er die Abbröckelungserscheinungen, die das Gefüge der Sozialdemokratischen Partei zeigte. Dem Gedanken, die Kräfte der Linken für den Unabhängigkeitskampf einzusetzen, stand er mit wenig Verständnis gegenüber. Er hielt solche Angebote, die ihm mehrfach gemacht wurden, für eine Taktik, dem Austromarxismus — ein Schlagwort, das im gegnerischen Lager von vornherein starke Emotionen hervorrief — die Bewegungsfreiheit zu sichern. Das agressive Auftreten der NSDAP und ihr Traum von der Revolution wirkte teilweise auf jene, die den „Traum von der Revolution" in sich trugen, am fehlenden Aktivismus des Parteivorstandes der SDAP aber verzweifelten. Sie gingen nach links, aber auch nach rechts: Kommunisten und Nazis profitierten. Die Parteileitung, Danneberg, Renner, Adler und Bauer traten trotz des Bruches mit dem parlamentarischen System, trotz Vorzensur, trotz Verfassungsbruches und Ausschaltung des Verfassungsgerichtshofes, trotz Verbotes des Schutzbundes für eine abwartende Haltung ein, um einen Verhandlungsspielraum zu schaffen und um abzuwarten in der Hoffnung, aus dem Streit der „zwei Faschismen" als lachende Dritte hervorzugehen. Erst im September 1933 entschloß man sich bei der Salzburger Grenzländerkonferenz zu einer Änderung: eine Woche nach der Trabrennplatzrede von Dollfuß bot man eine Kooperation gegen den Nationalsozialismus an. So wie sich die österreichische Innenpolitik in den letzten Jahren entwickelt hatte, bestand tatsächlich die Gefahr, daß eine Annäherung an die Linke eine Abwanderung von Regierungsanhängern zur

Opposition — das waren die Nationalsozialisten — gefördert hätte. Aus Heimwehrkreisen wurden öfter solche Drohungen laut und die Abhängigkeit von Italien tat hier ein übriges.

Die Regierung verstand es nicht, für sich Sympathien zu gewinnen. Da und dort führte die Wirtschaftskrise zu Maßnahmen, die eine Beeinträchtigung der seit 1918 erreichten sozialen Errungenschaften bedeuteten. Schwerer wog, daß man die linke Arbeiterschaft mißachtete. Man behandelte sie als einen Faktor, mit dem man überhaupt nicht zu rechnen habe, und man schätzte die eigenen Chancen, am Zerfallsprozeß gerade in den Bundesländern zu profitieren, falsch ein. Hatte die Linke bei der Führung der Massen seit jeher in Österreich die Überredungstaktik bevorzugt, so vollzog sich jetzt die Propaganda für den Beitritt zur Vaterländischen Front nicht in Form der Anwerbung, sondern durch Druck von oben und außen. Manch ehrlicher Sozialist, der seiner Partei die Treue halten wollte, geriet darüber in Gewissenskonflikte. Es trat das ein, was in einem Staatswesen das Schlimmste ist: im Bewußtsein weiter Volkskreise wurde der Glaube an das Recht erschüttert. Sie vermochten daher der immer weiter ausgreifenden Interpretation des Kriegswirtschaftlichen Ermächtigungsgesetzes nicht zu folgen. Maßnahmen, die an sich berechtigt sein mochten, wurden durch Mißgriffe bei der Anwendung ins Gegenteil verkehrt. Der Fall, bei dem die angesichts der inneren Unruhe eingeführte Todesstrafe zum erstenmal an einem Kretin vollzogen wurde, kam einem Justizmord gleich.

So radikalisierte sich die Stimmung der SDAP-Anhänger zusehends und wandte sich auch gegen die Parteiführung, die zu bremsen suchte. Das sozialistische Bollwerk Wien litt schwer unter den finanziellen Opfern, die der Gemeindeverwaltung durch Notverordnungen auferlegt wurden. Das gehörte zur Zermürbungstaktik der Regierung.

Diese Entwicklung schien im Linzer Parteiprogramm prognostiziert und der daraus resultierende Handlungsbedarf definiert: „Wenn sich aber die Bourgeoisie gegen die gesellschaftliche Umwälzung, die die Aufgabe der Staatsmacht der Arbeiterklasse sein wird, durch planmäßige Unterbindung des Wirtschaftslebens, durch gewaltsame Auflehnung, durch Verschwörung mit ausländischen gegenrevolutionären Mächten widersetzen wollte, dann wäre die Arbeiterklasse gezwungen, den Widerstand der Bourgeoisie mit den Mitteln der Diktatur zu brechen." In diese Richtung zielte deutlich die linke Opposition auf dem Herbstparteitag 1933 im Antrag des Steyrer Gemeinderates Franz Schrangl: „Wenn die Regierung unsere Forderungen nicht erfüllt, muss der Sturz der Regierung und die Wahl einer Regierung der Arbeiter und der Bauern unser unmittelbares Kampfziel sein. Um diese Politik des revolutionären Widerstandes gegen den Fascismus mit der nötigen Festigkeit durchführen zu können, muß die Partei sich nicht nur im Prinzip, sondern auch in der Organisation den neuen Kampfnotwendigkeiten anpassen. Wir schlagen also vor, der Kerntruppe der Bewegung, den

Arbeitern und Arbeitslosen organisatorisch besondere Rechte einzuräumen und zu diesem Zweck *Arbeiterräte* in die Parteiorganisation einzubauen. Diese Arbeiterräte sind von den Betrieben, den Arbeitslosen und den Ordnerformationen zu wählen. Diesen Arbeiterräten ist die unmittelbare Kontrolle über die Parteiführung zu übertragen; ihre Beschlüsse haben der Partei die politische Linie und die taktischen Maßnahmen vorzuzeichnen." Ausgehend von der charismatisch postulierten Überzeugung, Wortführer „der proletarischen Kerntruppe" der Partei zu sein, wird Kritik an der Internationale und an der eigenen Parteiführung vorgebracht, indem man die eigene Hoffnung, die enttäuscht worden ist, deklamiert: „Die österreichischen Arbeiter haben gehofft, in der Frage des internationalen Kampfes gegen den Fascismus das volle Verständnis auch der Parteien zu finden, die sich heute noch der Demokratie erfreuen; sie haben gehofft, daß der Parole der fascistischen Diktatur die Parole der sozialen Revolution der proletarischen Diktatur entgegengesetzt wird. . . . Wir halten den Fascismus nicht für eine Naturnotwendigkeit sondern für den abwendbaren letzten Versuch des Kapitalismus, seine Herrschaft zu sichern und die soziale Revolution zu verhüten; wir halten diesen Versuch aber nur für ablenkbar, wenn die Arbeiterschaft prinzipiell zur Revolution entschlossen und organisatorisch auf sie vorbereitet ist. Wir wenden uns daher mit äußerster Schärfe gegen alle Fatalisten, die unseren Kampf verlorengeben, ehe er recht begonnen hat, gegen alle Kapitulanten, die lieber in Schande vegetieren als den Kampf wagen wollen." Der Antrag wurde zurückgezogen und blieb, obwohl er in wesentlichen Punkten in den Kompromißvorschlag eingearbeitet wurde, ohne Konsequenzen auf die weitere Vorgangsweise des Parteivorstandes.

Otto Bauer hatte in seinem Referat diesen hier geforderten Kampf angesprochen: „Was ist denn dieser Kampf, nach dem wir rufen? Ich las in einem Entwurf von Thesen unserer linken Freunde . . . Dort las ich von dem Mythos des Endkampfes, von etwas, das so wie im Mythos am Ende der Geschichte steht. Genossen, reden Sie nicht so. Diese Frage des Kampfes ist nicht eine Frage des Mythos, sondern eine Frage der Taktik und Strategie der Arbeiterbewegung und nicht etwa in fernen Zeiten . . . Weichen wir nicht den Problemen aus, indem wir aus strategischen Problemen mythologische machen . . . Was heißt dieses Wort *Kampf*? . . . Wenn wir von jenem Endkampf sprechen, so bedeutet das zunächst . . . Generalstreik." Diesen Generalstreik sah Bauer angesichts der hohen Arbeitslosigkeit und der Pressionsmittel der Regierung für äußerst problematisch an. Da diese Grundvoraussetzung eines erfolgreichen Kampfes nicht durch einen mit „altösterreichische(m) Leichtsinn" und von einer „Leutnant(s)-Psychologie" getragenen Taktik herbeigeführt werden könnte, müßte man klarstellen, was „diese Voraussetzungen" wären: „Ein solcher Kampf um Tod und Leben, bei dem es nicht nur um das Leben von Tausenden Menschen, sondern um die Existenz der österreichischen Arbeiterbewegung überhaupt für viele

Jahre geht, kann nur dann gewagt werden, wenn große Ereignisse die Leidenschaften des Volkes, den Zorn des Volkes, die Wut des Volkes weit über die Reihen der politisch interessierten Minderheit hinaus derart aufwühlen, daß dieser Zorn der Millionen eben stärker ist als die Bajonette von zwanzigtausend oder dreißigtausend Mann, die man uns entgegenstellen kann."

Letztendlich reduzierte man diesen Bereich auf die Politik der „vier Punkte", die für die Arbeiterklasse einen Anlaß zum äußersten Widerstand bilden würden: Oktroyierung einer Verfassung, Einsetzung eines Regierungskommissärs für Wien, Auflösung der Sozialdemokratischen Partei, Gleichschaltung der Freien Gewerkschaften. Eine Weisung dieses Inhalts war schon am 17. September vom Bund der Freien Gewerkschaften verlautbart worden. Diese „Anhaltspunkte" erleichterten der Regierung die Aushöhlung noch verbliebener Machtpositionen der SDAP.

Doch auch jener Flügel der Partei, der sich um Renner scharte und seinen Schwerpunkt bei der Landesparteileitung für Niederösterreich hatte, und von Kärnten, Tirol und Salzburg unterstützt wurde, erhielt Vollmacht, seine Bestrebungen fortzusetzen, zu retten was noch zu retten war. Dieser Kreis war der Meinung, daß äußere Kampfmittel wenig Erfolg versprächen und man den Frieden suchen müsse, solange man dem Gegner noch etwas zu bieten habe. Dies könnte nur in einer Rückendeckung im Kampf gegen den Nationalsozialismus bestehen. Damals ging Renner daran, den Entwurf eines Staatsnotstandsgesetzes zu verfassen, der manche Gedanken aufgriff, die der katholische Publizist Ernst Karl Winter ausgesprochen hatte. Renner suchte und fand Fühlung zum Bundespräsidenten und verstand auch eine Gruppe christlichsozialer Parlamentarier dafür zu interessieren. Das Parlament sollte noch einmal einberufen werden, den Staatsnotstand erklären und der Regierung auf fünf Jahre alle Vollmachten übertragen. Nur am allgemeinen Wahlrecht und am Koalitionsrecht sollte grundsätzlich nicht gerüttelt werden. Als diese Vorschläge wegen der von der Regierung aufs Programm genommenen berufsständischen Ordnung, die Dollfuß bei seiner Trabrennplatzrede als Grundlage des Neuaufbaues deklariert hatte, auf Schwierigkeiten stießen, zogen Bauer und Renner auch die Möglichkeit eines Einbaues berufsständischer Faktoren in die neue Verfassung in Erwägung. Doch zeigte sich bald, daß die reale Entwicklung bereits über das Stadium der Diskussion hinausgeschritten war.

Unter dem Einfluß des Staatssekretärs im italienischen Außenministerium Suvich lehnte Dollfuß alle Vereinbarungen auf dieser Basis ab. Wohl hatte er im christlichsozialen Parteirat am 19. Jänner 1934 eine Rede gehalten, die wie ein Versöhnungsangebot klang. Doch ging er von der unzutreffenden Voraussetzung aus, daß er einen Keil zwischen die Anhänger der Sozialdemokratie und ihre Führer treiben könne. So schweren Anfechtungen diese nun auch seitens ihrer Anhänger ausgesetzt waren, in den Augen der Massen gab es kaum jemand, der an die Stelle der alten Parteiführer hätte treten können und dabei auch Dollfuß genehm gewesen wäre. Darum verliefen auch verschiedene Versuche, von Kärnten ausgehend eine alpenländische Sozialdemokratische Partei zu bilden und diese vom Wiener Parteivorstand loszulösen, im Sande. Bei jenen Schichten innerhalb der Partei, auf die es bei Entfaltung jeglicher Aktivität ankam, überwogen im Gegenteil die Strömungen, die bis zum offenen Widerstand gehen wollten. Was Dollfuß verlangte, hätte ein Aufgeben der Partei und einen Übergang zur Vaterländischen Front bedeutet, deren Apparat aber ihre radikalen Gegner beherrschten. Dazu konnte man sich im linken Lager, von wenigen Außenseitern abgesehen, nicht verstehen. Die Friedensbemühungen liefen trotzdem weiter.

Man war sich in Kärnten, Tirol, Salzburg und Niederösterreich über die Kampfbereitschaft der eigenen Organisationen im klaren, denn wie „die Geographie der Februarkämpfe" zeigt, blieb es in diesen Bundesländern — wie übrigens auch in Vorarlberg und dem Burgenland — im Februar 1934 nahezu völlig ruhig. Ein möglicher Erklärungsansatz findet sich im Hinweis auf das spezielle Kärntner Klima: „… man war Sozialdemokrat aus sozialer, antiklerikaler und nationaler Überzeugung, für einen Marxismus, dem zudem das Manko anhaftete, aus Wien zu stammen (und von Juden formuliert zu sein), war hier wenig Platz" (Konrad, Geographie). „In manchen Regionen Österreichs hatte die Sozialdemokratie sehr rasch zu eigenständigen Positionen gefunden, in anderen blieb der Einfluß des linken Liberalismus (sozial, national, antiklerikal) länger prägend. Vor allem für die Übergänge zu den Nationalsozialisten (und zurück!) finden sich hier wichtige historische Wurzeln." Aber auch in Wien selbst zeigt der dramatische Verlust der Organisationsfähigkeit — die Mitgliederzahl der SDAP ging zwischen dem März 1933 und dem November 1933 um 29 Prozent zurück, der Schutzbund dürfte ebenfalls seit der Abdrängung in die Illegalität (31. März 1933) davon betroffen gewesen sein — die Abnahme ideologisch motivierter Kampfbereitschaft.

Die Gruppe der niederösterreichischen Landtagsabgeordneten entfaltete eine rege Tätigkeit und suchte den christlichsozialen Bauernführer Reither zu gewinnen. Die religiösen Sozialisten nahmen mit kirchlichen Kreisen Fühlung, die jedoch entweder eine Vermittlung ablehnten oder doch bei allem guten Willen von vornherein keine Hoffnung auf Erfolg hatten. Hatte doch kurz vorher die Kirche durch Zurückziehung der Priester aus den öffentlichen Vertretungskörpern dargetan, daß sie von den Parteien, auch den Christlichsozialen, nichts, aber vom kommenden Ständestaat, der sich auf die Lehren der päpstlichen Rundschreiben stützen wollte, alles erwarte.

Dollfuß zeigte wenig Neigung, selbst die Verbindung mit dem austromarxistischen Lager aufzunehmen. Nur einmal besprach er sich kurz mit dem Landarbeiterführer Schneeberger, alles weitere überließ er Staatssekretär Karwinsky, der über zu geringe Vollmachten verfügte und darum auch nicht über die von Dollfuß bezogene Linie hinausgehen konnte. Rettung hätte nur eine großzügige politische Tat bringen können. Dazu war aber der Kanzler nicht bereit.

Dieser stand von außen und innen unter Druck. Er wußte, daß eine Durchführung der Forderungen von Riccione nicht mehr zu umgehen war und hatte überdies mit einem heftigen Vorprellen der faschistischen Heimwehren zu rechnen. Diese hatten schon zu Weihnachten laut ihre Forderungen nach einem Umbau des Staates in ihrem Sinne erhoben. Die Begleitmusik, besonders aus Tirol, klang wie ein Ultimatum. Gefährlich war, daß sich dem auch die Ostmärkischen Sturmscharen, die sonst mit dem Heimatschutz rivalisierten, anschlossen. Dazu kamen Willkürakte und Gewalttätigkeiten, die in Innsbruck Mitglieder der Heimwehr verübt hatten, so daß schließlich ihr Führer, Steidle, der das Amt des Sicherheitsdirektors für Tirol bekleidete, nicht mehr zu halten war und als Staatskommissär für Propaganda nach Wien berufen wurde. Ende Jänner kam es beinahe zu einem Putsch. Der Heimwehr mißfiel schon lange, daß in manchen Landesregierungen noch immer Sozialdemokraten saßen, und sie stellte daher befristete Forderungen nach einer Änderung der Zusammensetzung im Sinn des ständischen Gedankens. In Tirol unterstrich man das durch einen bewaffneten Aufmarsch der Heimwehr, die unter dem Vorwand drohender Unruhen mobilisiert worden war. Die Sache endete damit, daß der Landesregierung ein beratender Ausschuß aus Mitgliedern der Wehrverbände an die Seite gestellt wurde; die Forderung nach Auflösung der Sozialdemokratischen Partei ließ man fallen. Dazu trug eine Intervention des französischen Gesandten bei Dollfuß bei. Gerade damals kam es aber zu einem Regierungswechsel in Paris, was zur Folge hatte, daß sich der Bundeskanzler nicht mehr an die Zusicherungen gebunden hielt, die er gegenüber den Westmächten abgegeben hatte.

Das Gesetz des Handelns lag nun bei Dollfuß. Er hütete sich, selbst zum Angriff überzugehen, war aber bereit, energisch zuzuschlagen, wenn ihm der Gegner das Stichwort gab. Auf diesen Augenblick wartete auch Fey, es fehlte nur noch der Funke, der das Pulverfaß entzündete. Zu Anfang des Monats Februar rechneten die ausländischen Diplomaten in Wien mit dem Ausbruch des Bürgerkriegs. Die Lage in den Bundesländern hatte sich verschärft. Auch in Oberösterreich und Steiermark trat die Heimwehr mit ultimativen Forderungen bei den Landesregierungen auf. Es fruchtete wenig daß Seitz mit dem Christlichsozialen Waihs, der der ersten Regierung Renner angehört hatte, Verbindung aufnahm, es nutzte ebensowenig, daß Leopold Kunschak in der Sitzung des Wiener Gemeinderates am 9. Februar mit eindringlichen Worten, die mehr an die Regierung als an die sozialdemokratischen Gegner gerichtet waren, zu Frieden und Versöhnung mahnte. Er erntete dafür nur Ablehnung und Hohn. Zwei Tage darauf sprach Fey bei einer Heimwehrkundgebung in Großenzersdorf: „Wir werden morgen an die Arbeit gehen und ganze Arbeit leisten . . ." Was das bedeutete, wußte jeder. Wieweit es sich um eine Extratour des Vizekanzlers handelte, der seit einigen Wochen wieder das Sicherheitsministerium verwaltete, ließ sich schwer beurteilen, da er unterstrich, er und die Heimwehr hätten die Gewißheit, daß Dollfuß der Ihrige sei. Fey, dessen Ziel zweifellos in der Errichtung eines faschistischen Staates lag, drängte zum Handeln; er wußte um die Schwäche der SDAP und um die zögernde Haltung von Dollfuß. Es spricht einiges dafür, daß er in seiner Rede, ein Einvernehmen mit Dollfuß zur Schau stellte, von dem er wußte, wie sehr es zweifelhaft geworden war.

Der Parteivorstand der SDAP verharrte in seiner Position des Verhandelns und Abwartens. Man wußte die eigene Situation genau abzuschätzen: die Voraussetzungen für einen Generalstreik und für eine bewaffnete Konfrontation waren denkbar schlecht. Die Eisenbahnen — Stütze in einem landesweiten Streik — waren unter dem ökonomischen Druck zermürbt, das linke Gewerkschaftsmonopol durch Regierung und durch Abwanderung zu den nationalsozialistischen Gewerkschaften durchbrochen. Der Schutzbund war durch das permanente Waffensuchen der Regierung, durch die Illegalität und durch die Inaktivität der Partei teilweise paralysiert. Auch hier führte dies zu Übertritten auf die Regierungsseite oder zur Lethargie. So machte Bernaschek den Parteivorstand am 5. Februar 1934 darauf aufmerksam, daß ihm seine oberösterreichischen Schutzbündler immer stärker zu den aktionistischen Nationalsozialisten überliefen. Daraus ist erklärbar, warum Bernaschek gegen den Willen des Parteivorstandes verstieß und sich, als am 12. Februar 1934 im Hotel Schiff, dem Sitz der Schutzbundleitung in Linz, eine Waffensuche der Regierung begann, zur Wehr setzte. Massenverhaftungen von Schutzbundführern und umfangreiche Waffenbeschlagnahmen waren dem in den letzten Tagen in ganz Österreich vorangegangen.

Auf die Kunde von den Ereignissen in Linz beschloß nun die Exekutive des sozialdemokratischen Parteivorstandes in Wien die Ausrufung des Generalstreiks, was nach allem Ermessen den Bürgerkrieg bedeutete, nachdem weitere Bemühungen, der Regierung die Gesprächsbereitschaft zu demonstrieren, gescheitert waren. Die Bundesregierung selbst wurde von den Ereignissen überrascht, so daß sich der Heimwehrflügel ohne Schwierigkeiten durchsetzen konnte. Die Schutzbundführung hatte in den letzten Monaten stark aufgerüstet und war durch Waffenlieferungen aus der Tschechoslowakei unterstützt worden. Nach Verkündung des Generalstreiks sollte der Schutzbund sich am Stadtrand versammeln und entsprechend dem Eifler-Plan die Gürtellinie besetzen. Doch fehlte es an Detailanweisungen. Viele Unterführer waren verhaftet oder verweigerten die Teilnahme, die Waffenlager waren entweder schon beschlagnahmt oder zum Teil den aktionsfähig gebliebenen Schutzbündlern selbst nicht bekannt. So lösten sich die Kämpfe, die nun in den Wiener Vorstädten, bald darauf auch in Graz, im obersteirischen Industriegebiet, in der Stadt Steyr und im Hausruck aufflammten, in begrenzte Teilaktionen auf. Es gelang schließlich dem Bundesheer, Polizei, Gendarmerie und den zur Unterstützung herangezogenen Wehrverbänden, die Oberhand zu gewinnen. Die Verwendung von schweren Waffen, Minenwerfern und Artillerie sollte die rasche Entscheidung bringen. Eine Erhebung der Massen, der Generalstreik, auf die man im Lager der Linken gehofft hatte, erfolgte nicht. Es bestand auch keine Möglichkeit, diesen Widerstand durch Propagandamittel wachzurufen. Nur in Graz kam ein Aufruf heraus, dessen rascher Druck durch sozialdemokratische Drucker verzögert wurde, die nicht mit den Schutzbündlern einer Meinung waren. Ein erklärtes Aufstandsziel fehlte auch diesem Aufruf. Die Generalstreikparole verhallte. Man ließ den Schutzbund, soweit er dies tat, kämpfen, die Arbeiterschaft stand weitgehend mit ihren Sympathien auf seiner Seite, die Betriebe aber wurden bis auf wenige Ausnahmen nicht stillgelegt, und der Verkehr lief weiter.

Trotzdem kosteten die Kampftage auf beiden Seiten schwere Opfer. Die Exekutive hatte einschließlich der freiwilligen Wehrverbände 124 Tote (486 Verwundete), die Aufständischen und die Zivilbevölkerung 250 bis 270 Tote (mindestens 319 Verwundete) zu beklagen. Hinzu kamen die neun standrechtlich Hingerichteten. Die relativ geringe Zahl der Toten ist nur aus der verhältnismäßig geringen Anzahl von Kombattanten, die im Kampfe standen, zu erklären. Am schwersten wog aber die Erschütterung des Staates, von der sich dieser in der kurzen Frist, die seinem selbständigen Dasein noch beschieden war, nicht mehr erholen konnte.

Im Februar 1934 dachten aber die Führer der SDAP ganz anders. Der rechte Flügel unter Renner suchte mit allen Mitteln eine Verständigung mit der Regierung herbeizuführen und damit wenigstens den Schein der Demokratie zu retten. Die andern, wie Bauer und Deutsch, die grundsätzlich den Kampf bejahten, ihm aber bis zuletzt auszuweichen suchten, waren bald isoliert. Ihre Parolen drangen nicht durch, es fehlte ihnen auch der Apparat dafür, die Verbindungen rissen ab und bereits am zweiten Tag des Kampfes begaben sie sich ins Ausland. So schwer ihr Ansehen darunter litt, so war der Weg in die Emigration angesichts des Mangels jeglicher Bewegungsmöglichkeit in den Augen ihrer Anhänger doch die einzig richtige Taktik.

Waren so die Waffen gegen den Willen der Parteiführung losgegangen, so stand auch das erbitterte Ringen der kämpfenden Schutzbündler unter dem Zeichen eines verzweifelten Fatalismus. Die Masse der Parteianhänger gab alles verloren und verhielt sich passiv. Die Schutzbündler befanden sich auch ideologisch auf verlorenem Posten. Sie glaubten eine Fahne hochhalten zu müssen, die das Symbol einer fünfzehnjährigen Geschichte des Austromarxismus in der Republik war. Sie verloren den Kampf und mit ihnen ging auch die Partei zugrunde. Es entsprach der soldatischen Erziehung, daß sie die Überzeugung hegten, wenn die Partei schon untergehen solle, dann möge sie in Ehren erliegen. Die Tragik dieses Gedankens lag darin, daß man für die Wahrung dieses Standpunktes keinen anderen Ausweg sah, als an die Gewalt zu appellieren. Man hielt die „Gewehre heilig", wie es Seitz 1932 im Nationalrat verlangt hatte, man glaubte an die revolutionäre Tat, die der Verbalradikalismus gerade eines Otto Bauer verherrlicht hatte. Und man meinte, jenen revolutionären Elan zu besitzen, der, wie Körner erkannt hatte, zu einer taktischen Verschmelzung mit dem Volk hätte führen können; aber gerade dies hatte die Parteileitung unterbunden, da man selbst von einer basisdominierten Aktion Abstand nahm.

Darf man also die düsteren Februartage als einen Verzweiflungsausbruch führerloser Aktivisten der Sozialdemokratischen Partei ansehen, so empfanden doch weite Kreise den Kampf des Schutzbundes als berechtigten Widerstand gegen eine Regierung, die den Boden der durch die Bundesverfassung gelegten Rechtsnormen verlassen hatte. Dollfuß und seine Anhänger machten hingegen ein Notrecht geltend. Zu nahe lag die Gefahr einer Aufteilung Österreichs, falls die Regierung des Aufstandes nicht Herr geworden wäre. Daß dabei hart vorgegangen wurde, läßt sich begreifen. Dagegen sind die Übergriffe ohne jegliches Verfahren bei der Abwehr, die standrechtlichen Justizmorde und die Erschießung von sechs gefangenen Linken in Holzleiten durch das Bundesheer nicht verständlich. Solche Dinge verschärften die Lage und bedeuteten für die Zukunft eine schwere Hypothek. Der Haß, der sich bei den staatstragenden Konservativen seit Jahren gegen die Austromarxisten aufgespeichert hatte und der durch deren radikale Haltung in den ersten Jahren der Republik erklärt wurde, schlug jetzt über die Stränge. Fehlte es hier an dem Maß, das eine in sich gegründete Autorität kennzeichnet, so verschmerzte die Gegenseite nur schwer den Untergang ihrer Partei, auf deren Leistungen, namentlich in Wien, sie stolz war. In der Tat hatte das Wirken von Männern wie Hugo Breitner in der Finanzpolitik, Otto Glöckel im Schulwesen, Julius Tandler auf dem Gebiete der Wohlfahrtspflege und des Gesundheitswesens auch im Ausland starke Beachtung gefunden. Schwerer wog, daß es in der Folge nicht mehr gelang, das Österreichbewußtsein der Sozialdemokratischen Partei, die den Anschlußparagraphen aus ihrem Programm gestrichen hatte, für den Existenzkampf um die Selbständigkeit des Staates nutzbar zu machen, weil ihn allzu viele mit dem durch die Februarereignisse belasteten Regierungssystem gleichsetzten. Der partielle Schutzbundaufstand wurde zum „Aufstand der österreichischen Arbeiter" (Otto Bauer) uminterpretiert, ein Vorgang, der fatal an die „patriotische" Kriegsdichtung zu Beginn des Ersten Weltkrieges erinnert.

Obwohl Bauer im Bericht über die Kampftage vom mißlungenen Generalstreik spricht, da die „überwiegende Mehrheit der Eisenbahner . . . versagt" habe, obwohl er „Bezirke", die „überhaupt nicht zu den Waffen gegriffen" haben, beschreibt, hält er fest, „daß sie, indem sie ungleichen Verzweiflungskampf kampfloser Kapitulation vorgezogen haben, die revolutionäre Ehre des internationalen Sozialismus gerettet" haben. Die „vorgeschrittensten

Schichten der Arbeiterklasse", namentlich die Linzer Schutzbündler, haben als „wehrfähige Elite des Proletariats" jenes „kostbare Proletarierblut" vergossen, aus dem „reiche Saat aufgehen" wird. Bei allem Respekt vor jenen, die für ihre Ansicht in den aussichtslosen Kampf gezogen sind, muß konstatiert werden, daß hier Bauer seinem literarischen Stil erliegt. Die Schutzbündler, namentlich die Linzer, waren weniger vorgeschrittenste Marxisten, sondern wohl eher zutiefst deprimierte Menschen, die der scheinbaren Agonie der Parteiführung ihren eigenen Aktionismus entgegensetzten.

Otto Bauers Schrift definiert den partiellen Schutzbundaufstand als „Aufstand der österreichischen Arbeiter" mit dem Ziel der Wiederherstellung der Demokratie, die von der „faschistischen" Regierung, namentlich von Dollfuß und Fey, beseitigt worden ist. Bauer bekennt das Scheitern der Verhandlungsbereitschaft der Parteiführung gegenüber der Regierung ein, da diese zu keinem ernsthaften Gespräch bereit war. Und er hält fest, daß die Regierung durch die Niederschlagung des Aufstandes, durch die Ausschaltung der Demokratie und durch die Justizmorde endgültig die Chance auf eine Verbreiterung der Basis im Kampfe gegen den Nationalsozialismus verloren hat. Überdies kritisiert er in aller Deutlichkeit, die sich abzeichnende Kameraderie zwischen illegalen Sozialdemokraten und Nationalsozialisten.

Die oben vorgebrachte Feststellung über das Kampfziel, nämlich die Wiederherstellung der Demokratie, wird etwa von Gerhard Botz problematisiert, da er unter Berufung auf Leser festhält, daß die Schutzbündler „ohne ein konkretes politisches Ziel" kämpften, man „war sich nicht im klaren über Form und Inhalt der Demokratie, für die man stritt". Besonders gravierend erscheint Lesers Kritik an der Aufstands-Apologetik Bauers, der damit die Regierung und deren Aufstands-These in die Hand arbeitete. „Bauer . . . ging es darum, mit dieser These das Versagen des Parteivorstandes und der von ihm betriebenen Politik zuzudecken und ihn durch die Taten des Schutzbundes . . . zu exkulpieren, ja mit der Gloriole der Februarkämpfer zu umgeben." Der „Regierung" dient die Aufstandsthese als „das moralische und juristische Fundament für ihre Verfolgungshandlungen", um die Besiegten „auch noch ins Unrecht setzen" zu können. Es stellt sich dabei die Frage, ob die Regierung aufgrund unzureichender und manipulierter Informationen zu dieser Aufstandsthese gelangt ist, oder ob ein Grundkonsens über die politisch motivierte Benutzung der Aufstandsthese vorhanden gewesen ist.

Die verhafteten Funktionäre der SDAP distanzierten sich nahezu ausschließlich von den Kämpfen, verurteilten häufig den Aufstandsversuch und bekannten sich zum Flügel der Verhandlungsbereiten. Sie verstanden sich im Einklang mit den Parteitagsbeschlüssen vom Oktober 1933. In ihrer Distanzierung vom Kampf — und das Regime mußte diese Haltung akzeptieren, da ein Gegenbeweis sichtlich nicht möglich war — lag letztlich auch die Anklage, die sie gegen die Regierung berechtigterweise vorzubringen hatten. Deren fehlende Kooperationsbereitschaft hatte den Kompromißwillen der sozialdemokratischen Parteiführung ins Leere gehen lassen; das Nichterkennen des partiellen Charakters des Aufstandes oder das Ignorieren dieser Beschränktheit im Versuch, eine Änderung der Situation herbeizuführen, hatte die Regierung in jene Gewaltakte getrieben, die schlicht mit Justizmord zu umschreiben wären.

Angesichts des Wissens um die eigene Isolierung und angesichts der genauen Kenntnis um die dramatisch reduzierte Schlagkraft der Partei — das Fehlschlagen des Generalstreikes war absehbar, die Reduktion des Schutzbundes durch Verhaftungen, ausgehobene Waffenbestände und Abwanderungstendenzen, wie sie Bernaschek in seinem Brief an die Parteileitung anführte — war der Aufstandsversuch von jener spielerischen und unverantwortlichen „Leutnant(s)-Psychologie" getragen, die Otto Bauer vernichtend prophetisch charakterisiert hatte, und letztlich von einen Aktionismus war, der an die Stelle der kritisierten Politik des Parteivorstandes gesetzt wurde.

Dieser Leutnantspsychologie fiel aber auch Bauer selbst zum Opfer, da die Parteiführung weiter Waffenlieferungen organisierte, um Ersatz für die Beschlagnahmungen zu leisten. Der mit internationaler Unterstützung vollzogene Waffendeal — Internationale, Gewerkschaftsdachverbände, tschechische Regierungsstellen — genügte der „Mehrzahl der Schutzbündler" für „die Überzeugung, die Waffenlieferungen würden die Kampfbereitschaft der Partei demonstrieren. Diese Lieferungen waren „ein entscheidender Faktor für das Wachsen der Militanz in den Wochen vor dem Februaraufstand" (Rabinbach).

Die Parteiführung, bzw. die „Niederösterreicher" waren zum Kompromiß bis an die Grenzen der Selbstverleugnung bereit — wenn man an die sozialdemokratische Diskussion über die Teilnahme an einem ständestaatlichen Modell denkt, wobei festgehalten werden muß, daß diese Diskussion eben ein anderes Demokratieverständnis der Sozialdemokratie in der Ersten Republik als Hintergrund besitzt als das heutige. Damit war der Aufstandsversuch aber auch ein Bruch mit der Parteileitung. Dieser Bruch der Parteidisziplin, der im Oktober 1933 noch verhindert werden konnte, weil die Linke ihn nicht provozieren wollte, trat nun ein.

Als Bernaschek sich zum Handeln entschloß und ihm Teile des Schutzbundes in Wien, Niederösterreich, Oberösterreich und der Steiermark folgten, handelten diese Gruppen nicht nur im Bewußtsein der Isolierung innerhalb der eigenen Reihen, sondern auch in klarer Kenntnis darüber, daß sie gegen die von der Parteileitung vorgegebene und vom Parteitag im Oktober 1933 beschlossene Linie verstießen. Ihre Legitimation innerhalb der Partei bezogen sie letztendlich aus dem Linzer Parteiprogramm. In Übereinstimmung mit diesem und den dort genannten Prämissen für eine Diktatur des Proletariates standen sie überdies in Einklang mit den Forderungen der

Linken auf dem Oktoberparteitag. Getrieben vom Aktionismus Bernascheks fehlte eine klare Definition des Aufstandszieles. Sowohl Parteiprogramm als auch die Wortmeldung der Linken, die zum Kampf aufrief, und die Ablehnung dieser Position durch Otto Bauer am Parteitag und lange davor lassen erkennen, daß das Aufstandziel jene Diktatur sein sollte, vor der Bauer gewarnt hatte und die ein unverfänglicher Zeitzeuge, Sigmund Freud, auch anspricht. Die Wiederherstellung der Demokratie als Aufstandsziel ist eine Arbeitshypothese, deren Für und Wider erst umfassend dokumentiert werden muß, wobei man dabei auf die Schwierigkeit stößt, keinen Aufruf, keinen Flugzettel aus diesen ersten Stunden des Kampfes zu kennen, der einen derartigen Schluß zuläßt. Die Parteiführung hatte vor dem 12. Februar sich in diesem Konnex in „revolutionäres Schweigen" gehüllt, wie Otto Bauer schon früher eine Fehlentscheidung verstanden wissen wollte, und die Schutzbündler waren eher Aktivisten denn Theoretiker. Ihr Aufstandsziel war aber sicherlich nicht die Rekonstruktion der „bourgeoisen Republik".

Die Analyse der Zukunftsperspektiven der „Diktatur Dollfuß-Fey" richtet sich „gegen die Mörder, die Weiber und Kinder in den Gemeindebauten gemordet haben, gegen ihre Henker, die Verwundete zum Galgen schickten, gegen ihre Mitschuldigen, mögen sie in katholischen Bischofssitzen oder in jüdischen Zeitungsredaktionen dem Blutwerk der Henkerregierung" zugestimmt haben. Aus der exakten Darstellung der Situation heraus heißt es dann:

„Dem österreichischen Faschismus fehlt eine ... faschistische Gewaltorganisation. Er hat dafür — die Vaterländische Front. Aber das sind keine SA und keine Schwarzhemden. Das ist ein Sammelsurium von jüdischen Bourgeois, die den Antisemitismus Hitlers fürchten, von monarchistischen Aristokraten, klerikalen Kleinbürgern, von Heimwehren, die täglich gegen Dollfuß meutern und an Dollfuß Erpressung verüben, von Ostmärkischen Sturmscharen, die gegen die Heimwehren organisiert werden, von einem großen Troß armer Teufel, dessen eine Hälfte Nazi und dessen andere Hälfte Sozialdemokraten sind, die beide das rotweißrote Bändchen nur tragen, um eine Arbeitsstelle nicht zu verlieren oder um eine Arbeitsstelle zu bekommen. Eine solche Spottgeburt ohne Feuer ist keine ausreichende Stütze einer dauerhaften faschistischen Diktatur. Zwischen den christlichsozialen Bauern und Kleinbürgern auf der einen, den die Heimwehren kommandierenden Aristokraten auf der anderen Seite bestehen schroffe Gegensätze. Sie intrigieren gegeneinander. Sie rüsten gegeneinander. Die faschistische Diktatur kann sehr wohl noch mit dem Kampf der Faschisten gegeneinander enden. Der Zerfall der austrofaschistischen Front in zwei gegeneinander kämpfende Gruppen kann uns sehr bald Gelegenheit bieten, wenn wir nur da sein, bereit sein, stark genug sein werden, diese Gelegenheiten auszunützen.

Aber selbst wenn die austrofaschistische Front nicht zerfällt, wenn Dollfuß auch weiterhin getreulich und gehorsam die Befehle des Herrn Fey vollzieht und die christlichsozialen Bauern und Kleinbürger sich gehorsam den die Heimwehren kommandierenden Aristokraten und Generalen unterwerfen, steht dem Austrofaschismus noch ein gefährlicher Feind entgegen. Der Massenhaß, den die blutige Niederwerfung des Aufstandes erzeugt hat, wird den Nationalsozialismus stärken. Die Auflösung unserer Partei, unserer Jugendorganisationen vor allem, hat Dämme niedergerissen, die bisher noch der Ausbreitung der braunen Flut im Wege gestanden sind. Es kann noch eine Stunde kommen, in der die Sieger von heute, vom Nationalsozialismus bedroht, Hilfe und Rettung bei den Besiegten suchen werden."

Die durch den Nationalsozialismus gefährdete eigene Position der SDAP wird in der Analyse nicht nur Bauers angesprochen; neben dem Abwandern von Sympathisanten, aber auch enttäuschten Mitgliedern war es vor allem die Sogwirkung auf jene Jugend, die nun nicht mehr direkt im Umfeld des Austromarxismus und seiner großen Organisationsdichte heranwuchs, die nicht mehr über Vorfeldorganisationen politisch domestiziert werden konnte. Die Illegalität und ihre Probleme nahm viel von der Anziehungskraft, so daß Helmer Ende 1934 ein „lawinenartiges" Anwachsen der nationalsozialistischen Gefahr vermerkte, wobei die „Haltung gegen uns … immer mehr Arbeiter in die Nazifront" triebe. Und Renner hielt rückblickend für diesen Zeitraum fest, daß die Jugend immer mehr zu den radikaleren Nationalsozialisten überlaufe, während in den Betrieben die Kommunisten ihren Einfluß ausbauten, indem sie die SDAP der Feigheit bezichtigten. Daraus kann der Schluß gezogen werden, daß die SDAP in den beiden wichtigsten Standbeinen — Jugend und Industriearbeiterschaft — deutliche Auflösungstendenzen aufwies, die noch durch die Paralysierung der Gewerkschaft verschärft wurden. Bauer weist berechtigt darauf hin, daß die Sozialdemokratie die Regierung vor einem „Zweifronten-Krieg" gegen sie und die Nationalsozialisten gewarnt hatte. „Da die Diktatur die Arbeiter immer mehr erbitterte, wuchs die Gefahr, daß junge, ungeschulte Arbeiter die Nationalsozialisten, die ebenso wie wir von der Diktatur Dollfuß verfolgt wurden und ebenso wie wir in Opposition gegen sie standen, als Bundesgenossen anzusehen begännen. Wenn die Behörden Sozialdemokraten und Nationalsozialisten zugleich verhafteten und ohne gerichtliches Verfahren in die Gefängnisse sperrten — mußte dann nicht die Gefahr entstehen, daß sich in den Gefängnissen förmliche Koalitionen zwischen Sozialdemokraten und Nationalsozialisten bilden? Wir hatten schon um die Jahreswende die Erfahrung gemacht, daß einzelne Betriebe die Verbreitung sozialdemokratischer Flugblätter, die gegen die Nationalsozialisten gerichtet waren, mit der Begründung ablehnten, daß jetzt in Österreich nicht Hitler, sondern nur Dollfuß zu bekämpfen sei." Dieser massiv und berechtigt kritisierte „Zweifronten-Krieg" war für die Arbeiter — so Bauer — das

Werk einer „Bande gewalttätiger Männer, hinter der nur eine kleine Minderheit des Volkes steht", deren Kampf also „gegen die Sozialdemokratie
und gegen die Nationalsozialisten zugleich, das heißt gegen mindestens
70 % des ganzen Volkes" gerichtet war. Und am Schluß der Schrift Bauers
heißt es dann nochmals über das Scheitern der Regierung: „Auf die Dauer
werden nicht 30 % des Volkes über 70 %, nicht das Dorf über die Großstadt,
nicht der Klerikalismus über ein zu zwei Dritteln nicht klerikales Volk die
Diktatur ausüben können." Bauer sprach damit einerseits den „gemeinsamen Haß" der von der Regierung unterdrückten „roten" und „braunen"
Opposition an, der in seiner Langzeitwirkung die Dämonisierung des Ständestaates und die Verharmlosung des Nationalsozialismus bewirkte, und andererseits den Antiklerikalismus als eine Schiene, die enttäuschte soziale-
mokratische Anhänger zum Nationalsozialismus führte. Dieser, von Renner
als schwerer taktischer Fehler gebrandmarkt — 1938 bewertete er ihn in
seinem Anschlußinterview allerdings zeitbedingt positiv —, war — so
Renner 1936 — so stark, daß bei einem Einmarsch Hitlers, „nicht bloß . . .
der Apparat sofort übergeht, sondern in den Massen sich keine Hand gegen
ihn erhebt". Gerade im Hinblick auf die „heranwachsende Generation" un-
terstreicht Renner diese Aussage 1937, da diese zunehmend bereit wäre, den
„Teufel Schuschnigg durch den Belzebub Hitler auszutreiben".

Wohl suchte der Bundeskanzler gleich nach Abschluß der Kämpfe im
Februar 1934 einen Weg zur Arbeiterschaft. Er bestellte seinen Freund
und Kriegskameraden Ernst Karl Winter zum Vizebürgermeister von
Wien, mit dem ausdrücklichen Auftrag, eine Befriedung herbeizuführen.
Winter hatte von allem Anfang an den Kurs, den Dollfuß seit dem März
1933 eingeschlagen hatte, in aller Öffentlichkeit bekämpft. Aufsehen erregten zwei offene Briefe an den Bundespräsidenten, in denen er der Regierung Verfassungsbruch vorwarf. Freilich war es sehr fraglich, ob
dieser Einzelgänger in der Masse der führerlos gewordenen Anhänger
der Sozialdemokratischen Partei Verständnis finden würde. Die Hoffnung, die vor dem Februar 1934 auf der Seite der Regierung oder einzelner ihrer Mitglieder bestanden haben mag, die linke Arbeiterschaft zu
spalten und eine regierungskonforme sozialdemokratische „Partei" zu installieren, war mit der repressiven Haltung nach dem 12. Februar dahin:
man hatte übersehen — aus welchen Gründen auch immer —, daß der
rechte Flügel der Partei, ja teilweise selbst Leute wie Otto Bauer bereits
in dieser Richtung dachten. Die blinde Zerstörungswut des faschistischen
Regierungsflügels hatte eine Verständigung verhindert, eine Verständigung, die weder vom linken Flügel der SDAP, noch vom faschistischen
Flügel der Regierung, noch von der NSDAP goutiert worden wäre. In
diesem Punkte fehlte es Dollfuß an dem richtigen Augenmaß.

Winter, der durchaus Anfangserfolge erzielte, erlag letztlich — sehr zur
Erleichterung der illegalen SDAP — der faschistischen Intoleranz und

Dummheit der Heimwehrkreise, aber auch jener Regierungsfunktionäre, die eine Integration auf dem Wege einer antimarxistischen Umerziehung der Umworbenen erzielen wollten.

Die Freien Gewerkschaften, einst Kerntruppe des SDAP, wurden trotz zunehmender Distanz zur Partei und einer bemerkenswerten Kooperationsbereitschaft gegenüber der Regierung seit Mitte 1933 von der Zerstörung des organisierten Austromarxismus mitgerissen. Es setzte ein Wettlauf zwischen der Christlichen und der Heimwehrgewerkschaft ein, die mit den obdachlos gewordenen Linken ihre Reihen auffüllen wollten. Die Regierung sah das mit Unbehagen, weil sie alle Möglichkeiten der Tarnung für ihre Gegner ausschalten wollte. Sie entschloß sich daher, eine Einheitsgewerkschaft zu bilden, die allerdings nicht einen Pflichtverband darstellen sollte. Der Beitritt war freiwillig, auch versprach der Kanzler einer Abordnung freigewerkschaftlicher Sekretäre, daß es innerhalb des Gewerkschaftsbundes, wie die neue Organisation heißen sollte, freie Wahlen geben würde. Dagegen wandte sich aber der aus dem Heimatschutz stammende Sozialminister Odo Neustädter-Stürmer, der überhaupt das Konzept hatte, daß der Gewerkschaftsbund nur eine vorübergehende Erscheinung sei und nach Vollendung der berufständischen Neuordnung zu verschwinden habe. Die Funktionäre wurden also ernannt, an die Spitze trat ein alterprobter Mann aus der christlichen Arbeiterbewegung, Josef Staud, der Heimatschutz sicherte sich auch entsprechenden Einfluß. Unter diesen Umständen blieben die Linken ferne und hielten lange Zeit die Forderung nach Boykottierung der neuen Organisation aufrecht. Das war die einzige Waffe, die sie zunächst einsetzen konnten, erst nach geraumer Zeit und vielen tastenden Versuchen fanden sich verschiedene Zirkel zu gemeinsamer Arbeit auf dem Boden der Illegalität. Für Oberösterreich muß festgehalten werden, daß nunmehr die Attraktivität der risikobereiten Nationalsozialisten zunahm; Bernaschek, dem sie zur Flucht verhalfen, ging selbst diesen Weg ein kurzes Stück. Aber auch in anderen Bundesländern — in Kärnten etwa, wo es im Februar still blieb, im Juli aber umso heftiger zuging — gab es diese Wechselbeziehung, die von der Gefängniskameraderie über illegale Freundschaftsdienste bis zum Lagerwechsel reichten. Vereinzelt gelang es auch der Regierung, enttäuschte Sozialdemokraten anzusprechen. Dieses Phänomen hat es zweifellos gegeben und beschränkte sich nicht auf opportunistische Spitzenfunktionäre wie die Kärntner Zeinitzer und Pichler oder der Gewerkschaftsjugendobmann Haim.

Nach 1945 verzieh jedenfalls die SPÖ einem Funktionär eher den Übertritt zu den Nationalsozialisten als einen Übertritt zum „Austrofaschismus". Ein Sonderkapitel waren die noch 1933 zu 70 Prozent als Sozialdemokraten deklarierten Wiener Magistratsbeamten, von denen unter Berücksichtigung der Abgänge im Februar 1934 über 50 Prozent der VF beitraten. Ähnliches gilt für die Wiedereintritte in die katholische, aber auch in die evangelische Kirche. Dahinter sind aber auch Existenzsicherungsstrategien wie 1938 bei den „Brotnazis" zu sehen. Die einst so geschlossene Linke fraktioniert in der Illegalität: zu den Fraktionierungen innerhalb der „Sozialisten" kam es zu Abwanderungen zum Kommunismus, ob in der Form des Parteiübertritts oder in der Form der Kooperation.

Solange die Waffen sprachen, verhielten sich die Nationalsozialisten weitestgehend ruhig. Sie befolgten damit die Weisungen, die sie aus Deutschland bekamen. Hätten sie sich gegen die Regierung Dollfuß gewendet, so hätte diese dem doppelten Druck kaum standhalten können. Die Folge wäre jedoch ein Eingreifen auswärtiger Mächte gewesen. Ohne Großsprechereien ließ man es aber nicht sein. So stellte Theo Habicht am 19. Februar, als die Kämpfe bereits entschieden waren, im Münchener Rundfunk der österreichischen Regierung ein Ultimatum. Er bot Waffenstillstand bis zum 28. an. In der Zwischenzeit unterblieben tatsächlich alle nationalsozialistischen Unternehmungen in Österreich. Die Aktion erwies sich aber als ein Schlag ins Wasser, da Dollfuß zu Unterhandlungen nicht bereit war, die Habicht angesichts des Zweifrontenkampfes, den jetzt die Bundesregierung zu führen gezwungen war, erwartet hatte.

Die Verfassung vom 1. Mai 1934

Nach der Niederschlagung des Aufstandsversuches war die Stellung der Regierung Dollfuß, die auch durch den Abschluß politischer und wirtschaftlicher Verträge mit Italien und Ungarn, der sogenannten Römer-Protokolle, untermauert wurde, etwas gefestigter. Die Nationalsozialisten verharrten weiterhin Gewehr bei Fuß. Es standen daher in den nächsten Wochen Fragen der Innenpolitik im Vordergrund.

Hier ging es nicht ohne Reibungen ab. Die Heimwehr pochte auf die Ansprüche, die sie sich durch die aktive Teilnahme an den Februarkämpfen erworben hatte. Vizekanzler Fey baute seine Stellung aus, suchte Dollfuß zurückzudrängen und Starhemberg auszuschalten. Eine Umbildung der Regierung, die im März zur Verstärkung des Heimwehreinflusses erfolgte, brachte zunächst keine Lösung dieser Spannungen. Dollfuß hätte gern wieder den Landbund aufgenommen, von dem sich ihm ein Flügel zuneigte, konnte sich aber gegenüber der Heimwehr nicht durchsetzen. In Innsbruck legte diese zeitweise die Landesregierung lahm, um eines ihrer Mitglieder, einen ehemaligen Christlichsozialen, auszuschalten. Auch in der Steiermark gab es bei der Neubildung der Landesregierung, die nach dem Verbot der Sozialdemokratischen Partei erfolgen mußte, Schwierigkeiten und Reibereien zwischen den einzelnen Wehrverbänden, von denen namentlich die Ostmärkischen Sturmscharen einen großen Aufschwung nahmen. Die Heimwehr weigerte sich lange, sich in die Vaterländische Front einzugliedern.

Auch die Abrüstung des Schutzkorps, das große Kosten verursachte, so daß man eine unpopuläre Sicherheitssteuer einführen mußte, ging nur zögernd vor sich. Dieses setzte sich aus den Mitgliedern der Wehrverbände zusammen, freilich nicht durchwegs begeisterten Anhängern der Regierung, sondern Arbeitslosen, die vorübergehenden Verdienst suchten. Sie sollten bei der Abrüstung Einstellscheine in die Privatwirtschaft erhalten. Das rief die Eifersucht des Bundesheeres wach, für das es solche Begünstigungen nicht gab. Dazu kamen persönliche Gegensätze zwischen dem Heeresminister Schönburg-Hartenstein und dem Vizekanzler Fey, der seine Machtposition auch auf das Bundesheer auszudehnen suchte.

Diese inneren Gegensätze erschwerten die Fertigstellung der neuen Verfassung. Dollfuß hatte dafür Ostern 1934 in Aussicht genommen, mußte aber dann bis zum 1. Mai zuwarten. Schwierigkeiten ergaben sich vor allem in der Frage der Wahl des Bundespräsidenten und der Form der Inkraftsetzung der Verfassung. Eine Volkswahl glaubte man nicht wagen zu können, so daß schließlich sämtliche Bürgermeister — diese waren in der Hauptsache Christlichsoziale — als Wahlmänner bestimmt wurden. Diese Regelung entsprach nicht den Wünschen der Heimwehr. Auch im zweiten Streitpunkt konnte sie sich nur formell durchsetzen. Die Heimwehr lehnte es grundsätzlich ab, daß die neue Verfassung durch das Parlament beschlossen würde. Dies sei gegen das Prinzip des autoritären Staates. Dollfuß wünschte aber diesen Weg nicht nur aus außenpolitischen Gründen, auch die Christlichsozialen setzten sich für diese Lösung ein. Nach dem Verbot der Sozialdemokraten stand ja ihrer Ansicht nach der Einberufung des Nationalrates nichts mehr im Wege. Um der Heimwehr entgegenzukommen, wählte man den Weg, die Verfassung zunächst auf Grund des Kriegswirtschaftlichen Ermächtigungsgesetzes durch Verordnung der Regierung zu publizieren und dann durch den Nationalrat, der durch eine Notverordnung wieder flottgemacht wurde, bestätigen zu lassen.

Ihrem Inhalt nach war die neue Verfassung stark auf die augenblicklichen Bedürfnisse der Regierung abgestimmt. Wohl beschritt man mit dem Grundsatz der berufsständischen Ordnung neue Wege. Doch gab die Enzyklika „Quadragesimo anno", die von manchen Politikern nunmehr als das Staatsgrundgesetz bezeichnet wurde, dafür nur einen äußerlichen Rahmen ab. Die meisten Fachmänner wiesen darauf hin und auch der spätere Bundeskanzler Schuschnigg hat es ausgesprochen, daß diese päpstliche Kundgebung sich mit Fragen der Gesellschaft und nicht mit der Staatsformung beschäftige und daher nur sehr bedingt als Richtschnur gelten könne. Doch bot sich so die Möglichkeit, die Herrschaft der Parteien, die früher die freie Bewegung der Organe der Vollziehung weitgehend eingeengt hatte, durch eine autoritäre Staatsführung zu ersetzen, der eine berufsständische Volksvertretung nicht mehr gefährlich werden konnte.

Ein vom Bundespräsidenten auf zehn Jahre ernannter Staatsrat sollte neben den Bundeskulturrat treten, der aus den Vertretern der Religionsgemeinschaften, des Schul-, Bildungs- und Erziehungswesens, von Kunst und Wissenschaft bestand. In den Bundeswirtschaftsrat sollten die Berufsstände ihre Vertreter entsenden, während der Länderrat den bisherigen Bundesrat ablöste. Ihm sollten nunmehr nur die Landeshauptleute und die Landesfinanzreferenten der neun Länder angehören.

Die genannten Körperschaften hießen „vorberatende". Sie hatten über die ihnen vorgelegten Gesetzesentwürfe Gutachten zu erstatten, an die aber die Regierung nicht gebunden war. Aus allen vier Gremien wurde der aus 59 Mitgliedern bestehende Bundestag beschickt. Ihm stand nur das Recht der Annahme oder Ablehnung zu. Es gab in seinen Verhandlungen keine Debatten, sondern nur Referate und Regierungserklärungen. Nur bei der Beschlußfassung über den Staatsvoranschlag standen dem Bundestag erweiterte Rechte, auch das der Wechselrede, zu. Eine Möglichkeit der eigenen Initiative fehlte.

Am 1. November 1934 erfolgte die Ernennung der Mitglieder der vorberatenden Körperschaften. Die Berufsstände waren ja noch nicht vorhanden, so daß eine Delegierung von dieser Seite her nicht in Frage kam. Vorher hatte es ein heftiges Tauziehen zwischen dem Heimatschutz und den um Schuschnigg gescharten konservativen Kreisen gegeben, die in der Hauptsache aus früheren Christlichsozialen bestanden. Vertreter oppositioneller Richtungen blieben zunächst ausgeschaltet, der Staatsrat war stark mit Aristokraten durchsetzt.

War so der Rahmen abgesteckt, in dem sich unter günstigen Umständen auch unter einer autoritären Staatsführung eine Art ständische Demokratie entfalten konnte, so brachten es die äußeren und inneren Verhältnisse mit sich, daß niemals eine Probe auf das Exempel gemacht wurde. Der berufsständische Aufbau blieb in den Anfängen stecken. Nur zwei Gruppen: Land- und Forstwirtschaft und Öffentlicher Dienst, wurden durchorganisiert. Für die fünf weiteren Stände, die vorgesehen waren (Industrie; Gewerbe; Handel und Verkehr; Geld-, Kredit- und Versicherungswesen; Freie Berufe) blieb es bei Einrichtungen, die sich als Bünde bezeichneten und die weitere Entwicklung erst vorbereiten sollten. Endziel war, in den durchorganisierten Berufsständen Arbeitgeber und Arbeitnehmer einheitlich zusammenzufassen. Es zeigte sich bald, daß das eine Utopie war. Denn damit hätte auch der Gewerkschaftsbund, der in dieses Schema nicht paßte, seine Daseinsberechtigung verloren. Je weiter die Zeit fortschritt, desto weniger wagte die Regierung, an seiner Existenz zu rühren; war er doch die einzige Einrichtung, mit der sie in ihrer Arbeiterpolitik einigen Erfolg hatte. Allmählich war ihm allen Boykottparolen zum Trotz doch eine erhebliche Zahl von Mitgliedern zugeströmt, die in ihm ihre sozialen Ansprüche verteidigen und ihn später als Mittel der eigenen politischen Bestrebungen benützen wollten.

Die Art der Inkraftsetzung der Verfassung begegnete auch verfassungsrechtlichen Bedenken. Strittig war, ob die vorgeschriebene Anzahl von Anwesenden bei der Abstimmung nach der vollen Zahl der Abgeordneten oder
von der Ziffer des Rumpfparlaments berechnet werden sollte. So war dieses
Grundgesetz für die Folgezeit auch deshalb mit dem Odium einer nicht ein-
wandfreien Entstehung behaftet. Dazu kam, daß das Gesetz zunächst noch
gar nicht in Kraft treten konnte. Der berufsständische Aufbau mußte ja erst
erfolgen, ehe die von der Verfassung vorgesehenen Körperschaften ins
Leben treten konnten. So blieb es bei einer Vollmacht für die Regierung, die
volle Staatsgewalt mit Ausschaltung des Bundespräsidenten auszuüben. An
die Stelle des Kriegswirtschaftlichen Ermächtigungsgesetzes trat jetzt das
Verfassungsübergangsgesetz.

Am 1. Mai trat Starhemberg als Vizekanzler in die Regierung ein und
übernahm auch den Platz eines Stellvertreters des Bundesführers der Vaterländischen Front, an deren Spitze Dollfuß stand und in die hineinzugehen
sich der Heimatschutz lange gesträubt hatte.

Da in der Bundesverfassung von 1920 die Regelung der Kultusfragen
offen geblieben war, von sozialdemokratischer Seite aber mehrfach Vor-
stöße unternommen wurden, die auf eine Trennung von Kirche und Staat
abzielten, bedurfte es großer taktischer Geschicklichkeit der Christlichsozialen Partei, die als weltlicher Arm den Schutz der katholischen Kirche
übernommen hatte, die aufgeworfenen Fragen in Schwebe zu lassen. Waren
doch die Großdeutschen, obwohl Koalitionspartner, aus Rücksicht auf ihre
Wähler bemüht, namentlich auf dem Gebiete des Eherechtes Änderungen
herbeizuführen, die eine Wiederverheiratung geschiedener Katholiken ermöglichen sollten. Die Erteilung von Ehedispensen seitens einzelner Lan-
deshauptmänner und die oft widersprechende Judikatur der Gerichte hatten
eine Rechtsunsicherheit hervorgerufen, deren Behebung im allgemeinen Interesse lag. Seit der Wende 1929/30 wurde immer deutlicher, daß eine Lösung der Ehefrage nur im Zusammenhang mit einer Gesamtbereinigung
aller kirchenpolitischen Probleme Aussicht auf Erfolg haben konnte. Der
Weg dazu war die Einleitung von Konkordatsverhandlungen. Bewußt setzte
man sich zum Ziel, nichts ohne und nichts gegen die Kirche zu unternehmen. Auf der anderen Seite sah man in Rom klar, daß der zu vereinba-
rende Text der Ratifikation durch das österreichische Parlament bedurfte,
in dem die Christlichsozialen nicht über die absolute Mehrheit verfügten.
Die Verhandlungen, die namentlich unter der Regierung Ender manche
Fortschritte gemacht hatten, zogen sich lange hin, waren auch zeitweise unterbrochen. Erst im Frühjahr 1933 nahm Bundeskanzler Dollfuß bei seinen
Rombesuchen den Faden wieder auf, am 1. Mai kam eine Einigung der Unterhändler zustande, am 5. Juni wurde der Vertrag unterzeichnet. Das In-
krafttreten der Bestimmungen des Konkordats hing jedoch von der Ratifizierung ab. Für Dollfuß bedeutete der Abschluß einen großen Erfolg. Nicht

so sehr wegen des Inhaltes des Übereinkommens, als wegen des Umstandes, daß es ihm gelungen war, den Vatikan, wo zeitweise andere Auffassungen vorgewaltet hatten, von der Notwendigkeit eines selbständigen Österreich und des von Dollfuß eingeschlagenen Weges zu überzeugen. Die Ratifikation durch den Bundespräsidenten erfolgte am 1. Mai 1934, am Tage der Publizierung der autoritären-ständischen Verfassung. Es mußte als Mißklang empfunden werden, daß diesem Akt die Aufhebung des Artikels der Bundesverfassung über den Abschluß gesetzesändernder Staatsverträge durch eine von der Bundesregierung mit Berufung auf das Kriegswirtschaftliche Ermächtigungsgesetz erlassene Notverordnung vorangegangen war. Die eingetretenen Verhältnisse enttäuschten auch die Hoffnungen jener, die bei Einleitung der Konkordatsverhandlungen erwartet hatten, daß es neben den im Konkordat verankerten kirchlich abgeschlossenen Ehen zu staatlichen Bestimmungen über eine fakultative, trennbare Zivilehe kommen würde, die eine Sanierung der Dispensehen herbeiführen könnten.

Außenpolitisch schien eine Zusammenkunft, die Hitler mit Mussolini Mitte Juni in Stra bei Venedig hatte, auch die österreichische Lage zu klären. Zwar standen dort die Fragen der Abrüstung und des Völkerbundes im Mittelpunkt der Erörterungen, doch wurde auch das österreichische Problem angeschnitten. Schriftliche Abmachungen wurden nicht getroffen, doch versprach Hitler die Anerkennung der Unabhängigkeit Österreichs, was er nicht zum erstenmal beteuerte. Der Unterschied seiner Auffassung gegenüber Mussolini und der österreichischen Regierung lag aber darin, daß er zugleich den Wunsch nach einer Normalisierung der inneren Verhältnisse dieses Landes aussprach. Das hätte die Anerkennung der Dynamik der nationalsozialistischen Bewegung bedeutet.

Der Putsch vom 25. Juli 1934

Seit Mai hatten sich die inneren Zustände Österreichs wieder sehr verschärft. Es setzte ein von Habicht in München geleiteter erbitterter Kampf ein, der vor allem der Störung des Fremdenverkehrs dienen sollte. Nun verlegte man sich auf schwere Sprengstoffanschläge, die großen Schaden stifteten und die Bevölkerung tief beunruhigten. Die Regierung suchte das Ausmaß dieser Aktion gegenüber der Öffentlichkeit zunächst zu verschleiern. Ihre Gegenmaßnahmen hatten nicht immer und nicht überall volle Wirkung. Es war ihr abträglich, daß es einen Block in der Bevölkerung gab, der zwar die Attentate ablehnte, sich aber mehr oder weniger passiv verhielt und das Ganze als eine Privatauseinandersetzung der Regierung mit der Opposition ansah. Dabei war der Kreis der unmittelbar Beteiligten gar nicht so beträchtlich und selbst diese entbehrten einer einheitlichen Leitung. Wohl ging die Aktion in ihrem Konzept von den Parteileuten in München, nicht von der Reichsregierung aus. In der Durchführung gab es aber so viele Befehlsstellen und auch gegeneinander arbeitende Instanzen, daß ein Führer der österreichischen Nationalsozialisten, Wächter, deshalb im Auswärtigen Amt in Berlin vorstellig wurde und eine einheitliche Richtung in der Österreichpolitik verlangte. Dort nahm man den Sachverhalt bloß zu den Akten, unterrichtete aber auch Hitler davon. Dieser griff nicht ein, sondern ließ Habicht — wie bisher in München — freie Hand. Er rechnete mit einer Aufrollung Österreichs von innen heraus. Habicht hatte ihn in diesem Sinne unterrichtet und vor allem die Mitwirkung des Bundesheeres und der Polizei an einer nationalsozialistischen Erhebung in Aussicht gestellt.

Dollfuß mußte den sich immer mehr verschärfenden Aktionen der Nationalsozialisten mit dem entsprechenden Gegendruck begegnen. Das erhöhte wieder die inneren Spannungen und stieß auch manchmal jene Kreise ab, die an der Idee des Rechtsstaates auch unter den obwaltenden außergewöhnlichen Verhältnissen festhielten. Die Anhaltelager füllten sich. Wieder ging ein Teil der Jugend aus den Alpenländern, die sich zu Gesetzwidrigkeiten hatte verleiten lassen, über die Grenze nach Deutschland und stieß dort zur Österreichischen Legion, die den kleinen Nachbarstaat bedrohte. Das System der Geiselaushebung und der wirtschaftlichen Vernichtung politischer Gegner steigerte die Erbitterung, auch die vorübergehende Aufhebung der Unversetzbarkeit der Richter, über deren schwächliche Judikatur die Regierung sich beklagte, rief Beunruhigung hervor. Die Regierung forderte, da die Kräfte, über welche die Exekutive verfügte, nicht mehr ausreichten, zum aktiven Gegenterror auf, indem sie an den Herden der Unruhe Ortswehren aufstellte, die als Prügelgarden dienten. Anderwärts behaupteten wieder die Nationalsozialisten das Übergewicht. In Gmunden traten sie, obwohl die Partei seit einem Jahr verboten war, mit dem Bezirkshauptmann in Verhandlungen und stellten Bedingungen für die Unterlassung von Störungen des Fremdenverkehrs.

Die Regierung kapitulierte nicht. Dollfuß konnte ja im Ernstfall der militärischen Hilfe Mussolinis sicher sein. Als der französische Außenminister Barthou durch Wien reiste, suchte ihn der Bundeskanzler auf und erhielt von ihm die Zusicherung der Unterstützung durch Frankreich, die freilich nur in einer diplomatischen Hilfe bestehen konnte. So schien Österreich gegen Bedrohungen von außen abgeschirmt. Im Innern mußte es selbst sehen, wie es mit der Opposition weiter Volkskreise fertig werden mochte. Nun wurde die Todesstrafe für alle Sprengstoffverbrechen, später auch für den Besitz von Sprengstoff, angedroht. Die Frage war nur, was geschehen würde, wenn ein Todesurteil wirklich vollzogen würde.

Dollfuß sah ein, daß er zu einem innerpolitischen Ausgleich kommen mußte. Er lud daher, wie schon früher, das nationale Lager zur Mitarbeit ein. Es zeigte sich aber, daß er bis auf gewisse Kreise im Landbund wenig Widerhall fand. Gewiß lehnten viele die Terrorakte ab. Die meisten aber wollten abwarten, wer in den inneren Kämpfen Sieger bleiben würde, auch fehlte es in der

Praxis doch an der Möglichkeit einer Mitarbeit in der Vaterländischen Front, die nach der Maiverfassung als einziges Organ der politischen Willensbildung in Betracht kam. Überraschend entschloß sich Dollfuß am 11. Juli zu einer Regierungsumbildung. Er vereinigte jetzt wieder die gesamte Exekutive, Polizei und Bundesheer, in seiner Hand. Fey, der schon am 1. Mai Starhemberg als Vizekanzler hatte Platz machen müssen, verlor jetzt auch das Sicherheitsressort und mußte sich mit der Stelle eines Generalstaatskommissärs zur Abwehr regierungsfeindlicher Bestrebungen in der Privatwirtschaft begnügen. Die Vertreter der Nationalständischen Front, die niemals über ein Schattendasein hinausgekommen war, schieden aus. Dafür gelang es, den österreichischen Gesandten in Berlin, Stephan Tauschitz, der dem gemäßigten Landbundflügel angehörte, in die Regierung zu bringen. Dollfuß dachte sogar an eine weitere Verbreiterung der Basis seines Kabinetts. Er besprach sich mit dem Wiener Rechtsanwalt Seyß-Inquart, der aus den Heimwehrkreisen in die Politik gekommen war, auf katholischem Boden stand und einer gemäßigten „nationalen" Richtung das Wort redete. Dieser sagte dem Kanzler, daß es keine „Nationalen", sondern nur mehr Nationalsozialisten gebe.

Dollfuß stand unmittelbar vor einer Reise nach Italien, wohin ihn Mussolini eingeladen hatte. Er bemühte sich daher, die Lage im Innern zu klären. Deshalb beauftragte er seinen persönlichen Freund, den Handelsminister Fritz Stockinger, mit Unterhandlungen, die dieser mit Anton Reinthaller, der als gemäßigter Nationalsozialist galt, führte. Er selbst nahm über nationalbetonte katholische Mittelsmänner einen anderen Faden auf, der gleichfalls dazu dienen sollte, mit den Nationalsozialisten ins Gespräch zu kommen.

Reinthaller befand sich am 25. Juli 1934 auf der Reise nach Deutschland, um sich dort der übernommenen Aufträge zu entledigen, da hörte er in Attnang-Puchheim, was an diesem Tag über Österreich hereingebrochen war. Um die Mittagsstunde hatten 154 Männer in Uniform des Bundesheeres und der Polizei das Bundeskanzleramt besetzt, die Wachen überwältigt und die Beamten gefangengenommen. Von Regierungsmitgliedern befanden sich nur Dollfuß, Fey und der Staatssekretär Karwinsky im Hause. Damit war der Plan, dem der Anschlag diente, gescheitert. Es war beabsichtigt gewesen, die gesamte Regierung bei einem Ministerrat gefangenzunehmen und zur Abdankung zu zwingen. Als Nachfolger war der frühere Landeshauptmann der Steiermark, Rintelen, ausersehen. Zur selben Stunde drang eine andere Gruppe in das Rundfunkgebäude ein und erzwang eine Verlautbarung, die Regierung Dollfuß habe demissioniert und Rintelen sei an dessen Stelle getreten.

Die eingedrungenen Putschisten setzten sich zum Großteil aus Soldaten zusammen, die vom Bundesheer wegen ihrer nationalsozialistischen Einstellung entlassen worden waren und der SS Standarte 89 angehörten. Dollfuß wollte sich durch einen Nebenausgang in das Staatsarchiv zurückziehen, da trat ihm einer der Eingedrungenen, der ehemalige Wachtmeister Planetta, entgegen. Dollfuß wurde dabei durch einen Schuß lebensgefährlich verletzt; ein weiterer kam hinzu. Planetta übernahm vor Gericht die Verantwortung für beide Schüsse. Dollfuß' Bitte, einen Arzt und einen Priester kommen zu lassen, wurde abgelehnt, drei Stunden später war er tot. Mit ihm starb jener Politiker, der angesichts der direkten Aggression der Nationalsozialisten und Hitlers den Versuch des Widerstandes unternommen hatte, nicht immer konsequent, aber doch so, daß Hitlers Absicht, Österreich allein durch die Tausend-Mark-Sperre in Kürze zum Satellitenstaat zu machen, gescheitert war.

Putschpläne hatte es in den abgelaufenen Monaten zahlreiche gegeben, die Nationalsozialisten hatten aus den Februartagen gelernt, wie man es nicht anstellen solle. Nun hätte ein von einer Kompanie ehemaliger Soldaten ins Werk gesetzter Handstreich beinahe zum Ziele geführt. Der Zeitpunkt schien günstig gewählt. Die vorangegangenen Sprengstoffanschläge und die durch sie hervorgerufenen Gegenmaßnahmen der Regierung hatten die Lage im Innern bis zum Zerreißen angespannt. Eben war ein Todesurteil an einem Sozialisten vollstreckt worden, der allerdings seine Position selbst bereits Richtung Nationalsozialismus definierte, vergeblich bemühte sich der Vizebürgermeister Ernst Karl Winter in der Nacht vor dem 25. Juli bei seinem Freunde Dollfuß, die Exekution hintanzuhalten. Dieser zeigte sich wegen der allgemeinen Lage im Lande, die kein Zurückweichen der Regierung mehr vertrug, unnachgiebig. Für die Nationalsozialisten war aber in dem Augenblick, wo auch für sie der Galgen drohte — die Regierung hatte ja auf den bloßen Sprengstoffbesitz die Todesstrafe gesetzt — der äußerste Zeitpunkt des Handelns gekommen. So wurde denn das lang erwogene Projekt in die Tat umgesetzt: Besetzung des Bundeskanzleramtes, Gefangennahme der Regierung bei einem Ministerrat, Besetzung des Wiener Rundfunkgebäudes und Verlautbarung, daß Rintelen, der seit langem konspirierte und sich bereithielt, die Regierung übernommen habe, Gefangennahme des Bundespräsidenten in seinem Sommersitz in Velden am Wörther See.

Das Unternehmen sollte schon am Tag vorher stattfinden, doch wurde der angesetzte Ministerrat verschoben, wovon die Verschwörer dank ihrer weitreichenden Verbindungen Kenntnis erhielten. Die notwendigen Umdisponierungen brachten die erste Störung in das Konzept des Putsches. Am nächsten Tag hat einer der Teilnehmer den Plan verraten, doch erhielt zunächst nur die Umgebung Feys und dieser selbst davon Kenntnis. Schon vorher waren aus Münchener SA-Kreisen, die seit dem 30. Juni 1934 im Gegensatz zur SS standen, Nachrichten über einen bevorstehenden Putsch durchgesickert, die aber bei den offiziellen österreichischen Stellen — gewollt und ungewollt — keine Beachtung fanden. Fey verfügte noch immer, obwohl er das Sicherheitsressort hatte abgeben müssen und ihn Dollfuß überwachen ließ, über einen eigenen Polizeiapparat, der sich gegen die offiziellen Organe scharf abgrenzte. So kam es, daß die Zeit ungenutzt verstrich und Maßnahmen von Leuten eingeleitet wurden, die den Anforderungen einer solchen Situation von vornherein nicht gewachsen sein konnten, so daß die Überrumpelung am Ballhausplatz gelingen konnte. Doch hatten die meisten Minister auf Rat des Kanzlers das Haus schon verlassen. Da auch der Handstreich auf den Rundfunk nur im ersten Augenblick Erfolg hatte und die Gefangennahme des Bundespräsidenten überhaupt fehlschlug, war der Putsch gescheitert. Die Ermordung des Bundeskanzlers Dollfuß scheint nicht von Anfang beabsichtigt gewesen zu sein. Es gelang nicht, ihn in Sicherheit zu bringen, so daß er den Kugeln der Fanatiker zum Opfer fiel. Manches spricht dafür, daß er als alter Soldat gegenüber den Eindringlingen eine Abwehrstellung eingenommen hat.

Die nichtbetroffenen Regierungsmitglieder versammelten sich im Gebäude des Heeresministeriums, der Bundespräsident nahm mit ihnen Verbindung auf, erklärte alle Verfügungen, die von dem am Ballhausplatz gefangenen Teil des Kabinetts ergehen sollten, als nichtig und übertrug die Führung der Regierung dem Unterrichtsminister Schuschnigg. Vizekanzler Starhemberg weilte zur Zeit in Italien. Das Rumpfkabinett versicherte sich zunächst der Person Rintelens, der einen Selbstmordversuch unternahm. Dann erhob sich die Frage, wie die Lage auf dem Ballhausplatz zu klären sei. Ein Sturm auf das Gebäude hätte das Leben der gefangenen Minister und Beamten bedroht, also entschloß man sich zu Verhandlungen. Inzwischen hatte Fey, der noch vor dem Hinscheiden des Kanzlers mit diesem mehrmals hatte sprechen können, durch den Fernsprecher und durch einen in das Heeresministerium entsandten Boten erklärt, daß er an die Spitze der Exekutive getreten sei, Dollfuß wünsche, daß alles Blutvergießen und darum alle Aktionen zu vermeiden seien, und daß Rintelen eine Regierungsumbildung auf breiter Basis vornehmen solle. Der unter Schuschnigg tagende Ministerrat nahm diese Erklärungen nicht zur Kenntnis, weil sie unter Druck erfolgt seien. Doch erfuhr er daraus, daß Dollfuß sehr schwer verwundet und aus einer weiteren Erklärung, die Fey wenig später an den Rundfunk richtete, daß der Kanzler im Sterben liege. Feys Aktivitäten gingen hier zweifellos über die von den Putschisten geforderte Kooperationsbereitschaft hinaus; er suchte sichtlich die Situation für einen eigenen Karrieresprung zu nutzen.

Die Putschisten erwarteten Rintelen. Als er nicht erschien, wollten sie durch die von Fey weitergegebenen Erklärungen sein Kommen erzwingen. Sie hatten doch alle Gefangenen des Ballhausplatzes als Geisel in der Hand. Schuschnigg und die um ihn versammelten Minister dachten aber nicht daran, solchen Forderungen nachzugeben. Sie verstanden sich nur dazu, den Putschisten freien Abzug zu gewähren, wenn diese rasch das Gebäude räumten. Als dann der Tod des Kanzlers bekannt wurde, unterließ es der mit den Verhandlungen am Ballhausplatz betraute Minister Neustädter-

Stürmer, die Prämisse für den Abzug — kein Menschenleben dürfe beklagt werden — hervorzuheben. Er war der Meinung, daß daran die Verhandlungen gescheitert wären. Trotzdem verpflichtete er sich mit seinem Wort zur Gewährung des freien Abzugs unter militärischer Bedeckung an die deutsche Grenze. Die Putschisten waren mißtrauisch und verlangten die Intervention des deutschen Gesandten als Bürgen dieser Vereinbarung. Dieser erschien zwar vor dem Kanzleramt, doch lehnte Neustädter namens der Regierung seine Mitwirkung ab. Für die Aufrührer hatte das schwere Folgen. Sie erhielten keinen freien Abzug, einer ihrer Anführer, Planetta, der sich nach Androhung der Dezimierung selbst als Kanzlermörder gemeldet hatte, sowie vier Polizisten und ein aktiver Soldat wurden hingerichtet. Obwohl der zurückgekehrte Starhemberg und auch Neustädter-Stürmer am nächsten Tage im Ministerrat die Meinung vertraten, formal müßten alle freigelassen werden, kam die Regierung in ihrer Gesamtheit zu dem Entschluß, nach außen so zu tun, als ob sie nicht gewußt hätte, daß Dollfuß zum Zeitpunkt der Vereinbarungen schon tot war. Dies geht aus dem seither veröffentlichten Ministerprotokoll vom 26. Juli hervor. Gründe der Staatsräson, Abschreckung gegenüber der Exekutive, an deren voller Verläßlichkeit man nach den Erfahrungen des vorhergehenden Tages zweifelte, und Sorge über die Rückwirkungen auf das Ausland waren bestimmend für diese Handlungsweise.

Die Kapitulation der Rebellen im Kanzleramt bedeutete noch nicht das Ende des Kampfes, den der Staat um seine Existenz zu führen hatte. Die Verlautbarung über die Bildung einer Regierung Rintelen im Rundfunk sollte das Signal für eine Volkserhebung sein, mit der der Putschplan rechnete. Diese blieb aber aus, beschränkte sich zumindest auf einige Länder. Wohl kam es in Kärnten, der Steiermark und den angrenzenden Teilen Oberösterreichs zu heftigen Kämpfen, doch vermochte nach wenigen Tagen die Exekutive die Oberhand zu gewinnen. Wieder gab es auf beiden Seiten schwere Verluste. Dann brach der Aufstand zusammen. 38 Exekutivbeamte und Angehörige des Bundesheeres fielen zusammen mit 66 Angehörigen der regierungsnahen Wehrverbände; neun Zivilisten fanden den Tod und 140 Putschisten, zu denen noch die 13 standrechtlich Hingerichteten zu zählen sind. Auf Regierungsseite gab es 430, auf der Seite der Nazis 660 Verletzte. Der letzte Rest derer, die zu den Waffen gegriffen hatten, die teilweise aus den Beständen des früheren Steirischen Heimatschutzes stammten, trat auf jugoslawisches Gebiet über. Alles andere wurde gefangengenommen, in manchen Alpentälern gab es keine erwachsenen Männer mehr. Während in Wien die Linke ruhig blieb, zeigte sich in den Bundesländern, besonders aber in Kärnten, wieweit der Nationalsozialismus ehemalige Anhänger der SDAP anzusprechen vermocht hatte.

In besonderer Weise zeichnete sich die Gendarmerie aus. Auf schwach besetzten Posten allein auf sich gestellt, vermochte sie vielfach einer Übermacht von Nationalsozialisten standzuhalten. Die Aufständischen hatten keine Verbindung mit Wien, in ihren Reihen stritten vor allem SA-Formationen, während der Handstreich auf das Bundeskanzleramt ein SS-Unternehmen war. Diesen Kämpfen in den südlichen Bundesländern fehlten weitgesteckte Ziele. Für die Beteiligten handelte es sich in erster Linie um eine Machtergreifung. Das verkündeten die Plakate, die angeschlagen wurden. Sie sprachen mit einer deutlichen Spitze gegen Italien und die Westmächte von einem Österreich, das nach allen Seiten unabhängig sein müsse und forderten eine Volksabstimmung. Von einem Anschluß an Deutschland war nirgends die Rede, die Gefahr außenpolitischer Verwicklungen schien zu groß.

Diese Einsicht bestätigte sich, als bekannt wurde, daß Mussolini seine schnellen Divisionen, die sich zu Manövern in Oberitalien befanden, an den Brenner verlegte und demonstrativ sein Interesse an Österreich zur Schau stellte. Auch Hitler mußte das klar zur Kenntnis nehmen. War er auch von den Vorgängen in Wien nicht unterrichtet gewesen, so wurde ihm nunmehr klar, daß seine Politik, Habicht und seinem Kreis in München freie Hand zu lassen, Schiffbruch erlitten hatte. Schnell warf er das Steuer herum, die Legion, die sich zu einem Einfall nach Österreich anschickte — ein kleiner Trupp hatte schon bei Kollerschlag die Grenze überschritten, wo es zu einem Gefecht kam — wurde durch Reichswehr und SS zurückgehalten, die Übernahme der Kanzleramtsputschisten wurde abgelehnt und der deutsche Gesandte in Wien von seinem Posten abberufen. Hitler ließ den Vizekanzler Franz von Papen zu sich nach Bayreuth kommen und bat ihn dringend, als „Sonderbotschafter" nach Wien zu gehen. Papen, der eben erst bei den Ereignissen des 30. Juni in Deutschland knapp der Ermordung entgangen war, verlangte und erhielt Zusicherungen, daß in der Politik gegenüber Österreich eine grundlegende Wendung eintreten werde. Habicht wurde abgesetzt und Papen übernahm die Aufgabe, die deutschen Ziele in Österreich auf evolutionärem Wege zu verfolgen.

So wurde die österreichische Regierung binnen wenigen Tagen Herr der Lage, der Aufstand war niedergeschlagen, die innere Opposition verstummte. Ein Versuch von linker Seite, die Lage zu nützen und die Wiederherstellung ihrer Partei zu verlangen, wurde von Schuschnigg schroff abgelehnt. Noch war er nicht der definitive Nachfolger von Engelbert Dollfuß. Starhemberg war zurückgekehrt und der Heimatschutz, der in den Kampftagen ebenso wie die anderen Wehrverbände schwere Verluste erlitten hatte, die teilweise auf mangelnde Ausbildung zurückgingen, machte seine Forderungen geltend. Die Lage verschärfte sich durch die besondere Stellung, die Fey und die ihm treu ergebene Wiener Heimwehr einnahmen. Am Tag, da Schuschnigg endgültig zum Bundeskanzler ernannt wurde, befürchtete man sogar einen Putsch von dieser Seite und traf entsprechende Abwehrmaßnahmen.

Trotzdem verblieb Fey auch in der neuen Regierung. Mussolini hatte sich zu Starhemberg geäußert, er sei als Mitglied der Regierung weniger gefährlich als außerhalb. Seine Haltung am 25. Juli wurde damals und später viel umstritten. Es steht fest, daß er zuletzt zu Dollfuß in großem Gegensatz stand und daß auch er Fäden spann, die nach München führten. Nach dem Februar 1934 glaubte er sich zum Diktator Österreichs berufen, ein größeres Konzept fehlte ihm aber, er war bereit, mit jedem zu gehen, der ihm eine entsprechende Stellung einräumte. Es ist nicht anzunehmen, daß er in die Vorbereitung des Putsches eingeweiht war, doch hat er durch sein Zögern bei Weiterleitung der ihm bekanntgewordenen Pläne am Vormittag des 25. Juli den Ablauf der Ereignisse in ungünstiger Weise beeinflußt. Sein Streben ging dahin, mit seinen Heimwehranhängern das Gesetz des Handelns im Interesse seiner eigenen Person in der Hand zu behalten, eine Taktik, die er bereits im Februar exerziert hatte. Als die Rebellen das Kanzleramt besetzt hatten, suchte er zu lavieren, seine Erklärungen, die er zugunsten Rintelens abgab, erfolgten nicht alle unter Druck, erst als sich der endgültige Ausgang abzuzeichnen begann, schlug er sich auf die Seite des siegenden Teiles. In der Folgezeit war er von vielen Seiten, nicht zuletzt auch von seinem alten Gegner Starhemberg, schweren Angriffen ausgesetzt, doch hat ein Offiziersehrenrat sein Verhalten am 25. Juli als einwandfrei erklärt.

Der Bundespräsident Miklas ernannte am 30. Juli 1934 Schuschnigg zum Bundeskanzler. Er sträubte sich dagegen, einen Heimwehrmann an die Spitze des Kabinetts zu stellen. Starhemberg wurde Vizekanzler, doch trat er als Bundesführer an die Spitze der Vaterländischen Front, wo Schuschnigg den Platz seines Stellvertreters einnahm. Die beiden Männer waren einander wechselseitig vorgesetzt. Dadurch entstand ein eigenartiger Dualismus in der Staatsführung. Die Regierung selbst hat man nicht mit Unrecht als ein Kabinett der militanten Verbände bezeichnet. Bei dem Gewicht, das der Vaterländischen Front als einzigem Organ der politischen Willensbildung zukam, hätte Starhembergs Stellung die Schuschniggs leicht überflügeln können. Er beschränkte sich aber darauf, den Amtswalterapparat der Front mit seinen Anhängern zu durchsetzen. Systematische Arbeit lag ihm wenig. So vermochte ihn der ihm geistig weit überlegene Schuschnigg allmählich an die Wand zu spielen. Dieser war ein Mann unermüdlicher zäher Bedächtigkeit. Er hatte ein Konzept, das er schrittweise durchzuführen suchte. Improvisationen, wie sie Dollfuß liebte, lagen ihm nicht. Politik machte er entweder allein oder im engsten Kreise; so viel er auch in die Öffentlichkeit trat, er wurde niemals populär, persönlichen Kontakt mit breiteren Volksschichten, vor allem auch mit dem Bauerntum zu finden, blieb ihm versagt.

V

ÖSTERREICH ALS OBJEKT TOTALITÄRER AUSSENPOLITIK

Der italienische Kurs

Die seit 1929 zunehmende Blockbildung zwischen Italien, Ungarn und Österreich kulminierte in den Römer Protokollen 1934; wenngleich sich Österreich wegen der finanziellen Notwendigkeiten weiterhin innerhalb des Völkerbundes und in direkten Kontakten mit Frankreich und Großbritannien außenpolitisch positionierte, hatte es ab 1933 eine außenpolitische Wendung hin zum italienischen Mitteleuropakurs, bzw. hin zur Einbindung in die italienischen Donauraumpläne gegeben. Zwar bemühte man sich angesichts des nationalsozialistischen Terrors um eine Internationalisierung, doch akzeptierte man dabei die Vorhand Italiens. Dollfuß erstes großes internationales Auftreten beim Londoner Wirtschaftsgipfel war zweifellos ein außenpolitischer Erfolg, da man seine Position im Widerstand gegen Hitler positiv würdigte. So gesehen mußten seine wiederkehrenden Versuche, in Verhandlungen mit reichsdeutschen Stellen eine Entschärfung des Konfliktes herbeizuführen, als Schwäche eingestuft werden. Der italienischen Deckung räumte man in London durchaus auch positive Aspekte ein, da damit eine Interessenskollision Italiens und des Deutschen Reiches prolongiert werden mußte, die — so meinte man — eine zunehmende Westorientierung Italiens mit sich bringen könnte. Wenngleich die innenpolitische Entwicklung ab März 1933 Großbritannien und besonders Frankreich nicht gerade freudig stimmte, so war es unverkennbar, daß dies letztlich als innerösterreichische Angelegenheit abgeschwächt wurde. Das Haupthindernis für die von Italien gewünschte Demontage demokratischer Formen und Faschisierung Österreichs lag in der Existenz der Sozialdemokraten; gerade „aber diesen Kampf gegen die organisierte Arbeiterbewegung hatte Dollfuß, wie er den deutschen Gesandten in Wien" Rieth im Dezember 1933 wissen ließ, „bis dahin nicht wagen können, weil er fürchtete, gleichzeitig von den Nationalsozialisten angegriffen zu werden. ‚Eine Befürchtung' — so Rieth —, ‚die meines Wissens nicht unbegründet ist'" (Stuhlpfarrer, Außenpolitik). Die Februarereignisse führten hier zu einer Frontbegradigung, die im Ausland, bei den britischen Konservativen etwa, auch als positive Stärkung der Regierung Dollfuß interpretiert wurde, nachdem ab März die Entrüstung über den „Heimwehrcoup" vom Februar abgeklungen war. Dennoch machten sich ab diesem Zeitpunkt Denkschulen bemerkbar, die angesichts

der innenpolitischen Ereignisse den Standpunkt vertraten, daß die Westmächte nun nicht mehr an ihre Verpflichtungen Österreich gegenüber gebunden wären (Beer, Anschluß). Es muß festgehalten werden, daß der Sieg
der Regierung im Februar, vorerst „auch die Stellung von Dollfuß im Ausland, auch wenn sich die internationale Öffentlichkeit kurzfristig über die
Brutalität erregt hatte", festigte (Haas, Stuhlpfarrer). Die Demarche der
Großmächte Großbritannien, Frankreich und Italien zu Österreichs Gun-
sten in der Auseinandersetzung mit dem Deutschen Reich am 17. Februar
1934 und auch die Römer Protokolle, die am Ende der italienischen Block-
bildungspolitik standen, unterstrichen dies. Langfristig hatte sich Österreich
aber einer italienischen Dominanz ausgeliefert, die weder politisch noch
wirtschaftlich das brachte, was man erwartet hatte. Ungarn blieb hier flexi-
bler, nutzte die wirtschaftlichen Möglichkeiten, die durch die deutschen
Avancen offenstanden, und ging zu einer Politik über, die letztlich auf jene
Position hinauslief, die Jugoslawien mit einigen anderen Balkanstaaten
teilte: Österreich als innerdeutsches Problem zu sehen und selbst Zeit zu gewinnen, indem man aus der deutsch-italienisch/österreichischen Frontstellung zu profitieren suchte.

Diese lag in der Linie der italienischen Politik, die sich ein Bollwerk im
Donauraum schaffen wollte. Schon im Herbst 1933 war Mussolini mit
einem Memorandum über die wirtschaftliche Annäherung der Donaustaaten hervorgetreten, dessen Grundgedanken von Dollfuß stammten, der
ein anerkannter Fachmann auf dem Gebiete der Wirtschaftspolitik war.
Mussolini dachte dabei an einen Gegenzug gegen die Kleine Entente, die
sich eben ein neues Statut gegeben hatte. Angesichts der geringen Leistungs-
kraft Italiens in dieser Wirtschaftskooperation wurde deutlich, daß der
eigentliche Sinn naturgemäß in den politischen Absprachen zu suchen war.

Der Abschluß des antirevisionistischen Balkanpaktes am 9. Februar 1934
beschleunigte die Entwicklung, die Unterstaatssekretär Fulvio Suvich durch
seine Besuche in Wien und Budapest vorangetrieben hatte. Schließlich
kamen Dollfuß und der ungarische Ministerpräsident Gömbös in Rom bei
Mussolini zusammen und unterzeichneten am 17. März die Protokolle, die
zunächst die wirtschaftlichen Beziehungen der drei Staaten regeln sollten.
Diese waren nicht leicht aufeinander abzustimmen. So kam es zu keiner
Zollunion; diese hätte auch politisch den Widerstand der Kleinen Entente
und Frankreichs hervorgerufen. Damals zeichnete sich eine gewisse Annäherung der italienischen Politik an die französische ab. Gerade das war der
Kleinen Entente ein Dorn im Auge, weil sich daraus leicht Rückwirkungen
auf den ungarischen Revisionismus ergeben konnten. Dieser schien ebenso
gefährlich wie die Politik Polens, das mit einer deutsch-französischen Annäherung rechnete und darum seine Haltung gegenüber Deutschland revi-
dierte. Beneš, der Sprecher der Kleinen Entente, schlug daher im tschechoslowakischen Parlament eine von Europa garantierte Selbständigkeit und ter-

ritoriale Integrität Österreichs vor. Er hoffte, damit der Entscheidung aus dem Weg zu gehen, ob die Kleine Entente eine Verständigung mit Deutschland gegen Italien oder umgekehrt suchen solle. Viel kam ihm auch auf eine Beeinflussung der englisch-französischen Politik an.

Solche Pläne hätten zu einer Neutralisierung Österreichs führen können. Die Teilnahme an dem Pakt von Rom bedeutete aber die Führung einer gemeinsamen Außenpolitik mit Italien, das Protokoll spricht ausdrücklich von der Pflicht zur Konsultation. Nach außen beabsichtigte man keine Blockbildung, allen Staaten sollte die Teilnahme offenstehen, doch hatte sich schon bei der gescheiterten deutsch-österreichischen Zollunion der problematische Wert solcher Klauseln gezeigt. Die Protokolle von Rom stellten ein gemeinsames Dach dar, unter dem die schon bestehenden zweiseitigen Freundschaftsverträge — auch Österreich hatte solche schon unter Schober mit Italien und Ungarn abgeschlossen — Platz fanden. Auch bestanden wirtschaftliche Abmachungen aus dem Jahre 1932, die sogenannten Brocchi-Verträge.

Als Schuschnigg im August 1934 mit Mussolini in Florenz zusammentraf, erfuhr er, daß Dollfuß noch weitergehende Vereinbarungen mit dem italienischen Staatschef abgeschlossen hatte, die militärischen Inhalt hatten, und Schuschnigg bis dahin unbekannt waren. Dabei handelte es sich nicht bloß um den alten Wunsch Italiens nach einem Durchmarschrecht durch Kärnten bei einem Konflikt mit Jugoslawien, es waren auch für den Fall innerer Unruhen in Österreich bestimmte Abreden getroffen. Diese Dinge schienen Schuschnigg gefährlich, da er wußte, daß Jugoslawien bei einem Einmarsch italienischer Streitkräfte nach Österreich seinerseits eingreifen und vielleicht auch die Tschechoslowakei zu ähnlichen Unternehmungen mitreißen würde. Auch sagte er Mussolini offen, daß das österreichische Volk bei allen inneren Gegensätzen ein militärisches Unternehmen Italiens nicht ertragen und sich einmütig dagegen kehren würde. So hatte die italienische Truppenpräsenz am Brenner im Juli 1934 wesentlich mehr genützt als ein Einsatz italienischer Truppen direkt, der sowohl inneösterreichisch als auch in bezug auf die Anrainerstaaten kontraproduktiv gewesen wäre. Die von Mussolini eingeforderten Absprachen mit Dollfuß wurden durch den Königsmord von Marseille am 9. September 1934 aktualisiert, so daß die laufenden Verhandlungen über eine militärische Kooperation während eines Besuches Schuschniggs in Rom am 11. November 1934 abgeschlossen werden konnten. Das Geheimabkommen zwischen Italien, Ungarn und Österreich sah die Bildung eines gemeinsamen Oberkommandos für den Fall eines jugoslawischen Angriffes vor. Sechs Tage später wurde schließlich auch zwischen Italien und Österreich ein Rüstungsvertrag abgeschlossen.

Schwieriger war es für Schuschnigg, bei der Völkerbundstagung in Genf im September 1934 für seine Regierung Verständnis zu finden. Die Mißstimmung, die sich nach den Februarereignissen bei den Weststaaten verbreitet hatte, wirkte nach. Schuschnigg und Österreichs Außenminister

Berger-Waldenegg suchten zu erklären, was sich erklären ließ, und unterstrichen dabei, daß sich die Parteien infolge der besonderen Struktur der österreichischen Verhältnisse überlebt hätten. Die italienische Diplomatie setzte sich bei der Genfer Tagung für einen Garantiepakt ein, den die Nachfolgestaaten der Monarchie zur Sicherung der österreichischen Unabhängigkeit schließen und durch die drei Großmächte England, Frankreich und Italien bekräftigen lassen sollten. Ein solches Abkommen kam nicht zustande. Man begnügte sich schließlich mit einer Erklärung der drei Großmächte vom 27. September 1934, durch die ihre Deklaration vom 17. Februar erneuert wurde. War sie auch nicht im Rahmen des Völkerbundes erfolgt, so gab die Datierung aus Genf doch einen Schimmer von kollektiver Sicherheit, ein Gesichtspunkt, der damals die Politik der Westmächte beherrschte. Schuschnigg setzte damit die Außenpolitik von Dollfuß fort, der in einer Art Doppelstrategie der engen Bindung an Italien eine beschränkte Internationalisierung an die Seite gestellt hatte.

Bei der Begegnung zwischen dem französischen Ministerpräsidenten Laval und Mussolini in Rom kam es zu Absprachen, die zum einen den italienischen Kompensationsvorstellungen kolonialer Natur in Afrika entgegenkamen und zum anderen für Österreich eine Schutzgarantie beinhalten sollten. Frankreich, das stets bemüht war, Italien in die Front gegen Hitler einzubeziehen, hatte die seit 1934 evidenten Aspirationen Italiens auf Abessinien nicht zurückgewiesen, so daß Mussolini in der Folge behauptete, freie Hand erhalten zu haben, während Laval eindeutige Zusagen in dieser Richtung in Abrede stellte. Angesichts der deutschen Aufrüstung kamen den italienischen Bemühungen um Österreich auch in Frankreich große Bedeutung zu: Man kam überein, im Falle einer Bedrohung der österreichischen Unabhängigkeit vorbereitende Maßnahmen zu treffen. Weiterführende Gespräche wurden zwischen den Generalstabschefs der beiden Staaten im Juli und im September geführt. Ein allgemeiner Nichteinmischungspakt Österreich betreffend, der angeregt wurde, führte zu keinem Ergebnis.

Mit Absicht gedachte man, die Form eines Nichteinmischungspaktes zu wählen. Eine bloße Garantie der territorialen Integrität hätte dem beabsichtigten Ziel nicht entsprochen. Nach der damaligen Lage war ja Österreich nicht so sehr von einem militärischen Eingreifen Deutschlands, als vielmehr durch revolutionäre Unternehmungen im Innern, die von außen gefördert wurden, bedroht. Gegen eine allgemeine Garantie der Grenzen sprach sich auch Ungarn aus, dessen revisionistische Bestrebungen durch eine solche Verpflichtung beeinträchtigt worden wären. Doch auch die Formel „Nichteinmischung" bot Schwierigkeiten. Die Staaten der Kleinen Entente, als deren Wortführer Jugoslawien auftrat, verstanden darunter auch die Frage einer Restauration der Habsburger in Österreich. Sie wollten nicht zugeben, daß dies eine innere Angelegenheit Österreichs sei, sondern verlangten, daß dieses Problem als internationale Angelegenheit behandelt werde. Nach dem

Staatsvertrag von Saint-Germain bestanden für Österreich keine Verpflichtungen zu einer bestimmten Staatsform, doch hatte die Botschafterkonferenz der Ententemächte im Zusammenhang mit den Versuchen Kaiser Karls, nach Ungarn zurückzukehren, am 1. April 1921 einseitig eine solche Bestimmung erlassen. Auch gab es einen Vertrag zwischen der Tschechoslowakei und Jugoslawien, den die beiden Staaten zur Abwehr jeder Restauration nicht nur in Ungarn, sondern auch in Österreich abgeschlossen hatten.

Die Lage wurde dadurch erschwert, daß Schuschnigg zum Unterschied von seinem Vorgänger grundsätzlich Monarchist war. Dollfuß hatte bloß aus opportunistischen Gründen zeitweise freundliche Worte gegenüber den Legitimisten gebraucht. Schuschnigg machte sich aber zur Richtschnur, die Frage der Staatsform als ein Souveränitätsrecht eines selbständigen Staates zu bezeichnen, wobei er sich um das Problem, ob und wie weit der Gedanke einer Restauration auch die breiten Massen des Volkes erfaßt habe, nicht sonderlich kümmerte. Die Folge davon war, daß über diese Dinge in der Öffentlichkeit unendlich viel geredet wurde, ohne daß in der Realität den weitgespannten Wünschen der Legitimisten, in denen Schuschnigg orthodoxe Vertreter der österreichischen Eigenstaatlichkeit erkannte, entsprochen werden konnte. Er begnügte sich mit der immer wieder wiederholten Erklärung, daß die Frage der Restauration nicht aktuell sei.

Die Vieldeutigkeit des Begriffes Nichteinmischung ermöglichte Deutschland, durch das Ersuchen um eine genaue Definition den Abschluß des geplanten Paktes auf die lange Bank zu schieben. Umgekehrt befürchtete Frankreich, daß Deutschland nach dem Erfolg, den es eben bei der Saarabstimmung errungen hatte, nun auch für Österreich einen ähnlichen Vorgang fordern und das Ergebnis unter dem Titel Nichteinmischung gegenüber den Westmächten behaupten würde. Man erkennt daraus, wie problematisch ein solcher Nichteinmischungspakt gewesen wäre, weil letzten Endes alle Staaten ihre eigenen Interessen in und gegenüber Österreich zu verfechten suchten. Es zeigte sich, daß Österreich mehr Objekt als Subjekt der europäischen Diplomatie war. Das Problem griff durch manche Verflechtungen über den Donauraum hinaus und berührte den Balkanbund, der im Gegensatz zu den italienischen Bestrebungen im östlichen Mittelmeer stand, dem aber auch Mitglieder der Kleinen Entente angehörten. Diese Divergenzen waren schwer zu bereinigen, doch behauptete Italien nach wie vor seine Stellung als Wächter der Eigenstaatlichkeit Österreichs. Am 21. Jänner 1935 lud der italienische Generalstabschef Pietro Badoglio seinen französischen Kollegen Gamelin zu Besprechungen über einen gemeinsamen Plan zum bewaffneten Schutz Österreichs ein. Später kam es auch zu einem Militärabkommen, das Österreich, wenn auch nur für kurze Zeit, die Gewähr zu geben schien, es würde auch am Rhein marschiert werden, wenn irgendein Angriff auf seine territoriale Integrität erfolge.

Eine Reise, die Schuschnigg im Winter 1935 in Begleitung des dem Heimatschutz angehörenden Außenministers Berger-Waldenegg nach Paris und London unternahm, diente der Orientierung über die schwebenden Fragen. Er unterstrich den Wunsch nach Aufhebung der Beschränkungen, die durch den Friedensvertrag in wehrpolitischer Hinsicht für Österreich bestanden und die Einführung einer allgemeinen Wehrpflicht ausschlossen. Man verlange von Österreich, mit eigenen Kräften für seine Unabhängigkeit einzutreten und unterbinde den Ausbau seiner Wehrmacht. In dieser Frage zeigte sich die Kleine Entente harthörig, sie befürchtete Rückwirkungen auf Ungarn. Doch brachte Schuschnigg die Überzeugung heim, Österreich würde solange im Westen Interesse finden, als es mit seinen inneren und wirtschaftlichen Schwierigkeiten selbst fertigwerden könne. England scheute allerdings davor zurück, feste Verpflichtungen einzugehen. Im Ernstfall wäre es kaum gegen Deutschland marschiert, hätte sich vielmehr als Vermittler betätigt und eine Volksabstimmung in Österreich durchführen lassen. Eine Garantie durch die Nachfolgestaaten allein suchte Schuschnigg zu vermeiden. Das wäre Wasser auf die Mühlen der inneren Opposition gewesen, auch sprach sein Gefühl für altösterreichische Tradition dagegen. So nahm denn der geplante Donaupakt die Gestalt einer komplizierten Mehrstufigkeit an. In erster Linie sollten ihn die Nachbarn Österreichs unterzeichnen, denen sich Rumänien und Polen, letzten Endes noch Frankreich und England anschließen sollten.

Im März 1935 zerriß Deutschland die militärischen Klauseln des Friedensvertrages. Von da ab stand das Problem der offen betriebenen Wiederaufrüstung der deutschen Wehrmacht im Vordergrund der Aufmerksamkeit der europäischen Diplomatie. Rußland trat in den Völkerbund ein und kehrte damit in das Konzert der Mächte zurück. Alsbald zeigte sich die Rückwirkung bei jenen Staaten, die in ideologischem Gegensatz zu den Sowjets standen oder, wie Jugoslawien, bis dahin keine diplomatischen Beziehungen zu Rußland unterhielten. So war man froh, daß auf der Konferenz von Stresa am 14. April 1935 eine gemeinsame Erklärung Englands, Frankreichs und Italiens über die österreichische Unabhängigkeit erfolgte, die sich kaum von den vergangenen Deklarationen vom Februar und September 1934 unterschied, jedoch Österreich das Gefühl einer Verankerung innerhalb des internationalen Interesses geben sollte. Die für Rom geplante Donaukonferenz sollte eine endgültige vertragliche Fixierung bringen, sie fand allerdings nicht mehr statt. Die in der Folge geführten Besprechungen zwischen den Generalstabschefs Frankreichs und Italiens, bzw. Jugoslawiens beinhalteten auch das militärische Vorgehen im Falle eines Einmarsches Deutschlands in Österreich. Frankreich dürfte zu diesem Zeitpunkt bereits an der Aufrüstung der österreichischen Armee, die als Folge des Rüstungsabkommens zwischen Österreich und Italien mit italienischer Unterstützung betrieben wurde, mitgewirkt haben.

Für Österreich bedeutete die Erklärung von Stresa zunächst eine Sicherung. Auch Hitler konnte sich in der damaligen Situation dieser Erkenntnis nicht verschließen. In einer Reichstagsrede am 21. Mai 1935 versicherte er, Deutschland habe weder die Absicht noch den Willen, sich in die inneren österreichischen Verhältnisse einzumengen, Österreich etwa zu annektieren oder anzuschließen. Er konnte sich aber nicht versagen, daran die Bemerkung zu knüpfen, daß sich keine Regierung, die sich nicht auf die Mehrheit des Volkes stütze, halten könne. Das verstimmte in Wien, doch Schuschnigg antwortete am 29. Mai im Bundestag im Bewußtsein des internationalen Interesses an Österreichs Unabhängigkeit unter Betonung der österreichischen Souveränität, die keine Einmischungen in innere Angelegenheiten dulde. In der für ihn charakteristischen Mischung hob er die Mission Österreichs als die eines friedliebenden „zweiten deutschen Staates" in Europa hervor, eine Position, die von jedem Staat akzeptiert werden müßte. In diese Richtung zielten auch die italienischen Vorschläge für den geplanten Vertrag, der die absolute Nichteinmischung in die inneren Angelegenheiten der Vertragspartner — auf politischer und propagandistischer Ebene —, eine Nichtangriffs-Vereinbarung und eine Konsultationsverpflichtung vorsah. Im August würdigte auch die Kleine Entente diesen Entwurf positiv, was „in der österreichischen politischen Führung die allergrößten Erwartungen wecken" mußte (Stuhlpfarrer, Außenpolitik).

Für Schuschnigg entstanden neue Schwierigkeiten, als durch ein Gesetz die Rückgabe gewisser Teile des Habsburgervermögens an das ehemalige Herrscherhaus verfügt wurde. Die Staaten der Kleinen Entente hielten das für eine Ankündigung einer unmittelbar bevorstehenden Restauration und reagierten heftig. Sie entfalteten eine rege diplomatische Aktivität, Reisen von Staatsoberhäuptern und Ministern waren an der Tagesordnung. Sie ließen sich nicht damit beruhigen, daß es sich bloß um die kleine Restauration innerhalb der Grenzen Österreichs handeln würde, sie glaubten, daß ein weiteres Ausgreifen auf Ungarn und Kroatien unvermeidbar wäre. Man ließ Wien wissen, daß eine Monarchie in Österreich zumindest für Jugoslawien den Kriegsfall bedeuten würde. Es tauchte daher der Gedanke auf, in Österreich eine Reichsverweserschaft wie in Ungarn zu errichten und Starhemberg mit dieser Aufgabe zu betrauen. Schuschnigg versicherte immer wieder, daß die Angelegenheit nicht aktuell sei, doch setzte er der legitimistischen Propaganda im Innern keine zu engen Grenzen. So kam es, daß mehr als tausend Gemeinden den Kaisersohn Otto, der als einziger legitimer Kronprätendent in Betracht kam, zum Ehrenbürger ernannten.

Es war schwer, ein wirkliches Bild über die Stärke der legitimistischen Bewegung zu gewinnen, weil diese durch eine lebhafte Propaganda und die Förderung, die sie von offizieller Seite erfuhr, sich selbst über ihre zahlenmäßige Basis täuschte. Im allgemeinen ging ihre Anhängerschaft über eine gewisse traditionsbewußte Schicht des Adels, der altösterreichischen Offi-

ziere und Beamten sowie des konservativen Bürgertums nicht hinaus. Die
zahlreichen Ehrenbürgerernennungen besagten in dieser Hinsicht wenig.
Manche Länder, wie Oberösterreich, hielten sich fast gänzlich fern, anderwärts erfolgten solche Akte vielfach in Gemeinden, die, wie etwa Wiener
Neustadt, politisch ganz anders eingestellt waren, deren nach dem Verfassungsübergangsgesetz ernannten Vertretungen aber solche Beschlüsse
faßten, die als politische Instinktlosigkeit gewertet werden müssen.

Am 2. Oktober 1935 begann Mussolini seinen Feldzug gegen Abessinien
und stürzte sich damit in einen Konflikt mit dem Völkerbund, der wegen
des Friedensbruches wirtschaftliche Sanktionen über Italien verhängte.
Österreich geriet dadurch in eine schwierige Stellung. Einerseits war es
durch die Protokolle von Rom eng an Italien geknüpft, auf der anderen
Seite mußte es als Mitglied des Völkerbundes, der ihm auch noch in letzter
Zeit durch Zustimmung zur Konvertierung der aufgenommenen Anleihen
finanziell unter die Arme gegriffen hatte, gebührend Rücksicht auf Genf
und die dort den Ton angebenden Westmächte nehmen. Als Kleinstaat
durfte es die wirtschaftlichen Folgen, die eine Beteiligung an den Sanktionen nach sich gezogen hätte, nicht übersehen. Trotzdem war die Art, wie
es seinen Entschluß der Nichtbeteiligung an den Maßnahmen gegen Italien
der Völkerbundversammlung unterbreitete, nicht glücklich. Zusammen mit
Ungarn und Albanien stimmte es gegen 52 dort vertretene Staaten. Die
österreichische Regierung ließ überdies durch ihren Vertreter noch ihre besondere Sympathie für Italien unterstreichen. Das verstimmte die Westmächte und wurde auch im eigenen Lande, dessen Bevölkerung dem italienischen Kurs der Außenpolitik nicht nur in Tirol kritisch gegenüberstand, mit
Mißfallen aufgenommen. Angesichts der äußerst zurückhaltend taktie-
renden Haltung Frankreichs und Großbritanniens in der Frage des Völkerbundes und der Sanktionsmaßnahmen — so unterlagen kriegswichtige Materialien wie Erdöl nicht den Sanktionen — und angesichts etwa der schwei-
zerischen pragmatischen Politik — man lieferte weiterhin alles gegen Bezah-
lung —, ist es umso unverständlicher, daß Österreich so brüsk agierte. Das
Deutsche Reich verfolgte sehr genau die halbherzige Völkerbundpolitik und
das zurückhaltende Taktieren Englands und Frankreichs in dieser Frage
und betrachtete den gesamten Vorgang geradezu als Testfall für eigene Bestrebungen.

Bald zeigten sich unangenehme Folgen für Österreich. Der Versuch, für
die fälligen Verpflichtungen, die aus der Haftung für die Creditanstalt her-
rührten, eine Stundung zu erreichen, schlug in London fehl. Dadurch geriet
der Staatshaushalt in Unordnung, einschneidende Sparmaßnahmen, die die
Bevölkerung schwer belasteten und namentlich die Beamtenschaft beunruhigten, konnten nicht vermieden werden. Eine Rede, die Außenminister
Berger-Waldenegg am 28. November im Bundestag hielt, signalisierte die
Absicht, sich wiederum dem Westen, vor allem England, zu nähern. Blieb

auch der Heimatschutz nach wie vor der Verfechter einer einseitig italienischen Orientierung, so gebot doch die allgemeine Lage, nicht alles auf diese
Karte allein zu setzen. Schuschnigg persönlich war von Anfang seiner Kanz-
lerschaft an bemüht gewesen, neben den engen Beziehungen zu Italien, die
er für die Sicherung Österreichs als unumgänglich ansah, den Kontakt mit
Prag und Belgrad nicht zu verlieren. In diesem Konnex mußte der Restaura-
tionskomplex negativ wirken, wenngleich etwa in England verschiedene po-
litische Gruppen die Ansicht vertraten, daß allein eine Restauration der
Habsburger den Anschluß langfristig verhindern könnte. Man war sich aber
im klaren, daß ein derartiger politischer Umschwung in Österreich zu einer
Koalition der illegalen Linken und Nationalsozialisten führen könnte. Als
Ersatz für andere Möglichkeiten unterstützte London aber die Bemühungen
Wiens um eine Verbesserung der Beziehungen zu den Staaten der Kleinen
Entente, was aber in Jugoslawien nicht goutiert wurde.

Anders gestaltete sich das Verhältnis zur Tschechoslowakei. So unerwünscht ihr eine Rückkehr der Habsburger nach Wien schien, so nahm sie
doch nicht in so eindeutiger und energischer Weise gegen eine solche Möglichkeit Stellung wie der jugoslawische Bundesgenosse. Für Prag stand mehr
das Verhältnis zu Ungarn im Vordergrund des Interesses und der Weg nach
Budapest führte über Wien. So kam es, daß Schuschnigg einer Einladung zu
einem Vortrag in Prag folgte, der am 16. Jänner 1936 unter dem Titel „Weg
und Ziel der wirtschaftlichen Aufbauarbeit in Mitteleuropa" stattfand. Der
wesentliche Zweck dieser Reise bestand aber darin, zu sondieren, wie weit
vom nördlichen Nachbarn her mit einer Unterstützung Österreichs gerechnet werden könne. Schuschnigg fand bei dem tschechoslowakischen
Ministerpräsidenten Hodža viel Verständnis. Dieser hatte ehedem dem
Kreis des Thronfolgers Franz Ferdinand angehört und war mit der Problematik des Donauraumes wohl vertraut. Nun trat er mit einem Plan der wirtschaftlichen Zusammenarbeit der Donaustaaten hervor, der an sich nicht
neu war, aber doch einen Weg zeigen wollte, zu verhindern, daß jeweils ein
Kleiner einem übermächtigen Großen, Deutschland oder Italien, unge-
schützt gegenüberstand. In der Folge kam Hodža mehrmals nach Österreich
und konferierte mit Schuschnigg.

Italien sah mit wenig Vergnügen solche Bestrebungen, die mit einer westlichen Orientierung Österreichs enden konnten. Mussolini legte seine Ge-
genminen. Wohl stimmte Mussolini, als ihn Starhemberg bei einem seiner
Besuche darum befragte, zu, daß sich Österreich der Kleinen Entente annä-
here, wenn es dies für nützlich halte, doch wollte er dabei seine Hand im
Spiel haben. Er brachte daher im März 1936 eine Erweiterung der Römer-
protokolle zustande, die zwar die Handlungsfreiheit der vertragsschlie-
ßenden Teile nicht aufhob, sie aber doch zur gegenseitigen Beratung vor beabsichtigten Schritten verstärkt verpflichtete. Das richtete sich in erster
Linie gegen Ungarn, das nur zu gerne aus der Reihe tanzte und stets die Lei-

tung nach Berlin intakt hielt, doch band es auch Österreich fester an das römische Konzept. Das zwang Österreich, die Schachzüge Mussolinis immer stärker ins Auge zu fassen. Zeichneten sich doch schon Konturen ab, die erkennen ließen, daß sich Italien allmählich Deutschland nähere und Wien am Ende nur mehr einen Stein auf dem Brett oder ein Bindeglied bedeuten würde.

Eine Reise, die Starhemberg im Februar 1936 zu den Leichenfeierlichkeiten für König Georg V. nach London unternahm, sollte eine außenpolitische Aktivität Österreichs dokumentieren. Es ergaben sich aber daraus große Verwicklungen. Seine im legitimistischen Sinn gehaltenen Äußerungen fielen umso mehr auf, als die schärfsten Gegner einer Restauration, Prinzregent Paul von Jugoslawien und Außenminister Titulescu von Rumänien, ebenfalls in London weilten. Jugoslawien demonstrierte angesichts britischer Bemühungen um ein Gespräch zwischen Starhemberg und dem jugoslawischen Prinzregenten sein Desinteresse an der österreichischen Frage. Die Aufregung steigerte sich, als bekannt wurde, daß Starhemberg auf der Rückreise einen Besuch in Steenockerzeel bei Erzherzog Otto machen wollte, und sie erreichte ihren Höhepunkt, als dieser zur selben Zeit in Paris eintraf wie Starhemberg. Dieser war gezwungen, von einem Besuch bei dem Thronprätendenten abzusehen, er nahm aber die Gelegenheit wahr, sich mit französischen Staatsmännern zu besprechen. Seine in London gegebene Zusicherung, die Restaurationsfrage in den nächsten Jahren nicht aufzurollen, verstimmte die Legitimisten, deren Führer Wiesner sich ebenfalls in Paris eingefunden hatte und später auch einen Besuch bei Mussolini machte.

Am 7. März 1936 ließ Hitler seine Wehrmacht in das entmilitarisierte Rheinland einrücken, ohne daß ihm Frankreich in den Arm fiel. Österreich schritt darauf am 1. April zur Verkündigung einer allgemeinen Bundesdienstpflicht, womit es die militärischen Klauseln des Vertrages von Saint-Germain aufhob. Die diplomatischen Proteste, die dagegen vorgebracht wurden, waren nicht sehr ernst gemeint und taten keine Wirkung. Die Aufrüstung Österreichs war ja schon seit langem vom Ausland, vor allem von Italien, unterstützt worden. Freilich hatte Österreich nicht unbeträchtliche Schwierigkeiten zu überwinden gehabt, seit es auf der Genfer Abrüstungskonferenz an der Wende der Jahre 1932/33 seinen Wunsch nach militärischer Gleichberechtigung vorgebracht hatte. Aber erst 1935 begann die personelle und materielle Aufrüstung des Bundesheeres — Italien übernahm durch Sachlieferungen und finanzielle Unterstützungen etwa drei Fünftel der Kosten — stärkere Fortschritte zu machen. Die Einführung der einjährigen Bundesdienstpflicht — am 12. Februar 1938 wurde sie noch auf 18 Monate ausgeweitet — ermöglichte bis zum März 1938 die Schaffung eines Ist-Standes von 61.000 Mann „mit sehr hohem Ausbildungsniveau" (Broucek, Heerwesen), die Mobilmachungsstärke des Bundesheeres belief sich insgesamt auf 127.000 Mann. Die Demontage der Heimwehr ermöglichte nach deren Auflösung am 10. Oktober 1936 die Überführung der noch verbliebenen regierungsnahen Wehrgruppen, die sich im Dezember 1935 zur „Freiwilligen Miliz — Österreichischer Heimatschutz" zusammengeschlossen hatten, in die „Frontmiliz". Mit der Unterstellung unter das militärische Kommando im Juli 1937 schuf man so eine Milizarmee, die für Grenz- und Raumschutz vorgesehen war. 1938 umfaßte die Miliz rund 101.000 Mann. Zusammen mit den weiteren verfügbaren militärisch geschulten Einheiten — Exekutive (58.000 Mann), Heeresarbeiter und Rekruten (24.000 Mann) — war eine Mobilmachungsstärke von 310.000 Mann erreicht worden. Die Frage des Fortbestehens der Wehrverbände führte zu Verzögerungen, auch die finanziellen Mittel waren beschränkt. Der Versuch, von Italien eine Rüstungsanleihe zu erhalten, schlug fehl, von der versprochenen Lieferung österreichischer Beutegeschütze aus dem ersten Weltkrieg blieb der größte Teil aus. Doch waren bei der Anlage von Befestigungen gegenüber dem Deutschen Reich Fortschritte zu bemerken, die es dem österreichischen Generalstabschef Jansa ermöglichten, für den Fall eines deutschen Einmarsches einen Abwehrplan mit dem Ziel zu erstellen, durch eine hinhaltende Kampfführung den Großmächten Zeit für Entschlüsse zu schaffen. Die Traun- und die Ennslinie sollten auf jeden Fall gehalten werden. In Wien hatte man allen Grund, sich tunlichst auf eigene Füße zu stellen, wußte man doch, daß Italien nicht mehr so wie früher bereit war, allein über die Selbständigkeit Österreichs zu wachen. Frankreichs Haltung hing, wie man wußte, von der Stellung ab, die London im Ernstfall beziehen würde. Mit einem energischen Eingreifen war aber von dort nicht zu rechnen.

Schuschniggs Bemühungen um eine innere Befriedung

Bei seinem Regierungsantritt war Schuschnigg entschlossen gewesen, den Frieden im Lande nicht nur mit Hilfe der Exekutive, sondern auch durch weitgehende Heranziehung aller jener Kräfte, die den Staat bejahten oder in ihrem Denken zu ihm zurückfanden, zu sichern. Die Struktur seines Kabinetts, mit der er zu rechnen hatte, machte ihm das nicht leicht. Der Heimatschutz, der im Februar und im Juli einen Teil der Lasten der Kämpfe getragen hatte, pochte auf seine Verdienste und stellte seine meist gar nicht bescheidenen Ansprüche. Der Dualismus in der Staatsführung, Schuschnigg und Starhemberg, die nur zu oft nicht eines Sinnes waren, führte zu Reibungen. Die Wehrverbände traten miteinander in einen scharfen Konkurrenzkampf, der nicht so sehr programmatische Ursachen hatte, als vielmehr im Wettlauf um neue Mitglieder bestand. So füllten sich die Doppelreihen mit Leuten, die in ihren politischen Anschauungen oft ganz anderwärts beheimatet waren. Im Freiheitsbund, der ursprünglich die Wehrorganisation der christlichen Arbeiterschaft gebildet hatte, kamen frühere Sozialisten zur

Geltung, die auch bei den ostmärkischen Sturmscharen und beim Heimatschutz zu finden waren. Diesen bevorzugten freilich jene Personen, deren
nationale Einstellung bekannt war. Neben der Absicht, auf diesem legalen
Wege doch irgendwie zu politischer Geltung zu kommen, waren bei der
großen Masse die Möglichkeit der Überbrückung ihrer Arbeitslosigkeit und
der Einstellschein, der bei der Abrüstung winkte, ausschlaggebend.

Diese bunte Zusammenwürfelung zeitigte alsbald Gegensätze zwischen
den Wehrverbänden, es kam immer wieder zu lokalen Reibereien. Die katholische Gruppe befürchtete, daß im Heimatschutz eine neue national-anti-
klerikale Partei heranwachsen könne, Anhänger dieser Richtung sprachen
hingegen nicht selten von einem Klerikalismus, der in Österreich überwunden werden müsse, und äußerten den Verdacht, daß die alten Christlichsozialen zurück zum „verhaßten Parteienstaat" wollten. Beide aber
zeigten gleicherweise ihre Entrüstung über die Zusammensetzung des Freiheitsbundes, der als ein Hort des Sozialismus, ja des Bolschewismus zu betrachten sei. Persönliche Ambitionen und Intrigen taten besonders in klei-
neren Orten das übrige. Jeder Verband war bemüht, die Bildung neuer Ortsgruppen eines anderen Verbandes zu verhindern. In Oberösterreich schuf
man einen Landeswehrausschuß, der die aufkommenden Streitigkeiten
schlichten und so dem Blickfeld der großen Öffentlichkeit entziehen sollte.
Auch in der Frage der Erfassung der Jugend kam es zu schweren Gegensätzen. Der Heimatschutz wollte nach italienischem Vorbild eine Staatsju-
gend unter seiner Führung gründen und geriet dadurch in heftigen Widerstreit mit der katholischen Kirche, die sich auf ihren durch das Konkordat
gewährleisteten Anteil an der Jugenderziehung berufen konnte. Die Hierarchie trachte ihrerseits, der Katholischen Aktion, der „himmlisch-vaterländi-
schen Front", zu einer Monopolstellung gegenüber der katholischen Ver-
einswelt zu verhelfen, wobei sie deren demokratische Organisation angriff.
Auch die Personalpolitik, die Besetzung der wenigen in dem von der Arbeitslosigkeit heimgesuchten Land verfügbaren Plätze im öffentlichen und
privaten Dienst, rief immer wieder Gegensätze hervor.

Dazu kam, daß sich der Heimatschutz darüber klar war, daß die Einführung der allgemeinen Wehrpflicht auch seine Rolle beeinträchtigen mußte.
Umgekehrt arbeiteten Politiker, die mehr demokratisch eingestellt waren,
mit Absicht in dieser Richtung, um dem Heimatschutz bei günstiger Gelegenheit den Boden zu entziehen. Sein früherer Bundesführer Steidle, der als
Generalkonsul in Triest schon lange politisch kaltgestellt war, schrieb damals, dem stolzen Heimatschutz stehe ein Armeleutebegräbnis bevor.

So gut es ging, suchte Schuschnigg zu vermitteln, ließ sich aber dabei
nicht in sein Konzept blicken. Er bediente sich der Rivalität zwischen Starhemberg und Fey, um zunächst einmal diesen auszuschalten, weil er nicht
sicher war, wie weit dessen Anhang etwa Sympathien für die Nationalsozialisten hegte. Die Ausschaltung Feys erfolgte durch die Regierungsumbil-

dung vom 17. Oktober 1935, die auch unter außenpolitischen Gesichtspunkten vorgenommen wurde. Im Ergebnis brachte sie eine Verstärkung der Freunde des italienischen Kurses, im innerpolitischen Kräftespiel verloren aber die Wehrverbände an Einfluß. Starhemberg blieb zwar Vizekanzler und Führer der Vaterländischen Front. Er brachte auch seinen Freund Draxler als Finanzminister in das Kabinett, doch schied Neustädter-Stürmer aus, der als Sozialminister völlig ungeeignet war und statt Agenden seines Ressorts zu verfolgen, primär danach trachtete, seiner faschistischen Gedankenwelt zum vollen Durchbruch zu verhelfen. In gleicher Weise verfeindete er sich mit Bauernvertretern und Kienböck, der als Nationalbankpräsident für eine Stabilitätspolitik rigoros sorgte; die Arbeiterschaft — ob links oder rechts — lehnte ihn ebenso massiv ab. Dafür zog der Grazer Nationalökonom Josef Dobretsberger in das Sozialministerium ein. Ihm war eine besondere Rolle in den Befriedungsaktionen nach links zugedacht.

Die Rivalitäten der Wehrverbände suchte man zu verhindern, indem man sie zusammenlegte. Unter den Fittichen der Vaterländischen Front sollte eine Miliz geschaffen werden, die als Vorstufe zur allgemeinen Wehrpflicht gedacht war. Die Ausbildung hatte in der Hauptsache durch das Bundesheer zu erfolgen. Für politische Aspirationen und Machtkämpfe, die bisher das Tun und Lassen der meisten Führer der Wehrverbände bestimmt hatten, blieb wenig Raum. Schuschnigg ging mit gutem Beispiel und taktischer Überlegenheit voran, indem er die von ihm wesentlich geformten Ostmärkischen Sturmscharen, die von den politischen Gegnern wegen ihrer betont kirchlichen Ausrichtung „Ölberghusaren" genannt wurden, in eine „Kulturorganisation" umwandelte. Starhemberg hingegen richtete seinen Blick jetzt auf das Heeresministerium, das er in seine Hand zu bekommen suchte. Schuschnigg war aber unter keinen Umständen bereit, es ihm zu überlassen. Umsonst malte Starhemberg die Gefahr an die Wand, die durch das Eindringen unverläßlicher Elemente in das Bundesheer entstehen könne. Er erhielt zur Antwort, daß man zu sieben beabsichtige. Es bestehe keine allgemeine Wehrpflicht, sondern eine Bundesdienstpflicht, die es ermögliche, einen Teil des aufgebotenen Jahrganges bloß zu Arbeitsleistungen heranzuziehen.

So spitzte sich die innere Lage im Frühjahr 1936 immer weiter zu. Der Zusammenbruch der Versicherungsgesellschaft Phönix erhöhte die Schwierigkeiten. Mit ihr verfiel einer der größten Wirtschaftsapparate, die sich auf das Gebiet der alten Monarchie erstreckt hatten, ebenso jener Schrumpfung wie früher die Großbanken. Diesmal ging die Sache ohne Erschütterung der Staatsfinanzen ab, doch waren die Opfer, die von den Versicherten, aber auch von den Angestellten, verlangt wurden, groß. Was aber die Öffentlichkeit am meisten empörte, war die Korruption, die sich hinter den Kulissen abgespielt hatte und jetzt ans Licht des Tages kam. Der Phönix hatte nicht nur in unkaufmännischer Weise seine Kapazität überspannt und sich in gewagte Spekulationen eingelassen, die fehlschlugen, er hatte auch unter dem Titel des Kundenzutreibens in reicher Zahl Subventionen an Körperschaften und Personen verteilt, deren Charakter als Bestechungsgelder in einer Reihe von Fällen auf der Hand lag. Politiker aus allen Lagern, Journalisten, auch einige Beamte waren in die Sache verwickelt. Schuschnigg griff ein, ließ eine Untersuchung durchführen und schreckte auch nicht vor der Maßregelung von Personen, die bis dahin in hohem Ansehen gestanden waren, zurück. Es gelang ihm aber nicht, den schlechten Eindruck zu verwischen, und die illegale Propaganda aller Richtungen hatte für lange Zeit Stoff, wobei die Nationalsozialisten, die in Österreich und in Deutschland Zahlungen der Phönix unrechtmäßig erhalten hatten, die Hauptnutznießer des katastrophalen Stimmungstiefes waren, in das die Regierung in der öffentlichen Meinung stürzte.

Am 10. Mai 1936 fand auf der Wiener Ringstraße ein Aufmarsch des Freiheitsbundes statt, der wegen des Einspruchs des Heimatschutzes bereits um eine Woche hatte verschoben werden müssen. Es kam zu heftigen Gegenkundgebungen der Heimwehr; Fey und Starhemberg zogen im Hintergrund die Drähte. Es fehlte nicht an Mißfallensäußerungen gegen Schuschnigg und seine unmittelbaren Anhänger, so daß dieser erkannte, die Auseinandersetzung mit Starhemberg werde sich nicht mehr lange aufschieben lassen. Da gab ihm dieser im rechten Zeitpunkt den gewünschten Anlaß zum Einschreiten. Im Zusammenhang mit den italienischen Erfolgen in Abessinien richtete Starhemberg ein Telegramm an Mussolini, das von Beleidigungen gegenüber den demokratischen Westmächten strotzte. Der französische, englische und tschechoslowakische Gesandte erhoben dagegen Vorstellungen. Schuschnigg ergriff die langerwartete Gelegenheit, um reinen Tisch zu machen. Starhemberg schied aus der Regierung aus, als Führer der Vaterländischen Front trat der Kanzler an seine Stelle. Die Überleitung der Wehrverbände in die Miliz sollte beschleunigt werden, die im Kabinett verbliebenen Heimwehrminister galten nur mehr als persönliche Vertrauensleute des Chefs der Regierung. Doch mußte auch Dobretsberger dem alten christlichsozialen Sozialpolitiker Resch seinen Platz räumen. Gegen ihn hatten sich schwere Widerstände aus dem Kreise der Industrie erhoben. Fritz Mandl, der Freund Starhembergs, nunmehr ein Nutznießer der blühenden Rüstungsindustrie, hatte als Vizepräsident des Industriellenbundes seinen Anteil daran. Dobretsberger, ein der oberösterreichischen christlichsozialen Tradition nahestehender CVer, hatte als Sozialminister Stellung gegen Maßnahmen der Regierung bezogen, die im Widerspruch zur Sozialgesetzgebung standen. Angesichts der Erkenntnis, daß seine Vorstellungen von Sozialpolitik in dieser Regierung undurchführbar waren, dürfte ihm der Abschied leicht gefallen sein. Erstmals dachte während dieser Phase ein Teil der Regierung daran, durch ihre sozialpolitischen Maßnahmen der illegalen Linken zu verdeutlichen, daß man deren Forderungen in diesen Bereichen zu akzeptieren beabsichtigte, um so zu einer Aussöhnung zu kommen. Diese Phase endete aber im Frühjahr 1936, ohne wirklich diesem Ziel näher gekommen zu sein.

Damit war wieder einer jener Versuche gescheitert, die nach den Februarereignissen politisch obdachlos gewordene große Masse der Arbeiterschaft für den Staat zu gewinnen. Zunächst hatte Dollfuß seinen Freund Ernst Karl Winter, einen geistvollen Einzelgänger, mit dieser Aufgabe betraut. Die von diesem eingeleitete „Aktion", in der er die sozialpolitische Tradition des österreichischen Konservatismus mit den im Sozialismus lebenden staatsbejahenden Kräften in Einklang zu bringen suchte, scheiterte. Mit dem Tode des Kanzlers Dollfuß verlor er seinen Rückhalt. Auch wurden seine legitimistischen Gedankengänge in jenen Schichten, die er gewinnen sollte, nicht verstanden. Sein Amt als dritter Vizebürgermeister von Wien sicherte ihm bloß einen Schreibtisch und ein kleines Sekretariat, mehr Einfluß hatte er nicht. Doch erwarb er sich dadurch ein gewisses Ansehen, daß er unablässig bemüht war, die ihm durch die Cartellbrüderschaft beim CV nahestehenden Regierungsmitglieder auf die Notwendigkeit einer möglichst umfassenden Amnestie für die nach dem Februar 1934 Verurteilten hinzuweisen. Trotz Querschüssen aus dem Heimwehrlager erreichte er in Etappen dieses Ziel. Schuschnigg ging nur zögernd darauf ein, er wollte solche Schritte davon abhängig machen, daß die Emigranten, die unter Führung Otto Bauers in Brünn ein Auslandsbüro eingerichtet hatten, ihre Tätigkeit einstellten. Nachdem er bei seinen Besuchen in London und Paris die dort vorherrschende Stimmung kennengelernt hatte, zeigte er sich zugänglicher. Doch waren ihm die Hände im Hinblick auf die Haltung Italiens und die nationalsozialistische Propaganda gebunden.

Daher kam es zu keiner großzügigen Lösung. Nach dem Juliputsch hatte Schuschnigg eine Besprechung mit dem früheren niederösterreichischen Landesrat Heinrich Schneidmadl. Die Möglichkeiten, die dabei ins Auge gefaßt wurden, erwiesen sich angesichts der Machtposition des Heimatschutzes, hinter dem Italien stand, als undurchführbar. Versuche, die der Polizeidirektor von Villach in Kärnten unternahm, hatten nur lokale Bedeutung. Aus diesem Land stammte auch der aus der christlichen Gewerkschaftsbewegung hervorgegangene Staatssekretär für Arbeiterschutz Hans Großauer, dessen Tätigkeitsgebiet in der Hauptsache auf die Interessenvertretung, wie sie der Gewerkschaftsbund in wirtschaftlichen und sozialen Belangen ausübte, beschränkt blieb. Im Rahmen dieser Organisation, die einen unerwarteten Aufschwung nahm, weil ihr auch viele ehemalige Sozialisten beitraten, ließen sich Erfolge erzielen. Hingegen kam die Soziale Arbeitsgemeinschaft, die nach dem Scheitern der Aktion Winter als Referat der Vaterländischen Front Ende März 1935 eingerichtet wurde, über ein Scheindasein nicht hinaus. Sie blieb Organ der Vaterländischen Front, somit einer Institution, die von der Mehrzahl der Arbeiterschaft als Werkzeug des autoritären Regimes abgelehnt wurde. Daran konnte auch die am 1. Mai 1935 erlassene Amnestie für noch inhaftierte Februarkämpfer nichts ändern. Das, was die oppositionelle Arbeiterschaft zunächst erreichen wollte, Organisations- und Pressefreiheit, freie Wahl der Vertrauensmänner in den Betrieben, Selbstverwaltung in der Sozialversicherung, war auf diesem Wege kaum zu erwarten. Darum hatte auch Dobretsberger in der kurzen Zeit seiner Ministerschaft seine Bemühungen mehr in den Gewerkschaftsbund verlegt.

Jene Kreise, die zur illegalen Arbeit entschlossen waren und sich später Revolutionäre Sozialisten nannten, verfolgten jede Betätigung in legalen Organisationen anfangs mit Boykottierung und änderten erst allmählich ihre Haltung. Mehrfach wurde ihr Apparat von der Polizei zerschlagen, sie kamen über eine Kaderbildung nicht hinaus. Auch nahm der ständige Richtungsstreit mit den Kommunisten über die Möglichkeit und die Voraussetzungen einer proletarischen Einheitsfront viel Zeit und Kraft in Anspruch.

Der bereits vor dem Februar 1934, letztlich ab dem Beginn der dreißiger Jahre zu beobachtende Trend des Zerfalls der Anhängerschaft, deren älterer Teil nunmehr in Passivität verharrte, und deren jüngerer „alle reformistischen und demokratischen Illusionen" ablehnte, führte innerhalb der Linken zu einem Gesinnungs- und Generationskonflikt (Holtmann, Unterdrückung), der letztlich erst im Kalten Krieg der SPÖ und den dabei durchgezogenen Ausschlüssen „bereinigt" wurde.

Für die nationalsozialistische Bewegung in Österreich bedeutete das Mißglücken ihres Putschversuches im Juli 1934 eine verlorene Schlacht. Die bis dahin noch ziemlich straffe illegale Parteiorganisation war zerschlagen, die Stimmung unter den Anhängern infolge der Repressalien, die sie trafen, tief gesunken. In dieser Lage dämmerte vielen die Einsicht, daß der bisherige Weg verfehlt, die angewandten Mittel verbrecherisch und die gebrachten Opfer nutzlos waren. Auch das durch den rücksichtslosen Machtkampf und die Propaganda der Tat überdeckte Heimatgefühl und Österreichbewußtsein trat da und dort hervor.

So konnten einige Männer, die schon bisher für den österreichischen Nationalsozialismus Eigenständigkeit gefordert hatten, den Versuch unternehmen, Frieden mit der Regierung zu schließen. Anfangs zeigte sich der neue Bundeskanzler solchen Bestrebungen gegenüber sehr aufgeschlossen. Er trachtete dort fortzusetzen, wo Dollfuß noch kurz vor seiner Ermordung die Fäden geknüpft hatte. So lud der Generalsekretär der Vaterländischen Front, Karl Maria Stepan, schon am 26. Juli den Ministerialrat a. D. Viktor Sauer, mit dem sich Dollfuß noch kurz vor seinem Tode beraten hatte, ein, seine Bemühungen zum Brückenschlagen fortzusetzen. Auch Männer des gemäßigten Landbundflügels suchten Fühlung mit dem Kanzler. Am aussichtsreichsten schien jedoch das Beginnen Anton Reinthallers aus Attersee, der sich bei Schuschnigg einfand, auf die ihm schon von Dollfuß übertragene Aufgabe hinwies und die Erlaubnis erhielt, Schritte für den Aufbau einer nationalen Aktion, die auf dem Boden des österreichischen Staates stehen müßte, einzuleiten. An solchen Versuchen fehlte es auch in der Folgezeit nicht. Die Hauptschwierigkeit des Dialogs lag darin, daß sich beide Verhandlungspartner mit dem größten Mißtrauen betrachteten und daß zeitweise die Regierung mehr eine Unterwerfung als einen Ausgleich im Auge hatte, was auf die Forderungen des Heimatschutzes zurückging, der alle Verhandlungen scheitern ließ, an denen er nicht selbst maßgeblich beteiligt war, und die seine parallel geführten Unterhandlungen stören konnten.

Die Aufgabe, die Reinthaller gestellt war, hieß, für die Regierung einen Verhandlungspartner zu schaffen. Das war nicht leicht, weil er ja von den Nationalsozialisten der schärferen Richtung nicht anerkannt wurde und ihm auch die Möglichkeit fehlte, für seine Gedanken in der Öffentlichkeit zu werben. Versuche, einen Apparat von Vertrauensmännern zu schaffen, gerieten bald in den Verdacht einer illegalen Parteitätigkeit, der nicht selten wohlbegründet war. Viele Unterführer wollten die Reinthaller-Bewegung, an der auch der ehemalige Bundesminister für Justiz Hueber, ein Schwager Görings, mitarbeitete, als Tarnung benützen, zumindest traten sie dafür ein, daß unabhängig von ihr die illegale Partei wiederum aufgebaut werden müsse, um ein Druckmittel zu haben, die Regierung zu zwingen, die zu schließenden Vereinbarungen auch wirklich einzuhalten. Vielleicht wäre der Versuch trotzdem gelungen, hätte nicht Schuschnigg vom Anfang seiner Regierung bis zum tragischen 11. März 1938 unverrückbar an dem Grundsatz festgehalten, es dürfe in Österreich keine Parteien, auch nicht parteiähnliche Verbände, die sich irgendwie in die Konstruktion des Ständestaates eingefügt hätten, geben. Damit versperrte er sich, nicht zum Wohle des Staates, die Möglichkeiten, die einmal mit einem Ausgleich mit rechts, einmal mit links vorhanden waren. Daß der Staat in seiner Bedrohung von außen Parteienzwist nicht vertrug, lag auf der Hand. Aber der Versuch, die nun einmal in dem in mehrere „Lager" zerspaltenen Volk vorhandenen politischen Kräfte zu negieren, führte auch nicht zum Ziel. In einer Rede auf dem Berg Isel am 2. September 1934 begründete Schuschnigg seine Haltung damit, daß am Ende jedes Parteisystems der Kompromiß stünde, was den Verzicht auf eine persönlich verantwortliche Führung bedeute.

Das Programm, das Reinthaller entwickelte und das durch eine Indiskretion auch in die Öffentlichkeit kam, bekannte sich zum selbständigen Österreich, sprach mit einer deutlichen Spitze gegen Italien von einer gleichmäßig gegen alle Seiten gesicherten Unabhängigkeit und lehnte alle Terrormethoden ab. Außenpolitisch sollte der Weg Seipels — Zusammenarbeit mit Deutschland — wieder aufgenommen und den „Nationalen" sollten Plätze in den gesetzgebenden Körperschaften eingeräumt werden. Nach einer Revision der Maiverfassung in dem Punkt über die Wahl des Bundespräsidenten sollte sie, die bis dahin von den Nationalsozialisten als illegal angesehen wurde, durch einen Volksentscheid bestätigt werden.

Wie sich auch in späteren Fällen immer wieder zeigte, machten bei Verständigungsversuchen weniger die grundsätzlichen Fragen als die Details die größten Schwierigkeiten. Der Wunsch nach einer etappenweise bis Weihnachten durchzuführenden Amnestie stieß in der Bürgerkriegsstimmung, die noch herrschte, ebenso auf Widerspruch, wie das Verlangen auf Rückkehr der geflohenen Nationalsozialisten und Zulassung einer eigenen nationalen Wehrformation. Man erblickte darin einen Weg zur Gleichschaltung Österreichs, dem am Ende die Stellung Danzigs bevorstehe, auch wurden innerhalb der Vaterländischen Front Bedenken laut, daß der Einbau der „Nationalen" die Entfernung mancher eigenen Anhänger von den Plätzen, die sie einnahmen, zur Folge hätte. Wie Dollfuß in der letzten Klubsitzung der Christlichsozialen vor ihrer Auflösung erklärt hatte, war es doch bei Schaffung der Vaterländischen Front auch um die Entscheidung gegangen, ob die bodenständige katholische Bevölkerung die Macht in die Hand nehme und die Neugestaltung durchführe oder ob dies andere tun würden.

Unter diesen Voraussetzungen bedurfte es bei einer Besprechung, die am 27. Oktober 1934 Vertreter der Nationalen Aktion mit Schuschnigg und Starhemberg hatten, kaum der energischen Ablehnung des Vizekanzlers, um die Dinge, die noch nicht ausgereift waren, scheitern zu lassen. Es wurde empfohlen, die Sache zunächst einmal länderweise zu versuchen, im übrigen stehe jedermann der einzelweise Beitritt zur Vaterländischen Front frei. Diesen Gedanken vertrat auch der Rechtsanwalt Walter Riehl, der sich schon lange von Hitler distanziert hatte und jetzt den Nationalen empfahl, in der Vaterländischen Front Positionen zu erringen, wobei er für Wien arische Ortsgruppen forderte, ein Gedanke, den schon früher Dollfuß erwogen hatte.

Riehl hatte keinen nennenswerten Anhang, aussichtsreicher waren die Bemühungen des Sicherheitsdirektors von Oberösterreich, des Grafen Peter Reverbera, der dem Heimatschutz angehörte. Er machte den Versuch, die Führer der Nationalsozialisten in diesem Lande unter Zusicherung der Straffreiheit zur Selbstauflösung ihrer Organisationen zu bewegen. Damit erzielte er einige Erfolge, die jedoch keine nachhaltige Wirkung hatten. Vielen schien dieses Verfahren dazu bestimmt, den Personenkreis, der das nationalsozialistische Führerkorps bildete, aufzudecken, andere verharrten in starrer Ablehnung und bauten im geheimen den illegalen Parteiapparat wieder auf. Mißgriffe, die von den Sicherheitsbehörden immer wieder begangen wurden, erleichterten die Bereitschaft zur Umkehr nicht. So wurde der Übertritt zum Protestantismus, der jetzt stärker zu beobachten war, an manchen Stellen als politische Demonstration, die sie auch gelegentlich war, gewertet und mit Arreststrafen geahndet. Das vergrämte die evangelische Kirche in Österreich und hatte durch den Einfluß des Weltprotestantismus auch nachteilige Folgen auf die öffentliche Meinung des Auslands. Schließlich hob der Bundesgerichtshof solche Erkenntnisse der Verwaltungsbehörden als ungesetzlich auf. Das Verhältnis „katholischer" Ständestaat und Protestantismus war vielfach gestört, nicht zuletzt auch dadurch, daß eine deutliche Relation im Verhältnis „Evangelische" und Anfälligkeit für den Nationalsozialismus bestand.

Die Terroraktionen der Nationalsozialisten hörten nach dem Juli 1934 auf, die illegale Tätigkeit, die in der Hauptsache in Propaganda und Verteilung von Unterstützungen bestand, beanspruchte weiterhin den Sicherheitsapparat, blieb aber ungefährlich. Innere Streitigkeiten, Gegensätze in Fragen der Taktik, Machtkämpfe um führende Positionen und persönliche Zwistigkeiten im Halbdunkel der Illegalität beeinträchtigten die Schlagkraft der Nationalsozialisten. Auch sie mußten wie die Revolutionären Sozialisten erkennen, daß die „kurze Perspektive" im Kampfe gegen die Regierung verfehlt war und daß sie sich auf einen langen Stellungskrieg einrichten müßten. So entstand auch bei ihnen das Bestreben nach Ausnützen legaler Möglichkeiten, das schließlich bei der Methode des trojanischen Pferdes endete. Anders als bei den Linksparteien, für die im Europa von 1935 die Zukunftsaussichten düster waren, bot sich den Nationalsozialisten die Möglichkeit, alle ihre Hoffnungen auf das Erstarken und den Aufstieg Deutschlands zu setzen. So erhob sich alsbald die grundsätzliche Frage, ob die Ziele der Partei von innen heraus erreicht werden könnten, oder ob man bloß Zeit gewinnen solle, bis ein Eingriff von außen erfolge.

„Der deutsche Weg"

Auch die Regierung schwankte zeitweise, ob sie eine Verständigung im Inneren suchen oder ein Abkommen mit Deutschland anbahnen solle. Die ersten Fühler, die Papen im Herbst 1934 ausgestreckt hatte, waren ergebnislos geblieben. Im Juli 1935 trat er aber mit konkreten Vorschlägen hervor, die überprüft wurden. Auch Revertera nahm wieder mit Reinthaller und Hueber die Verbindung auf und setzte diese Gespräche durch ein halbes Jahr fort. Manches schien auf eine bevorstehende Regierungsumbildung hinzudeuten. Es kam jedoch nicht dazu. In den Kreisen der Regierung verstärkte sich allmählich die Meinung, daß der bisherige Kurs aus außenpolitischen und wirtschaftlichen Gründen nicht durchzuhalten sei und man mit Deutschland zu einer Verständigung kommen müsse.

Wieder waren es die Detailfragen, die die größten Schwierigkeiten machten. Anfangs wollte man es mit einem Geheimabkommen über die gegenseitige Konsultation in außenpolitischen Fragen bewenden lassen. Papen zeigte das Bestreben, Schuschnigg und seine Anhänger in eine deutschfreundliche Position zu manövrieren, die sich von dem italienischen Kurs, den Starhemberg vertrat, abheben sollte. Trotzdem suchte er mit diesem zu unterhandeln und stieß auch bei ihm nicht auf Widerstand. Starhemberg vertrat den Gedanken einer einheitlichen Front der faschistischen Staaten, zu denen er die Mitglieder des Rompaktes und Deutschland rechnete. Da Italien durch seine Festlegung in Abessinien als sicherer Garant für Österreich an Bedeutung verlor, auf wirksame Hilfe von den Westmächten im Ernstfall nicht gerechnet werden konnte und Deutschland nach Besetzung des Rheinlandes seine Westgrenze durch Befestigungen abzuschirmen begann, blieb nicht viel Zeit zu überlegen, ob man es wagen dürfe, die Unabhängigkeit Österreichs unter deutschen Schutz zu stellen. Auch Mussolini riet dazu. Der Vatikan, dem die Lage der deutschen Katholiken Sorge machte, ließ eine Publikation des aus Österreich stammenden Bischofs Alois Hudal zu, der die positiven Werte des Nationalsozialismus hervorhob und bei aller Verurteilung der für die Kirche untragbaren Thesen ihm doch bestimmte Aufgaben für das vom Bolschewismus bedrohte Abendland zubilligte. Papen hatte ganz gezielt „Brückenköpfe" in jenen katholischen Kreisen unterhalten, deren „Reichsträumerei" und deren Antimarxismus sie anfällig für den Nationalsozialismus machten. Der Wiener Pastoraltheologe Michael Pfliegler, der an sich schon frühzeitig für die Trennung von Kirche und Politik eingetreten war, wendete sich pastoral überlegt ab 1933/34 zunehmend dem „Brückenbau nach rechts" zu, während Anton Böhm, ein Wiener journalistischer Brückenbauer, 1933 die Christlichsozialen zur Koalition mit den Nationalsozialisten aufrief, da der Weg „nach links verrammelt" wäre. Zwar stießen derartige Brückenschläge auf die heftigsten Proteste von Leuten wie Winter, der für eine Volksfront von ganz links bis hin zu den Faschisten gegen die Nationalsozialisten eintrat, oder Hildebrand und dessen Zeitschrift „Der Christliche Ständestaat", doch konnten diese den von Schuschnigg eingeschlagenen Weg nicht verhindern.

Die immer deutlicher werdende Annäherung Italiens an Deutschland beschleunigte die Entwicklung. Am 11. Juli 1936 wurde ein Vertrag zwischen Österreich und Deutschland unterzeichnet, der als „Juliabkommen" in die Geschichte eingegangen ist.

Der Form nach stellt es einen Nichteinmischungspakt dar, zu dem sich Deutschland jetzt freiwillig bereitfand. Nicht freudig, sondern mit Hintergedanken, aber doch aus den Bedürfnissen seiner augenblicklichen Lage heraus. Die Selbständigkeit Österreichs wurde damit feierlich anerkannt und die innerpolitische Gestaltung in beiden Staaten als innere Angelegenheiten des anderen Landes bezeichnet. Dazu kamen Verabredungen (Gentleen's Agreement), die nicht veröffentlicht wurden und sich auf die bei allen Verhandlungen immer so schwer lösbaren Details bezogen. Pressefragen (eine vergleichbare Haltung nahm Ende 1937 auch die Tschechoslowakei ein, die einem „Pressefrieden" zustimmte, der letztendlich das Ende für kritische deutsche und österreichische Exilorgane bedeutete), worüber schon seit einem Jahr gewisse Vereinbarungen bestanden, die Zusicherung einer Amnestie für Nationalsozialisten mit Ausnahme der schwersten Fälle, die Stellung der Reichsdeutschen in Österreich und die Vertiefung der kulturellen Beziehungen wurden darin geregelt. Für die Folgezeit entscheidend wurde aber der Punkt IX b, in dem sich der Bundeskanzler verpflichtete, Vertreter der nationalen Opposition, die sein Vertrauen genossen, mindestens zwei, in die Regierung aufzunehmen. Die wirtschaftlichen Absprachen bewirkten wohl die Aufhebung der Tausend-Mark-Sperre und beendeten den seit 1933 durchgehaltenen Boykott, öffneten aber auch der reichsdeutschen Penetration des österreichischen Wirtschaftslebens endgültig Tür und Tor.

Das Geheimabkommen widersprach dem offiziellen Nichteinmischungspakt nicht nur in jenen Bereichen, wo auf die Bildung der österreichischen Bundesregierung und auf die österreichische Justiz (Amnestie) Einfluß genommen wurde, sondern auch in jenen Bereichen, die der kulturellen und wirtschaftlichen Zusammenarbeit dienten. So gesehen war es ein Rahmenrichtlinienpapier für die Besatzung des trojanischen Pferdes in Österreich. Diese verfügte über ein exzellentes finanzielles Verteilernetz, so daß reichsdeutsche Gelder direkt an die österreichischen Nationalsozialisten gezahlt werden konnten. Daneben finanzierte man reichsdeutsche Siedler und reichsdeutsche Wirtschaftsinteressen in Österreich auf dem Kreditwege. Gerade diese deutschen Wirtschaftsinteressen, die reichsdeutsche Penetration der österreichischen Wirtschaft und die damit verbundene Einbindung österreichischer Wirtschaftsbetriebe in deutsche Wirtschaftsplanungen, eine Entwicklung, die schon zu Beginn der dreißiger Jahre verstärkt wurde, ermöglichten der nationalsozialistischen Reichsregierung einen direkten Zugriff auf innere Vorgänge. Die durch den Juli 1936 gebrochenen Dämme führten zu einer auch währungspolitisch bedenklichen Ausweitung der bilateralen Handelsbeziehungen und zum reichsdeutschen Plan einer Währungsunion: Als Vorstufe diente die Einbeziehung Österreichs in das Verrechnungsverkehrssystem. Verbunden mit dem so forcierten Außenhandel stieg die reichsdeutsche Verschuldung in Österreich. Hier setzte der Widerstand Kienböcks ein, der die Sicherung der Währung in einer engen Verknüpfung mit dem Westen allein zu erhalten suchte. Bei ihm flossen wirtschaftliche und ideologische Bedenken zusammen, was zum Widerstand gegen weitere wirtschaftliche Verflechtungen beigetragen hat (Stuhlpfarrer, Plan).

Der am 9. September 1936 zum Beauftragten des Vierjahresplanes ernannte Hermann Göring kalkulierte in zunehmendem Ausmaß die österreichischen Wirtschaftsressourcen in die deutsche Wirtschaftsplanung ein. Neben der strategischen Verbesserung — gemeinsame Grenze mit Italien, direkter Zugang zum südosteuropäischen Raum, Umklammerung der Tschechoslowakei, Rekrutierungspotential für mindestens acht bis zehn Divisionen — ergab sich im strategisch-wirtschaftlichen Bereich eine drastische Stärkung der Eisen- und Stahlindustrie; die forcierte Ausbeutung der Erzvorkommen in der Steiermark und in Kärnten könnte die deviseninten-sive Eisenerzimporte um knapp 50 Prozent reduzieren, aus den Magnesit- und Graphitlagern wären sogar Überschüsse für den Export zu erzielen. Ähnliche Überlegungen betrafen die Ausbeutung der Erdöllagerstätten, die reichen Holzbestände und das Energiepotential im Wasserkraftbereich. Ebenso wurde das Reservepotential an Arbeitskräften unter den österreichi-schen Arbeitslosen angesprochen, deren Facharbeiter und Ingenieure für die Rüstungsindustrie von großer Bedeutung wären. Ähnliches galt für die freien Industriekapazitäten Österreichs, insbesondere die Edelstahlproduk-tion.

Der Bundeskanzler nahm den Direktor des Kriegsarchivs Glaise-Hor-stenau, der gute Beziehungen zur deutschen Reichswehr besaß, in sein Kabi-nett auf. Er gehörte einem Kreis an, dessen Mittelpunkt der „Deutsche Klub" bildete und der, von der Öffentlichkeit wenig bemerkt, hinter den Kulissen Politik machte. Es handelte sich um Männer „nationaler" Einstel-lung, die sich aber zumeist vom Stil der österreichischen Nationalsozialisten distanzierten. In der Krise, die zum Ausscheiden Starhembergs aus der Re-gierung führte, hatte Schuschnigg daran gedacht, den bedeutenden Histo-riker Heinrich von Srbik und den angesehenen Kenner der österreichischen Verwaltung Egbert Mannlicher, beides Männer, deren konservative Einstel-lung und „nationale" Grundhaltung bekannt war, in das Kabinett aufzu-nehmen. Die Verhandlungen darüber zerschlugen sich, weil ein solcher Re-gierungseintritt nur auf Grund eines festumrissenen Programms möglich gewesen wäre, sollten die neuen Minister nicht von den breiten Schichten des „nationalen Lagers" ignoriert werden. Für die betont Nationalen um Glaise ging es nicht in erster Linie um eine Machtergreifung, sie wollten nur den deutschen Kurs in der Außenpolitik wiederherstellen.

Das Juliabkommen brachte die österreichischen Anhänger Adolf Hitlers in ziemliche Verwirrung. Die einen fühlten sich verraten, die anderen er-klärten, ihr Führer habe sie auf sich selbst gestellt und wollten, ohne daß diesen eine Verantwortung treffen könnte, wieder mit Terror im illegalen Kampf um die Macht vorgehen. Die österreichbewußten nationalen Kreise fühlten sich erleichtert, darüber hinaus hofften noch breite Schichten der Bevölkerung auf wirtschaftliche Besserung. Die Lage verwickelte sich, als nach der Amnestie eine große Zahl von Parteiführern in ihre Heimatorte zurückkehrte, sich wieder zu betätigen suchte und damit schon die Hoff-nung des Bundeskanzlers schwinden ließ, daß das Abkommen das Ende oder eine wesentliche Einschränkung des illegalen Nationalsozialismus her-beiführen würde. Wohl ergingen von der Parteiführung dahinzielende Wei-sungen, der Stellvertreter Hitlers, Rudolf Hess, verbot offiziell die Einwir-kung deutscher Parteidienststellen auf Österreich, es stand aber fest, daß Hitler die Aufrechterhaltung der illegalen Organisation in Österreich

wünschte. Einer Deputation österreichischer Parteifunktionäre sagte er
schon am 16. Juli, nur die außenpolitischen Umstände hätten ihn dazu gezwungen, Aufgabe seiner Anhänger in Österreich sei es, unter allen Umständen Disziplin zu halten. Er brauche noch zwei Jahre Zeit.

Die österreichischen Nationalsozialisten verstanden diesen Wink. Wenn
auch die Verbindungen zu Deutschland nicht abrissen, so gestaltete sich die
Lage in der Folgezeit so, daß sich die NSDAP in Österreich auf eigene Füße
zu stellen suchte. Der mächtige Nachbar gab dafür den außenpolitischen und
finanziellen Rückhalt. Für Schuschniggs Politik hatte das bedenkliche
Folgen. Seine Taktik ging dahin, die Nationalsozialistische Partei zu spalten
und den gemäßigten Teil für eine Mitarbeit in der Vaterländischen Front zu
gewinnen. Er machte aber nie einen entscheidenden Schritt, um das Problem
in der einen oder anderen Weise zu lösen, auch dann nicht, als ihm durch geschickte Manöver die Ausschaltung des Heimatschutzes aus dem politischen
Leben gelungen war.

Nach dem Rücktritt Starhembergs als Vizekanzler übernahm Schuschnigg
auch die Führung der Vaterländischen Front. Der Heimatschutz grollte, verhielt sich aber abwartend. Den Eintritt in die Frontmiliz, in der die früheren
Wehrverbände zusammengefaßt werden sollten und die unter der Leitung
des Bundesheeres stand, lehnten die meisten Heimatschutzführer ab. Das allgemeine Mißvergnügen und die fortschreitende Desorganisation ließen da
und dort Meutereien entstehen, die sich gegen Starhemberg richteten. Diese
Situation nützte Fey, der gemeinsam mit Steidle und Neustädter-Stürmer
nunmehr auch Starhemberg als Bundesführer stürzen wollte. Man warf ihm
Untätigkeit vor und wollte einen Führerrat einrichten, in dem die drei genannten Männer geherrscht hätten. Schuschnigg stellte sich aus taktischen
Gründen mehr auf die Seite der Gruppe Fey. Trotzdem suchte er auch Starhemberg wieder zur Mitarbeit in der Regierung zu gewinnen und trug ihm
das Kommando der Frontmiliz an. Starhemberg ging darauf nicht ein, er geriet mehr und mehr ins Lager der Opposition. Er kam mit Seyß-Inquart, der
zu den gemäßigten Nationalsozialisten zählte, auf ungarischem Boden in
Raab zusammen und besprach die Möglichkeit einer Heranziehung nationaler Kräfte auf dem Wege über den Deutschen Turnerbund. Er wäre damals
geneigt gewesen, unter der Voraussetzung der Selbständigkeit Österreichs
eine nationale Front in Österreich zu bilden, bei der auch der vom Faschismus übernommene Gedanke des totalen Staates zur Geltung gekommen
wäre. Er war sich klar, daß Schuschnigg solche Bestrebungen nicht dulden
würde, und daß seine Zeit abgelaufen war. Gleichsam nochmals zu alten rhe-
torischen Glanzleistungen auflaufend nahm er in seiner Rede am 4. Oktober
1936 in Wiener Neustadt Abschied, indem er sich und seine Leute als die legi-
timen Erben von Dollfuß ansprach, gleichzeitig aber die Eigendynamik des
Heimatschutzes unterstrich: „Es war nicht der christliche Ständestaat, nicht
die Vaterländische Front, für die die Heimatschützer ihr Leben gelassen

haben, sondern mit dem Ruf Heil Starhemberg! und Heil Heimatschutz! sind sie gefallen. Bleibt treu der Idee, treu Eurem Führer, der bereit ist, für die Idee alles, wovon das Mindeste das Leben ist, zu opfern! Auf Wiedersehen, Kameraden, wenn es sein muß, in Wöllersdorf!"

Schuschnigg dachte nicht daran, Starhemberg zu einer Märtyrerkrone zu verhelfen. Er ließ die notwendigen Sicherheitsmaßnahmen durch Polizei und Bundesheer treffen und löste am 9. Oktober den Heimatschutz auf. Die Gleichgültigkeit, mit der diese Maßnahme in der breiten Öffentlichkeit aufgenommen wurde, bewies, daß von dem einst so mächtigen Gebilde nur mehr eine Liquidationsmasse vorhanden war. Es war an seinen inneren Widersprüchen, der Unzulänglichkeit der Führer, nicht zuletzt auch an der Vergötzung der Gewalt, die letzten Endes immer zum Nachteil ausschlägt, zugrunde gegangen.

Der Sieger in diesen Auseinandersetzungen war Schuschnigg, doch verstand er nicht, diesen Erfolg zu nutzen. Nach außen war wohl die Basis seiner Stellung schmäler geworden. Die Auflösung des im Volk so verhaßten Heimatschutzes hätte einen Ausgangspunkt für eine Erweiterung der Regierung nach links oder rechts, allenfalls auch für eine Zusammenfassung der das Regime ablehnenden Kräfte unter der Fahne der österreichischen Unabhängigkeit bilden können. Es fehlte aber an der Einsicht, daß das Heimwehrprogramm, das zu einem Teil in die Maiverfassung von 1934 aufgenommen worden war, nunmehr als Richtschnur des politischen Lebens nicht mehr in Betracht kam, mit einem Wort, daß die Maiverfassung als Irrweg erkannt worden wäre. Schuschniggs Fehler bestand darin, daß er bei seinen Anhängern Illusionen erzeugte, die keinerlei Realität hatten und im Augenblick des bitteren Erwachens ihre Handlungsfähigkeit lähmten.

Statt zu erkennen, daß es noch immer die verschiedenen politischen Lager im Volke gab, deren Zusammenfassung wenn nicht als Parteien, so doch als Sektionen der Vaterländischen Front angezeigt schien, beharrte Schuschnigg auf dem Buchstaben des Gesetzes, zwang seine Gegner vielfach zu Lippenbekenntnissen, die für den Ernstfall keinen Wert hatten und erzeugte dadurch Unsicherheit im Sicherheitsapparat, der die Widersprüche von Schein und Wirklichkeit alltäglich aus nächster Nähe beobachten konnte.

Vielleicht hätte der Herbst 1936 auch die letzte Möglichkeit geboten, eine Volksabstimmung durchzuführen, zu der Bundespräsident Miklas immer wieder riet. Schuschnigg zögerte, bis es zu spät war. Er wollte sie sich, obwohl er zeitweise selbst an diese Möglichkeit dachte, die ihm auch von ausländischen Staatsmännern wiederholt empfohlen wurde, von keiner Seite, vor allem nicht durch Deutschland, aufzwingen lassen und er fürchtete die Propaganda, die dann nach Muster der Saarabstimmung in Österreich eingesetzt hätte. Im Hintergrund stand das Problem, daß er keine Mehrheit für seine Regierung erzielt hätte, wohl aber mit einer überwiegenden Bejahung der Selbständigkeit des österreichischen Staates hätte rechnen können.

So blieb es bei Versuchen, durch Lockerung der Zügel, durch gelenkte Wahlen bei der Bauernschaft und den Werksgemeinschaften allmählich eine Demokratisierung des Ständestaates herbeizuführen. In der Arbeiterschaft bestand die Bereitwilligkeit, in den legalen Organisationen weitgehend mitzuarbeiten, doch verlangte sie vor allem Organisationsfreiheit und Selbstverwaltung. In einer Denkschrift, für die zehntausende Unterschriften gesammelt wurden, kam klar zum Ausdruck, daß die Widerstandskraft der Arbeiterschaft im Kampf um die Unabhängigkeit des Staates nur dann entbunden würde, wenn die Organisationsfreiheit gewährleistet sei. Es war verfehlt, daß Schuschnigg es ablehnte, das Komitee, das ihm dieses Memorandum überreichen wollte, zu empfangen. Er wollte nur mit offiziellen Vertretern der Sozialen Arbeitsgemeinschaft und des Gewerkschaftsbundes, die aber diese Unterschriftsaktion im Auftrag der Regierung als illegal hingestellt hatten, verhandeln. Es war eine verpaßte Gelegenheit. Die Abstinenzparole der Revolutionären Sozialisten erhielt Auftrieb. Die Kommunisten vertraten hingegen seit dem 7. Weltkongreß der dritten Internationale im August 1935 den Weg der Volksfront, das Instrument der Ausnützung aller legalen Möglichkeiten in Zusammenarbeit mit den anderen Bevölkerungsschichten, in der bewußten Absicht, die Methode des trojanischen Pferdes anzuwenden, die sich auch gegen die Sozialisten gewendet hätte und deshalb von diesen scharf bekämpft wurde.

Schuschnigg, der am 3. November 1936 seine Regierung umbildete — es gehörten ihr fernerhin keine Mitglieder des Heimatschutzes mehr an —, mußte freilich auch außenpolitische Rücksichten nehmen. Er wußte, daß alles Entgegenkommen nach links sofort heftige Gegenpropaganda aus Deutschland hervorrufen würde, er durfte sich auch der Erkenntnis nicht verschließen, daß Mussolini, der noch immer als ein Paladin des Schutzes der österreichischen Selbständigkeit gelten konnte, dafür nicht zu haben war. Er hätte auch eine zu starke Annäherung an die demokratischen Staaten des Westens übelgenommen.

Österreich war durch das Juliabkommen verpflichtet, seine Außenpolitik als „zweiter deutscher" Staat zu führen. Trotzdem versuchte es mehrfach, seine eigenen Wege zu gehen. Es trat nicht aus dem Völkerbund aus, wie Berlin wünschte und beteiligte sich auch nicht an dem Kesseltreiben gegen die Tschechoslowakei. Es hielt Fühlung mit dem Westen, die Reisen Guido Schmidts, der nach dem Juliabkommen als Staatssekretär für Äußeres in die Regierung eingetreten war, nach London, Paris und Berlin dienten diesem Zweck. In England war man sich nach dem Juliabkommen darüber einig, daß Hitler zunehmend nun seine Mittel- und Südosteuropaplanung vorantreiben konnte und daß man Österreich kaum mehr als verbal zu helfen vermochte, was im Dezember auch offen ausgesprochen wurde. Man beurteilte die Lage realistischer, auch als Frankreich für den österreichischen Krisenfall noch Waffenhilfe ventilierte. Schuschnigg ließ den Draht nach Prag nicht abreißen und beriet sich mehrfach mit dem Ministerpräsidenten Hodža. Einer Einladung zur Völkerbundversammlung im September 1936 wich Schuschnigg jedoch aus. Noch war der Einfluß Italiens zu stark und auch Hitler wäre nicht damit einverstanden gewesen. Immerhin konnte Österreich unter gewissen Umständen daraus Nutzen ziehen, daß es nicht nur ein Bindeglied der sich immer mehr verfestigenden Achse Rom-Berlin, sondern auch zwischen Italien und dem Westen darstellte.

Da Ungarn in scharfem Gegensatz zur Tschechoslowakei stand, hatten Bestrebungen, ein Dreieck Wien-Budapest-Prag zu bilden, wenig Aussicht auf Erfolg. Ein Versuch Österreichs, auf dem Wege über den Völkerbund eine Garantie Frankreichs und Englands zu erreichen, scheiterte ebenso, wie auch der Wunsch, in das Kommuniqué über die letzte Zusammenkunft der Rompaktstaaten, die im Jänner 1938 in Budapest stattfand, einen Satz über die Unabhängigkeit Österreichs aufzunehmen, fehlschlug. Hingegen hatte bereits die Konferenz von Venedig im April 1937 die eindeutige Feststellung gebracht, daß eine Ordnung des Donauraumes ohne Deutschland, dessen Wortführer in diesen Belangen mehr und mehr Italien wurde, nicht in Frage komme.

Umgekehrt arbeitete Deutschland daran, sich von Italien freie Hand in Österreich zu verschaffen. Der diesbezügliche Versuch Görings bei seinem Besuch in Rom im Jänner 1937 brachte keinen vollen Erfolg. Mussolini war ungehalten und wich aus, doch kam die Verabredung zur Konsultation bei allen Maßnahmen gegenüber Österreich zustande. In der Frage der Ablehnung einer Restauration herrschte schon lange Übereinstimmung.

Unter diesen Umständen vertrat Guido Schmidt die Meinung, für Österreich handle es sich nicht um die Alternative Anschluß oder Restauration, sondern es gebe einen dritten Weg, den der guten Nachbarschaft mit allen Anrainern. Bei günstigen Voraussetzungen hätte das zu einer Neutralisierung führen können. Wer aber wollte die militärische Sicherung übernehmen gegen die stetig anwachsende Bedrohung aus dem Norden? — Bei dem Besuch Mussolinis in Deutschland im September 1937 kam die Österreichfrage nur am Rande zur Sprache, sie war noch immer ein heikler Punkt, den man am liebsten nicht berührte. Doch zeichneten sich die Linien eines allmählichen Zurückweichens Italiens immer deutlicher ab. Außenminister Ciano und sein Kreis, Anfuso und Alfieri, sowie der Botschafter Attolico in Berlin arbeiteten in dieser Richtung.

England war bloß daran interessiert, daß die Evolution in Mitteleuropa, mit der es rechnete, in geordneten Formen und ohne schwere Erschütterungen ablief. Diese Meinung vertrat nicht nur der Botschafter in Berlin Henderson, auch andere maßgebende Männer, selbst Vansittart im Foreign Office, neigten dieser Ansicht zu. Bei einem Besuch des Führers der Sudetendeutschen Partei, Konrad Henlein, in London äußerte er sich zu diesem, eine militärische Besetzung Österreichs sei einem Putsch vorzuziehen. In Berlin betrachtete man das als Falle. Wohl hielten Männer wie Eden und Churchill daran fest, zum Schutze Österreichs müsse sich Großbritannien auch zu Konzessionen an Mussolini bereitfinden, die in England tonangebende öffentliche Meinung ging darüber hinweg.

Es blieb für Österreich noch die Unterstützung Frankreichs. Dort wurde zwar im Parlament viel über Österreich debattiert, man versuchte von seiner Regierung eine Erklärung zu erhalten, daß sie auf Grund der Verträge, so des Genfer Protokolls von 1922, selbst eine Volksabstimmung verhindern werde. Diese Forderung ging zu weit und stand auch nicht im Einklang mit den Möglichkeiten, die Frankreich zu Gebote standen. Es machte seine Haltung von England abhängig und tröstete sich mit dem Gedanken, daß es ja mit Österreich keinen Bündnisvertrag abgeschlossen habe wie mit der Tschechoslowakei. In früherer Zeit hätte wohl auch deren wohlausgerüstete Armee für Österreich einen Sicherheitsfaktor bieten können, jetzt lebte sie selbst von einem Tage zum andern in der Sorge, von Deutschland überrannt zu werden. Schien es doch zeitweise, daß Deutschland sich zunächst gegen diesen Staat wenden würde, wozu auch Italien gerne seine Hand geliehen hätte. Das Gefüge der Kleinen Entente war schon lange erschüttert, Jugoslawien stand durchaus auf Seite Deutschlands und war wegen der in Österreich noch immer betriebenen Propaganda der Legitimisten verstimmt.

Schuschnigg war schon seit langem davon überzeugt, daß eine Restauration nicht in Betracht kommen könne. Sie hätte im wahrsten Sinne des Wortes Selbstmord bedeutet, wie der Reichsaußenminister von Neurath bei seinem Wiener Besuch im Februar 1937 in dürren Worten erklärte. Im Juli 1937 gab der Reichskriegsminister Blomberg „Weisungen für die einheitliche Kriegsvorbereitung der Wehrmacht", die auch den „Sonderfall Otto" vorsah, nachdem man sich seitens der Wehrmacht und der Wirtschaft seit 1936 mit der ökonomischen und strategischen Bedeutung Österreichs für das nationalsozialistische Reich beschäftigte. Schuschnigg unterrichtete von dieser Lage auch den Thronanwärter Otto, mit dem er auch mehrmals persönlich zusammentraf. Der legitimistischen Propaganda im Innern legte er gewisse Zügel an, indem er innerhalb der Vaterländischen Front ein Traditionsreferat ins Leben rief. Sie paßte ihm auch deswegen nicht ganz ins Konzept, weil in dieser Bewegung auch Parolen Anklang fanden, die seinem Staatsprogramm widersprachen. Er bemühte sich daher klarzustellen, daß es sich bloß um eine Propaganda für eine andere Staatsform handeln dürfe, eine Änderung des von der Maiverfassung umschriebenen Staatsinhalts aber nicht in Frage komme. Das richtete sich gegen jene, die von einer sozialen Volksmonarchie sprachen und damit auf Arbeiterkreise, denen sie die Wiederkehr demokratischer Formen in Aussicht stellten, Eindruck machen wollten. Die Kommunisten unterließen es nicht, ihre Volksfrontgedanken auch in Monarchistenversammlungen hineinzutragen, wobei auch deren nunmehr einsetzende Diskussion über die „österreichische Nation" ein Bindeglied bilden sollte.

Schuschnigg aber mißfiel es, daß Berichte kamen, es seien dort Rufe wie: „Wir wollen das Streikrecht" lautgeworden. Unter diesen Begleitumständen kam auch Ernst Karl Winter, der schon lange kaltgestellt war, wieder mehr zur Geltung. Die Ausschaltung des Heimwehrflügels wäre an sich eine günstige Gelegenheit zur Basisverbreiterung gewesen. Auf der einen Seite sollte die nun zunehmende Betonung Österreichs als zweiter deutscher Staat, also „deutschbetonte Österreichideologie" (Jagschitz, Ständestaat), die ideologische Brücke sein, die auch den (gemäßigten) Nationalsozialisten ein Verbleiben im österreichischen Haus ermöglichen sollte. Auf der anderen Seite kam es zwischen Oktober und Dezember 1936 im gesamten Bundesgebiet zur Wahl von Vertrauensmännern für die Werksgemeinschaften. Bereits davor hatte Kunschak für eine echte Mitbestimmung der Arbeiterschaft und die Anerkennung einer Opposition innerhalb des ständestaatlichen Konzepts plädiert.

Durch die Beteiligung der illegalen Freien Gewerkschaften „im Geheimen an der Wahl" konnten trotz der Kontrolle der Regierung „zumindest ein Drittel, wenn nicht die Hälfte der Mandate mit sozialdemokratischen Anhängern" besetzt werden. Diese Ereignisse führten auch zu einer deutlich artikulierten demokratischen Strömung innerhalb der staatlichen Einheitsgewerkschaft, und selbst innerhalb der obersten staatlichen Repräsentanz ließen sich „quasidemokratische Tendenzen" bis hin in die letzten Tage des Ständestaates orten. Eine echte Basisvertretung, die der Regierung die Mehrheit der Bevölkerung gesichert hätte, blieb jedoch aus, da sich einerseits die nationale Opposition rasch im nationalsozialistischen Sinne weiterentwickelte, und andererseits echte spürbare Zugeständnisse im Hinblick auf das sozialdemokratische Lager wegen der doppelten politischen Pression — Italien und Deutsches Reich — von vornherein als Unmöglichkeit angesehen wurden.

Schuschnigg setzte beim 3. Bundesappell der Vaterländischen Front (Februar 1937) ebenfalls ein demonstratives Zeichen gegenüber der sozialdemokratischen Anhängerschaft, indem er die Liquidation der Folgen des Februar 1934 ankündigte. Während er aber die ebenfalls angekündigte Befriedungsaktion gegenüber dem nationalen Lager (Schaffung des Volkspolitischen Referates innerhalb der Vaterländischen Front) tatsächlich, wenn auch ohne echten Erfolg, realisierte, blieb es für den linken Bereich bei der vagen Ankündigung. So hinkten auch schließlich die sozialdemokratischen Forderungen im Februar/März 1938 jeweils deutlich hinter den den Nationalsozialisten zugestandenen Möglichkeiten nach.

Um die Jahreswende 1937/38 stand also die Regierung Schuschnigg außenpolitisch verlassen da. Nur der Schimmer einer Hoffnung, es würde in absehbarer Zeit zu einem Ausgleich zwischen England und Italien kommen, berechtigte zu der Meinung, es könnte eine Politik des Zeitgewinnens im Innern eine Lösung bringen. De facto hatte London aber angesichts der Unmöglichkeit, tatsächliche Hilfe leisten zu können, Wien bereits aufgegeben.

Nach der ersten Überraschung über das Juliabkommen hatten die österreichischen Nationalsozialisten alsbald ihre Chance erfaßt. Waren sie auch in Fragen der Taktik gespalten, so zeigte sich bald, daß beide Wege, die stetig sich steigernde Forderung nach Legalisierung der Partei, und die andere Methode, Erringung von Positionen im legalen Machtapparat durch Mitarbeit in der Vaterländischen Front, die Entwicklung vorantrieben. Man sprach von einer negativen und einer positiven Befriedung. Die erste bestand in der immer weitergehenden Amnestie, der Zulassung des Hilfswerkes Langoth, das Unterstützungen aus Deutschland an bedürftige Nationalsozialisten in legaler Weise verteilen durfte, und in der Abkehr von dem innenpolitischen Ausnahmezustand der letzten Jahre. Man wollte wieder zu den Formen des Rechtsstaates mit allen Garantien zurückkehren, ohne für den Bedarfsfall alle Machtmittel aus der Hand zu geben. Diesem Zwecke diente ein Ordnungsschutzgesetz. Auch die schweren Strafdrohungen, die der Hochverratsparagraph bedeutete, wurden durch Unterstellung zahlreicher Tatbestände unter ein Staatsschutzgesetz gemildert.

Hinsichtlich der positiven Befriedung bestanden die Nationalsozialisten auf der im Juliabkommen festgelegten Heranziehung der nationalen Opposition und der Aufnahme ihrer Vertreter in die Regierung. Der Umstand, daß Schuschnigg seinen persönlichen Freund Guido Schmidt zum Staatssekretär hatte ernennen lassen, bestärkte sie in der Forderung nach Eintritt eines zweiten Vertreters der Opposition in das Kabinett, weil sie nur Glaise-Horstenau, nicht aber Schmidt als solchen anerkannten. Schuschnigg erwies sich als harthörig, desto lauter wurden aber die Vorwürfe, er habe das Juliabkommen nicht erfüllt. Es gab sogar Versuche, Schuschnigg überhaupt zu stürzen. Sie gingen von Neustädter-Stürmer aus, der als Minister für das Sicherheitswesen zuständig war. Er war mit der vollen Absicht eingetreten, eine aus Heimwehr und „Nationalen" zusammengesetzte Regierung zustandezubringen und Schuschnigg sowie die hinter im stehenden Kreise lahmzulegen. Sein Ziel suchte er durch Schaffung eines „Deutschsozialen Volksbundes" zu erreichen, der allmählich die Legalisierung der NS-Partei ermöglicht hätte. Schuschnigg sah diese Gefahr und verhielt sich ablehnend. Neustädter-Stürmer mußte demissionieren.

Damit war aber das Problem nicht gelöst. Die an die Oberfläche drängenden Kräfte des Nationalsozialismus konnten nicht übersehen werden. Dazu kam, daß Mussolini in ähnlicher Richtung arbeitete. Er hatte Göring die Zusicherung gegeben, er werde sich bei Schuschnigg für die strikte Einhaltung des Juliabkommens einsetzen. Dabei leitete ihn noch ein anderer Gedanke, dessen Verwirklichung sein Schwiegersohn Ciano übernahm. Er wollte unter allen Umständen vermeiden, daß Hitler in Österreich militärisch eingreife und sah als einzigen Weg dazu, Schuschnigg zu veranlassen, mehrere Nationalsozialisten in die Regierung aufzunehmen. Darum schickte er einen Sonderbeauftragten, Tuninetti, zu Beginn des Jahres 1937 nach Österreich, um diese Möglichkeit vorzubereiten. Nach einigem Zögern schien Schuschnigg bereit zu sein, darauf unter der Voraussetzung einzugehen, daß ein Bekenntnis zur Unabhängigkeit Österreichs abgelegt werde, keine Parteiorganisation gebildet, sondern nur der Name „Nationale" oder „Unabhängige" getragen werden dürfe und das Ganze nicht in Form eines Vertrages mit den Oppositionellen, sondern als Akt des Entgegenkommens der Regierung vor sich gehe. Bei seinem Aufenthalt in Venedig im April 1937 machte Schuschnigg auch für seine Person solche Zusicherungen, war aber maßlos erstaunt und erbittert, als knapp nach seiner Abreise in einem offiziellen Organ ein Artikel erschien, daß Schuschnigg demnächst Nationalsozialisten in seine Regierung aufnehmen werde. Er fürchtete den Widerstand seiner Gegner im eigenen Lager, die unter Führung des Bürgermeisters Schmitz von Wien standen, der als Landesführer auf die Vaterländische Front großen Einfluß hatte. So wurde denn alles dementiert und nichts ausgeführt.

Die Bemühungen der Regierung, die nationale/nationalsozialistische Opposition ruhigzustellen, führten unmittelbar vor dem offiziellen Besuch des deutschen Außenministers von Neurath in Wien (22./23. Februar 1937) zur Schaffung des „Siebenerausschusses" und zur Ankündigung des Volkspolitischen Referates beim Bundesappell der Vaterländischen Front. Diese von der Regierung angebotene Organisationsmöglichkeit für den österreichischen Nationalsozialismus und die offizielle Kontaktstelle sollten zusammen mit der Ernennung des gemäßigten österreichischen Nationalsozialisten Seyß-Inquart zum Staatsrat einen Modus vivendi ermöglichen. Während Seyß-Inquart mit Papen als Vertreter eines evolutionären Weges an die Arbeit ging, wollten der Siebenerausschuß und der eng mit diesem verbundene Führer der Wiener NSDAP, Hauptmann Josef Leopold, den radikalen Weg der revolutionären Machtergreifung beschreiten. Leopold zählte zu jenen verdienten Unteroffizieren, die in der Österreichischen Volkswehr als „zuverlässige Linke" zum Offizier befördert worden waren. Der Ausbau der Volkspolitischen Referate stieß auf Schwierigkeiten, weil sie den orthodoxen Nationalsozialisten mißfielen. Die Bildung von ähnlichen Komitees in den Ländern war beinahe undurchführbar, sofern die Zusammensetzung nicht den Wünschen der NS-Partei entsprach. Der mit der Geschäftsführung in Wien betraute frühere großdeutsche Vizebürgermeister von Innsbruck Pembaur hatte mit großen Schwierigkeiten zu kämpfen.

Der Siebenerausschuß in Wien kam gleichfalls nicht zu einer besonderen Wirksamkeit, soweit es nicht engen Kontakt mit der nationalsozialistischen Landesleitung hielt, die im selben Haus in der Teinfaltstraße ihren Sitz hatte. Die Regierung wußte das und duldete es, weil sie damit eine gewisse Kontrollmöglichkeit hatte. Die Öffentlichkeit wunderte sich, daß Hauptmann Leopold eine Art Immunität besaß, auch bei Reisen nach Deutschland wurde ihm nichts in den Weg gelegt. Vor kritischen Tagen, an denen man Ruhestörungen befürchtete, versicherten sich Regierung und Polizei gerne der Mitwirkung der Teinfaltstraße. So ließ sich leichter die Ordnung aufrechterhalten. Demonstrationen, die auf die öffentliche Meinung des Auslands ungünstige Rückwirkungen haben konnten, sollten hintangehalten werden. Gerade solche Kundgebungen waren der Regierung sehr ungelegen, sie griff dann zu scharfen Gegenmaßnahmen und sprach von einem Bruch des Abkommens vom 11. Juli. So bei den Ereignissen anläßlich der Olympiafeier in Wien im Juli 1936, beim Besuch des Reichsaußenministers Neurath im Februar und beim Altsoldatentag in Wels im Juli 1937. Da sich der Nachweis, daß solche Demonstrationen von außen angezettelt seien, in den meisten Fällen nicht erbringen ließ, wäre die Regierung zwar berechtigt gewesen, solche Vorfälle als rein innerösterreichische Angelegenheit zu betrachten und nach den bestehenden Gesetzen zu ahnden, eine Verschärfung des Gegensatzes zu Deutschland ließ sich aber damit nicht begründen. Die Regierung erschwerte sich damit nur ihre Stellung in den Auseinandersetzungen mit dem größeren Vertragspartner, der auch über berechtigte Beschwerden nur zu häufig hinwegging.

Denn im Grunde handelte es sich vor allem um die starre, unbelehrbare Politik des Hauptmanns Leopold und seines Kreises, die selbst innerhalb der illegalen NS-Partei auf Widerspruch stieß. Leopold verlor auch in Deutschland zusehends an Geltung, Göring sagte ihm deutlich die Meinung, ohne nachhaltigen Erfolg, so daß sich allmählich die Absicht kundtat, Leopold auszuschalten. Diese Aufgabe übernahm ein alter Weggenosse Hitlers, der SS-Gruppenführer Wilhelm Keppler, dem die Ordnung der österreichischen Parteiangelegenheiten übertragen wurde.

Als Beauftragter des Vierjahresplanes kalkulierte Göring in zunehmendem Maß das österreichische Wirtschaftspotential ein. Bereits wenige Monate nach der Betrauung mit dieser Funktion unterstrich Göring Mussolini gegenüber die absolute Notwendigkeit des Anschlusses, während Neurath in Wien Wirtschaftsforderungen erhob, die bereits in die österreichische Souveränität eingriffen. Ebenso setzte die Planungsarbeit für den militärischen „Sonderfall Otto" ein. „Wenn es sich dabei auch nur um einen Rahmenplan handelte, ist doch der Zeitpunkt seiner Abfassung signifikant. Um die Mitte des Jahres 1937 war das massiv aufrüstende Deutsche Reich an die Grenzen seiner ökonomischen Möglichkeiten trotz der Anstrengungen des Vierjahresplanes gelangt und benötigte dringend neue Ressourcen und Devisen, um das Tempo und den erzielten Vorsprung in der Rüstung aufrechterhalten zu können. Die Deckung des Rohstoffbedarfes — vor allem auf dem Eisenerzsektor — der deutschen Wehrmacht war bereits gefährdet und auch die Mangelerscheinungen an Arbeitskräften und Produktionskapazitäten begannen ein bedrohliches Ausmaß anzunehmen" (Schausberger, Anschluß).

Gleichzeitig wurde der Wirtschaftsexperte Hitlers, Wilhelm Keppler, mit dem Fragenkomplex Österreich betraut. Keppler, der einerseits mit Seyß-

Inquart für eine evolutionäre Lösung eintrat, wußte andererseits wie Göring aus dem „nationalen Traum" handfest ökonomische Vorteile zu ziehen. Während die österreichischen Illegalen in einer besonderen Denkschrift im Juni 1937 die Legalisierung der NS-Partei, eine weitergehende Amnestie und eine Beteiligung an der Regierung verlangten, hatte der Versuch, auf dem Weg über die Volkspolitischen Referate jene Umstände festzulegen, die zu einer Verständigung mit der Regierung führen sollten, eher Aussicht auf Erfolg. Leopold bestritt, daß es eine „nationale Opposition" außerhalb der Nationalsozialistischen Partei geben könne und der Siebenerausschuß stellte seine Tätigkeit ein. Es gab aber immer noch Wortführer des evolutionären Weges, zu denen Seyß-Inquart zählte. Diese Politik entsprach der Einstellung des deutschen Gesandten von Papen, dessen Ratschläge auch bei Hitler und Göring mehr und mehr Gewicht erhielten, während er gleichzeitig innerhalb Österreichs äußerst ausdauernd Brückenköpfe bildete. Im Herbst 1937 wurde an einen Besuch Görings in Österreich gedacht, der, um Demonstrationen zu vermeiden, als Jagdausflug stattfinden sollte — Göring schlug Schmidt am 10. September eine Währungs- und Zollunion vor; auch sollte eine enge militärische Kooperation angestrebt werden, die sich gegen die Tschechoslowakei richtete. Noch konnte sich Österreich entziehen.

Zur selben Zeit nahm der tschechoslowakische Ministerpräsident Hodža seine Gespräche mit Schuschnigg wieder auf, doch konnte ihm dieser angesichts der Haltung Deutschlands und Italiens kaum entgegenkommen. Immerhin verbesserten sich die Beziehungen der beiden Staaten mehr und mehr. Die Prager Regierung entsprach einem langgehegten Wunsch Wiens und sicherte zu, die Verlegung des Auslandsbüros der österreichischen Sozialisten nach Paris zu verlangen. Außerdem kam Prag auch den Wünschen Berlins in einem „Pressefrieden" nach. Kreise der Vaterländischen Front nahmen Fühlung mit der Sudetendeutschen Partei. Es wurde eine Zusammenkunft des Generalsekretärs Zernatto mit einem Beauftragten Henleins in Aussicht genommen, doch riet man in Berlin davon ab.

Bei der Zusammenkunft der Staaten des Römerprotokolls, die vom 9. bis 12. Jänner 1938 in Budapest stattfand, konnte Österreich das Ansinnen, aus dem Völkerbund auszutreten und sich dem Antikominternpakt (Berlin-Rom-Tokio) anzuschließen, abwehren und gleich Ungarn eine Eingliederung in die Achse Rom-Berlin vermeiden. Beide Staaten mußten sich aber klar sein, wie eng die Grenzen ihres selbständigen Handelns gezogen waren.

Diese Entwicklung hatte sich bereits im April 1937 beim vorangegangenen Treffen der Protokollstaaten abgezeichnet. Das von den Briten zitierte italienische Interesse war aber Anfang 1938 bereits endgültig zugunsten der Achsenpolitik zurückgetreten, was mit dazu beigetragen haben mag, daß man Österreich und Ungarn zum Eintritt in den Antikominternpakt aufforderte und den Austritt aus dem Völkerbund zur Diskussion stellte. Die Ablehnung dieser Vorschläge wurde Schuschnigg von Hitler schließlich auch beim Treffen auf dem Obersalzberg im Februar 1938 massiv vorgeworfen.

Zweiseitige Verträge, die den Kleinstaaten auf der Grundlage von Beistandsverpflichtungen größeres Gewicht gegenüber den Großen gegeben hätten, mußten unterbleiben. Nur Rumänien und Jugoslawien, die seit einem Jahr auch einen Freundschaftsvertrag mit Italien besaßen, schlossen ein solches Abkommen. Auch wenn Österreich größere Bewegungsfreiheit gehabt hätte, stellten sich einem Beistandspakt mit der Tschechoslowakei doch jene großen Hindernisse entgegen, die schon früher den sogenannten Titulescu-Plan scheitern ließen. Der rumänische Außenminister hatte vorgeschlagen, ein Abkommen zwischen Wien und Prag unter die Garantie Rußlands zu stellen, das mit der Tschechoslowakei durch einen Vertrag gegenseitiger Hilfeleistung verbündet war. Was 1935 immerhin noch ausgesprochen werden konnte, hatte drei Jahre später angesichts des Antikominternpakts nur historische Bedeutung. Andererseits gerieten die Bemühungen der Sowjetunion, mit Hilfe Frankreichs eine Gesprächsbasis mit Rom zu finden, um so unter Einbeziehung Italiens einen antinationalsozialistischen Wall zu errichten, in eine Pattsituation, da die westlichen Großmächte sichtlich zu unflexibel mit dem faschistischen Italien umgingen, das letztlich direkt auf den Antikominternpakt zusteuerte. Charakteristischerweise hielt man beim Wiener Treffen die Erkenntnis fest, „daß der Kommunismus den Frieden und die Sicherheit gefährdet", und nahezu wortident fixierte man dies auch in Berlin bei Schmidts Besuch, so daß letztlich nur die Tschechoslowakei als Partner für die Sowjetunion in Mitteleuropa übrigblieb. Damit verhinderte man die — wenn auch höchst unvorstellbare — Möglichkeit, daß Schuschnigg dem Gedanken einer sowjetischen Garantieerklärung für Österreich nähertreten konnte. Ein derartiger Vorschlag wurde zwar schließlich von Rumänien geäußert und wäre innenpolitisch durch die Bereitschaft der Kommunisten zu einer Volksfront gegen Hitler mitgetragen worden, wobei jedoch das geringe Potential dieser Partei nicht übersehen werden darf.

So hatte Österreich zu Beginn des Jahres 1938 außenpolitisch keine Dekkung. Es hatte Grund zu zweifeln, wie weit es auf italienische Hilfe noch rechnen konnte, in Großbritannien neigte die öffentliche Meinung immer mehr dazu, den Dingen in Mitteleuropa freien Lauf zu lassen und die englischen Staatsmänner stimmten ihre Politik darauf ab, das Juliabkommen war auch hier eine Zäsur. Das wußte man in Berlin. Aus Frankreich kamen schöne Worte an Österreich. Niemand durfte jedoch erwarten, daß dieses Land ohne Unterstützung Englands in den Kampf ziehen würde. Der polnische Außenminister schrieb Österreich kurzweg ab, Jugoslawien stand in engen Beziehungen zu Deutschland. Die Tschechoslowakei, die über ein wohlausgerüstetes Heer und gutausgebaute Grenzsicherungen verfügte, wußte, daß sie allein nicht einmal den Bestand des eigenen Staates sichern konnte.

Es war also der Zeitpunkt gekommen, da Österreich nur mehr auf sein

Recht und seine moralischen Kräfte hoffen durfte. Mit diesen sah es allerdings nicht am besten aus. Das durch innere Gegensätze zerklüftete Land hätte einer Regierung bedurft, die das Volk zum freiwilligen Mitgehen bei der Entfaltung seiner patriotischen Energien mitgerissen hätte. Das konnte nach den Ereignissen der letzten Jahre, die wieder in weiter zurückliegenden Fehlern und Versäumnissen ihre Ursache hatten, nur schwer der Fall sein. Die Vaterländische Front, deren Sinn es gewesen wäre, alle die Selbständigkeit und Unabhängigkeit des Staates bejahenden Kräfte aus jedem Lager zusammenzufassen, war ein ineffizientes Vehikel geblieben — weit davon entfernt, eine faschistische Massenorganisation zu sein —, das die Durchführung eines sehr umstrittenen Staatsaufbaues sichern sollte, sich zum Teil auf eine Zwangsmitgliedschaft stützte und nicht selten unter dem Widerspruch idealer Programmpunkte gegenüber der jedermann erkennbaren unschönen Wirklichkeit zu leiden hatte. Das immer stärker reduzierte Regierungslager blieb in sich gespalten, und eine echte Basisverbreiterung scheiterte an der Aussöhnung mit dem linken Lager, da man die Vorleistungen — Organisationsfreiheit, usw. — nicht zu erbringen bereit war. Dazu fehlte Schuschnigg die Bereitschaft, dazu fehlten die entsprechenden Führungspersönlichkeiten in der Regierung. Es nützte wenig, daß sich unter der Wucht der hereinbrechenden Ereignisse Heimatliebe und Staatsbejahung in immer stärkerem Maße entfalteten, wenn kaum jemand da war, zu dem die Mehrheit des Volkes Vertrauen hatte und dessen Leitung sie sich ohne inneres Widerstreben unterstellen wollte. Was zum „nationalen Lager" zählte und was unter der Suggestion der dramatisch abrollenden Ereignisse neu dazustieß, blickte gebannt auf ein Idol jenseits der Grenze. Die führenden Männer der Sozialisten waren gerade in ihren politisch geschultesten und einsichtigsten Vertretern von tiefem Pessimismus erfüllt, sie sahen das unabwendbar scheinende Unheil schon seit dem Juli 1936 kommen. So blieb nur jene Schicht, die seit fünf Jahren die Geschicke des Landes in Händen hielt und nun, Schritt für Schritt zurückweichend, versuchen mußte, zu retten, was noch zu retten war. Aus einer derartigen Analyse heraus entstand auch jener Plan, durch eine Rückkehr Otto von Habsburgs eine „soziale Monarchie" als widerstandsfähigen Staat zu schaffen.

Wie sehr die innerpolitische Lage zu einer Entscheidung drängte, zeigte sich, als sich die Regierung entschloß, das Büro in der Teinfaltstraße ausheben zu lassen. Dabei wurden am 26. Jänner 1938 Schriftstücke gefunden, die für das Frühjahr den Versuch eines gewaltsamen Umsturzes erwarten ließen und unter dem Namen Tavs-Plan bekannt wurden. Tavs war Stellvertreter Hauptmann Leopolds und gehörte dem radikalen Flügel der Partei an. Das von ihm niedergeschriebene Projekt entsprach ganz der Mentalität des Kreises um Leopold, der zusehends nicht nur mit Papen, sondern auch den maßgebenden Parteimännern in Deutschland bis zu Göring und Hitler in Widerspruch geriet. Während diese auf ein schrittweises Vorgehen beim

Anschluß Österreichs, den sie als unverrückbares und auch ausländischen Staatsmännern gegenüber unverhohlen ausgesprochenes Ziel festhielten, beabsichtigte der Tavs-Plan, durch Anschläge auf deutsche Diplomaten Hitler zum Eingreifen zu veranlassen.

Seit Neujahr gingen auch die Wogen der Auseinandersetzungen zwischen der Vaterländischen Front und den Volkspolitischen Referenten hoch — die seit dem Juni 1937 bestehenden Volkspolitischen Referate waren wie etwa in der Steiermark, wo der spätere Schwiegersohn Anton Rintelens, Armin Dadieu, Referent war, weitaus mehr Agitationspositionen der NSDAP als Integrationspunkte der Vaterländischen Front. Einer von ihnen hatte in einem Aufsatz die Vereinbarkeit von Bekenntnis zum Nationalsozialismus und dem Frontprogramm behauptet, was an sich ein begrifflicher, in einem autoritären Staatswesen jedoch verständlicher Widerspruch war. Wollte man keine Parteien, so mußte man ähnliche Gebilde innerhalb der politischen Einheitsorganisationen in Kauf nehmen. Das Auftrumpfen des Staatssekretärs Zernatto, die volkspolitischen Referenten hätten sich gegen die „nationale Opposition" zu stellen, blieb wirkungslos. Das Befriedungswerk gegenüber den „Nationalen", das, nicht ganz deutlich ausgesprochen, doch dem Sinn des Juliabkommens nach durchgeführt werden mußte, geriet ins Stocken, Seyß-Inquart, der seit Juli des vergangenen Jahres dem Staatsrat angehörte, trat einen Urlaub an. Seine Absicht, ganz zurückzutreten, ließ er unter dem Einfluß Görings fallen.

Inzwischen vollzog sich in Berlin am 4. Februar 1938 jener Umschwung, der die Macht im Staate durch die Fritsch-Blomberg-Krise ganz in die Hände der Nationalsozialistischen Partei und Hitlers übergehen ließ. In Wien erkannte man die Bedeutung dieser Ereignisse zunächst nicht. Auch Papen wurde abberufen, kehrte aber nach einigen Tagen wieder zurück. Er hatte es verstanden, einen schon früher von ihm mit Schuschnigg erörterten Gedanken einer persönlichen Zusammenkunft der beiden Staatsmänner Hitler mundgerecht zu machen.

Schuschnigg stimmte am 7. Februar zu, bedingte sich aber ein genaues Programm aus, vor allem kam es ihm auf eine ausdrückliche Anerkennung des Juliabkommens an, dessen Durchführung so große Schwierigkeiten machte, das aber nunmehr die Grundlage des Gespräches und für alle weiteren Vereinbarungen bilden müßte. Was durfte er sich erwarten? Im günstigsten Fall eine Bekräftigung des Vertrages von 1936 unter gleichzeitiger Anerkennung der innerpolitischen Einrichtungen Österreichs gemäß der Maiverfassung, ein ausdrückliches Abrücken von allen illegalen Bestrebungen und ein Machtwort, das auch die Nationalen auf die Vaterländische Front als einzigen Weg für die politische Betätigung hinweisen würde.

Schuschnigg wollte nicht mit leeren Händen kommen und brachte deswegen die schon seit einiger Zeit laufenden Verhandlungen zwischen Zernatto und Seyß-Inquart über die innerpolitische Befriedung zu einem vorläufigen Abschluß. Es wurden Maßnahmen für eine weitere Amnestie, Erleichterungen auf dem Gebiete des Pressewesens, Heranziehung der „Nationalen" für die verschiedenen Körperschaften in Gemeinde und Land, Zusammenarbeit mit Deutschland in militärischen Belangen ins Auge gefaßt. Am wichtigsten schien Schuschnigg die Abmachung darüber, daß Seyß-Inquart als allein berechtigter Vertreter und Mittelsmann zu Deutschland in Betracht komme. Das hätte die Ausschaltung der illegalen NS-Partei bedeutet. Hatte Schuschnigg schon früher zugestanden, daß ein grundsätzliches Bekenntnis zum Anschluß, der nur wegen der außenpolitischen Konstellation zur Zeit nicht möglich sei, die Mitarbeit in der Vaterländischen Front nicht ausschließe, so gedachte er nunmehr auch die politischen Verbindungen der österreichischen Nationalsozialisten nach Deutschland zu sanktionieren, wenn sie nur den Weg über Seyß-Inquart nahmen, dem er Vertrauen schenkte. Sein Ziel war es, die österreichischen Nationalsozialisten zu spalten. Diese Hoffnung Schuschniggs war zu diesem Zeitpunkt irrational und gründete wohl auf dem seltsamen Vertrauensverhältnis zu Seyß-Inquart, dem aber auch Heydrich mißtraute, wohl weil er erkannte, daß Seyß-Inquart nur im beschränkten Ausmaße als „Trojanisches Pferd" zu gebrauchen war. Die Lage in Österreich sei reif, gefährlich sei nur die Tendenz jener Männer, die der österreichischen Partei den revolutionären Schwung nehmen und sie von den deutschen Nationalsozialisten trennen wollten.

Die Punktationen zwischen Zernatto und Seyß-Inquart wurden sofort nach Berlin berichtet, die SS hatte dabei ihre Hand im Spiel. Dabei wurde auch eine Frage als vereinbart hingestellt, in der noch kein abschließendes Ergebnis erzielt worden war, hinsichtlich des Eintritts Seyß-Inquarts in die Regierung. Wohl war dies in Aussicht genommen, über das Ressort bestanden aber noch Zweifel. Der Bericht nach Berlin sprach aber eindeutig von einer Übertragung des Innen- und Sicherheitsministeriums. So weit wollte man in Wien auf keinen Fall gehen, gegen Seyß-Inquart als Innenminister in dem Umfang, wie bis dahin Glaise-Horstenau dieses Amt bekleidete, hätte man aber nichts einzuwenden gehabt.

So fuhr denn Schuschnigg am 12. Februar in Begleitung des Staatssekretärs für Auswärtige Angelegenheiten Guido Schmidt nach Berchtesgaden und wurde dort von Hitler empfangen. Die Begegnung zwischen Hitler und Schuschnigg, der nach vorhergehender Information der Gesandten Frankreichs, Großbritanniens, Italiens und des Nuntius auf den Berghof gereist war, verlief nach einer Inszenierung Hitlers, die auf eine totale Einschüchterung des Gesprächspartners hinauslief und mit einem militärischen Ultimatum verbunden war. Letztlich ohne eigentliche Sachdiskussion legte man Schuschnigg einen von Keppler verfaßten Entwurf eines Abkommens vor, das nach einigen knappen Abänderungen diktatmäßig dem Bundeskanzler aufgezwungen wurde, der jedoch ausdrücklich darauf verwies, daß über

Ministerernennungen und Amnestien nur der Bundespräsident verfügen könne. Die Punktation umfaßte:

1. Außenpolitische Absprache- und Koordinationsverpflichtung.
2. Seyß-Inquart übernimmt das österreichische Sicherheitswesen.
3. Freie Betätigung der NSDAP innerhalb der Vaterländischen Front.
4. Nationalsozialistenamnestie, gemaßregelte Beamte und Offiziere sind wieder einzusetzen.
5. Generalstabschef Jansa ist von seinem Posten zu entfernen.
6. Offiziersaustausch bis jeweils 50 Mann und enge Kontaktpflege.
7. Intensivierung der wirtschaftlichen Kooperation.

Als Erfolg konnte gelten, daß Leopold und Tavs nach Deutschland abberufen wurden, um dort Parteistellungen zu übernehmen. Sie wurden von Hitler empfangen, der ihnen drastisch klarmachte, daß er mit ihrer Politik nicht einverstanden sei, daß er den evolutionären Weg zu gehen wünsche, und daß Österreich bei Durchführung des Abkommens von Berchtesgaden Deutschland in nicht zu langer Frist als reife Frucht in den Schoß fallen werde.

Diese Gefahr erkannte man auch in Wien, und die Entscheidung wurde dem Bundespräsidenten, auf den Dollfuß und Schuschnigg kaum jemals gehört hatten, der aber nun mit aller Verantwortung beladen war, sehr schwer. In den Besprechungen, die bei ihm abgehalten wurden, erwog man die vorhandenen Möglichkeiten: Ablehnung des Abkommens und Bildung einer neuen Regierung, Annahme und Durchführung unter Schuschnigg oder durch ein neues Kabinett. Angesichts der Machtverhältnisse kam eine Ablehnung nicht in Betracht. Es fragte sich jedoch, ob nicht ein Rücktritt Schuschniggs für den Aufbau eines inneren Widerstandes bessere Voraussetzungen geboten hätte, als dies in den nächsten Wochen der Fall war.

Denn jetzt gerieten die Dinge in Fluß. Sobald sich die Regierung entschlossen hatte, den Inhalt des Abkommens tropfenweise der Öffentlichkeit bekanntzugeben, machte sich auf der einen Seite tiefe Niedergeschlagenheit breit, während die Nationalsozialisten sich zum Endkampf rüsteten. Die Reichstagsrede Hitlers am 20. Februar brachte zwar eine Erwähnung des Juliabkommens als Grundlage für den Vertrag von Berchtesgaden, die Worte über den Schutz von zehn Millionen Deutschen an den Grenzen des Reichs ließen aber erkennen, welche Auslegungen zu gewärtigen waren. Die erhoffte ausdrückliche Bestätigung der österreichischen Souveränität blieb aus. Jetzt setzten als Freudenkundgebungen bezeichnete Demonstrationen vor allem in den Alpenländern ein, von denen Joseph Roth stets meinte, daß von dort die „Dummheit" in Österreich käme, die die Regierung in eine Pattstellung treiben sollten: reagierte man mit polizeilichen Maßnahmen, war der von Hitler gewünschte Anlaßfall gegeben, ließ man den Dingen ihren Lauf, so destabilisierte man das Land weiter. Über scharfsinnige Erlässe, wann und unter welchen Umständen Hakenkreuzabzeichen und Hitlergruß erlaubt

seien, ging die Entwicklung hinweg. Viele Einsichtige hielten die Wiederherstellung der alten Parteien, die auch den Sozialdemokraten wieder Betäti-
gungsmöglichkeiten eröffnet hätte, für einen Ausweg. Schuschnigg wollte
nichts davon wissen. Auch für eine Aufspaltung der Vaterländischen Front in
Sektionen waren er und Zernatto nicht zu haben. Mußte die Regierung bei
einer Annäherung an die Linke auch mit dem Mißfallen Deutschlands und
Italiens rechnen, so hätte dies doch auf die Weststaaten Eindruck gemacht.
Auch diese wollten und konnten nicht helfen, ein rechtzeitiger Kurswechsel
hätte aber der Unsicherheit über Weg und Ziel im Innern steuern können.

In einer eindrucksvollen Rede am 24. Februar 1938 vertrat Schuschnigg
vor seinem Land und vor der Welt den österreichischen Standpunkt. Die
Stimmung im In- und Auslande erfuhr dadurch einen Auftrieb. Entscheidende Taten blieben aber auf allen Seiten aus. Italien machte gute Miene zum
bösen Spiel, es begann mit dem Anschluß zu rechnen, wollte ihn nur hinausgeschoben sehen, da es über keine Handlungsfreiheit mehr verfügte. In
Frankreich war die Reaktion heftiger, beschränkte sich aber auf die öffentliche Meinung. Die leitenden Staatsmänner blieben vorsichtig und zurückhaltend. Wohl erwogen sie einen gemeinsamen britisch-französischen Schritt in
Berlin, wozu man sich aber in London nicht bereitfand. Die unmittelbaren
Nachbarn Österreichs hatten ihre eigenen Befürchtungen vor dem Hitler-
reich, wie die Tschechoslowakei, oder segelten, wie Jugoslawien, schon lange
im Kielwasser der deutschen Politik. Ungarn hoffte schadenfroh, daß nunmehr die österreichischen Seitensprünge in Richtung Tschechoslowakei auf-
hören würden. Polen war schon seit langem bemüht, den deutschen Ausdeh-
nungsdrang von seiner Westgrenze nach dem Südosten abzulenken. In dieser
Lage setzte Schuschnigg alle Hoffnung auf das Fortschreiten der englisch-
italienischen Verhandlungen, er wußte, daß er zur Zeit außenpolitisch allein
stand und daß er alles daransetzen mußte, im Innern einen Dammbruch zu
vermeiden. Nur zu deutlich erkannte er, was mit dem evolutionären Weg gemeint war. In einer Sitzung der Volkspolitischen Referenten sprach er es aus:
„Erwürgen und ersäufen lassen wir uns nicht." Darum suchte er einen
Ausweg und spielte seine letzte Karte aus.

Das letzte Ringen

Schon vor seiner großen Rede am 24. Februar trug sich Schuschnigg mit
dem Gedanken, den Knoten mit einem Streich zu durchhauen und durch eine
Volksbefragung die Lage zu klären. Er erkannte, daß sich sein Kurs nicht
halten ließ, wenn er nicht versuchte, reinen Tisch zu machen. Wohl nahm
Seyß-Inquart wenig Einfluß auf den Sicherheitsapparat, es war ihm ja der
Wiener Polizeipräsident Michael Skubl als Staatssekretär zur Seite gestellt,
dem er gerne die Details überließ. Nach außen galt er aber doch als Repräsentant des Kommenden, das die einen stürmisch erwarteten, andere hinwie-

derum mit der Absicht nach persönlicher Sicherung für alle möglichen Fälle unterstützten. Auch das Wirtschaftsleben litt darunter, es setzte eine Kapitalflucht ein. Schuschnigg mißfiel, daß nunmehr von Hitler ein neuer Landesleiter für die Nationalsozialisten, der Kärntner Major Hubert Klausner, ernannt wurde. Er sah dies als einen Bruch der Abmachungen von Berchtesgaden an, in denen die Nichteinmischung in innerösterreichische Angelegenheiten zugesichert worden war. In Berlin hingegen betrachtete man dies als einen versöhnenden Schritt, da in der Parteiführung die intransigente Gruppe Leopold durch Männer von gemäßigterer Einstellung ersetzt werden sollte. Wo lag jetzt überhaupt die Grenze zwischen einem illegalen Landesleiter und einem auf dem Boden der Vaterländischen Front stehenden Sprecher der „nationalen Opposition"? Beide hingen in ihren Handlungen letzten Endes von den Willensäußerungen Hitlers ab. Schuschnigg hatte schon lange erkannt, daß er mit den österreichischen Nationalsozialisten nur dann ins Reine kommen konnte, wenn er sie durch den deutschen Reichskanzler auf einen bestimmten Weg verpflichten ließe. Das war der Sinn seiner Fahrt nach Berchtesgaden gewesen, es mußte sich zeigen, ob die Person Seyß-Inquarts, der dort als Garant des „deutschen Friedens" eingesetzt wurde, dieser Aufgabe gewachsen war und der Widerstände, die sich aus dem orthodoxen Kreise der Illegalen erhoben, Herr werden konnte. Zunächst arbeiteten noch alle Richtungen der „Nationalen" zusammen, wenn auch nur ein kleiner Teil die letzten Ziele Hitlers voll erkannte.

Soviel sahen aber selbst die unteren Funktionäre, daß über kurz oder lang die NS-Partei legalisiert sein werde, und sie erklärten daher, ab 1. April keine illegalen Beiträge mehr einheben zu wollen. Ihre Auffassung deckte sich mit der Erwartung mancher Kassiere der Revolutionären Sozialisten, die gleichfalls vermuteten, ihres Amtes in nächster Zeit im vollen Licht der Öffentlichkeit walten zu können.

Sie erwarteten, daß die Regierung in ihrer Bedrängnis die sozialistische Arbeiterschaft zu Hilfe rufen werde, und waren entschlossen, als Preis dafür volle Bewegungsfreiheit zu verlangen. Dieser Ansicht huldigte auch der in Brünn sitzende Otto Bauer, während das Zentralkomitee der Revolutionären Sozialisten die Lage als hoffnungslos ansah. Schon seit der Jahreswende waren Verhandlungen zwischen Vertrauensmännern der früheren Freien Gewerkschaften und offiziellen Vertretern des legalen Gewerkschaftsbundes, dessen Spitzenpositionen Männer aus der früheren christlichen Arbeiterbewegung einnahmen, in Gang gekommen. Sie brachten zunächst kein Ergebnis. Auch der Gedanke, neben dem Präsidenten des Gewerkschaftsbundes Johann Staud auch den Sozialisten Johann Böhm nach London zu schicken und dort die öffentliche Meinung für die schwierige Lage Österreichs nach Berchtesgaden zu interessieren, blieb unausgeführt.

Schuschnigg zeigte anfangs wenig Interesse für die Bewegung der aus ihrer Lethargie erwachenden breiten Massen der Anhänger der früheren Sozialdemokratischen Partei, er lieh den Führern des Gewerkschaftsbundes nicht den nötigen Rückhalt, so daß diese über unverbindliche Besprechungen nicht hinausgehen konnten. Wohl hatte der Kanzler seit langem den Plan, im Laufe des Jahres 1938 die Maiverfassung endlich voll in Kraft zu setzen. Das hätte die Vollendung des ständischen Aufbaues zur Voraussetzung gehabt, der nur langsam fortschritt. Es war daher am 2. April 1937 der Präsident des Rechnungshofes, Otto Ender, der als Verfassungsminister unter Dollfuß gewirkt hatte, zum Berater des Bundeskanzlers bestellt worden. Ender hatte in nüchterner Beurteilung der Sachlage erkannt, daß eine Vollendung des Ständestaates noch seine guten Wege hatte, daß dann noch immer viele Fragen ungelöst blieben und überhaupt manche Einrichtungen verfehlt waren. So waren die vorberatenden Körperschaften der Bundesgesetzgebung mit ihren vier Kammern über ein Scheindasein nicht hinausgekommen. Dagegen wünschte der Gewerkschaftsbund, die einzige Einrichtung des Ständestaates, die auch in breiteren Schichten Anklang und infolge der Entwicklung der Lage mehr und mehr auch in politischen Dingen Berücksichtigung fand, aus Gründen der Selbsterhaltung gar keinen zu raschen Fortschritt des ständischen Aufbaues. Das hätte nämlich sein Ende bedeutet. Die Regierung sah sich gezwungen, Erklärungen abzugeben, daß am Bestand des Gewerkschaftsbundes nicht gerüttelt würde. Alsbald waren auch Theoretiker zur Stelle, die bewiesen, daß es im österreichischen Zukunftsstaat neben den durch die Verfassung vorgesehenen Berufsständen Vertretungen der „Sozialstände" geben könne.

Auch an diesem Problem zeigt sich, wie weit die Regierung den Boden der Realität verlassen hatte und Illusionen nachhing, die ihr politisches Handeln beeinträchtigten. Während sich auf der rechten Seite die Nationalsozialisten als geschlossener Körper zur Durchsetzung ihrer aus dem Berchtesgadener Abkommen hergeleiteten Forderungen formierten und auf der Linken sich die Bereitschaft zeigte, nach Erfüllung des Verlangens nach politischer Bewegungsfreiheit und Eigenständigkeit sich in den Dienst des Kampfes um die österreichische Unabhängigkeit zu stellen, gab die Regierung Parolen aus, von denen sie annehmen konnte, daß sie nach den Erfahrungen der letzten Jahre bei der Arbeiterschaft wenig Verständnis finden würden. Das Signal: „ein freies und unabhängiges Österreich" hätte genügen müssen. So kamen alle Verhandlungen ins Stocken, auch eine Vorsprache von Arbeitervertretern beim Bundeskanzler wurde immer wieder verschoben. Das nun deutlich vorgetragene Bekenntnis verschiedener linker Funktionäre, die Regierung im Kampf gegen den Anschluß zu unterstützen, war naturgemäß mit politischen Forderungen in Richtung auf parteimäßige Selbstorganisation verknüpft. Auf diese einzugehen, war aber Schuschnigg erst nach längeren Verhandlungen (Ende Februar bis 11. März 1938) bereit. Überdies darf nicht übersehen werden, daß die bis zur Wende 1933/34 dominierende SDAP nun innerhalb der Arbeiterschaft letztlich nicht nur von den Kommunisten und den

Revolutionären Sozialisten Österreichs, sondern auch von den nationalsozialistischen Arbeiterorganisationen konkurrenziert wurde.

Nach dem Tage von Berchtesgaden erhielt Schuschnigg ein Schreiben Otto von Habsburgs, mit dem er sich mehrfach, auch vor Abschluß des Juliabkommens 1936, persönlich oder durch Mittelsmänner beraten hatte. Dieser erklärte nun, er fühle sich verpflichtet, in der kritischen Lage Österreichs in die Bresche zu treten, und äußerte den Wunsch, ihm im äußersten Falle das Amt des Bundeskanzlers zu übertragen. Das war sehr unrealistisch gesehen. Schuschnigg, der noch vor nicht allzulanger Zeit ebenso unrealistisch an die Möglichkeit einer Restauration im Laufe des Jahres 1938 gedacht hatte, gab zur Antwort, ein solches Vorgehen hieße, das Leben des österreichischen Staates aufs Spiel setzen. Otto riet auch zu einer Annäherung an den Westen, im Innern zu einer Verbreiterung der Basis nach links Der Zeitpunkt zum Handeln sei gekommen, wenn Deutschland mit neuen Forderungen hervortrete.

An solchen fehlte es freilich nicht. Schuschnigg erkannte, daß er einem sich stetig steigernden Druck von außen ausgesetzt sein würde und auch im Innern mehr und mehr an Autorität verlor. Seyß-Inquart bemühte sich, loyal zu bleiben. Er wurde am 17. Februar von Hitler empfangen und erklärte offen, er lehne es ab, die Rolle eines trojanischen Pferdes zu spielen. Eine solche war ihm zugedacht, man war in Berlin kaum geneigt, ihm mehr als die Aufgabe eines Befehlsempfängers zuzumessen. Letztendlich wurde er allein durch sein Mitwirken zu diesem „Trojanischen Pferd", das er nicht sein wollte. Freilich rechnete man in Berlin mit einer langsamen Entwicklung. Man billigte Schuschnigg eine Übergangszeit zu, dann würde es zur vollen Wiederherstellung der NSDAP kommen, worauf es nur eine Frage der Zeit wäre, bis diese ihren Anspruch auf Totalität durchsetzen werde. Manche Kreise des österreichischen Nationalsozialismus, die sich die Zukunft des Staates nach Analogie von Danzig vorstellten, wären damit einverstanden gewesen, daß Schuschnigg etwa im Oktober das Amt des Bundespräsidenten übernähme. Im übrigen waren die österreichischen Nationalsozialisten, die sich ihres durch militärische Kräfte verbürgten Rückhalts in Deutschland bewußt waren, geneigt, zu warten, und forcierten vorerst den Druck der Straße.

Schuschnigg kannte die außenpolitische Lage. Frankreichs Vorschlag, eine gemeinsame Demarche mit Großbritannien zugunsten Österreichs in Berlin durchzuführen, scheiterte am Desinteresse des britischen Ministerpräsidenten Neville Chamberlain.

Frankreich war ohne Unterstützung Großbritanniens nicht handlungsbereit, wenn es auch am 24. Februar demonstrative Sympathieerklärungen für Österreich im französischen Parlament gab. Abgesehen von der Appeasementpolitik Chamberlains sahen führende britische Diplomaten die Chancenlosigkeit der aktuellen Situation; eine Verbalnote hätte nur dann einen Sinn gehabt, wenn Italien mitgezogen hätte, was nicht mehr zu erwarten war.

Zu militärischen Aktionen war man weder bereit noch gerüstet, und schließlich gab es noch jenen Flügel, der in der Existenz Österreichs einen ständigen Reibungspunkt mit dem Deutschen Reich sah, der langfristig eine Gefährdung der angestrebten Entspannung bedeutete. In der französischen Presse erschienen Ratschläge, Schuschnigg möge eine Volksabstimmung proklamieren, die in kürzester Frist, am Sonntag nach der Verkündigung, stattzufinden habe. Das widersprach ganz der Haltung, die das französische Parlament noch vor kurzem eingenommen hatte, als es eine Volksabstimmung in Österreich nach dem Buchstaben der Verträge für unzulässig erklärte, ja diese als ein Ziel Hitlers bezeichnete. Am 3. März erörterte der englische Botschafter mit ihm diesen Gegenstand, Hitler gab eine ausweichende Antwort. Er meinte, letzten Endes müsse in Österreich das Volk befragt werden, äußerte sich aber nicht darüber, ob dies in naher Zukunft zu geschehen hätte, wie er in Berchtesgaden von Schuschnigg verlangt hatte.

Keppler wurde am 26. Februar 1938 mit der weiteren Durchführung der Österreich-Frage von Hitler betraut, nachdem die Rede Schuschniggs einen nicht erwarteten Widerstand gegen die sich aus Hitlers Sicht naturgemäß nach dem Berchtesgadener Abkommen anbahnende Gleichschaltung aufzurichten begann. Überdies hatte die Aktion der Straße besonders in den Bundesländern ein Ausmaß erreicht, das auch von Seyß-Inquart oder anderen gemäßigteren nationalsozialistischen Führungspersonen nicht mehr zu beeinflussen war.

Keppler überbrachte am 4. März weitere Forderungen im Zusammenhang mit der „Erfüllung" des Berchtesgadener Abkommens. Als ein symptomatischer Eingriff in die österreichische Souveränität ist die Forderung nach einer scharfen Devisenbewirtschaftung „zur Vermeidung der Kapitalflucht" aus Österreich anzusehen. Die Devisenbewirtschaftungsvorschläge entsprangen sichtlich der Sorge Görings, „rassisch" und politisch gefährdete Österreicher könnten in größerem Ausmaß ihren Besitz und ihr Kapital ins Ausland transferieren. Diese Sorge beschäftigte ihn auch während der letzten Stunden vor dem Einmarsch, als er in einem seiner Telefonate darauf drang, alles zu unternehmen, daß jüdische Österreicher und ihr Vermögen nicht mehr ins Ausland entwischen könnten.

Der Entschluß zur Abhaltung einer Volksbefragung dürfte durch den zunehmenden Druck der Straße, durch die weiteren Forderungen des Deutschen Reiches und die am 5. März von Seyß-Inquart in Linz und Graz vorgebrachten Forderungen nach der Landeshauptmannstelle in der Steiermark und Landeshauptmannstellvertreterstellen in allen Bundesländern für die Nationalsozialisten geboren und gestärkt worden sein.

Als nun Hitler am 9. März durch einen Verrat der Sekretärin des Ministers Zernatto von der streng geheimgehaltenen Absicht Schuschniggs erfuhr, am selben Tage in Innsbruck eine Volksbefragung für den nächsten Sonntag, den 13. März, zu verkünden, hielt er diese Nachricht zunächst für äußerst unglaubwürdig. Nach der Behandlung, die Schuschnigg in Berchtesgaden erfahren hatte, traute er ihm einen solchen Schritt nicht zu. Die Rede des Bundeskanzlers am selben Abend in Innsbruck brachte jedoch die Bestätigung.

Schuschnigg hatte nur einen sehr engen Kreis von Mitarbeitern ins Vertrauen gezogen und sie zu strenger Geheimhaltung verpflichtet. Warnungen schlug er in den Wind. Auch das dringende Abraten Mussolinis, zu dem er einen Sonderboten entsandt hatte, machte auf ihn keinen Eindruck.

Zunächst waren die verfassungsmäßigen Grundlagen des Beginnens sehr umstritten. Es gab keine Wählerlisten, das Wahlalter wurde auf 24 Jahre festgesetzt, um die Jugend von der Abstimmung fernzuhalten. Die Vaterländische Front tat ein übriges und ließ verlautbaren, daß nur ihre Mitglieder zugelassen würden. In den Ämtern sollte schon am Tage vorher offen abgestimmt werden. Wurden auch einzelne dieser Ankündigungen später zurückgenommen, so war dieser Eindruck doch sehr ungünstig.

Durch diese Begleitumstände war der Start für die Volksbefragung schon gestört. Die Parole lautete:

„Für ein freies und deutsches, unabhängiges und soziales, für ein christliches und einiges Österreich!

Für Friede und Arbeit und die Gleichberechtigung aller, die sich zu Volk und Vaterland bekennen.

Das ist das Ziel meiner Politik.

Dieses Ziel ist zu erreichen, ist die Aufgabe, die uns gestellt ist, und das geschichtliche Gebot der Stunde. Kein Wort der Parole, die Euch als Frage gestellt ist, darf fehlen. Wer sie bejaht, dient dem Interesse aller und vor allem dem Frieden! Darum Volksgenossen, zeigt, daß es Euch ernst ist mit dem Willen, eine neue Zeit der Eintracht im Interesse der Heimat zu beginnen; die Welt soll unseren Lebenswillen sehen: darum Volk von Österreich, stehe auf wie ein Mann und stimme mit ,Ja'!

Front-Heil! Österreich!"

Damit sollte allen Strömungen ein positives Votum ermöglicht werden. Schuschnigg unterlag aber einer Selbsttäuschung. Er vermeinte, durch diese Formulierung die „nationale Opposition" zu einem klaren Bekenntnis zum Staat zwingen zu können. Er wies darauf hin, daß doch nichts anderes verlangt würde, als was durch den „deutschen Frieden" in Berchtesgaden sichergestellt war. Er beging die Unklugheit, die Nationalsozialisten in Österreich zu etwas zwingen zu wollen, wozu sie nur dann bereit gewesen wären, wenn Hitler es verlangt hätte. Das war die Situation des 11. Juli 1936, entsprach aber nicht den Gegebenheiten zwanzig Monate später. Es hing also alles davon ab, wie man sich in Berlin dazu stellen würde.

Schuschnigg war allerdings nicht auf die „Nationalen" angewiesen. Aus allen Ländern mit Ausnahme der Steiermark erhielt er die Versicherung, es sei zweifellos mit einer Mehrheit bei der Volksbefragung zu rechnen. Mit diesem Aufruf mobilisierte Schuschnigg nochmals seine Aktivisten, die Unterstützung aus dem linken Lager erhielten und erstmals den Propagandaapparat der Vaterländischen Front auf volle Touren brachten.

Für die Abstimmung stellten neben der Bundesregierung u. a. das österreichische Judentum den Betrag von 800.000 Schilling zur Verfügung, die Großloge von Österreich ebenfalls einen namhaften Betrag. Für die Nazis war dies einmal mehr ein Beweis für die Kooperation von „Jesuiten, Juden und Freimaurern" gegen das Deutsche Reich.

Die linken Parteigruppierungen, die nach wie vor noch nicht annähernd jene Zugeständnisse erreicht hatten, wie sie die Nationalsozialisten genossen, beschlossen, bei ihren Vertrauensleuteversammlungen die Ja-Parole auszugeben, wenn man auch die Erfolgschancen bezweifelte und die noch immer nicht von der Regierung genehmigten Forderungen reklamierte. Auch in dieser Frage unterliefen dem Kanzler psychologische Fehler. Es bestanden seit dem Februar 1934 noch offene Rechnungen. Darum war es ein Mißgriff, ohne gehörige Vorbereitung die sozialistische Arbeiterschaft als sicheren Faktor bei der Abstimmung einzusetzen. Sie empfand das als Hohn. Waren die Sozialisten auch in ihrer überwiegenden Mehrheit bereit, aus der Erkenntnis der Landesnot ein Bekenntnis zur Freiheit des Staates abzulegen, so wollten sie damit doch nicht eine Zustimmung für das Regime, also das, was von ihnen als „Austrofaschismus" bezeichnet wurde, bekunden. Daraus mußten Hemmungen und Reibungen entstehen, die noch gesteigert wurden, als sich zeigte, daß Schuschnigg nur sehr zögernd zu einem Entgegenkommen in jenen Punkten bereit war, die ihm eine Arbeiterdeputation am 3. März vorgetragen hatte: Betätigungsfreiheit in gleichem Ausmaß wie für die Nationalsozialisten, freie Wahlen im Gewerkschaftsbund, Bewilligung zur Herausgabe einer Tageszeitung, Garantien für einen „sozialen Kurs".

Schuschnigg hatte mit der Weiterführung dieser Besprechungen die führenden Männer des Gewerkschaftsbundes betraut. Bei allem guten Willen erleichterte es die Verhandlungen nicht, daß diese Funktionäre, die in der Hauptsache aus der christlichen Arbeiterbewegung stammten, einen Teil jener Positionen hätten aufgeben müssen, die sie seit dem Februar 1934 einnahmen. Dahinter stand allerdings auch die Gefahr, daß die Nationalsozialisten im Falle positiver Ergebnisse wohl unter dem Vorwand der Abwehr „bolschewistischer" Tendenzen losgeschlagen hätten.

Mit dem größten Widerstreben entschloß sich aber am 10. März das Zentralkomitee der Revolutionären Sozialisten zu einem Aufruf für eine Ja-Parole. Er wurde von einer Parteikonferenz in der Nacht zum 11. März gutgeheißen. Doch herrschte dort die Meinung vor, alles sei verloren, ein Widerstand mit Waffengewalt aussichtslos, der Zusammenbruch sei nahe. Andere Gruppen, selbst Otto Bauer in Brünn, erwarteten jedoch einen großen Erfolg. Das positive Bekenntnis der Sozialisten müsse die Wiederherstellung ihrer Partei zur Folge haben, dies müsse ihnen von der Regierung als Preis für ihre Haltung zugestanden werden.

Das Lager der „Nationalen" befand sich seit Verkündigung der Abstimmung in Verwirrung. Dies wäre unter normalen Umständen ein Erfolg der Taktik des Bundeskanzlers gewesen, die ihn in anderen Fällen, so gegenüber dem Heimatschutz, zum Sieg geführt hatte. Nun aber lag das Gesetz des Handelns nicht bei ihm, sondern in Berlin oder München. Hitler wußte, daß die Durchführung der Abstimmung für ihn eine Niederlage bedeutet hätte, er sprach dies auch gegenüber Glaise-Horstenau, der nach Berlin geeilt war, offen aus. Darum traf er seine Gegenmaßnahmen. Obwohl es sich um eine innerösterreichische Angelegenheit handelte, leitete er doch aus den in Berchtesgaden festgelegten Richtlinien einer gemeinsamen Politik, deren Garant Seyß-Inquart sein sollte, den Anspruch auf vorherige Konsultation ab. Seyß-Inquart arbeitete in der Zwischenzeit zur Zufriedenheit Kepplers. Der zurückhaltende Einsatz der Exekutive trug dessen Handschrift. Die Kette der nationalsozialistischen Demonstrationen, die seit Mitte Februar neben Wien auch Graz und Teile Oberösterreichs besonders erfaßt hatte, verstärkte sich zunehmend; die anhaltenden Großdemonstrationen in Graz führten zur Verlegung von weiteren Bundesheerkontingenten in die Steiermark. Diese harte Haltung gegenüber den Nationalsozialisten führte schließlich zum Sturz Karl Maria Stepans, der als Landeshauptmann der Steiermark über Drängen von Seyß-Inquart Anfang März abgelöst wurde. Wohl gab es eine Gruppe von Nationalsozialisten, die ein eigenständiges Österreich wünschten, auch wenn der Anschluß, den sie aus außenpolitischen Gründen für nicht aktuell hielten, zustandekäme. Ihr Bekenntnis zu Österreich brauchte deshalb noch nicht in allen Fällen angezweifelt zu werden. Die Erklärungen, auf dem Boden der Maiverfassung zu stehen, waren jedoch Lippenbekenntnisse. Doch Schuschnigg hatte von Anfang an unentwegt daran festgehalten und lehnte in einem Brief an Seyß-Inquart noch immer eine Zusammenarbeit in Form einer Koalition ab. Immerhin kam er jetzt, am Abend des 10. März, mit ihm zu einer gewissen Übereinstimmung über die Volksbefragung.

Zur selben Zeit versammelten sich in Wien die illegalen Gauleiter der Nationalsozialisten. Man schwankte noch, ob man mit „Nein" stimmen oder sich überhaupt von der Abstimmung fernhalten solle, doch erwartete man Weisungen aus Berlin. Hitler ließ zunächst nur sagen, daß er der Partei Handlungsfreiheit gebe und daß mit allen Mitteln gegen die Durchführung der Volksbefragung vorzugehen sei.

Als oberster Befehlshaber der Wehrmacht gab Hitler die Weisung zur Vorbereitung des Falles „Otto". Es handelte sich dabei um die Besetzung Österreichs, die unter dem Vorwand einer monarchistischen Restauration in Österreich vorgesehen war. Dafür waren schon seit einem Jahr bestimmte Studien angestellt worden, konkrete Vorbereitungen unterblieben aber umso mehr, als der Chef des Generalstabes, General Ludwig Beck, ein Gegner solcher Unternehmungen war. Er und viele andere Wehrmachtsführer sahen Verwicklungen voraus, denen Deutschland nicht gewachsen wäre. Auch rechneten sie mit einem Widerstand des österreichischen Bundesheeres und hielten daher eine Besetzung Österreichs nur bis zur Traun für möglich. Nach den Änderungen, die der 4. Februar 1938 in der Führung der Wehrmacht gebracht hatte, fielen zwar manche Hemmungen, mit denen Hitler hatte rechnen müssen, doch bestand die Vorbereitung des Falles „Otto" in nicht mehr als einer hypothetischen Generalstabsarbeit. Die Durchführung mußte jetzt improvisiert werden, es zeigten sich dann auch beim Einmarsch nach Österreich nicht unbedeutende Schwierigkeiten, vor allem bei den Panzerkolonnen.

In einer Rede am 5. November 1937 hatte Hitler vor den Führern der Wehrmacht ein großes Programm entworfen, das seine Aggression gegen Europa in den folgenden Jahren vorwegnahm. Damals stieß er noch auf Widerspruch seitens der Generale. Die Niederschrift über diese Sitzung ist unter dem Namen „Hoßbach-Protokoll" bekannt. Sein Inhalt darf nicht überschätzt werden. Einmal handelte es sich um ein Programm, das nach den damaligen Worten Hitlers erst in fünf Jahren anlaufen sollte, dann waren die beabsichtigten Unternehmungen auch an Voraussetzungen geknüpft, die später nicht eintrafen. Hitler dachte damals an einen Konflikt mit England im Mittelmeer, der wegen der spanischen Frage ausbrechen werde. Immerhin war davon die Rede, daß ein Eingreifen in Österreich unter diesen Umständen auch schon im Jahre 1938 erforderlich sein könnte; ebenso war die „Sudetendeutsche Frage" für absehbare Zeit einkalkuliert. In diesem Zeitraum demonstrierte Göring gegenüber österreichischen, amerikanischen, britischen und ungarischen Gesprächspartnern die erhöhte Bereitschaft seines Landes, eine rasche Lösung der Anschlußfrage herbeizuführen. In der Begegnung zwischen Hitler und Lord Halifax wurde offen ausgesprochen, daß Großbritannien „Änderungen im Wege friedlicher Evolution" nicht im Wege stehen würde. Dieser evolutionäre Weg wäre etwa in einer Währungs- und Zollunion zu begehen gewesen, was von Papen auch angesprochen wurde. In einem Telegramm Neuraths an die deutschen Vertretungen vom 4. Dezember 1937 wurde überdies ein Gespräch zwischen dem deutschen Botschafter in London, Joachim von Ribbentrop, und dem britischen Außenminister Anthony Eden zitiert: „Er (Eden) habe den Franzosen erklärt, daß die österreichische Frage viel mehr italienisches als englisches Interesse darstelle. Im übrigen einsehe man in England, daß engere Verbindung zwischen Deutschland und Österreich einmal kommen müsse. Eine gewaltsame Lösung wolle man jedoch vermieden sehen."

Die Wehrmachtsführung in Berlin hatte einen Tag Zeit, ihre Vorbereitungen zu treffen. Am frühen Morgen des 11. März zeigten sich die ersten Truppenbewegungen an der österreichischen Grenze. Es fragte sich, wie weit sie ernst zu nehmen waren. Denn ähnliche Wahrnehmungen hatte man auch in den Tagen vor Annahme des Ultimatums von Berchtesgaden gemacht. Sie sind damals als bewußter Bluff in Szene gesetzt worden, um auf die Entschließungen, die Schuschnigg beim Bundespräsidenten Miklas durchsetzen mußte, den entsprechenden Nachdruck zu legen. Glaise-Horstenau wurde jedoch am 10. März von Hitler über die Einmarschabsichten informiert.

Minister Glaise-Horstenau weilte aus „privaten" Gründen in Deutschland. Er wurde nach Berlin beordert und erhielt den Auftrag, gemeinsam mit Seyß-Inquart eine Verschiebung der Volksbefragung zu verlangen. Das Ansinnen, einen Entwurf für eine Rundfunkansprache und ein Telegramm mit der Bitte um die Entsendung deutscher Truppen mitzunehmen, lehnte er ab. In Wien angekommen, sprach er mit Seyß-Inquart bei Schuschnigg vor, unterrichtete ihn über die Stimmung in Berlin und verlangte in befristeter Form die Absetzung der Abstimmung. Binnen sechs Wochen hätte sie in den von der Verfassung vorgesehenen Formen zu erfolgen. Schuschnigg lehnte ab. Doch erklärte er sich bereit, nach einigen Wochen die Möglichkeit zu geben, durch eine freie und geheime Abstimmung entscheiden zu lassen, ob der Kurs, der durch das Plebiszit am 13. März festgelegt würde, mit ihm oder ohne ihn verfolgt werden solle. Er wollte also zunächst in der beabsichtigten überstürzten Weise über die Unabhängigkeit des Staates abstimmen lassen, für die eine klare Mehrheit zu erwarten war und dann das Regierungssystem zur Diskussion stellen, das mit seinem Namen verbunden war.

Es war jedoch zu spät. Seyß und Glaise beharrten den Richtlinien nach, die sie aus Berlin erhalten hatten, auf der Absetzung der Sonntagsabstimmung. Sie stellten für die Antwort eine Frist von zwei Stunden. Bei Nichterfüllung ihrer Forderung würden sie demissionieren. Das hätte das Ende des in Berchtesgaden vereinbarten Zustandes bedeutet. Schuschnigg wußte, daß Hitler dann militärische Maßnahmen einleiten würde, die er schon damals angedroht hatte. Die Situation in den folgenden Stunden ist dadurch gekennzeichnet, daß infolge der begreiflichen Aufregung aller Beteiligten keine klaren Entscheidungen, weder auf der einen noch auf der anderen Seite, zustande kamen. Im Haus am Ballhausplatz fanden sich Personen ein, von denen niemand wußte, wie weit sie überhaupt zum Mitreden berechtigt waren, die aber doch nachhaltig in die nun einsetzenden Verhandlungen eingriffen, Informationen nach Berlin weitergaben, die den Tatsachen nicht entsprachen oder zumindest vorauseilten und dort den Eindruck einer völligen Verwirrung hervorriefen.

Da packte Göring zu und begann auf eine sofortige Besetzung Österreichs hinzuarbeiten, obwohl das Verlangen nach Absage der Volksabstimmung von Schuschnigg erfüllt wurde. Göring verlangte jetzt die Demission der Regierung und die Bildung eines neuen Kabinetts unter Seyß-Inquart, das in der Mehrheit aus Nationalsozialisten bestehen müßte. Infolge der Unübersichtlichkeit der Lage schob er aber die Befristung immer wieder hinaus. Schuschnigg demissionierte, die Entscheidungen lagen jetzt allein beim Bundespräsidenten Miklas. Viel hing auch von den Nachrichten ab, die von den europäischen Staatskanzleien eingingen, mit denen das Außenamt seit dem frühen Morgen Kontakt hielt. Sie brachten bloß die Gewißheit, daß Österreich allein stand und von keiner Seite Hilfe erwarten konnte. England ließ sagen, es könne keine Ermutigung zu Handlungen geben, für deren Folgen es keine Garantie übernehmen würde. Frankreich hatte seit zwei Tagen keine Regierung, die geschäfteführenden Minister machten ihr Verhalten von England und Italien abhängig, rieten nur zu einer Taktik des Zeitgewinnes. Der italienische Außenminister ließ auf französische und englische Vorstellungen antworten, falls das Thema der beabsichtigten Konsultation Österreich sein sollte, so hätte er dazu nichts zu sagen. Auch nach Wien ging die Auskunft, Italien könne in dieser Situation keinen Rat erteilen. Mussolini hatte schon am Tage vorher der Witwe des Bundeskanzlers Dollfuß, die an ihn appellierte, zu erkennen gegeben, daß er nichts tun würde. Er empfahl, ihre Kinder in die Schweiz zu bringen.

So stand also Österreich allein. Auf französischen Rat richtete der Ballhausplatz eine Rückfrage an die deutsche Gesandtschaft, ob die bisher bekanntgewordenen Forderungen als offiziell anzusehen seien. Daraufhin erschienen der deutsche Geschäftsträger und der Militärattaché beim Bundespräsidenten und stellten in aller Form befristete Forderungen (18.15 Uhr). Dieser weigerte sich, angesichts der Androhung militärischer Gewalt, darauf einzugehen. Später traf dann mit einem Flugzeug Keppler ein, der im Auftrag Görings radikalere Schritte von Seyß-Inquart verlangte, der die Nazi-Demonstrationen zu einer evolutionären Machtübernahme nutzen wollte. Die Übernahme der Macht begann sich abzuzeichnen.

Noch immer weigerte sich der Bundespräsident standhaft, diesen Forderungen nachzugeben. Er erklärte, nur der Gewalt weichen zu wollen. So sehr Göring danach strebte, unter allen Umständen zu marschieren, wurde doch angesichts der verworrenen Lage, als aus Wien Berichte kamen, Seyß-Inquart wäre bereits mit der Regierungsbildung betraut, der Einmarschbefehl zurückgehalten. Dann stellte sich aber heraus, daß dieser davon gar nichts wußte, was Göring veranlaßte, darauf zu drängen, er solle unter dem Vorwand, in Österreich seien Unruhen ausgebrochen, die Entsendung deutscher Truppen verlangen. Seyß-Inquart lehnte das ab.

Schuschnigg entschloß sich nun, das österreichische Volk über den Rundfunk von der Sachlage zu unterrichten und seinen Rücktritt bekanntzugeben (19.50 Uhr). Viel war in den vorangehenden Stunden darüber beraten worden, ob ein Aufruf zu einem Widerstand möglich sei. Es setzte sich jedoch die Meinung durch, daß die Opfer, die dieser fordern würde, nicht zu verantworten seien. Die Aussichtslosigkeit, mit den Waffen eine Entscheidung herbeizuführen, stand für ihn fest. Joseph Roth, der Schuschnigg von Beginn an mißtraute, da er dessen „Österreich-Glauben" als eine sekundäre Ideologie durchschaute — existentiell tragender war Schuschniggs Glaube an Deutschland, der sich in seinem gesamtdeutschen Bekenntnis manifestierte —, hielt wenige Monate vor dem Anschluß hellsichtig fest: „Dieser Alpenmensch, der von Österreich nichts versteht, wird Österreich verraten, weil er nicht will, daß Deutsche auf Deutsche schießen." Tatsächlich erhielt das Bundesheer den Befehl, sich ohne Kampf zurückzuziehen. Ebenso warteten junge Aktivisten unterschiedlicher Richtungen vergebens auf ein Zeichen zum Volkswiderstand. Die aktiven Nationalsozialisten waren mit der Durchführung der Machtergreifung befaßt, bei der sie keinen Widerstand fanden. So kam es, daß in der Zeit, als im Bundeskanzleramt noch erbittert um die Bildung der Regierung Seyß-Inquart gerungen wurde, die Machtpositionen in den Ländern bereits in nationalsozialistische Hände übergingen. Auch der Rundfunk machte davon keine Ausnahme. Es zeigte sich, daß wieder, wie so oft in der österreichischen Geschichte, die Entscheidung nicht bei den Zentralstellen in Wien, sondern in den Ländern lag. Diese Erkenntnis und die Gewißheit, vom Ausland verlassen zu sein, nötigten den schwer ringenden Bundespräsidenten, daraus die Konsequenzen zu ziehen.

Wohl hatte bereits die Absetzung der Volksabstimmung die Unhaltbarkeit des Regierungssystems Schuschnigg erkennen lassen. Niemand aber wußte recht zu sagen, was dann kommen sollte. Auch die Nationalsozialisten machten dabei keine Ausnahme. Göring drängte noch immer auf die Absendung eines Telegramms mit der Bitte um militärische Hilfe. Seyß-Inquart blieb ablehnend, Keppler griff jedoch den in der allgemeinen Verwirrung hingeworfenen Satz „tun Sie, was Sie wollen" auf und schickte die Depesche ab. Als sie in Berlin einging, kam sie für den Ablauf der Ereignisse nicht mehr in Betracht, konnte aber als eine Art Alibi für spätere Zeit und gegenüber dem Ausland eine Deckung bieten. Hitler hatte nämlich schon eine Stunde vorher den endgültigen Befehl zum Einmarsch erteilt, der in den Morgenstunden des 12. März beginnen sollte. Inzwischen war nämlich durch den zu Mussolini entsandten Prinzen Philipp von Hessen die entscheidende Meldung gekommen, daß Mussolini nichts unternehmen werde. Hitler wollte vorerst in Österreich einrücken, um der Regierung Seyß-Inquart, die der Bundespräsident nach langem Widerstreben angesichts der eingetretenen Lage nun doch ernannte, einen Rückhalt zu geben. Göring sah aber den Augenblick gekommen, auf jeden Fall aufs Ganze zu gehen und durch eine machtvolle Demonstration zunächst einmal die Westmächte abzuschrecken und gleichzeitig die österreichische Frage im nationalsozialistischen Sinn zu lösen. Wohl erfolgten in der Nacht zum 12. März Vorstellungen von französischer und englischer Seite in Berlin, sie waren aber unschwer als leerer Protest zu durchschauen. Österreich war von den Westmächten schon verlorengegeben, ihre Sorge galt schon dem nächsten Ziel der deutschen Außenpolitik, dem Schicksal der Tschechoslowakei. In diesem Punkt wiederholte Göring seine beruhigenden Versicherungen, die er schon vorher gegenüber dem tschechoslowakischen Gesandten abgegeben hatte. Es wurde auch entlang den Grenzen eine Schutzzone festgesetzt, die von den deutschen Truppen bei ihrem Einmarsch nach Österreich nicht berührt werden sollte.

Vom deutschen Einmarsch bis zur Volksabstimmung

Knapp nach Mitternacht ernannte Miklas den bisherigen Innenminister Seyß-Inquart zum Bundeskanzler, nachdem der bereits von den österreichischen Nationalsozialisten übernommene Rundfunk eine derartige Meldung schon kurz nach dreiundzwanzig Uhr durchgegeben hatte. Die nunmehr zu bildende Regierung, sie setzte sich aus Nationalsozialisten und katholisch-nationalen Brückenbauern zusammen, stand an der Spitze eines Landes, in dem seit den Abendstunden des 11. März Verhaftungswellen der National-sozialisten rollten, in dem die Nationalsozialisten in den Bundesländern bereits die Macht ausübten, in dem der braune Pöbel zusammen mit Parteiformationen Antinationalsozialisten, Juden und andere Ausgegrenzte terrorisierte. Die „betont-Nationalen" der Regierung, Seyß-Inquart, Glaise-Horstenau, der Außenminister Wilhelm Wolf und der Unterrichtsminister Oswald Menghin, dachten an ein gleichgeschaltetes, aber mit einer Sonderstellung ausgestattetes Österreich. Die Realität auf der Straße, die Stimmung gerade unter den Nationalsozialisten in den Bundesländern schufen aber eine neue Realität. Noch vor Mitternacht meldete der Berliner Rundfunk jenen Hilferuf an die deutsche Reichsregierung, in Österreich Ruhe und Ordnung wiederherzustellen, der von Göring so dringend urgiert, aber de facto von Seyß-Inquart nicht abgesandt worden war. Um Mitternacht überschritten Vorauseinheiten der Deutschen Wehrmacht die Grenzen. Während der Bundeskanzler, Keppler und Muff nunmehr versuchten, den Einmarsch als unnotwendigen Kraftakt zu verhindern — mindestens viermal wurde darauf hingewiesen, daß eine derartige Aktion nach der Neubildung der Regierung nicht mehr nötig wäre —, entschied Hitler um halb drei Uhr morgens des 12. März 1938, den angelaufenen Einmarsch nicht mehr zu stoppen. Um fünf Uhr landeten Heinrich Himmler, Reinhard Heydrich und ihr Gefolge in Wien, um die ersten systematischen Verhaftungswellen zu leiten und die „Säuberung" der österreichischen Exekutive in Angriff zu nehmen. Eine halbe Stunde nach der Ankunft dieser Gruppe in Wien begann der Einmarsch der Wehrmacht auf der ganzen Linie. Als Bundespräsident Miklas am Vormittag die neue Regierung vereidigte, landeten bereits die ersten deutschen Luftwaffeneinheiten in Wien.

Zunächst dachte Hitler noch nicht an eine volle Eingliederung Österreichs in das Deutsche Reich. In Berlin wurden Entwürfe ausgearbeitet, die neben einer Gleichschaltung Österreichs eine Personalunion vorbereiten sollten. Nach dem Rücktritt des Bundespräsidenten wollte Hitler an die Spitze des österreichischen Staates treten. Als er aber merkte, daß er sich der Haltung Mussolinis sicher sein konnte, als Ribbentrop angesichts der Stimmung in England aus London zur Ausnützung einer einmaligen Gelegenheit riet und Göring weiterhin auf eine totale Lösung drängte, da entschloß er sich, wohl auch unter dem Eindruck der stürmischen Begrüßung in seiner Heimat, den Anschluß zu proklamieren, der keine Sonderstellung Österreichs mehr vorsah, sondern an die Stelle eines Zusammenschlusses „gleichberechtigter Partner" den Anschluß in seiner extremsten „kleindeutschen" Form mit preußischem Zentralismus erzwang. Das nun von Stuckart rasch konzipierte Anschlußgesetz wurde in einer Ministerratssitzung am Nachmittag aufgrund des Ermächtigungsgesetzes beschlossen. Miklas verweigerte die Unterschrift unter dieses Gesetz. Von Seyß-Inquart unter Druck gesetzt, übertrug Miklas gemäß Artikel 77, Punkt 1 der Verfassung 1934 die Funktion des Bundespräsidenten dem Bundeskanzler. Damit konnte das Gesetz endgültig verabschiedet werden, es trat als letzter Akt der österreichischen Bundesregierung unter Seyß-Inquart mit 13. März in Kraft. Gleichzeitig wurde ein Reichsgesetz in Berlin verlautbart, durch das der Anschluß auch im Deutschen Reich rechtskräftig wurde.

„Aufgrund des Artikels II Abs. 2 des Bundesverfassungsgesetzes über außerordentliche Maßnahmen im Bereich der Verfassung, B. G.-Blatt I Nr. 255 1934, hat die Bundesregierung beschlossen:

Artikel I: Österreich ist ein Land des Deutschen Reiches.

Artikel II: Sonntag, den 10. April 1938, findet eine freie und geheime Volksabstimmung der über zwanzig Jahre alten deutschen Männer und Frauen Österreichs über die Wiedervereinigung mit dem Deutschen Reich statt.

Artikel III: Bei der Volksabstimmung entscheidet die Mehrheit der abgegebenen Stimmen.

Artikel IV: Die zur Durchführung und Ergänzung des Artikels II dieses Bundesverfassungsgesetzes erforderlichen Vorschriften werden durch Verordnung getroffen.

Artikel V: Dieses Bundesverfassungsgesetz tritt am Tage seiner Kundmachung in Kraft.

Mit der Vollziehung dieses Bundesverfassungsgesetzes ist die Bundesregierung betraut."

Juristisch gesehen stellte der „Anschluß" eine militärische Besetzung dar, die nicht nur gegen das allgemeine Völkerrecht, sondern auch gegen folgende, vom Deutschen Reich unterzeichneten Verträge verstieß:

1. Haager Abkommen zur friedlichen Regelung internationaler Streitfälle (1899 und 1907).

2. Friedensvertrag von Versailles (1919).

3. Juli-Abkommen 1936.

Der Rechtsbruch konnte auch nicht durch das Vorgehen der Regierung Seyß-Inquart und die Volksabstimmung vom 10. April 1938 saniert werden, da diese lediglich Maßnahmen von Okkupierten darstellten, die von einer fremden Macht angeordnet und kontrolliert wurden. Österreich blieb daher als Völkerrechtssubjekt bestehen, war jedoch mangels zentraler Staatsorgane handlungsunfähig. Als ein großer Nachteil erwies sich, daß keine Exilregierung zustande kam.

Die Anwesenheit der deutschen Truppen, deren Abzug noch vor der Abstimmung Göring England gegenüber in Aussicht gestellt hatte, machte sich weniger fühlbar als das Wirken der Gestapo, die unter der Führung Himmlers noch vor dem deutschen Einmarsch in Wien eintraf und mehr als sieben Jahre ihres grausamen Amtes waltete. Die Zahl der in den Märztagen Festgenommenen wird auf mehrere 10.000 geschätzt. Die Mehrzahl der bisherigen politischen Führer mit Schuschnigg an der Spitze wurde inhaftiert. Sie hatten durch ein halbes Jahrzehnt den Kampf um die österreichische Unabhängigkeit geführt. Daß es ihnen nicht gelungen war, dafür ein wirksames Instrument zu finden, steht auf einem anderen Blatt.

Mit dem schleichenden Staatsstreich in der Folge der „Selbstausschaltung" des Nationalrates, spätestens mit der Ausschaltung des Verfassungsgerichtshofes, beginnt in Österreich eine semidiktatorische Phase mit einer „zunehmenden partiellen Faschisierung" (Botz, Gewalt), in der der Anteil des Heimwehrfaschismus in der Regierung dominant zum Durchbruch drängte. In der Folge des partiellen Schutzbundaufstandes vom Februar 1934 und in der Überwindung des nationalsozialistischen Putschversuches konnte sich in Österreich jene semifaschistische-autoritäre Diktatur etablieren, die sich mit Hilfe der Rumpfsitzung des Nationalrates vom 30. April 1934 und der „scheinlegalen" Installierung der „Mai-Verfassung" die Aura der Legitimität schaffen wollte. Mit dem Zurückdrängen der Heimwehrfaschisten ab dem Oktober 1935 kam es zu jener „partiellen Defaschisierung" (Botz, Gewalt), die einen potentiellen Verbände-Pluralismus vorstellbar machte, der in eigentümlichen Kontrast zu den diktatorischen Formen des Regierungsbürokratismus stand.

Auffallend an dieser Entwicklung ist, daß weder die Heimwehren noch Dollfuß in der Lage waren, eine charakteristische faschistische Massenorganisation aufzubauen, die — ähnlich der NSDAP — zu einer moderneren „Volkspartei" ausgebaut werden konnte. Dieses Mobilisierungsdefizit scheint in Relation zur gewaltsamen Unterdrückung des Nationalsozialismus und des Austromarxismus durch die monopolistische Regierung zu stehen. Das Bemühen um die Anhänger- und Sympathisantenmassen dieser Lager — in unterschiedlicher Intensität — setzte erst nach der direkten gewaltsamen Konfrontation des Staates mit diesen beiden Gruppen ein. So blieb die von oben im Zuge des kalten Staatsstreiches dekretierte „Massenbewegung", die Vaterländische Front, eine bürokratische Organisationshülse der Regierung, ohne Eigendynamik und Eigengewicht. Nicht der Führer der Vaterländischen Front, Starhemberg (Juli 1934 bis Mai 1937), konnte nach der Ermordung von Dollfuß seinen Führungsanspruch durchsetzen, sondern Schuschnigg, der ähnlich wie Dollfuß die Differenzen der Exponenten des Heimwehrfaschismus zu nutzen wußte.

Die Bürokratisierungstendenzen waren selbst nach Verfassungsbruch, endgültiger Beseitigung der Demokratie, Einführung der Sondergerichtsbarkeit und Polizeijustiz bestimmend. In Verbindung mit dem prononcierten Katholizismus der ständestaatlichen Repräsentation scheint hier „absolutistisches Gottesgnadentum" mit „staatstragender Bürokratie" leitmotivisch erträumt worden zu sein. Im Rahmen der nach rückwärts gewandten Utopie eines sozialen Ausgleiches innerhalb zünftischer und ständischer Konfliktlösungsmodelle setzte sich in einem bestimmten Maß ein bürokratischer kammerstaatlicher Pluralismus durch, der Eingang in die Zweite Republik finden sollte und erst heute obsolet zu werden scheint.

In der Konfliktsituation des Abwehrkampfes gegen den Nationalsozialismus erlag die Regierung der Versuchung einer Grenzziehung nach links. Damit verlor sie aber im Kampf gegen Hitler jenes Potential, das sich angesichts der direkten Bedrohung im März 1938 im Zuge der Schuschnigg-Volksbefragung als erstaunlich mobilisierbar erwies.

Der Austromarxismus aber war seit den frühen dreißiger Jahren in der Defensive. Sein rückwärtsgewandter Revolutionsmythos verlor seine integrative Kraft, weder das Taktieren des Parteivorstandes noch der partielle Schutzbundaufstand vermochte das Auseinanderdriften der Anhänger zu verhindern. Die aktivistischen Minoritäten gingen den Weg zum Kommunismus und jenen zur anderen „Bewegung", zum Nationalsozialismus. Der Arbeiteranteil innerhalb der illegalen NSDAP stieg mit 18 bis 31 Prozent zwischen 1934 und 1937 charakteristisch an. Ausschlaggebend war hier wohl die Zerschlagung der linken Arbeiterorganisationen, während im Bereich der Eisenbahn- und Postbeamten und der Privatangestellten nationale Gewerkschaften schon vorher den Eintritt bei der NSDAP erleichterten.

Eine regionale Besonderheit war etwa der Sozialismus in Kärnten, der sozial, deutschnational, antiklerikal und voller Mißtrauen gegen einen von „Juden" formulierten Austromarxismus Wiener Prägung war. Dieses Phänomen machte „in einigen Gegenden Österreichs die Trennlinie zwischen Sozialismus und Nationalsozialismus so undeutlich, daß der Wechsel (und die Rückkehr 1945) überhaupt nicht als entscheidender Bruch in individuellen Biographien empfunden wurde" (Konrad, Werben). Der gemeinsame Haß auf das unterdrückende Dollfuß-Schuschnigg-Regime ließ zeitweise jenes symbiotische Verhältnis entstehen, das ideologische Grenzen bagatellisierte (auch nach 1945) und gemeinsame Positionen überbetonte, während die Verdammung jener, die mit der Regierung kooperierten, denunziatorisch weitergereicht wurde. Der Nationalsozialismus bot sich als Hoffnungsträger und als Rächer an:

„Es pfeift von allen Dächern: für heut die Arbeit aus, es ruhen die Maschinen, wir gehen müd nach Haus. Daheim ist Not und Elend, das ist der Arbeit Lohn, Geduld verratne Brüder, schon wanket Judas Thron. Geduld und ballt die Fäuste! Sie hören nicht den Sturm, sie hören nicht sein Brausen und nicht die Glock' im Turm, sie hören nicht den Hunger, sie hören nicht den Schrei: Gebt Raum der deutschen Arbeit! Für uns die Straße frei!

Ein Hoch der deutschen Arbeit, voran die Fahne rot! Das Hakenkreuz muß siegen, vom Freiheitslicht umloht! Es kämpfen deutsche Männer für eine neue Zeit. Wir wolln nicht ruhn noch rasten, eh Deutschland ganz befreit!"

Die agitatorische Haltung dieses „Wiener Jungarbeiterliedes" der NSDAP wurde 1938 unterstrichen, etwa in der demonstrativen Wiedereinstellung gemaßregelter linker Straßenbahner und Magistratsbeamter in Wien durch den nationalsozialistischen Bürgermeister. Man unterstrich die gemeinsame Basis im „Sozialismus", in der Verfolgungszeit und im Antiklerikalismus.

Betonte man gegenüber den umworbenen Linken den nationalen Sozialismus und spezifizierte man gleichsam den „klassischen" Genossen zum „Volksgenossen", so appellierte man auf der anderen Seite an den Antimarxismus der nichtsozialistischen Bevölkerungsschichten. Der fulminante Einsatz der angesprochenen lagerüberschreitenden Phänomene, wie Antiklerikalismus, Antimarxismus, Deutschnationalismus, „nationaler" Sozialismus, Antisemitismus, ermöglichte die Penetration unterschiedlichster Gruppen und vereinigte diese zumindest zeitweise im Anschlußtaumel und in der Hoffnung auf eine Besserung der wirtschaftlichen Situation. Trotz aller Differenziertheit erwarteten diese heterogenen Gruppen von einem Anschluß nicht nur eine Besserung der katastrophalen wirtschaftlichen Situation, sondern auch einen Zusammenschluß gleichberechtigter Partner. Die Realität des Anschlusses führte bereits im Herbst 1938 zu einer auch von den Machthabern registrierten Ernüchterung, die Exponenten aller Rekrutierungsgruppen erfaßte. In diesem Konnex seien auch jene 250.000 Personen erwähnt, die die Kulisse für Hitlers „größte Vollzugsmeldung vor der Geschichte" am 15. März bildeten. Ohne hier diese Zahl herabspielen zu wollen und auf die diesbezüglichen Bilder der deutschen Wochenschau einzugehen, muß doch darauf hingewiesen werden, daß Wien damals mehr als 1,500.000 Einwohner hatte.

In diesen ersten Tagen nach dem Anschluß wurde die österreichische Bundesregierung in eine Landesregierung umgewandelt, und die Gold- und Devisenvorräte der Nationalbank wurden nach Berlin überführt.

Die österreichische Nationalbank wies am 23. Februar 1938 einen Devisenbestand in der Höhe von 157,66 Millionen und zusätzliche Aktiva von 60 Millionen Schilling aus. Dazu kamen Valuten in der Höhe von rund 230 Millionen Schilling, ungemünztes Gold von 296,76 Millionen Schilling, ein Golddepot bei der Bank von England von 80 Millionen Schilling und Clearing-Guthaben von rund 150 Millionen Schilling. Dagegen hatte die Reichsbank Anfang April einen Barschatz von 76 Millionen Reichsmark ausgewiesen! Mit den österreichischen Beständen konnte die reichsdeutsche Aufrüstung acht bis neun Monate finanziert werden.

In diesen ersten Tagen wurden Militär, Exekutive und Beamte auf Adolf Hitler vereidigt, während Juden von der Eidesleistung ausgeschlossen und außer Dienst gestellt wurden. Es folgten die Berufsverbote für jüdische Ärzte, Rechtsanwälte und Zahnärzte. Gleichzeitig fand die Ausschaltung der Juden aus dem Wirtschaftsleben statt. Die persönlichen Schikanen, Erniedrigungen und Ausplünderungen erreichten in den ersten Tagen ein Ausmaß, daß man sich von seiten der Machthaber genötigt sah, „einzuschreiten" und vor „kommunistischen Provokateuren in Uniform" zu warnen. Die Brutalität, mit der die Nationalsozialisten gegen Juden und politische Gegner vorgingen, steht in einem eigenartigen Gegensatz zur „Wehleidigkeit", mit der diese 1945 und danach auf die Folgen ihrer „Entnazifierung" reagierten.

Die Hatz auf die Österreicher jüdischer Abstammung im Sinne der Nürnberger Rassegesetze hatte zunächst einen genuin österreichischen Anteil. Der Terror der Straße gegen diese Personengruppe, die „Reibpartien", der individuelle Terror überraschte in seinem Eifer nicht zuletzt auch die reichsdeutschen Nationalsozialisten. Man sollte sich hüten, dies zu verharmlosen, wie etwa Ernst Hanisch es tut, der die Reibpartien des März 1938 mit jenen des Ständestaates gleichsetzt. Jene illegalen Nationalsozialisten, die zwischen 1934 und 1938 regierungsfeindliche Parolen nach dem Verursacherprinzip, auch wenn sie persönlich nicht an deren Affichierung teilgenommen hatten, beseitigen mußten, können höchstens mit jenen Reibpartien verglichen werden, die im März 1938 aus Repräsentanten des Ständestaates zusammengestellt wurden, nicht aber mit jenen, die „Juden" an den „Pranger" stellen wollten.

Die amtliche Judenverfolgung überzog das Land zunächst mit Berufsverboten, Geschäftsliquidationen und Arisierungen. Diese Maßnahmen zielten darauf ab, den Betroffenen die Existenzgrundlage zu nehmen, um so die „Auswanderung", die den Mantel über die staatliche Strategie der beschleunigten Austreibung breiten sollte, zu forcieren, wobei die restriktive Politik der potentiellen Einwanderungsländer (Konferenz von Evian 6.–15. Juli 1938) die Rettung der Vertriebenen zusätzlich erschwerte bzw. verhinderte. Das Zusammenwirken der staatlich gelenkten Maßnahmen und des antisemitischen Aktionismus der Straße mündete ein in den Novemberpogrom, der „Reichskristallnacht", in der in Österreich nahezu alle jüdischen Einrichtungen, Synagogen, aber auch große Teile jüdischen Privatbesitzes devastiert worden sind. Ein einziger, der im März 1938 den Anschluß öffentlich begrüßt hatte, der Priester und Politiker Johannes Ude, protestierte öffentlich gegen diese Pogromnacht.

Insgesamt wurden von rund 200.000 Österreichern, die sich im März 1938 zum Judentum bekannten und von jenen, die im Sinne der Gesetzeslage von den Nationalsozialisten als Juden definiert wurden, 65.000 ermordet. Bei Kriegsende lebten auf dem Territorium der Republik Österreich nun mehr ca. 5000 Menschen jüdischen Bekenntnisses.

In gleicher Weise ermordeten die Nationalsozialisten die österreichischen Zigeuner, sei es durch Deportation in Vernichtungslager, sei es durch „polizeiliche" Maßnahmen wie sie im Internierungslager Lackenbach (Burgenland) gesetzt wurden.

Am 1. April 1938 ging der erste Transport österreichischer Gefangener ins Konzentrationslager Mauthausen ab, dominiert von Repräsentanten des Ständestaates, wie Walter Adam, Fritz Bock, Leopold Figl, Alfons Gorbach, Robert Hecht, Theodor Hornbostel, Josef Kimmel, Ludwig Kleichwächtner, Max Ronge, Richard Schmitz, Josef Staud, Emanuel Stillfried, Franz Zelburg. Aber auch linke Funktionäre wie Robert Danneberg, Alexander Eifler und Franz Olah gehörten diesem Transport an, genauso wie Repräsentanten des jüdischen Österreich, wie Desider Friedmann, Angehörige der Familien Burstyn und Schiffmann. Bereits am 2. April trafen die Söhne des ermordeten Thronfolgers Franz Ferdinands, Max und Ernst Hohenberg, in Dachau ein. Zielte die erste Transportwelle auf die Ausschaltung der politischen Führungsköpfe, so umfaßte die zweite nahezu ausschließlich rassisch Verfolgte. Noch im April 1938 nahm die SS Kaufverhandlungen über Grundstücke im Raum Mauthausen auf. Mit dem Bau des Konzentrationslagers wurde dort im August 1938 begonnen. Bis 1945 waren in Mauthausen rund 200.000 Menschen aus nahezu allen europäischen Staaten gefangen. In Mauthausen und seinen Nebenlagern wurden bis 1945 mindestens 100.000 Häftlinge ermordet.

Zwischen 1938 und 1945 wurden 2700 Österreicher aus politischen Gründen hingerichtet, 32.000 starben in Konzentrationslagern und Gefängnissen. Sie sind den Opfern der rassischen Verfolgung an die Seite zu stellen.

Die katholische Kirche, in den Augen der Nationalsozialisten schon wegen ihres Naheverhältnisses zum Ständestaat und seinen Führungspersönlichkeiten kompromittiert, suchte vorerst den Weg des Ausgleiches mit den neuen Machthabern. Die Stunde der Brückenbauer, die Stunde der teilweise illegalen katholischen Nationalsozialisten und die der Anpasser schien gekommen. Der „Pastoralkatholizismus" öffnete sein Herz dem National-

sozialismus, was Michael Pfliegler um so leichter fiel, da seiner Ansicht nach
zur „neuen Bewegung . . . den Priester weit mehr Wege als zu den marxisti-
schen Sozialisten" führten. „Diese vertraten als Partei den Atheismus, jene
waren gottgläubig." Alles und jedes schien ihm und seinen Leuten nun im
positiven Licht, um so mehr, als der Nationalsozialismus nicht nur einzelne
Exponenten des politischen Katholizismus verhaftete, sondern sich überhaupt gegen den politischen Katholizismus wandte. Angesichts der Liquidation der katholischen Vereine dankte Pfliegler den Machthabern: „Die
Idylle der Vereinskirche ist endgültig vorbei. Sagen wir es nur ehrlich: Gott
sei Dank! . . . Die Katholische Aktion hätte in den katholischen Vereinen
ihre eigentliche Kerntruppen haben sollen . . . Aber es kam meist nicht zum
Umbau, die katholischen Vereine blieben bis zum Schluß vielfach das
Haupthindernis der Katholischen Aktion." Nunmehr schien der Weg frei,
das Terrain gesäubert. Der Monopolanspruch der „himmlisch-vaterländi-
sche(n) Front", wie sich die Katholische Aktion 1935 definierte, wurde
durchgesetzt, und für diese Hilfe war man dankbar.

Anpassungsstrategien kennzeichneten auch die ersten Schritte des Wiener
Kardinals, Theodor Innitzer, gegenüber den neuen Machthabern. Initiiert
von Brückenbauern und betreut von Papen trafen der Kardinal und Hitler
am 15. März um neun Uhr im Hotel Imperial in Wien zusammen. Eine
Loyalitätserklärung der Kirche sollte den Weg für eine Sicherung ihrer Interessen frei machen. Gauleiter Bürckel, der mit der Vorbereitung für die
bereits am 13. März für den 10. April festgesetzten Volksabstimmung beauftragt worden war, nutzte diese Haltung des österreichischen Episkopates für
den erstklassigen Propagandacoup der „Feierlichen Erklärung" der Kirche
zum Anschluß, die im Deutschen Reich wie in Österreich prominent affi-
chiert wurde:

„Aus innerster Überzeugung und mit freiem Willen erklären wir unterzeichneten Bischöfe der österreichischen Kirchenprovinz anläßlich der
großen gesetzlichen Geschehnisse in Deutsch-Österreich:

Wir erkennen freudig an, daß die nationalsozialistische Bewegung auf
dem Gebiet des völklichen und wirtschaftlichen Aufbaues sowie der Sozial-
Politik für das Deutsche Reich und Volk und namentlich für die ärmsten
Schichten des Volkes Hervorragendes geleistet hat und leistet. Wir sind
auch der Überzeugung, daß durch das Wirken der Nationalsozialistischen
Bewegung die Gefahr des alles zerstörenden gottlosen Bolschewismus abge-
wehrt wurde.

Die Bischöfe begleiten dieses Wirken für die Zukunft mit ihren besten Se-
genswünschen und werden auch die Gläubigen in diesem Sinne ermahnen.

Am Tage der Volksabstimmung ist es für uns Bischöfe selbstverständlich
nationale Pflicht, uns als Deutsche zum Deutschen Reich zu bekennen, und
wir erwarten auch von allen gläubigen Christen, daß sie wissen, was sie
ihrem Volke schuldig sind."

Innitzer wurde nach Rom zitiert, wo ihm die Illusionen der Brückenbauer in aller Schärfe als solche aufgezeigt wurden. Schwerstens gerügt trat er die Heimreise an, nachdem er eine Erklärung unterschrieben hatte, die in wesentlichen Punkten von der Überzeugung Roms geprägt war, daß Hitler in keiner Weise paktfähig war. Hitler nahm diese Erklärung am 9. April, bei der zweiten Begegnung mit dem Kardinal in Wien, zum Anlaß, für die kommenden Auseinandersetzungen zwischen Kirche und Staat, die Kirche verantwortlich zu machen (Liebmann, Innitzer). Der Zweck, die meinungsbildende Kraft des österreichischen Katholizismus in den Dienst der Abstimmungspropaganda zu stellen, war erreicht. Für den Altbundespräsidenten Miklas war die Stunde gekommen, Seyß-Inquart mitzuteilen: „... so will ich mich, auch jetzt in großer Schicksalsstunde, als Deutscher dem eigenen innersten Empfinden gehorchend und nicht zuletzt auch dem Appell der österreichischen Erzbischöfe folgend, nicht vom deutsch-österreichischen Volk trennen, wenn es sich zur Wiedervereinigung mit dem Deutschen Reich bekennt."

Aber spätere Versuche, zu einem Ausgleich zu kommen, scheiterten allerdings. Entweder waren sie nicht ernst gemeint, oder sie wurden von jenen einflußreichen Stellen hintertrieben, die sich den Kampf gegen die christlichen Konfessionen zum Ziel gesetzt hatten. Im Sommer 1938 kam es zu Verhandlungen zwischen dem Gauleiter Bürckel, der nach Erledigung seines Auftrages zur Durchführung der Volksabstimmung am 25. April zum Reichskommissar in Österreich ernannt worden war, und den österreichischen Bischöfen, deren Einleitung der Vatikan nach einigem Widerstreben genehmigt hatte. Um die schwierige Frage der Rechtswirksamkeit des Konkordates auszuschalten, wurde nicht ein Abkommen mit dem Staat, sondern eines mit der Partei in Aussicht genommen. Bis zur endgültigen Regelung der schwebenden Fragen dachte man an eine Stillhaltefrist, also an einen „Waffenstillstand". Eine solche Lösung, um die sich auch der letzte österreichische Außenminister Wilhelm Wolf bemühte, ein führender Kopf der „betont-nationalen" Katholiken, stand nahe bevor, als die Aufhebung des Öffentlichkeitsrechts der konfessionellen Schulen, der eine Reihe weiterer gegen die Kirchen gerichteter Maßnahmen folgte, deutlich machte, daß jegliche Verständigungsbereitschaft als Schwäche ausgelegt wurde.

Die Jugendfeier am 7. Oktober 1938 anläßlich des Rosenkranzfestes im Dom zu St. Stephan setzte dann ein anderes Signal. Nach der Predigt Innitzers, die als Kritik an der staatlichen Jugenderziehung verstanden wurde, demonstrierten 7000 bis 10.000 Jugendliche ihre Kirchentreue und riefen mit den Worten „Wir wollen unseren Bischof sehen!" Innitzer nach Schluß der Feier ans Fenster des Erzbischöflichen Palais. Am Tag darauf stürmten Wiener HJ-Angehörige das Palais, verwüsteten es und suchten nach Innitzer. Als sie diesen nicht finden konnten, warfen sie in einem an das Erzbischöfliche Palais anschließenden Haus den Priester Johannes Krawarik aus dem ersten Stock, der schwer verletzt liegen blieb und erst durch das Zusammenwirken eines katholischen Arztes und eines illegalen Sozialisten, der als Taxifahrer arbeitete, ins Spital gebracht werden konnte. Wüste antiklerikale Demonstrationen in den nächsten Tagen waren die Antwort auf die provokanten Rufe der katholischen Jugendlichen, die ihre Systemkritik in die Worte „Christus ist unser Führer" gekleidet hatten. Was nun folgte, war Antiklerikalismus reinster Prägung. Die nationalsozialistischen Demonstranten brachten ihre Meinung signifikant zum Ausdruck: „Innitzer und Jud', eine Brut."

Am 10. April 1938 fand die Volksabstimmung über den Anschluß statt, bei der es zwar Wählerlisten, aber nicht überall einen Schutz des Wahlgeheimnisses gab. Auch Sozialisten hatten sich zur Taktik des Abwartens und der Anpassung entschlossen. Dieser Haltung entsprach es, daß der spätere Bundespräsident Karl Renner, sichtlich animiert von der Publizität der Bischofserklärung, von sich aus an die Öffentlichkeit zu treten wünschte, wobei die Machthaber die Form des Interviews wählten. In diesem Interview für das Neue Wiener Tagblatt vom 3. April 1938 begrüßte er „die große geschichtliche Tat des Wiederzusammenschlusses der deutschen Nation". „Als Sozialdemokrat und somit als Verfechter des Selbstbestimmungsrechtes der Nationen, als erster Kanzler der Republik Deutschösterreich und als gewesener Präsident ihrer Friedensdelegation zu St. Germain werde ich mit Ja stimmen." Renners Selbstbewußtsein, das nach einer in der Publizität der Bischofserklärung vergleichbaren Form drängte, wurde seitens der Nationalsozialisten nicht ganz befriedigt. Heß lehnte eine Plakataktion ab, lancierte aber letztendlich das Interview. Wie sehr Renner sich in die neue Zeit einlebte, erfährt man aus dem Vorwort des von ihm im Herbst 1938 vorgelegten Buches „Die Gründung der Republik Deutschösterreich, der Anschluß und die Sudetendeutschen", dessen Umbruch erhalten geblieben ist. In einem Nachsatz zum mit „Wien, Mitte September 1938" datierten Vorwort rühmt Renner unter der Datierung „Gloggnitz, den 1. November 1938" die „Beharrlichkeit und Tatkraft der deutschen Reichsregierung". Anton Pelinka sieht darin ein Merkmal der Rennerschen Grunddisposition, der eben „kein Mann der Résistance, gleichgültig, gegen wen diese sich richten sollte", war; sein „Sozialismus" war eher „eine Theorie der Kollaboration", der „immer den jeweils Mächtigen, den Aufstrebenden, den Siegern" applaudierte, denn Renner „war bereit, sich zu integrieren — und das nahezu grenzenlos".

In seiner schwankenden Hinwendung, in seinem Schwimmen mit dem Strom mußte Renner zum Repräsentanten der Mehrheit der Österreicher werden, die wie er nach 1945 nicht zu analysieren vermochten, was zum Frühjahr 1938 geführt hatte und welcher Anteil am Anschluß, der Judenhatz und der Kollaboration genuin österreichisch war. Angesichts dieser analytischen Unfähigkeit „hatte Renner immer auch ein gutes Gewissen; es war ja stets eins mit den Schwankungen des in Österreich herrschenden Zeitgeistes" (Pelinka, Renner).

Am 10. April 1938 bejahten in Österreich 99,73 Prozent der abgegebenen Stimmen die „Wiedervereinigung" und die Reichstagsliste. Von der Wahl ausgeschlossen blieben rund acht Prozent der über zwanzig Jahre alten Österreicher. Juden in der Definition der Nürnberger Rassengesetze, politische Gefangene (10.000 bis 20.000) bildeten zusammen mit offensichtlich sicheren Nein-Stimmen, die nicht in die Liste aufgenommen wurden, das Potential der ca. 360.000 ausgeschlossenen Österreicher.

Eine Korrelationsanalyse der minimalen Nein-Stimmen führt Botz (Botz, Volksbefragung) zu folgendem Schluß: „Das heißt, je mehr gewerblich-industriell der Charakter eines Bezirkes war und je mehr öffentliche Bedienstete und im Handel und Geldwesen Beschäftigte es in ihm gab, umso höher war dort auch der (absolut betrachtet: geringe) Anteil der Stimmenthaltungen und Nein-Stimmen. Zugleich fielen diese Anteile, je größer der agrarische Bevölkerungssektor war." Allerdings vermerkt Botz ausdrücklich, daß das bäuerliche Verhalten nicht nur als Propagandaerfolg, sondern auch als Produkt des Druckes „im kleinen, überschaubaren Rahmen" gesehen werden kann, in dem „die geringsten Chancen zu einer Protestäußerung bestanden". „Nur für Wien kann eine weitergehende Interpretation... versucht werden. In dieser Stadt hatten sich im allgemeinen die Arbeiterbezirke stärker als sozial anders zusammengesetzte Bezirke den Ja-Parolen der Nationalsozialisten angepaßt. Nur in den sozialdemokratischen und kommunistischen Hochburgen Favoriten und Hernals scheint eine bewußte und mutige kleine Minderheit ihre Ablehnung des Nationalsozialismus durch Nichtbeteiligung an der Abstimmung demonstriert zu haben. Der selbständige und unselbständige ‚Mittelstand'... erwies... bei den Nein- und ungültigen Stimmen eine etwas stärkere Resistenz als die breite Masse der Arbeiterschaft."

Auch Otto Bauer bezog zur Abstimmung Stellung, weit ausholend, die Genesis erklärend, sich auf die Konferenz der Auslandssozialisten von Anfang April 1938 in Brüssel stützend und Karl Renner verurteilend: „Soll der österreichische Sozialismus den Kampf gegen die Unterwerfung Österreichs unter das Dritte Reich, den er seit 1933 geführt hat, den Kampf um die Unabhängigkeit Österreichs weiterführen? Kann und soll sein politisches Kampfziel die Losreißung Österreichs vom Deutschen Reich, die Wiederherstellung der Unabhängigkeit Österreichs sein? Oder kann die Befreiung des österreichischen Volkes von der nationalfaschistischen Diktatur nicht durch Wiederherstellung der Unabhängigkeit Österreichs, nicht durch die Trennung Österreichs von Deutschland, sondern nur noch durch die Befreiung des ganzen deutschen Volkes von seinen nationalfaschistischen Bedrückern erreicht werden? Die beiden proletarischen Parteien Österreichs haben diese Frage in entgegengesetzter Weise beantwortet. Die Kommunisten hatten ihre Entscheidung schon geraume Zeit vor der Annexion durch die absonderliche Konstruktion vorbereitet, daß die Österreicher gar nicht Deutsche, sondern eine besondere Nation seien. Sie haben nach der Annexion die Parole Schuschniggs 'Rot-Weiß-Rot bis in den Tod' aufgenommen und nicht gezögert, gemeinsam mit Legitimisten, Vaterländischen, Klerikalen die Losreißung Österreichs vom Reich, die Wiederherstellung eines unabhängigen Österreichs, als Kampfziel zu proklamieren. Die Sozialisten dagegen haben in einer Konferenz, die Anfang April in Brüssel stattfand, festgestellt, daß das österreichische Volk nicht durch die Losreißung vom Reich, sondern nur durch die gesamtdeutsche Revolution gegen den deutschen Faschismus befreit werden könne. Sie haben der irredentistisch-separatistischen Losung der besiegten Vaterländischen die gesamtdeutsch-revolutionäre Losung gegenübergestellt . . .

Wenn der kriegerische Imperialismus des Dritten Reichs das deutsche Volk in einen neuen Krieg stürzt, wenn Deutschland in diesem Krieg von kapitalistischen, imperialistischen Mächten geschlagen werden wird, dann werden diese Mächte das Deutsche Reich zerschlagen und zersplittern wollen. Sie haben erfahren, daß alle Fesseln, die sie dem Deutschen Reich im Vertrage von Versailles auferlegt haben, um sein Wiedererstarken zu verhindern, nach wenigen Jahren zerbrochen worden sind. Sie werden, wenn sie Deutschland noch einmal auf den Schlachtfeldern besiegen, das Deutsche Reich zu zertrümmern versuchen, um sein nochmaliges Wiedererstarken wirksamer zu verhüten. Sie werden sich der katholisch-separatistisch-legitimistischen Vendée der deutschen Revolution zu bedienen suchen, um einen neuen Rheinbund vom Reich abzuspalten, um den alten romantischen deutschen Föderalismus wiederzubeleben, um das Deutsche Reich in einen losen Deutschen Bund zurückzuverwandeln. Wir kennen solche Spekulationen auf die Resultate einer neuen deutschen Niederlage aus den romantischen Phantasien über die Reichsidee, mit denen sich in der Ära Dollfuß-Schuschnigg österreichische Legitimisten und deutsche Zentrumsemigranten vergnügt haben. Die deutsche Revolution wird die Einheit des deutschen Volkes und Reiches nicht nur gegen die kapitalistische Konterrevolution in Deutschland, sondern auch gegen die konterrevolutionäre Intervention imperialistischer Mächte zu verteidigen haben.

Man wende uns nicht ein, das seien müßige Zukunftsphantasien. Keine illegale Bewegung kann heute in Deutschland und in Österreich mehr leisten, als engen Kadern möglichst klare und konkrete Vorstellungen der Aufgaben zu vermitteln, die sie zu erfüllen haben werden, wenn erst die Massen des deutschen Volkes in Bewegung geraten werden. Deshalb wäre es grundfalsch, die Kader der illegalen proletarischen Bewegung in Österreich mit Zielvorstellungen zu erfüllen, die in revolutionäre Situation nur die Zielvorstellungen der Konterrevolution im Innern und der konterrevolutionären Intervention von außen werden sein können. Deshalb dürfen wir die illegalen proletarischen Kader in Österreich nicht durch die reaktionäre Utopie der Wiederherstellung der Unabhängigkeit von ihrer wirklichen Aufgabe ablenken: die Voraussetzungen der gesamtdeutschen Revolution zu erkennen, sie durch Erkenntnis der Aufgaben, die ihnen in der gesamtdeutschen Revolution zufallen werden, zur Bewältigung dieser Aufgaben vorzubereiten und sich durch Pflege ihrer Verbindung zu den Betrieben und Arbeiterquartieren zur Erfüllung dieser Aufgaben zu befähigen.

Aber die Aktionsgemeinschaft der beiden proletarischen Parteien in Österreich ist schon in der Ära Schuschnigg dadurch erschwert und erschüttert worden, daß die Kommunistische Partei in ihrem Eifer, eine österreichische Volksfront zu bilden, um die Bundesgenossenschaft klerikaler Gruppen geworben hat, die volle Mitverantwortung für die blutige Niederwerfung der österreichischen Arbeiterklasse im Februar 1934 trugen und seit 1934 die ständische Diktatur stützten. Jetzt, nach der Annexion ist die Gefahr um so größer, daß jedes freundnachbarliche Zusammenwirken der beiden proletarischen Parteien in noch höherem Grad erschwert werden könnte, wenn die Kommunisten der proletarischen Bewegung den Kampf um die Wiederherstellung der Unabhängigkeit als Ziel setzen und sich zum Kampf um dieses Ziel mit den Arbeitermassen verhaßten Schuldigen des Februar 1934 verbünden wollten.

Der Klerikofaschismus hat die Widerstandskraft Österreichs gegen den Eroberungszug des Dritten Reiches vernichtet, indem er die Arbeiterklasse entrechtet und damit aus der Front der Verteidiger Österreichs ausgeschlossen hat. Der Klerikofaschismus hat es Hitler erspart, die Arbeiterorganisationen und die Arbeiterrechte in Österreich zu zertrümmern, indem er selbst diese Aufgabe besorgt hat. Die vierjährige klerikofaschistische Diktatur ermöglicht es dem Nationalsozialismus jetzt, sich vor den österreichischen Arbeitern geradezu als der Befreier von der Diktatur der Februarmörder zu gebärden, durch Wiedereinstellung der Februarkämpfer in die Betriebe durch Kundgebungen an den Gräbern der gefallenen Schutzbündler, um die Sympathien der österreichischen Arbeiterschaft zu werben. Nichts könnte den proletarischen Sozialismus vor den österreichischen Arbeitern schwerer kompromittieren, als wenn er ihnen jetzt als Bundesgenosse derselben reaktionären Kräfte aufschiene, die ihn im Februar 1934 blutig niedergeworfen und vier Jahre gewaltsam unterdrückt haben. Nichts würde den Glauben der Arbeitermassen an das Kampfziel der proletarischen Bewegung schwerer erschüttern, als wenn dieses Kampfziel jene Unabhängigkeit Österreichs wäre, die für die Arbeiterschaft verknüpft ist mit der Erinnerung an Arbeitslosigkeit und Not, an Adelsdiktatur und pfäffischen Gewissenszwang.

Aus all diesen Erwägungen müssen wir uns, um mit Engels zu reden, der vollzogenen Tatsache der Annexion gegenüber kritisch verhalten, aber nicht reaktionär. ... Aber die Parole, die wir der Fremdherrschaft der faschistischen Satrapen aus dem Reiche über Österreich entgegensetzen, kann nicht

die reaktionäre Parole der Wiederherstellung der Unabhängigkeit Österreichs sein, sondern nur die revolutionäre Parole der gesamtdeutschen Revolution, die allein mit den anderen deutschen Stämmen auch den österreichischen Stamm der Nation von der Gewaltherrschaft der faschistischen
Zwingherren befreien kann." Soweit Otto Bauer.

Chamberlain verwies unmittelbar nach dem Einmarsch auf die Kon-
sultationen mit Frankreich, auf die gemeinsamen Proteste und darauf,
daß sein Land Österreich gegenüber keine Verpflichtungen auf sich genommen hatte. Der sowjetische Volkskommissar Litwinov ventilierte
Maßnahmen gegen weitere Aggressionshandlungen des Deutschen Reiches, forderte aber ebensowenig wie Großbritannien die Wiederherstellung der österreichischen Souveränität. Es hat den Anschein, daß bei
aller kritischen Stimmung gegenüber dem Vorgehen des Deutschen Reiches an sich der Anschluß erwartet und als unabwendbar hingenommen
wurde. Der Anschluß wurde zwischen März 1938 und September 1939
als Faktum akzeptiert. Erst der Kriegsausbruch stellte das Österreich-
Problem in ein anderes Licht.

Am 19. März 1938 protestierte Mexiko beim Völkerbund als einziger
Staat gegen den deutschen Einmarsch, wobei es sichtlich seine eigene Situation im Konflikt mit dem übermächtigen Nachbarn, den USA, vor
Augen hatte. Der Protest war allerdings so abgefaßt, daß es zu keiner
Völkerbundresolution kommen konnte. Frankreichs artikulierte Bereitschaft zu einer militärischen Hilfe war von Anfang an von der britischen
Zustimmung und Teilnahme abhängig. Auch in jenen Ländern, die wie
beispielsweise Ungarn dem Deutschen Reich zum vollzogenen Anschluß
gratulierten, herrschte dennoch in den ersten Wochen und Monaten
nach dem Anschluß in der Bevölkerung besonders die Angst, das Deutsche Reich könnte sich nun reihum an den schwächeren Nachbarstaaten
bedienen. Chile bedauerte am 11. Juni 1938 während der 101. Session
des Völkerbundrates den Untergang eines Mitgliedes der Gemeinschaft,
der auch vom Vertreter des republikanischen Spaniens angesprochen
wurde. Die klare Sprache Mexikos blieb allein:

„Angesichts der Unterdrückung Österreichs als unabhängiger Staat infolge einer bewaffneten ausländischen Intervention und im Hinblick darauf,
daß der Rat des Völkerbundes zwecks Anwendung des Artikels 10 des Völkerbundpaktes, welcher die Verpflichtung auferlegt, die Unversehrtheit des
Gebietes und die politische Unabhängigkeit aller seiner Mitglieder zu
achten und gegen jeden äußeren Angriff zu wahren, bisher noch nicht einberufen worden ist, habe ich die Ehre, Ihnen gemäß den Weisungen der Regierung von Mexiko folgende Erklärungen zu übermitteln und bitte Sie,
diese den Mitgliedstaaten unserer Institution zur Kenntnis bringen zu
wollen.

Der politische Tod Österreichs in der bekannten Form und unter den bekannten Umständen stellt ein schweres Attentat gegen den Völkerbundpakt und gegen die überkommenen Grundsätze des Völkerrechtes dar.

Infolge eines Gewaltstreiches hat Österreich aufgehört, als unabhängige Nation zu bestehen. Diese Intervention ist eine offensichtliche Verletzung unseres Paktes sowie der Verträge von Versailles und Saint-Germain, welche die Unabhängigkeit Österreichs für unabdingbar erklären. Diese unabänderliche Unabhängigkeit hätte durch die Großmächte, die das Genfer Protokoll von 1922 unterzeichnet haben, garantiert und geachtet werden müssen, die bei diesem Anlaß feierlich ihren Entschluß erklärt haben, die politische Unabhängigkeit, die territoriale Unversehrtheit und die Souveränität Österreichs zu achten ... daher muß jedes Abkommen und jede Entschließung, die darauf gerichtet ist, die österreichische Unabhängigkeit zu beeinträchtigen, als rechtswidrig betrachtet werden, und ebenso muß jeder Versuch, gleichgültig welcher ausländischen Regierung, der diesen Grundsätzen zuwiderläuft, von den Mitgliedern des Völkerbundes als Willkürakt und untragbar angesehen werden.

Die Tatsache, daß die Behörden in Wien die Macht dem gewaltsamen Besetzer übergeben haben, kann dem Angreifer nicht als Entschuldigung dienen, und der Völkerbund darf diese vollendete Tatsache nicht ohne die energischesten Proteste und die in den Artikeln des Völkerbundpaktes vorgesehenen Gegenmaßnahmen hinnehmen ... Die Behörden selbst, die der Gewalt weichen mußte, haben nicht frei gehandelt, da ein erzwungener Willensakt kein Willensakt ist.

Die Regierung von Mexiko, welche die Grundsätze des Völkerbundpaktes achtet und ihre Außenpolitik, die keine mit Gewalt herbeigeführte Eroberung hinnehmen kann, immer treu bleibt, protestiert in der kategorischesten Weise gegen den äußeren Angriff, dessen Opfer die Republik Österreich geworden ist. Sie erklärt der öffentlichen Meinung der Welt, daß nach ihrer Ansicht die einzige Methode, den Frieden zu erhalten und neue internationale Attentate wie die gegen Äthiopien, Spanien, China und Österreich zu vermeiden, darin besteht, die Verpflichtung zu erfüllen, welcher der Völkerbundpakt, die abgeschlossenen Verträge und die Grundsätze des Völkerrechtes auferlegen."

Es schien nutzlos, wenn nicht gefährlich, gegen vollzogene Tatsachen zu demonstrieren.

Diese Einstellung ist um so leichter verständlich, als die Großmächte durch Schließung der Gesandtschaften in Wien und Umwandlung in Generalkonsulate noch vor der Volksabstimmung den eingetretenen Zustand de facto anerkannten. Die Nachbarn Österreichs erhielten von Deutschland Zusicherungen über die Unverletzlichkeit ihrer Grenzen. Mißfielen ihnen auch die Methoden, so waren sie erleichtert, selbst nicht angetastet worden zu sein. Polen, Jugoslawien und auch Ungarn hatten seit langem mit dieser Entwicklung gerechnet. Ohne Hilfe aus dem Westen war die Tschechoslowakei aktionsunfähig.

Italien, dessen öffentliche Meinung das Vorgehen Hitlers verurteilte, wurde durch eine große Rede Mussolinis, der gute Miene zum bösen Spiel machte, auf seine politische Linie festgelegt. Er rechtfertigte seinen Kurswechsel mit der Erklärung, daß die Fehler der Westmächte gegenüber Italien diese Situation herbeigeführt hätten. Dahinter stand auch die Überzeugung, daß sich im Falle eines Eingreifens die österreichische Bevölkerung trotz ihrer Zerrissenheit einmütig gegen die italienischen Truppen gewendet hätte. Das wußte man in Rom und brachte es schon in den vorangehenden Jahren in diplomatischen Gesprächen zum Ausdruck. Auch Schuschnigg teilte diese Meinung.

Frankreich tröstete sich mit dem Gedanken, anders als bei einer Gefährdung der Tschechoslowakei, nur zur Konsultation mit London und Rom und sonst zu keiner Hilfsleistung verpflichtet gewesen zu sein. Ohne England, dessen Haltung schon vor dem März unverkennbar war, wollte es auch nichts unternehmen. Rußland warnte vor den Folgen, die sich aus dem sich steigernden Appetit Hitlers ergeben würden, und riet zu gemeinsamer Abwehr. Doch glaubte es wegen der erwarteten Reaktion Italiens an eine Schwächung der Achse Berlin - Rom. Ein richtiges Wort fand der französische Außenminister Delbos, als er dem deutschen Geschäftsträger auf den Versuch, die Sache als eine deutsche Familienangelegenheit zu bezeichnen, zur Antwort gab: „Auch Europa ist eine Familie."

LITERATURVERZEICHNIS

Achs Oskar, Albert Krassnigg, Drillschule-Lernschule-Arbeitsschule. Otto Glöckel und die österreichische Schulreform. Wien - München 1974.

Ackerl Isabella, Die Funktion der Deutschnationalen beim Auseinanderbrechen der Koalition, in: Koalitionsregierungen 46—52.

Afritsch Anton, Erinnerungen. Vom Buchhändler zum Landtagspräsidenten. Graz 1977.

Ahrer Jakob, Erlebte Zeitgeschichte. Wien - Leipzig 1930.

Alizé Henry, Ma mission à Vienne (Mars 1919 — Août 1920). Paris 1993.

Allianz Hitler, Horthy, Mussolini. Dokumente zur ungarischen Außenpolitik (1933—1944). Budapest 1966.

Almond N., R. H. Lutz, The treaty of St. Germain. London 1935.

Anatomie. 1938 — A. eines Jahres, hg. v. Thomas Chorherr. Wien 1987.

Anschluß 1938. Wien 1981.

„Anschluß" 1938. Eine Dokumentation. Wien 1988.

Anschlußfrage. Die A. in ihrer kulturellen, politischen und wirtschaftlichen Bedeutung, hg. v. Friedrich Kleinwächter, Heinz von Paller. Wien - Leipzig 1930.

Arbeit/Mensch/Maschine, hg. v. Rudolf Kropf, 2 Bde. Linz 1987.

Arbeiterbewegung und Friedensfrage 1917 bis 1939. Wien 1984.

Arbeiterbewegung, Faschismus, Nationalbewußtsein, hg. v. Helmut Konrad, Wolfgang Neugebauer. Wien 1983.

Arbeiterbewegung. Konfessionelle, liberale und unternehmungsabhängige A. bis zum zweiten Weltkrieg unter besonderer Berücksichtigung der Gewerkschaften. Wien 1985.

Arbeiterbewegung. Sozialistische A. und autoritäres Regime in Österreich 1918—1938. Wien 1978.

Arbeitergeschichte. Neuere Studien zur A. Wien 1984.

Arbeiterkultur in Österreich 1918—1945. Wien 1981.

Arbeiterkulturen zwischen Alltag und Politik, hg. v. Friedhelm Boll. Wien - München - Zürich 1986.

Arbeiterschaft und Nationalsozialismus in Österreich, hg. v. Rudolf G. Ardelt, Hans Hautmann. Wien - Zürich 1990.

Archiv. Mitteilungsblatt des Vereins für Geschichte der Arbeiterbewegung 1 (1961) ff.

Ardelt Rudolf G., Friedrich Adler. Wien 1984.

Aspetsberger Friedbert, Literarisches Leben im Austrofaschismus. Königstein/Ts. 1980.

Attentate, die Österreich erschütterten, hg. v. Leopold Spira. Wien 1981.

Aufbruch und Untergang. Österreichische Kultur zwischen 1918 und 1938, hg. v. Franz Kadranoska. Wien - München - Zürich 1981.

Aufklärung über die letzten politischen Ereignisse (Zentralbank, Steirerbank, Genossenschaften, Stewag). Graz 1926.

Auflösung. Die A. des Habsburgerreiches, hg. v. Richard Georg Plaschka, Karlheinz Mack. Wien 1970.

Aufstieg. Der A. zur Massenpartei. Ein Lesebuch der österreichischen Sozialdemokratie 1889—1918, hg. v. Brigitte Kepplinger. Wien 1990.

Ausch Karl, Als die Banken fielen. Wien - Frankfurt/M. - Zürich 1968.

Ausschreitungen in Wien am 15. und 16. Juli 1927. Weißbuch. Wien 1927.

Austria in the Thierties: Culture and Politics, ed. Kenneth Sugar, John Warren. Riverside 1991.

Austriaca. Cahiers Universitaires d'Information sur l'Autriche 1 (1975) ff.

„Austrofaschismus", hg. v. Emmerich Talos, Wolfgang Neugebauer. Wien 1984.

Austromarxismus, hg. v. Hans-Jörg Sandkühler, Raphael de la Vega. Frankfurt/M. - Wien 1970.

Außermair Josef, Kirche und Sozialdemokratie. Wien 1979.

Bachinger Karl, Hildegard Hemetsberger-Koller, Herbert Matis, Grundriß der österreichischen Sozial- und Wirtschaftsgeschichte von 1848 bis zur Gegenwart. Wien 1987.

Ball Margret M., Post War German-Austrian Relations. The Anschluss-Movement 1918—1936. Stanford - London - Oxford 1937.

Banner. Unter dem roten B. Der österreichische Bolschewismus. Graz 1927.

Bansleben Manfred, Das österreichische Reparationsproblem auf der Pariser Friedenskonferenz. Wien - Köln - Graz 1988.

Bardolff Karl Freiherr von, Soldat im alten Österreich. Jena 1938.

Barker Elisabeth, Austria 1918—1972. London 1973.

Bärnthaler Irmgard, Die Vaterländische Front. Wien - Frankfurt/M. - Zürich 1971.

Barolin Johannes C., Kurt Schechner, Für und Wider die Donauförderation. Wien 1926.

Bauer Doris, Walter Göhring, Pressedokumente zum 12. Februar 1934. Mattersburg 1983.

Bauer Doris, Walter Göhring, Pressedokumente zum Katholikentag 1933. Mattersburg 1983.

Bauer Otto, Werkausgabe, 9 Bde. Wien 1975—1980.

Bauer. Otto B. (1881—1938), hg. v. Erich Fröschl, Helge Zoitl. Wien 1985.

Becher Peter, Der Untergang Kakaniens. Frankfurt/M. - Bern 1982.

Bednarik Peter-Robert, Stephan Horvath, Österreich 1918. Wien - München 1968.

Beer Siegfried, Der „unmoralische" Anschluß. Britische Österreichpolitik und Appeasement 1931—1934. Wien - Köln - Graz 1988.

Beiträge über die Krise der Industrie Niederösterreichs zwischen den beiden Weltkriegen, hg. v. Andreas Kusternig. Wien 1985.

Beiträge zur historischen Sozialkunde 1 (1971) ff.

Beiträge zur neueren Geschichte Österreichs. FS Adam Wandruszka. Wien - Köln - Graz 1974.

Beiträge zur Vorgeschichte und Geschichte der Julirevolte. Wien 1934.

Beiträge zur Zeitgeschichte. FS Ludwig Jedlicka. St. Pölten 1976.

Beneš Edvard, Das Problem Mitteleuropas und die Lösung der österreichischen Frage. Prag 1934.

Berchtold Klaus, Die Verfassungsreform von 1929. Dokumente und Materialien zur Bundes-Verfassungsnovelle von 1929, 2 Bde. Wien 1979.

Berger Paul, Faschismus und Nationalsozialismus. Ein Vergleich der geistigen Grundlagen. Wien 1934.

Berlin John D., Akten und Dokumente des Außenamtes (State Department) der USA zur Burgenland-Anschlußfrage 1919—1920. Eisenstadt 1977.

Betrogenen. Die B. Österreicher als Opfer stalinistischen Terrors in der Sowjetunion, hg. v. Hans Schafranek. Wien 1991.

Bewegung und Klasse, hg. v. Gerhard Botz, Hans Hautmann, Helmut Konrad. Wien - München - Zürich 1978.

Bewegung. Die B. Hundert Jahre Sozialdemokratie in Österreich., hg. v. Erich Fröschl, Maria Mesner, Helge Zoitl. Wien 1990.

Bewegungen. Revolutionäre B. in Österreich, hg. v. Erich Zöllner. Wien 1981.

Bibl Viktor, Österreich 1806—1938. Zürich - Leipzig - Wien 1939.

Bibliographie. Österreichische B. Wien 1945 ff.

Bibliographie. Österreichische historische B. Santa Barbara — Salzburg 1967 ff.

Bildung. Politische B. 1 (1979) ff.

Binder Dieter A., Politischer Katholizismus und Katholisches Verbandswesen. Schernfeld 1989.

Binder Dieter A., Der 12. Februar 1934 — Historiographie und Ikonographie, in: Christliche Demokratie 7 (1989) 349—366.

Binder Dieter A., Dollfuß und Hitler. Über die Außenpolitik des autoritären Ständestaates in den Jahren 1933/34. Graz 1979.

Binder Dieter A., Gudrun Reitter, Herbert Rütgen, Judentum in einer antisemitischen Umwelt. Am Beispiel der Stadt Graz 1918—1938. Graz 1988.

Biographie. Neue österreichische B. 1815—1918, 8 Bde. Wien 1923—1935.

Biographie. Neue österreichische B. ab 1815, Bd. 9 ff. Zürich - Leipzig - Wien 1956 ff.

Blenk Gustav, Leopold Kunschak und seine Zeit. Wien - Frankfurt - Zürich 1966.

Blüml Rudolf, Prälat Seipel. Klagenfurt 1933.

Bock Fritz, Zeitzeuge. Wien - München - Zürich 1984.

Böhm Johann, Erinnerungen aus meinem Leben. Wien 1964.

Borkenau Franz, Austria and after. London 1938.

Botstein Leon, Judentum und Modernität. Wien - Köln 1991.

Botz Gerhard, Die Eingliederung Österreichs in das Deutsche Reich. Wien 1988.

Botz Gerhard, Nationalsozialismus in Wien. Buchloe 1988.

Botz Gerhard, Gewalt in der Politik. München 1983.

Botz Gerhard, Wien vom „Anschluß" zum Krieg. Wien - München 1978.

Botz Gerhard, Wohnungspolitik und Judendeportation in Wien 1938 bis 1945. Salzburg 1975.

Brandl Franz, Kaiser, Politiker und Menschen. Leipzig - Wien 1936.

Braunbuch. Das B. Hakenkreuz gegen Österreich. Wien 1933.

Brauneder Wilhelm, Friedrich Lachmayer, Österreichische Verfassungsgeschichte. Wien 1976.

Braunthal Julius, The Tragedy of Austria. London 1948.

Braunthal Julius, Auf der Suche nach dem Millennium, 2 Bde. Nürnberg 1948.

Braunthal Julius, Victor und Friedrich Adler. Wien 1965.

Briefwechsel. Geheimer B. Mussolini-Dollfuß. Wien 1949.

Brook-Sheperd Gordon, Der Anschluß. Graz - Wien - Köln 1963.

Broucek Peter, Heerwesen, in: Österreich 1918—1938, Bd. 1, 209—224.

Brousek Karl M., Wien und seine Tschechen. Wien 1980.

Bruckmüller Ernst, Nation Österreich. Wien - Köln - Graz 1984.

Bruckmüller Ernst, Sozialgeschichte Österreichs. Wien - München 1985.

Brügel Ludwig, Geschichte der österreichischen Sozialdemokratie, 5 Bde. Wien 1922–1925.

Brüning Heinrich, Memoiren 1918—1934, 2 Bde. München 1972.

Bullock Malcolm, Austria 1918—1938. London 1939.

Bundes-Verfassungsgesetz. Das österreichische BV. und seine Entwicklung, hg. v. Herbert Schambeck. Berlin 1980.

Bundeskanzler. Die österreichischen B., hg. v. Friedrich Weissensteiner. Wien 1983.

Bundespräsidenten. Die österreichischen B., hg. v. Friedrich Weissensteiner. Wien 1982.

Bunzl John, Bernd Marin, Antisemitismus in Österreich. Innsbruck 1983.

Bunzl John, Klassenkampf in der Diaspora. Wien 1975.

Burckhardt Carl J., Porträts und Begegnungen. Wien - München - Bern o. J.

Busshoff Heinrich, Das Dollfuß-Regime in Österreich in geistesgeschichtlicher Perspektive unter besonderer Berücksichtigung der „Schöneren Zukunft". Berlin 1968.

Buttinger Joseph, Am Beispiel Österreichs. Köln 1953.

Buttinger Joseph, In the Twilight of Socialism. New York 1953.

Byer Doris, Rassenhygiene und Wohlfahrtspflege. Zur Entstehung eines sozialdemokratischen Machtdispositivs in Österreich bis 1934. Frankfurt/M. - New York 1988.

Carsten Francis L., Die erste österreichische Republik im Spiegel zeitgenössischer Quellen. Wien - Köln - Graz 1988.

Carsten Francis L., Faschismus in Österreich. München 1977.

Chraska Wilhelm, 15. Juli 1927. Die verwundete Republik. Bern - New York 1986.

Conquering the past: Austrian Nazism yesterday and today, ed. F. Parkinson, Detroit 1989.

Csendes Peter, Geschichte Wiens. Wien 1981.

Curtius Julius, Bemühungen um Österreich. Heidelberg 1947.

Curtius Julius, Sechs Jahre Minister der deutschen Republik. Heidelberg 1948.

Czeike Felix, Wirtschafts- und Sozialpolitik der Gemeinde Wien 1919—1934, 2 Bde. Wien 1958, 1959.

Dachs Herbert, Schule und Politik. Wien - München 1982.

Demokratie. Christliche Demokratie 1 (1983) ff.

Demokratisierung und Verfassung in den Ländern 1918—1920. Wien 1983.

Der 10. Oktober 1920. Kärntens Tag der Selbstbestimmung. Klagenfurt 1990.

Deutsch Julius, Alexander Eifler. Wien 1947.

Deutsch Julius, Aus Österreichs Revolution. Militärpolitische Erinnerungen. Wien o. J. (1920).

Deutsch Julius, Der Bürgerkrieg in Österreich. Karlsbad 1934.

Deutsch Julius, Ein weiter Weg. Zürich - Leipzig - Wien 1960.

Deutschland und Österreich. Ein bilaterales Geschichtsbuch, hg. v. Robert A. Kann, Friedrich E. Prinz. Wien - München 1980.

Deux fois l'Autriche après 1918 et après 1945, hg. v. Felix Kreissler, 3 Bde. Rouen 1978 f.

Diamant Alfred, Die österreichischen Katholiken und die Erste Republik. Wien 1960.

Dokumentation zur österreichischen Zeitgeschichte 1928—1938, hg. v. Christine Klusacek, Kurt Stimmer. Wien, München 1982.

Dokumentation zur österreichischen Zeitgeschichte 1938—1945, hg. v. Christine Klusacek, Herbert Steiner, Kurt Stimmer. Wien - München 1980.

Doppelbauer Wolfgang, Zum Elend auch noch die Schande. Das altösterreichische Offizierskorps am Beginn der Republik. Wien 1988.

Drimmel Heinrich, Vom Anschluß zum Krieg. Wien - München 1989.

Drimmel Heinrich, Vom Umsturz zum Bürgerkrieg. Wien - München 1985.

Drimmel Heinrich, Gott mit uns. Wien - München 1977.

Drimmel Heinrich, Die Häuser meines Lebens. Wien 1975.

Ducynska Ilona, Der demokratische Bolschewik. München 1975.

Dusek Peter, Anton Pelinka, Erika Weinzierl, Zeitgeschichte im Aufriß. Wien 1988.

Dutch Oswald, Thus Died Austria. London 1938.

Ebneth Rudolf, Die österreichische Wochenschrift „Der Christliche Ständestaat". Mainz 1976.

Ecclesia semper reformanda. Beiträge zur österreichsichen Kirchengeschichte im 19. und 20. Jahrhundert. Festgabe für Erika Weinzierl. Wien - Salzburg 1985.

Echo. Das Jüdische E. Zeitschrift für Kultur und Politik 1 (1951) ff.

Eder Julius, Kanzler Dollfuß. Wien 1933.

Eichstätt Ulrich, Von Dollfuß zu Hitler. Wiesbaden 1953.

Einspieler Valentin, Verhandlungen über die der slowenischen Minderheit angebotene Kulturautonomie 1925—1930. Klagenfurt 1976.

Ellenbogen Wilhelm, Ausgewählte Schriften. Wien 1983.

Ellenbogen Wilhelm, Menschen und Prinzipien. Wien - Köln - Graz 1981.

Ender Otto, Die neue österreichische Verfassung. Wien - Leipzig 1935.

Enderle-Burcel Gertrude, Mandatare im Ständestaat 1934—1938. Wien 1991.

Engelbert Helmut, Geschichte des österreichischen Bildungswesens, Bd. 4. Wien 1988.

Entwicklung. Die E. der nationalen Frage in Kärnten 1848—1918 und 1918—1938. Klagenfurt 1980.

Entwicklung. Die E. der Verfassung Österreichs vom Mittelalter zur Gegenwart. Wien 1970.

Eppel Peter, Zwischen Kreuz und Hakenkreuz. Die Haltung der Zeitschrift „Schönere Zukunft" zum Nationalsozialismus in Deutschland 1934—1938. Wien - Köln - Graz 1980.

Erdmann Karl Dietrich, Die Spur Österreichs in der deutschen Geschichte. Zürich 1989.

Ereignisse. Die E. des 15. Juli 1927. Wien 1979.

Ergert Viktor, 50 Jahre Rundfunk in Österreich. Bd. 1: 1924—1945. Salzburg 1974.

Erhebung. Die E. der österreichischen Nationalsozialisten im Juli 1934. Wien - Frankfurt - Zürich 1965.

Ermacora Felix, Österreichische Verfassungslehre, 2 Bde. Wien 1970, 1980.

Ermacora Felix, Quellen zum Österreichischen Verfassungsrecht (1920). Wien 1967.

Ernst August, Geschichte des Burgenlandes. Wien 1987.

Erwin Scharf, Zeitzeuge. Wien 1986.

Exilliteratur. Österreichische E. und Literatur des antifaschistischen Widerstandes 1934—1945. Wien 1986.

Falter Jürgen W., Dirk Hänisch, Wahlerfolge und Wählerschaft der NSDAP in Österreich 1927 bis 1932: Soziale Basis und parteipolitische Herkunft, in: Zeitgeschichte 15(1987/88) 223—244.

Falter Jürgen W., Hitlers Wähler. München 1991.

Fascism. Native F. in the Successor States 1918—1945, hg. v. Peter F. Sugar. Santa Barbara 1971.

Februar-Aufruhr 1934. Der F. Wien 1935.

Februar. Der 12. F. 1934. hg. v. Erich Fröschl, Helge Zoitl. Wien 1984.

Februarkämpfe 1934—1984. Photobuch. Wien 1984.

Fellner Fritz, Der Vertrag von Saint-Germain, in: Österreich 1918—1938, Bd. 1, 85—106.

Finis Austriae, hg. v. Franz Danimann. Wien - München - Zürich 1978.

Fischer Ernst, Erinnerungen und Reflexionen. Frankfurt/M. 1987.

Fischer Ruth, Stalin und German communism. Cambridge 1948.

Fischl Hans, Schulreform, Demokratie und Österreich 1918–1950. Wien 1952.

Flanner Karl, Geschichte der Wiener Neustädter Gewerkschaftsbewegung 1889—1945. Wiener Neustadt 1982.

Flanner Karl, Wiener Neustadt im Ständestaat. Wien 1983.

Franckenstein George, Facts and Features of my life. London - Toronto - Melbourne 1939.

François-Poncet André, Als Botschafter in Berlin. Mainz 1949.

Franz Lugmayer, Karl Lugmayer. Sein Weg zu einer neuen Ordnung. Wien 1990.

Frei Alfred Georg, Rotes Wien. Berlin 1984.

Freiheit. Für F., Arbeit und Recht. Die steirische Arbeiterbewegung zwischen Revolution und Faschismus (1918—1938). Graz 1984.

Freud Fritz, Die Konstituierende Deutsch-Österreichische Nationalversammlung. Wien 1919.

Fried Jacob, Nationalsozialismus und katholische Kirche in Österreich. Wien 1948.

Friedensfrage und Arbeiterbewegung 1917—1918. Wien 1988.

Frisch Hans von, Die Gewaltherrschaft in Österreich 1933—1938. Leipzig 1938.

Fritz Friedrich, Der deutsche Einmarsch in Österreich 1938. Wien 1985.

Funder Friedrich, Als Österreich den Sturm bestand. Wien - München 1957.

Gaisbauer Adolf, Jüdische Volkshochschule in Wien 1934–1938. Wien 1988.

Garamvölgyi Judit, Betriebsräte und sozialer Wandel in Österreich 1918—1920. Wien 1983.

Garscha Winfried R., Die Deutsch-Österreichische Arbeitergemeinschaft. Wien - Salzburg 1984.

Garscha Winfried R., Hans Hautmann, Februar 1934 in Österreich. Wien 1984.

Garscha Winfried R., Barry McLouglin, Wien 1927. Berlin 1987.

Gedenkbuch der Heimattreuen und Freunde Österreichs in Wort und Bild. Wien 1935.

Gedye G. E. R., Fallen Bastions. London 1939.

Gegenreformation. Die G. in Neu-Österreich. Zürich 1936.

Gehl Jürgen, Austria, Germany and the Anschluss. New York - Toronto 1963.

Gehler Michael, Studenten und Politik. Innsbruck 1990.

Geissler Franz, Österreichs Handelskammer-Organisation in der Zwischenkriegszeit (1920—1938), 2 Bde. Wien 1977, 1980.

Geistes- und Kulturleben. Österreichisch-Jüdisches G. u. K., 3 Bde. Wien 1988, 1990.

Genée Pierre, Wiener Synagogen. Wien 1987.

Geramb Viktor von, Verewigte Gefährten. Graz 1952.

Gerlich Rudolf, Die gescheiterte Alternative. Sozialisierung in Österreich nach dem 1. Weltkrieg. Wien 1980.

Geschichte als demokratischer Auftrag. FS Karl R. Stadler. Wien - München - Zürich 1983.

Geschichte der Juden in Österreich, hg. v. Hugo Gold. Tel Aviv 1971.

Geschichte der Juden in Südost-Österreich. Graz 1990.

Geschichte der Kommunistischen Partei Österreichs. Wien 1977.

Geschichte der Republik Österreich, hg. v. Heinrich Benedikt. Wien 1954.

Geschichte und Gegenwart 1 (1982) ff.

Geschichte und Gesellschaft. FS Karl R. Stadler. Wien 1974.

Geschichte und Verantwortung, hg. v. Aurelius Freytag, Boris Marte, Thomas Stern. Wien 1988.

Gewerkschaften. Die christlichen G. in Österreich. Wien 1975.

Giovanucci Francesco Saverio, Il Problema Austriaco e l'Italia. Roma 1934.

Glaise von Horstenau Edmund, Ein General im Zwielicht, 3 Bde. Wien - Köln - Graz 1980—1988.

Glaser Ernst, Im Umfeld des Austromarxismus. Wien 1981.

Glöckel Otto, Ausgewählte Schriften und Reden. Wien 1985.

Glöckel Otto, Selbstbiographie. Zürich 1939.

Gold Hugo, Geschichte der Juden in Wien. Tel Aviv 1966.

Gold Hugo, Gedenkbuch der untergegangenen Gemeinden des Burgenlandes. Tel Aviv 1970.

Goldinger Walter, Geschichte der Republik Österreich. Wien 1962.

Goldinger Walter, Gleichschaltung, in: Österreich. Die Zweite Republik, hg. v. Erika Weinzierl, Kurt Skalnik. Wien 1972, Bd. 1, 91—108.

Goldner Franz, Dollfuß im Spiegel der US-Akten. St. Pölten 1979.

Graz 1938, hg. v. Helfried Valentinitsch. Graz 1988.

Grobauer Franz Joseph, 50 Jahre Burgenland. An Kraft und Treue allen gleich. Wien 1971.

Gutkas Karl, Geschichte des Landes Niederösterreich. St. Pölten 1974.

Guttsman W. L., Worker's Culture in Weimar Germany. New York - Oxford - Munich 1990.

Haas Hanns, Österreich im System der kollektiven Sicherheit: Der Völkerbund und Österreichs Unabhängigkeit im Jahre 1934, in: Der 12. Februar 1934, 407—449.

Haider Siegfried, Geschichte Oberösterreichs. Wien 1987.

Hainisch Michael, 75 Jahre aus bewegter Zeit. Wien - Köln - Graz 1978.

Hall Murray G., Österreichische Verlagsgeschichte 1918—1938, 2 Bde. Wien - Köln - Graz 1985.

Hammerstein Hans, Im Anfang war der Mord. Wien 1981.

Handbuch. Statistisches H. für die Republik Österreich. Wien 1920 ff.

Hanisch Ernst, Die Ideologie des politischen Katholizismus in Österreich 1918—1933. Salzburg 1977.

Hanisch Ernst, Nationalsozialistische Herrschaft in der Provinz. Salzburg 1983.

Hannak Jacques, Im Sturm eines Jahrhunderts. Wien 1952.

Hannak Jacques, Karl Renner und seine Zeit. Wien 1965.

Hanns Sassmann zum 60. Geburtstag. FS hg. v. Maximilian Liebmann, Dieter A. Binder. Graz - Wien - Köln 1984.

Hanusch. Ferdinand H. Ein Leben für den sozialen Aufstieg (1866 bis 1923), hg. v. Otto Staringer. Wien 1973.

Haring Johann, Kommentar zum neuen österreichischen Konkordat. Innsbruck - Wien - München 1934.

Hartlieb Wladimir von, Parole: Das Reich. Wien 1939.

Hartmann. Gerhard, Im Gestern bewährt. Im Heute bereit. Graz - Wien - Köln 1988.

Hasiba Gernot D., Die Zweite Bundes-Verfassungsnovelle von 1929. Wien - Köln - Graz 1976.

Hasiba Gernot D., Die Ereignisse von St. Lorenz im Mürztal als auslösender Moment der Verfassungsform 1929. Graz 1978.

Hasiba Gernot D., Das Notverordnungsrecht in Österreich (1848—1917). Wien 1985.

Hasiba Gernot D., Die „rechtliche Zeitgeschichte" — ein anderer Weg zur Bewältigung der Vergangenheit, in: Österreich 1934—1984., 91—103.

Hauer Nadine, Ernst Furherr, Stadtführer Wien 1918—1945. Wien 1990.

Hautmann Hans, Geschichte der Rätebewegung in Österreich 1918—1924. Wien 1987.

Hautmann Hans, Die verlorene Räterepublik. Wien - Frankfurt/M. - Zürich 1971.

Hautmann Hans, Rudolf Hautmann, Die Gemeindebauten des Roten Wien 1918—1934. Wien 1980.

Hautmann Hans, Rudolf Kropf, Die österreichische Arbeiterbewegung vom Vormärz bis 1945. Wien 1974.

Heer Friedrich, Der Kampf um die österreichische Identität. Wien - Köln - Graz 1981.

Heidrich Charlotte, Burgenländische Politik in der Ersten Republik. Wien 1982.

Heinl Eduard, Über ein halbes Jahrhundert. Wien 1948.

Heinz Karl Hans, E. K. Winter. Wien - Köln - Graz 1984.

Helbling Ernst C., Österreichische Verfassungs- und Verwaltungsgeschichte. Wien - New York 1974.

Helmer Oskar, 50 Jahre erlebte Geschichte. Wien 1957.

Henz Rudolf, Fügung und Widerstand. Graz - Wien - Köln 1981.

Hildebrand Dietrich von, Engelbert Dollfuß. Seine österreichische Sendung. Wien 1933.

Hindels Josef, Österreichs Gewerkschaften im Widerstand 1934—1945. Wien 1976.

Hindels Josef, Robert Danneberg. Gelebt für den Sozialismus — ermordet in Auschwitz. Wien 1985.

Hochenbichler Eduard, Republik im Schatten der Monarchie. Das Burgenland, ein europäisches Problem. Wien - Frankfurt/M. - Zürich 1971.

Hochverratsprozeß. Der H. gegen Dr. Guido Schmidt vor dem Wiener Volksgericht. Wien 1947.

Höflechner Walter, Die Baumeister des künftigen Glücks. Graz 1988.

Hofmann Josef, Der Pfrimer Putsch. Wien - Graz 1965.

Hofmann Paul, The Viennese. Splendor, twilight and exile. New York - London - Toronto 1988.

Holtmann Everhard, Sozialdemokratie und Staat in der österreichischen Revolution, in: Österreich November 1918, 141—151.

Holtmann Everhard. Zwischen Unterdrückung und Befreiung. Wien 1978.

Honeder Josef, Johann Nepomuk Hauser. Linz 1973.

Hopfgartner Anton, Kurt von Schuschnigg. Wien 1988.

Hoßbach Friedrich, Zwischen Wehrmacht und Hitler (1934—1938). Göttingen 1965.

Hubert Rainer, Schober. „Arbeitermörder" und „Hort der Republik". Wien - Köln 1990.

Hudal Alois C., Römische Tagebücher. Graz - Stuttgart 1976.

Huebmer Hans, Österreich 1933—1938. Der Abwehrkampf eines Volkes. Wien 1949.

Huemer Peter, Sektionschef Robert Hecht und die Zerstörung der Demokratie in Österreich. Wien 1975.

Imperialismus und Arbeiterbewegung in Deutschland und Österreich. Wien 1985.

Ingrim Robert, Der Griff nach Österreich. Zürich 1938.

Jablonka Hans, Waitz. Bischof unter Kaiser und Hitler. Wien 1971.

Jagschitz Gerhard, Der österreichische Ständestaat 1934—1938, in: Österreich 1918—1938, Bd. 1, 497—515.

Jagschitz Gerhard, Der Putsch. Die Nationalsozialisten 1934 in Österreich. Graz - Wien - Köln 1976.

Jahoda Marie, Paul Lazarsfeld, Hans Zeisel, Die Arbeitslosen von Marienthal. Leipzig 1933.

Jahr. Das J. 1934: 12. Februar. Wien 1975.

Jahr. Das J. 1934: 25. Juli. Wien 1975.

Jahrbuch für Zeitgeschichte 1 (1978) ff.

Jahrbuch. Österreichisches J. Wien 1918 ff.

Jahre. 1000 J. Österreichisches Judentum, hg. v. Klaus Lohrmann. Eisenstadt 1982.

Jahre. Die ersten 100 J. Österreichische Sozialdemokratie 1888—1988. Wien - München 1988.

Jahre. Fünfzig J. danach — der „Anschluß" von innen und außen gesehen, hg. v. Felix Kreissler. Wien - Zürich 1989.

Jedlicka Ludwig, Vom alten zum neuen Österreich. St. Pölten 1975.

Jedlicka Ludwig, Ein Heer im Schatten der Parteien. Graz - Köln 1955.

Jedlicka Ludwig, Anton Staudinger, Ende und Anfang. Österreich 1918/19. Salzburg 1969.

Jelavich Barbara, Modern Austria. Empire and Republic, 1815—1986. Cambridge - London - New York 1987.

Jochum Manfred, Die Erste Republik in Dokumenten und Bildern. Wien 1983.

Jochum Manfred, Manfred Bobrowsky, Der Weg in den Untergang. Journalisten vermitteln den Anschluß. Wien 1988.

John Michael, Hausherrenmacht und Mieterelend. Wien 1982.

John Michael, Albert Lichtblau, Schmelztiegel Wien — einst und jetzt. Wien - Köln 1990.

Johnston William M., Österreichische Kultur- und Geistegeschichte. Wien - Köln - Graz 1974.

Judentum in Wien. „Heilige Gemeinde Wien". Sammlung Max Berger. Wien 1987.

Juli-Revolte 1934. Die J. Wien 1936.

Juliabkommen. Das J. von 1936. Wien 1977.

Justiz und Zeitgeschichte, Bd. 1–6, hg. v. Erika Weinzierl, Karl R. Stadler. Wien 1977–1987.

Justizpalast. Vom J. zum Heldenplatz. Studien und Dokumente 1927 bis 1938. Wien 1975.

Kadan Albert, Anton Pelinka, Die Grundsatzprogramme der österreichischen Parteien. St. Pölten 1979.

Kälte. Die K. des Februar. Österreich 1933—1938. Wien 1984.

Kane Leon, Robert Danneberg. Wien - München - Zürich 1980.

Kannonier Reinhard, Zwischen Beethoven und Eisler. Wien 1981.

Karner Stefan, Die Steiermark im Dritten Reich 1938—1945. Graz 1986.

Kärnten 1918—1920. Ereignisse, Dokumente, Bilder, hg. v. Wilhelm Neumann. Klagenfurt 1980.

Kärnten. Volksabstimmung 1920. Wien - München - Kleinenzersdorf 1981.

Kathrein Irmgard, Der Bundesrat in der Ersten Republik. Wien 1983.

Katsoulis Illias, Sozialismus und Staat. Demokratie, Revolution und Diktatur des Proletariats im Austromarxismus. Meisenheim/Glan 1975.

Kaufmann Fritz, Sozialdemokratie in Österreich. Wien 1978.

Keller Fritz, Gegen den Strom. Wien 1978.

Kendrick Clyde K., Austria under the Chandellorship of Engelbert Dollfuss 1932—1934. Washington 1958.

Kerekes Lajos, Abenddämmerung einer Demokratie. Wien - Frankfurt/M. - Zürich 1966.

Kerekes Lajos, Von St. Germain bis Genf. Österreich und seine Nachbarn 1918—1922. Wien - Köln - Graz 1979.

Kindermann Gottfried-Karl, Hitlers Niederlage in Österreich. Hamburg 1984.

Kirche in Österreich 1918—1965, hg. v. Ferdinand Klostermann, Hans Kriegl, Otto Mauer, 2 Bde. Wien - München 1967.

Kirche in Österreich 1938—1988, hg. v. Liebmann Maximilian. Graz 1990.

Klein-Löw Stella, Erinnerungen. Wien - München 1980.

Klemperer Klemens von, Ignaz Seipel. Graz - Wien - Köln 1976.

Klenner Fritz, Die österreichischen Gewerkschaften, 3 Bde. Wien 1951—1979.

Klingenstein Grete, Die Anleihe von Lausanne. Wien - Graz 1965.

Kluge Ulrich, Der österreichische Ständestaat 1934—1938. Wien 1984.

Kluwick-Muckenhuber Christl, Johann Staud. Wien - München 1969.

Koalitionsregierungen in Österreich. Wien 1985.

Koch Hannsjoachim W., Der deutsche Bürgerkrieg. Eine Geschichte der deutschen und österreichischen Freikorps. Berlin - Frankfurt/M. - Wien 1978.

Köfner Gottfried, Hunger, Not und Korruption. Der Übergang Österreichs von der Monarchie zur Republik am Beispiel Salzburgs. Salzburg 1980.

Kolb Fritz, Es kam ganz anders. Betrachtungen eines alt gewordenen Sozialisten. Wien 1981.

Kollman Eric. C., Theodor Körner. Wien 1973.

Konrad Helmut, Zur Geopraphie der Februarkämpfe, in: Der 12. Februar 1934, 333—340.

Kontinuität und Bruch, 1938—1945—1955, hg. v. Friedrich Stadler. Wien - München 1988.

Körber Robert, Rassesieg in Wien, der Grenzfeste des Reiches. Wien - Leipzig 1939.

Koref Ernst, Die Gezeiten meines Lebens. Wien 1980.

Körner Theodor, Auf Vorposten. Wien - München - Zürich 1977.

Kotlan-Werner Henriette, Otto Felix Kanitz und der Schönbrunner Kreis. Die Arbeitsgemeinschaft sozialistischer Erzieher. Wien 1982.

Krammer Reinhard, Arbeitersport in Österreich. Wien 1981.

Kraus Herbert, „Untragbare Objektivität". Politische Erinnerungen 1917 bis 1987. Wien 1988.

Kreisky Bruno, Zwischen den Zeiten. Erinnerungen aus fünf Jahrzehnten. Berlin - Zürich 1986.

Kreisky. Der junge K. Schriften, Reden, Dokumente 1931—1945, hg. v. Oliver Rathkolb, Irene Etzersdorfer. Wien - München 1986.

Kreisler Fritz, Wer hat Dollfuß ermordet? Bodenbach/E. 1934.

Kreissler Felix, Von der Revolution zur Annexion. Wien - Frankfurt/M. - Zürich 1970.

Kreissler Felix, Der Österreicher und seine Nation. Wien - Köln - Graz 1984.

Kremsmair Josef, Der Weg zum österreichsichen Konkordat von 1933/34. Wien 1980.

Kroaten. Die burgenländischen Kroaten im Wandel der Zeiten, hg. v. Stefan Geosits. Wien 1986.

Kromer Claudia, Die Vereinigten Staaten von Amerika und die Frage Kärnten 1918—1920. Klagenfurt 1970.

Kruckenkreuzler Pankratius, So lacht man in Österreich. Karlsbad 1935.

Krulis-Randa Jan, Das deutsch-österreichische Zollunionsprojekt von 1931. Zürich 1955.

Kulemann Peter, Am Beispiel des Austromarxismus. Hamburg 1979.

Kunschak Leopold, Österreich 1918 bis 1934. Wien 1935.

Kunschak Leopold, Werden und Reifen der ständischen Idee. Wien 1936.

Kunst in Österreich 1918—1938. Halbturn 1984.

Kutschera Richard, Johannes M. Gföllner. Linz 1952.

Kykal Inez, Karl R. Stadler, Richard Bernaschek, Odyssee eines Rebellen. Wien 1976.

Ladner Gottlieb, Seipel als Überwinder der Staatskrise vom Sommer 1922. Wien - Graz 1964.

Langhofer Kordula, Mit uns zieht die neue Zeit. Bochum 1983.

Langoth Franz, Kampf um Österreich. Wels 1951.

Langwiesche Dieter, Zur Freizeit des Arbeiters. Stuttgart 1980.

Lauber Wolfgang, Wien. Ein Stadtführer durch den Widerstand. Wien - Köln - Graz 1988.

Leben. Das geistige L. Wiens in der Zwischenkriegszeit, hg. v. Norbert Leser. Wien 1981.

Leben. Geistiges L. im Österreich der Ersten Republik. Wien 1986.

Leben. Voll L. und voll Tod ist diese Erde. Bilder aus der Geschichte jüdischer Österreicher (1190—1945), hg. v. Wolfgang Plat. Wien 1988.

Lehner Karin, Verpönte Eingriffe. Sozialdemokratische Reformbestrebungen zu den Abtreibungsbestimmungen in der Zwischenkriegszeit. Wien 1989.

Lehre. Die L. Österreich: Schicksalslinie einer europäischen Demokratie. Wien 1988.

Leichter Otto, Zwischen zwei Diktaturen. Wien - Frankfurt/M. - Zürich 1968.

Leichter Otto, Otto Bauer. Wien - Frankfurt/M. - Zürich 1970.

Leichter Otto, Glanz und Elend der Ersten Republik. Wien - Köln - Stuttgart 1964.

Lenhoff Eugen, The last five hours of Austria. London 1938.

Leser Norbert, Zwischen Reformismus und Bolschewismus. Wien - Frankfurt/M. - Zürich 1968.

Leser Norbert, Grenzgänger, 2 Bde. Wien - Köln - Graz 1981 f.

Leser Norbert, 12 Thesen zum 12. Februar 1934, in: Das Jahr 1934: 12. Februar 58—64.

Leser Norbert, Der Bruch der Koalition, in: Koalitionsregierungen, 33—45.

Leser Norbert, Ignaz Seipel und Otto Bauer. Versuch einer kritischen Konfrontation, in: Geschichte und Gegenwart 1 (1982) 251—285.

Lexikon zur Geschichte der Parteien in Europa, hg. v. Frank Wende. Stuttgart 1981.

Lexikon. Österreichisches biographisches L. 1815—1950. Graz - Köln 1957 ff.

Liebmann Maximilian, Theodor Innitzer und der Anschluß. Österreichs Kirche 1938. Graz - Wien - Köln 1988.

Liebmann Maximilian, Kardinal Innitzer und der Anschluß. Graz 1982.

Liebmann Maximilian, Die Rolle des Kardinals Piffls in der österreichischen Kirchenpolitik seiner Zeit, Ungedr. Theol. Diss. Graz 1960.

Liebmann Maximilian, Der 12. Februar 1934 — Das Ziel der Revolte und die Katholische Kirche, in: Christliche Demokratie 7 (1989) 349—366.

Liebmann Maximilian, Kirche und Politik in der Ersten Republik von 1918—1938, in: Christliche Demokratie 2 (1984) 20—41.

Liebmann Maximilian, Die Kirche in Österreich, ihr Verhältnis zum Ständestaat, zur NS-Bewegung und ihre Rolle in der Anschlußzeit, in: Österreich 1934—1984, 104—134.

Liederbuch. Singend wollen wir marschieren. L. des Reichsarbeitsdienstes. Potsdam o. J. (1937)

Literatur. Österreichische L. der dreißiger Jahre, hg. v. Klaus Amann, Albert Berger. Wien - Köln - Graz 1985.

Literatur. Österreichische L. des 20. Jahrhunderts, hg. v. Sigurd Paul Scheichl, Gerald Stieg. Innsbruck 1986.

Litschel Rudolf Walter, 1934. Das Jahr der Irrungen. Linz. o. J.

Loew Raimund, Otto Bauer und die russische Revolution. Wien 1980.

Loew Raimund, Arbeiterbewegung und Zeitgeschichte im Bild (1867—1938). Wien 1986.

Loewenfeld-Russ Hans, Im Kampf gegen den Hunger. Aus den Erinnerungen des Staatssekretär für Volksernährung 1918 bis 1920, hg. v. Isabella Ackerl. Wien 1986.

Lorenz Reinhold, Der Staat wider Willen. Berlin 1940.

Low Alfred D., Die Anschlußbewegung in Österreich und Deutschland 1918—1919 und die Pariser Friedenskonferenz. Wien 1975.

Löwenthal Max, Doppeladler und Hakenkreuz. Wien 1985.

Ludwig Eduard, Österreichs Sendung im Donauraum. Die letzten Dezennien österreichischer Innen- und Außenpolitik. Wien 1954.

Lux Joseph August, Das goldene Buch der Vaterländischen Geschichte. Wien 1934.

Luža Radomír, Der Widerstand in Österreich 1938—1945. Wien 1985.

Luža Radomír, Österreich und die großdeutsche Idee in der NS-Zeit. Wien - Köln - Graz 1977.

Macdonald Mary, The Republic of Austria 1918—1938. London 1946.

Maderegger Sylvia, Die Juden im österreichischen Ständestaat. Wien - Salzburg 1973.

Magaziner Alfred, Die Wegbereiter. Wien 1975.

Magie der Industrie. München 1989.

Magschok Hans, Rote Spieler — Blaue Blusen. Wien - Köln - Graz 1983.

Maleta Alfred, Bewältigte Vergangenheit. Graz - Wien - Köln 198!.

Malfer Stefan, Wien und Rom nach dem Ersten Weltkrieg. Wien - Graz 1978.

Malina Peter, Die gezeichnete Republik. Wien 1988.

Malina Peter, Robert Holzbauer, Fachinformationsführer Zeitgeschichte. Wien - Köln 1984.

Malina Peter, Gustav Spann, Bibliographie zur österreichischen Zeitgeschichte 1988—1985. Wien 1985.

Manstein Peter, Die Mitglieder und Wähler der NSDAP 1919—1933. Frankfurt/M. - Bern - New York 1989.

Mark Karl, 75 Jahre Roter Hund. Wien - Köln 1990.

Marksteine der Moderne, hg. v. Rubert Feuchtmüller, Christian Brandstätter. Wien - München 1980.

März Eduard, Österreichische Bankpolitik in der Zeit der großen Wende. Wien 1981.

März 1938 in Kärnten, hg. v. Helmut Rumpler. Klagenfurt 1989.

März. Der 4. M. 1933. Vom Verfassungsbruch zur Diktatur, hg. v. Erich Fröschl, Helge Zoittl. Wien 1984.

Massiczek Albert, Hermann Sagl, Zeit an der Wand. Wien - Frankfurt/M. - Zürich 1967.

Matejka Viktor, Widerstand ist alles. Wien 1984.

Matejka Viktor, Anregung ist alles. Das Buch Nr. 2. Wien 1991.

Matthes Reinar, Das Ende der Ersten Republik. Berlin 1979.

Matthias Erich, Sozialdemokratie und Nation. Stuttgart 1952.

Mattl Siegfried, Agrarstruktur, Bauernbewegung und Agrarpolitik in Österreich 1918—1929. Salzburg 1981.

Mattl Siegfried, Bestandsaufnahme zeitgeschichtlicher Forschung in Österreich. Wien 1983.

Maurer Hans, Kanzler Dollfuß. Graz - Wien 1934.

Mayenburg Ruth von, Blaues Blut und rote Fahnen. Wien - München - Zürich 1969.

Mayenburg Ruth von, Hotel Lux. München 1978.

Mazzessinsel. Die M. Juden in der Wiener Leopoldstadt 1918—1938, hg. v. Ruth Beckermann. Wien - München 1984. .

McElroy David Brian, The domestic and foreign policy of Austria and her relations with Germany and Italy. Rice University 1955/56.

McLouglin Barry, Die Organisation des Wiener Neustädter Schutzbundes, in: Zeitgeschichte 11 (1983/84) 135—161.

Mediengeschichte. Forschung und Praxis. FS Marianne Lunzer-Lindhausen. Graz - Wien - Köln 1985.

Meinung. Öffentliche M. in der Geschichte Österreichs, hg. v. Erich Zöllner. Wien 1979.

Meisel Josef, Jetzt haben wir Ihnen, Meisel. Wien 1985.

Mélanges Felix Kreissler, hg. v. Rudolf Altmüller, Helmut Konrad. Wien - München - Zürich 1985.

Menczel Philipp, Trügerische Lösungen. Erlebnisse und Betrachtungen eines Österreichers. Stuttgart - Berlin 1932.

Messner Johannes, Dollfuß. Innsbruck - Wien - München 1934.

Metall Rudolf Aladar, Hans Kelsen. Wien 1969.

Mikoletzky Hans Leo, Österreich im 20. Jahrhundert. Wien 1969.

Miller James W., Engelbert Dollfuß als Agrarfachmann. Wien - Köln - Graz 1989.

Minderheiten. „. . . und raus bist du!" Ethnische M. in der Politik. Wien 1988.

Mit uns zieht die neue Zeit. Arbeiterkultur in Österreich 1918—1934. Wien 1981.

Moser Jonny, Die Judenverfolgungen in Österreich 1938—1945. Wien - Frankfurt/M. - Zürich 1966.

Museum. Das Österreichische Jüdische Museum. Eisenstadt 1988.

Neck Rudolf, Österreich im Jahre 1918. Berichte und Dokumente. Wien 1968.

Neck Rudolf, Thesen zum Februar 1934. Ursprünge, Verlauf und Folgen, in: Das Jahr 1934: 12. Februar 15—24.

Neubacher Franz, Freiland. Wien 1987.

Neugebauer Wolfgang, Bauvolk der kommenden Welt. Geschichte der sozialistischen Jugendbewegung in Österreich. Wien 1975.

Nick Rainer, Anton Pelinka, Bürgerkrieg - Sozialpartnerschaft. Das politische System Österreichs 1. und 2. Republik. Wien - München 1983.

Nick Rainer, Anton Pelinka, Parlamentarismus in Österreich. Wien - München 1984.

Novemberpogrom Der N. 1938. Die „Reichskristallnacht" in Wien. Wien 1988.

Nowotny Thomas, Bleibende Werte. Verblichene Dogmen. Die Zukunft der Sozialdemokratie. Wien - Köln - Graz 1985.

NS-Herrschaft in Österreich 1938—1945, hg. v. Emmerich Talos, Ernst Hanisch, Wolfgang Neugebauer. Wien 1988.

NS-Ideologie und Antisemitismus in Österreich. Wien 1989.

Oberkofler Gerhard, Die Tiroler Arbeiterbewegung. Wien 1986.

Oberkofler Gerhard, Der 15. Juli 1927 in Tirol. Wien 1982.

Oberkofler Gerhard, Februar 1934. Die historische Entwicklung am Beispiel Tirols. Innsbruck 1974.

Option. Die O. Südtirol zwischen Faschismus und Nationalsozialismus, hg. v. Klaus Eisterer, Rolf Steininger. Innsbruck 1989.

Österreich 1918—1934. Wien 1935.

Österreich 1918—1938. Geschichte der Ersten Republik, hg. v. Erika Weinzierl, Kurt Skalnik, 2 Bde. Graz - Wien - Köln 1983.

Österreich 1918—1938. Wien 1970.

Österreich. 1918—1968. Ö. — 50 Jahre Republik. Wien 1968.

Österreich 1927 bis 1938. Wien 1973.

Österreich 1934—1984. Erfahrungen, Erkenntnisse, Besinnung, hg. v. Joseph Franz Desput. Graz - Wien - Köln 1984.

Österreich in Geschichte und Literatur 1 (1957) ff.

Österreich November 1918. Wien 1986.

Österreich und Deutschlands Größe. Ein schlampiges Verhältnis, hg. v. Oliver Rathkolb. Salzburg 1990.

Österreich und die deutsche Frage im 19. und 20. Jahrhundert, hg. v. Heinrich Lutz, Helmut Rumpler. Wien 1982.

Österreich und die deutsche Nation, hg. v. Andreas Mölzer. Graz 1985.

Österreich und Italien. Ein bilaterales Geschichtsbuch, hg. v. Silvio Furlani, Adam Wandruszka. Wien - München 1973.

Österreich, Deutschland und die Mächte. Internationale und österreichische Aspekte des „Anschlusses" vom März 1938, hg. v. Gerald Stourzh, Brigitte Zaar. Wien 1990.

Österreicher im Exil 1934 bis 1945. Wien 1977.

Österreicher. Große Ö., hg. v. Thomas Chorherr. Wien 1985.

Österreicher und der Zweite Weltkrieg. Wien 1989.

Österreicher. Die verlorenen Ö. 1918—1938. Wien, München 1982.

Österreichs Sozialstruktur in historischer Sicht, hg. v. Erich Zöllner. Wien 1980.

Osthefte. Österreichische O. 1 (1958) ff.

Otruba Gustav, Hitlers Tausend-Mark-Sperre und die Folgen für Österreich. Linz 1983.

Otruba Gustav, Österreichs Wirtschaft im 20. Jahrhundert. Wien - München 1968.

Owerdieck Reinhard, Parteien und Verfassungsfrage in Österreich. Wien 1987.

Panzenböck Ernst, Ein deutscher Traum. Die Anschlußidee und Anschlußpolitik bei Karl Renner und Otto Bauer. Wien 1985.

Papen Franz von, Der Wahrheit eine Gasse. Innsbruck 1952.

Parlament. Das österreichische P. Wien 1984.

Partei. Die kommunistische P. Österreichs. Wien 1987.

Parteienwesen. Das P. Österreichs und Ungarns in der Zwischenkriegszeit, hg. v. Anna M. Drabek, Richard G. Plaschka, Helmut Rumpler. Wien 1990.

Parteiprogramme. Österreichische P. 1868—1966, hg. v. Klaus Berchtold. Wien 1967.

Pauley Bruce F., Hahnenschwanz und Hakenkreuz: Steirischer Heimatschutz und österreichischer Nationalsozialismus 1918—1934. Wien - Frankfurt/M. - Zürich 1972.

Pauley Bruce F., Der Weg in den Nationalsozialismus. Wien 1988.

Paupié Kurt, Handbuch der österreichischen Pressegeschichte 1848—1950, 2 Bde. Wien 1960—1966.

Peball Kurt, Die Kämpfe in Wien im Februar 1934. Wien 1983.

Pelinka Anton, Stand oder Klasse? Die christliche Arbeiterbewegung Österreichs. 1933 bis 1938. Wien - München - Zürich 1972.

Pelinka Anton, Karl Renner zur Einführung. Hamburg 1989.

Pelinka Peter, Erbe und Neubeginn. Die Revolutionären Sozialisten in Österreich 1934—1938. Wien 1981.

Pernthaler Peter, Die Staatsgründungsakte der österreichischen Bundesländer. Wien 1979.

Pertinax (= Otto Leichter), Österreich 1934. Zürich 1935.

Petersen Jens, Hitler und Mussolini. Tübingen 1973.

Pfabigan Alfred, Karl Kraus und der Sozialismus. Wien 1982.

Pfabigan Alfred, Max Adler. Frankfurt/M. - New York 1976.

Pfarrhofer Hedwig, Friedrich Funder. Graz - Wien - Köln 1978.

Pferschy Gerhard, Steiermark, in: Österreich 1918—1938, Bd. 2, 939—960.

Pfliegler Michael, Die Kirche und der Sozialismus im Lichte der „Quadrogesimo anno". Wien 1933.

Pfoser Alfred, Literatur und Austromarxismus. Wien 1980.

Pichler Franz A., Polizeihofrat P. Ein treuer Diener seines ungetreuen Staates. Wien 1984.

Pieterski Janko, Elemente und Charakter der plebiszitären Entscheidung 1920 in Kärnten. Klagenfurt/Celovec 1980.

Pirchegger Hans, Das steirische Draugebiet — ein Teil Deutschösterreichs. Graz 1919.

Plaschka Richard Georg, Horst Haselsteiner, Arnold Suppan, Innere Front. Militärassistenz, Widerstand und Umsturz in der Donaumonarchie 1918, 2 Bde. Wien 1974.

Pogrom. Der P. 1938, hg. v. Schmid Kurt, Robert Streibel. Wien 1990.

Politik und Gesellschaft. FS Rudolf Neck, 2 Bde. Wien 1981.

Pollak Walter, Dokumentation einer Ratlosigkeit. Österreich im Oktober/November 1918. Wien 1968.

Pollak Walter, Sozialismus in Österreich. Wien - Düsseldorf 1979.

Popp Gerhard, CV in Österreich 1864—1938. Wien - Köln - Graz 1984.

Porträts. Österreichische P., hg. v. Jochen Jung. Salzburg - Wien 1985.

Posch Wilfried, Die Wiener Gartenstadt-Bewegung. Wien 1981.

Positionen. Austromarxistische P., hg. v. Gerald Mozetic. Wien - Köln - Graz 1983.

Potential. Revolutionäres P. in Europa am Ende des Ersten Weltkrieges, hg. v. Helmut Konrad, Karin. M. Schmidlechner. Wien - Köln - Weimar 1991.

Pott Gertrud, Verkannte Größe. Eine Kulturgeschichte der Ersten Republik. Wien 1990.

Potyka Alexander, Das Kleine Blatt. Die Tageszeitung des Roten Wien. Wien 1989.

Prantner Robert, Kreuz und weiße Nelke. Wien - Köln - Graz 1988.

Prinzip. Im P. Hoffnung. Arbeiterbewegung in Vorarlberg 1870—1945, hg. v. Kurt Greussing. Bregenz 1984.

Prossnitz Gisela, Edda Fuhrich, Salzburger Festspiele - Chronik 1920—1945, Bd. 1. Salzburg 1990.

Protokolle des Klubvorstandes der Christlichsozialen Partei 1932—1934, hg. v. Walter Goldinger. Wien 1980.

Protokolle des Ministerrates der Ersten Republik: Abt. V, Bd. 1, Kabinett Seipel (21. 10. 1926—29. 7. 27). Wien 1983. Abt. V, Bd. 2, Kabinett Seipel (4. 8. 1927—4. 5. 1929). Wien 1986. Abt. VI, Bd. 1, Kabinett Streeruwitz (14. 5. 1929—29. 9. 1929), Kabinett Schober (26. 9. 1929—29. 11. 1929). Wien 1988. Abt. VIII, Bd. 1—7,Kabinett Dollfuß (20. 5. 1932—27. 7. 1934). Wien 1980—1986. Abt. IX, Bd. 1, Kabinett Schuschnigg (30. 7. 1934—26. X. 1934). Wien 1988.

Prozeß. Bericht der amtlichen Nachrichtenstelle über den P. gegen Dr. Anton Rintelen. Wien 1935.

Quellen. Die Qu. der Geschichte Österreichs, hg. v. Erich Zöllner. Wien 1982.

Quellenbuch. Salzburger Qu. Von der Monarchie bis zum Anschluß. Salzburg 1985.

Quellentexte zur österreichischen evangelischen Kirchengeschichte, hg. v. Gustav Reingrabner, Karl Schwarz. Wien 1989.

Rabinbach Anson, Vom Roten Wien zum Bürgerkrieg. Wien 1989.

Rambaud Louis, Le grand petit Chancelier. Engelbert Dollfuss 1892—1934. Lyon - Paris 1948.

Rape Ludger, Die österreichischen Heimwehren und die bayrische Rechte 1920—1923. Wien 1977.

Raschhofer Hermann, Großdeutsch oder kleinösterreichisch? Die Funktion der kleinösterreichischen Ideologie. Berlin 1933.

Rebhann Fritz M., Bis in den Tod: Rot-Weiß-Rot. Wien 1988.

Rebhann Fritz M., Wien war die Schule. Wien 1978.

Rebhann Fritz M., Das braune Glück zu Wien. Wien 1973.

Rebhann Fritz M., Finale in Wien. Wien 1969.

Recker Marie Luise, England und der Donauraum 1919—1929. Stuttgart 1976.

Rehrl. Franz R. Landeshauptmann von Salzburg 1922—1938, hg. v. Wolfgang Huber. Salzburg 1975.

Reich von Rohrwig Otto, Der Freiheitskampf der Ostmark-Deutschen. Graz - Wien - Leipzig 1942.

Reichhold Ludwig, Opposition gegen den autoritären Staat. Christlicher Antifaschismus 1934—1938. Wien - Köln - Stuttgart 1964.

Reichhold Ludwig, Kampf um Österreich. Die Vaterländische Front und ihr Widerstand gegen den Anschluß 1933—1938. Wien 1985.

Reichhold Ludwig, Leopold Kunschak. Von den Standesbewegungen zur Volksbewegung. Wien 1988.

Reichhold Ludwig, Jodok Fink und Nepomuk Hauser. Von der Monarchie zur Republik. Wien 1989.

Reichhold Ludwig, Anton Orel. Der Kampf um die österreichische Jugend. Wien 1990.

Reichhold Ludwig, Carl Vaugoin. Die Krise der österreichischen Demokratie. Wien 1990.

Reimann Viktor, Innitzer. Wien - München - Zürich 1967.

Religion und Kultur an der Zeitenwende, hg. v. Norbert Leser. Wien 1984.

Rendulic Lothar, Soldat in stürzenden Reichen. München 1965.

Renner Karl, Die Gründung der Republik Deutschösterreich, der Anschluß und die Sudentendeutschen. Dokumente eines Kampfes ums Recht. Wien (1938) 1990.

Renner Karl, Denkschrift über die Geschichte der Unabhängigkeitserklärung Österreichs und die Einsetzung der provisorischen Regierung der Republik. Wien 1945.

Renner Karl, Österreich von der Ersten zur Zweiten Republik. Wien 1953.

Renner Karl. Eine Bibliographie. Wien - Frankfurt/M. - Zürich 1970.

Renner. Karl R. in Dokumenten und Erinnerungen, hg. v. Siegfried Nasko. Wien 1982.

Rennhofer Friedrich, Ignaz Seipel. Wien - Köln - Graz 1978.

Republik. Österreichs Erste und Zweite R. Kontinuität und Wandel, hg. v. Erich Zöllner. Wien 1985.

Reventlow Rolf, Zwischen Alliierten und Bolschewiken. Wien - Frankfurt/M. - Zürich 1969.

Riedmann Josef, Geschichte Tirols. Wien 1982.

Riepl Hermann, Fünfzig Jahre Landtag von Niederösterreich. Bd. 1. Wien 1972.

Rigler Edith, Frauenleitbild und Frauenarbeit in Österreich vom ausgehenden 19. Jahrhundert bis zum Zweiten Weltkrieg. Wien 1976.

Rill Robert, CV und Nationalsozialismus in Österreich. Wien - Salzburg 1987.

Rintelen Anton, Erinnerungen an Österreichs Weg. München 1941.

Ronge Max, Kriegs- und Industriespionage. Zürich - Leipzig - Wien 1930.

Rosar Wolfgang, Deutsche Gemeinschaft. Wien - Frankfurt/M. - Zürich 1971.

Rosenkranz Herbert, „Reichskristallnacht". 9. November 1938 in Österreich. Wien - Frankfurt/M. - Zürich 1968.

Rosenkranz Herbert, Verfolgung und Selbstbehauptung. Die Juden in Österreich 1938—1945. Wien - München 1978.

Ross Dieter, Hitler und Dollfuß. Hamburg 1966.

Rot-Weiß-Rot-Buch. Darstellungen, Dokumente und Nachweise zur Vorgeschichte und Geschichte der Okkupation Österreichs (nach amtlichen Quellen) Teil 1. Wien 1946.

Rübelt Lothar, Österreich zwischen den Kriegen. Zeitdokumente eines Photopioniers der 20er und 30er Jahre. Wien - München - Zürich 1979.

Rübelt Lothar, Sport. Dokumente eines Pioniers der Sportphotographie 1919—1939. Wien - München - Zürich 1980.

Rütgen Herbert, Antisemitismus in allen Lagern. Graz 1989.

Sablik Karl, Julius Tandler. Wien 1983.

Safrian Hans, Hans Witek, Und keiner war dabei. Dokumente des alltäglichen Antisemitismus in Wien 1938. Wien 1988.

Saint-Germain 1919. Wien 1989.

Saint-Germain im Sommer 1919. Die Briefe Franz Kleins aus der Zeit seiner Mitwirkung in der österreichischen Friedensdelegation. Mai—August 1919, hg. v. Fritz Fellner, Heidrun Maschl. Salzburt 1977.

Salzburg im Dritten Reich. Salzburg 1983.

Sármándi Sandor, Dollfuss. Ausztra mártirkancellárja. Budapest 1936.

Schausberger Norbert, Der Anschluß und seine ökonomische Relevanz, in: Anschluß 1938, 244—270.

Schausberger Norbert, Der Griff nach Österreich. Wien - München 1978.

Schausberger Norbert, Österreich. Der Weg der Republik 1918—1980. Graz - Wien 1980.

Scheu Friedrich, Humor als Waffe. Wien - München - Zürich 1977.

Scheu Friedrich, Ein Band der Freundschaft. Schwarzwald-Kreis und die Entstehung der Vereinigung Sozialistischer Mittelschüler. Wien - Köln - Graz 1985.

Schiffer Karl, Über die Brücke. Wien 1988.

Schilling Alexander, Walter Riehl und die Geschichte des Nationalsozialismus. Leipzig 1933.

Schlag Gerald, Die Kämpfe um das Burgenland 1921. Wien 1983.

Schmidl Erwin A., März 1938. Wien 1987.

Schneeweiß Josef, Keine Führer. Keine Götter. Wien 1986.

Schneidmandl Heinrich, Von Dollfuß zu Hitler. Ein Beitrag zur Geschichte des 12. Februar 1934. Wien 1964.

Schober Richard, Die Tiroler Frage auf der Friedenskonferenz von Saint-Germain. Innsbruck 1982.

Schober Richard, Geschichte des Tiroler Landtages im 19. und 20. Jahrhundert. Innsbruck 1984.

Schöffmann Irene, Mütter in der Vaterländischen Front. Wien 1983.

Schönherr Margit, Vorarlberg 1938. Dornbirn 1981.

Schopper Hans, Presse im Kampf. Brünn - München - Wien 1942.

Schubert Peter, Schauplatz Österreich. Topographisches Lexikon zur Zeitgeschichte, 2 Bde. Wien 1976, 1980.

Schul- und Bildungspolitik der Österreichischen Sozialdemokratie in der Ersten Republik. Wien 1983.

Schuld. Verdrängte Sch. Verfehlte Sühne. Entnazifizierung in Österreich 1945—1955, hg. v. Sebastian Meissl, Klaus Dieter Mulley, Oliver Rathkolb. Wien 1986.

Schule. Die Wiener Sch. und das Hakenkreuz, hg. v. Otto Kolleritsch. Wien - Graz 1990.

Schultes Gerhard, Der Reichsbund der katholischen deutschen Jugend Österreich. Wien 1967.

Schumann Werner, Die römischen Protokolle als wirtschaftspolitisches Problem. Leipzig 1939.

Schuschnigg Kurt, Dreimal Österreich. Wien 1937.

Schuschnigg Kurt, My Austria. New York 1938.

Schuschnigg Kurt, Requiem in Rot-Weiß-Rot. Zürich 1946.

Schuschnigg Kurt, Im Kampf gegen Hitler. Wien - München - Zürich 1969.

Schwarz Gerhard Peter, Ständestaat und Evangelische Kirche von 1933 bis 1938. Graz 1987.

Schwarz Robert, „Sozialismus" in der Propaganda. Wien 1975.

Schwimmer Walter, Ewald Klinger, Die christlichen Gewerkschaften in Österreich. Wien 1975.

Seewann Gerhard, Österreichische Jugendbewegung 1900 bis 1938, 2 Bde. Frankfurt/M. 1974.

Segré Roberto, La missione militare per l'armistizio. Bologna 1928.

Seibert Franz, Die Konsumgenossenschaft in Österreich. Wien 1978.

Seidl Johann W., Musik und Austromarxismus. Wien - Köln 1989.

Seipel Ignaz, Der Kampf um die österreichische Verfassung. Leipzig 1930.

Seipel Ignaz, Von der sozialen Liebe. Wien 1933.

Seipel Ignaz. Mensch, Christ, Priester in seinem Tagebuch. Wien 1933.

Seiter Josef, „Blutigrot und silbrighell ...". Bild, Symbolik und Agitation der frühen sozialdemokratischen Arbeiterbewegung. Wien - Köln - Weimar 1991.

Selby Walford, Diplomatic Twilight 1930—1940. London 1953.

Seliger Maren, Sozialdemokratie und Kommunalpolitik in Wien. Wien - München 1980.

Seliger Maren, Ucakar Karl, Wahlrecht und Wählerverhalten in Wien 1848—1932. Wien - München 1984.

Seliger Maren, Karl Ucakar. Wien. Politische Geschichte. Bd. 2: 1886—1934. Wien - München 1985.

Shell Kurt L., Jenseits der Klassen. Österreichs Sozialdemokratie seit 1934. Wien - Frankfurt/M. - Zürich 1969.

Sheperd Gordon, Engelbert Dollfuß. Graz - Wien - Köln 1961.

Sheridon R. K., Kurt von Schuschnigg. London 1942.

Siegfried Klaus-Jörg, Universalismus und Faschismus. Das Gesellschaftsbild Othmar Spanns. Wien 1974.

Siegfried Klaus-Jörg, Klerikalfaschismus. Frankfurt/M. - Bern - Cirencester 1979.

Sikls Andras, Revolution in Hungary and the Dissolution of the multinational State 1918. Budapest 1988.

Simon Joseph T., Augenzeuge. Wien 1979.

Simon Walter B., Die verirrte Erste Republik. Innsbruck - Wien 1988.

Simon Walter B., Österreich 1918—1938. Wien - Köln - Graz 1984.

Simson Ernst, Die wirtschaftliche Lage der Steiermark Ende 1921. Graz o. J. (1922).

Slapnicka Harry, Von Hauser bis Eigruber. Linz 1974.

Slapnicka Harry, Oberösterreich — Zwischen Bürgerkrieg und Anschluß. Linz 1975.

Slapnicka Harry, Oberösterreich. Die politische Führungsschicht 1918—1938. Linz 1976.

Slapnicka Harry, Christlichsoziale in Oberösterreich. Linz 1984.

Sozialdemokratie und „Anschluß", hg. v. Helmut Konrad. Wien - München - Zürich 1978.

Sozialdemokratie und Habsburgerstaat, hg. v. Wolfgang Maderthaner. Wien 1988.

Sozialismus und persönliche Lebensgestaltung. Wien 1981.

Sozialismus. Religiöser S. im Protestantismus. Wien 1987.

Sozialistenprozesse. Politische Justiz in Österreich 1870—1936, hg. v. Karl R. Stadler. Wien - München - Zürich 1986.

Spann Othmar. O. Sp. oder die Welt als Ganzes. Wien - Köln - Graz 1988.

Spectrum Austriae. Wien 1980.

Speiser Wolfgang, Die sozialistischen Studenten Wiens 1927—1938. Wien 1986.

Spira Leopold, Feindbild „Jud". Wien - München - Kleinenzersdorf 1981.

Spitzmüller Alexander, „. . . und hat auch Ursach, es zu lieben." Wien - München - Stuttgart 1955.

Spitzy Reinhard, So haben wir das Reich verspielt. Bekenntnisse eines Illegalen. München 1986.

Staat und Gesellschaft in der modernen österreichischen Literatur, hg. v. Friedhelm Aspetsberger. Wien 1977.

Stadler Karl R., Österreich 1938—1945. Wien - München 1966.

Stadler Karl R., Hypothek auf die Zukunft. Die Entstehung der österreichischen Republik 1918—1921. Wien - Frankfurt/M. - Zürich 1968.

Stadler Karl R., Opfer verlorener Zeiten. Geschichte der Schutzbundemigration 1934. Wien 1974.

Stadler Karl R., Adolf Schärf. Wien 1982.

Starhemberg Ernst Rüdiger, Memoiren. Wien - München 1971.

Steger Gerhard, Rote Fahne, Schwarzes Kreuz, Wien - Köln - Graz 1987.

Steger Gerhard, Der Brückenschlag. Katholische Kirche und Sozialdemokratie. Wien - München 1982.

Steinböck Erwin, Österreichs militärisches Potential im März 1938. Wien - München 1988.

Steiner Herbert, Käthe Leichter. Wien 1973.

Stepan Karl Maria, Stückwerk im Spiegel. Eine Jubiläumsschrift über katholische Arbeit für Zeitung und Buch in der Steiermark 1869–1949. Graz - Wien 1949.

Stepski Julius von, Geschichte und Intrige. Politische Erlebnisse aus einem halben Jahrhundert. Wien 1940.

Stern Max, Geschichte wird gemacht. Vom Lehrlingsstreik 1919 bis zum Freiheitsbataillon 1945. Wien 1988.

Stern. Der gelbe St. in Österreich. Eisenstadt 1977.

Steuer Leopold, Südtirol zwischen Rom und Berlin 1919—1939. Wien 1980.

Stickler Michael, Die Abgeordneten zum österreichischen Nationalrat 1918—1975 und die Mitglieder des österreichischen Bundesrates 1920—1975. Wien 1975.

Stiefel Dieter, Arbeitslosigkeit. Berlin 1979.

Stiefel Dieter, Entnazifizierung in Österreich. Wien - München - Zürich 1981.

Stiefel Dieter, Die große Krise in einem kleinen Land. Wien - Köln - Graz 1988.

Stöckelle Gustav, Vom Ende zum Anfang. Erlebnisse und Erkenntnisse eines Nationalsozialisten. Graz - Wien 1949.

Stourzh Gerald, Vom Reich zur Republik. Wien 1990.

Streeruwitz Ernst, Springflut über Österreich. Wien - Leipzig 1937.

Streitkräfte. Die St. der Republik Österreich 1918—1968. Wien 1968.

Strom. Gegen den St. FS Josef Hindels. Wien 1986.

Strong David F., Austria (October 1918—March 1919). New York 1939.

Stubits Leo, Aladar Csenar, Kroaten im Burgenland. Unterpullendorf - Wulkaprodersdorf 1981.

Studien. Neuere St. zur Arbeitergeschichte, hg. v. Helmut Konrad, Wolfgang Maderthaner, 3 Bde. Wien 1984.

Stuhlpfarrer Karl, Austrofaschistische Außenpolitik, in: „Austrofaschismus" 267—285.

Stuhlpfarrer Karl, Der deutsche Plan einer Währungsunion, in: Anschluß 1938, 271—294.

Stuhlpfarrer Karl, Zum Problem der deutschen Penetration Österreichs, in: Juliabkommen 315—327.

Sturmthal Adolf F., The Tragedy of European Labor 1918–1939. New York 1950.

Sturmthal Adolf, Zwei Leben. Wien - Köln 1989.

Suppan Arnold, Die österreichischen Volksgruppen. Wien 1983.

Suval Stanley, The Anschluss Question in Germany and Austria, 1918—1932. Baltimore - London 1974.

Tabu. Das große T. Österreichs Umgang mit seiner Vergangenheit, hg. v. Anton Pelinka, Erika Weinzierl. Wien 1987.

Tagebuch der Straße. Wien 1981.

Teichova Alice, Kleinstaaten im Spannungsfeld der Großmächte. Wien 1988.

Texte zur österreichischen Verfassungsgeschichte. Von der Pragmatischen Sanktion zur Bundesverfassung (1713—1966), hg. v. Heinz Fischer, Gerhard Silvestri. Wien 1970.

Thalberg Hans, Von der Kunst Österreicher zu sein. Wien - Köln - Graz 1984.

Tirol und der Anschluß, hg. v. Thomas Albrich, Klaus Eisterer, Rolf Steininger. Innsbruck 1988.

Tremel Ferdinand, Wirtschafts- und Sozialgeschichte Österreichs. Wien 1969.

Tuninetii Dante Maria, La mia missione segreta in Austria 1937—1938. Milano 1946.

Uitz Helmut, Die österreichischen Kinderfreunde und Roten Falken 1908—1938. Wien - Salzburg 1975.

Universität. Die U. und 1938, hg. v. Christian Brünner, Helmut Konrad. Wien - Köln 1989.

Unterdrückung und Emanzipation. FS Erika Weinzierl. Wien - Salzburg 1985.

Untergrund und Exil, hg. v. Manfred Marschalek. Wien 1990.

Unterhändler des Vertrauens. Aus den nachgelassenen Schriften von Sektionschef Dr. Richard Schüller, hg. v. Jürgen Nautz. Wien - München 1990.

Ursachen. 1938. U. Fakten, Folgen. Wien 1989.

Veiter Theodor, „Das 34er Jahr". Wien 1984.

Venner Dominique, Söldner ohne Sold. Die deutschen Freikorps 1918–1923. Wien - Berlin 1974.

Verfassung. Die österreichische V. von 1918 bis 1938. Wien 1980.

Vernunft. Vertriebene V. Emigration und Exil österreichischer Wissenschaft 1930—1940, hg. v. Friedrich Stadler, 2 Bde. Wien - München 1987 f.

Versailles-St. Germain-Trianon, hg. v. Karl Bosl. München - Wien 1971.

Vertreibung. Die V. des Geistigen aus Österreich. Wien 1985.

Veselsky Oskar, Bischof und Klerus der Diözese Graz-Seckau unter nationalsozialistischer Herrschaft. Graz 1981.

Vierteljahrshefte für Zeitgeschichte 1 (1952) ff.

Vision und Wirklichkeit. Ein Lesebuch zum Austromarxismus, hg. v. Alfred Pfabigan, Wien 1989.

Vogel Emanuel Hugo, Österreichs Selbständigkeit als Weg einer gesamtdeutschen Lösung des Donauraumproblems. Wien 1935.

Volksabstimmung. Kärntens V. 1920, hg. v. Helmut Rumpler. Klagenfurt 1981.

Vanry Frank (= Franz Weinreb), Der Zaungast. Wien 1983.

Wadl Wilhelm, Alfred Ogris, Das Jahr 1938 in Kärnten und seine Vorgeschichte. Klagenfurt 1988.

Wagner Georg, Der Bund von Österreich. Wien 1987.

Wagner Michael, Peter Tomanek, Bankiers und Beamte. Wien 1983.

Wahrheit. Die veruntreute W. Hitlers Propagandisten in Österreichs Medien, hg. v. Oliver Rathkolb, Wolfgang Duchkowitsch, Fritz Hausjell. Salzburg 1988.

Wahrheit. Die W. über den Februar 1934. Wien 1946.

Walser Harald, Die illegale NSDAP in Tirol und Vorarlberg 1933—1938. Wien 1983.

Walter Hans-Albert, Deutsche Exilliteratur. Bd. 2: Europäisches Appeasement und überseeische Asylpraxis. Stuttgart 1984. Bd. 4: Exilpresse. Stuttgart 1978.

Walter Robert, Die Entstehung des Bundesverfassungsgesetzes 1920 in der Konstituierenden Nationalversammlung. Wien 1984.

Wanner Gerhard, Kirche und Nationalsozialismus in Vorarlberg. Dornbirn 1972.

Wathen Mary Antonia, The policy of England and France toward the "Anschluss" of 1938. Washington 1954.

Weber Fritz, Karl Renner über die sozialdemokratischen Bemühungen um einen Kompromiß mit Dollfuß, das Aufgeben der „Anschluß"-Orientierung und die soziale Basis des Austrofaschismus, in: Zeitgeschichte 11 (1983/84) 253—266.

Weg. Auf dem W. zur Freiheit. Anstöße zu einer steirischen Zeitgeschichte, hg. v. Robert Hinteregger, Karl Müller, Eduard G. Staudinger. Graz 1984.

Weidenholzer Josef, Der sorgende Staat. Wien 1985.

Weidenholzer Josef, Auf dem Weg zum neuen Menschen. Wien 1981.

Weidenholzer Josef, Brigitte Perfahl, Hubert Hummer, Es wird nicht mehr verhandelt . . . Der 12. Februar 1934 in Oberösterreich. Linz 1984.

Weinberger Lois, Tatsachen, Begegnungen, Gespräche. Wien 1948.

Weinzierl-Fischer Erika, Die österreichischen Konkordate 1855 und 1934. Wien 1960.

Weinzierl Erika, Peter Hofrichter, Zeitgeschichte in Bildern 1918—1975. Innsbruck - Wien - München 1975.

Weinzierl Erika, Zu wenig Gerechte. Österreicher und Judenverfolgung 1938—1945. Graz - Wien - Köln 1985.

Weinzierl Erika, Prüfstand. Österreichs Katholiken und der Nationalsozialismus. Mödling 1988.

Weissel Erwin, Die Ohnmacht des Sieges. Arbeiterschaft und Sozialisierung nach dem Ersten Weltkrieg. Wien 1976.

Weissensteiner Friedrich, Die rote Erzherzogin. Wien 1987.

Weiß Klaus, Das Südtirolproblem in der Ersten Republik. Wien - München 1989.

Welt. „Es war eine W. der Geborgenheit . . ." Bürgerliche Kindheit in Monarchie und Republik, hg. v. Andrea Schnöller, Hannes Steckl. Wien - Köln 1987.

Welt. Die Jüdische W. von Gestern, hg. v. Rachel Salamander. Wien 1990.

Welt. Versunkene W., hg. v. Joachim Riedl. Wien 1984.

Werk und Widerhall. Große Gestalten des österreichischen Sozialismus, hg. v. Norbert Leser. Wien 1964.

West Franz, Die Linke im Ständestaat Österreich. Wien - München - Zürich 1978.

Widerstand und Verfolgung im Burgenland 1934—1945. Wien 1983.

Widerstand und Verfolgung in Niederösterreich 1934—1945, 3 Bde. Wien 1987.

Widerstand und Verfolgung in Oberösterreich 1934—1945, 2 Bde. Wien - Linz 1982.

Widerstand und Verfolgung in Salzburg 1934—1945, 2 Bde. Wien - Salzburg 1991.

Widerstand und Verfolgung in Tirol 1934—1945, 2 Bde. Wien - München 1984.

Widerstand und Verfolgung in Wien 1934—1945, 3 Bde. Wien 1984.

Wien 1938. Ausstellungskatalog. Wien 1988.

Wildner Peter, „. . . für Arbeit und Brot". Arbeitslose in Bewegung. Wien 1990.

Wildner Clemens, Von Wien nach Wien. Wien 1961.

Wiltschegg Walter, Die Heimwehr. Wien 1985.

Wimmer Lothar, Die Weltkrisenjahre 1929—1933. Salzburg - Stuttgart 1966.

Wimmer Lothar, Experiences et tribulations d'un diplomate autrichien entre deux guerres. Neuchâtel 1946.

Wimmer Lothar, Zwischen Ballhausplatz und Downing Street. Wien - München 1958.

Winkler Franz, Die Diktatur in Österreich. Zürich - Leipzig 1935.

Winter Ernst Karl, Ignaz Seipel als dialektisches Problem. Wien - Frankfurt/M. - Zürich 1966.

Wissenschaft. Willfährige W., hg. v. Gernot Heiß. Wien 1989.

Witzig Daniel, Die Vorarlberger Frage. Basel - Stuttgart 1974.

Yearbook. Austrian History Y. 1 (1965) ff.

Zara Philippe de, Mussolini contre Hitler. Paris 1938.

Zeit. Mit uns zieht die neue Z. Die Naturfreunde, hg. v. Jochen Zimmer. Köln 1984.

Zeitschrift. Österreichische Z. für Geschichtswissenschaften 1 (1990) f.

Zernatto Guido, Die Wahrheit über Österreich. New York 1938.

Zimmermann Horst, Die Schweiz und Österreich während der Zwischenkriegszeit. Wiesbaden 1973.

Zohn Harry, „. . . ich bin ein Sohn der deutschen Sprache nur . . ." Jüdisches Erbe in der österreichischen Literatur. Wien 1986.

Zöllner Erich, Der Österreichbegriff. Wien 1988.

Zuckerkandl Bertha, Österreich intim. Erinnerungen 1892—1942. Wien - München 1981.

Zulehner Michael, Kirche und Austromarxismus. Wien - Freiburg/B. - Basel 1967.

Zur Geschichte des Strafvollzuges in Österreich. Justiz und Menschenrechte. Wien 1986.

Zwischenkriegszeit — Wiener Kommunalpolitik 1918—1938. Wien 1980.

PERSONENVERZEICHNIS

Geschichte der österreichischen Bundesländer

August Ernst

Geschichte des Burgenlandes

2. Auflage 1991. 368 Seiten,
38 Abbildungen, 2 Karten

Karl Gutkas

Geschichte Niederösterreichs

1984. 310 Seiten, 36 Abbildungen

Peter Csendes

Geschichte Wiens

2. Auflage 1990. 212 Seiten, 36 Abbildungen

Siegfried Haider

Geschichte Oberösterreichs

1987. 508 Seiten, 46 Abbildungen, 1 Karte

Josef Riedmann

Geschichte Tirols

2. Auflage 1988. 319 Seiten,
34 Abbildungen, 3 Stammtafeln, 1 Karte

Karl Heinz Burmeister

Geschichte Vorarlbergs

3. Auflage 1989, 242 Seiten,
30 Abbildungen, 3 Stammtafeln